단번에 축약된 키워드로 합격하는

빅데이터 분석기사

필기 | 1 과목 빅데이터 분석기획
2 과목 빅데이터 탐색

김계철 지음

데이터 분석 전문교육 기업
에이아이 에듀

머리말

최근 SNS, IoT, 클라우드 컴퓨팅의 눈부신 발전으로 인해 저장되는 데이터의 양이 폭발적으로 증가하고 있으며, 데이터의 증가 속도는 더욱 빨라질 것으로 예상됩니다. 또한 IT의 발달로 데이터 접근이 용이해지고, 분석 도구가 일반화됨에 따라 일반인들도 과거보다 쉽고 빠르게 데이터를 수집하고 분석할 수 있게 되었습니다. 이러한 상황에서 데이터 이용의 중요성이 더 높아졌고, 데이터 분석은 더 이상은 전문가의 영역이 아닌 모든 사람이 알아야 할 수단으로 인식되면서 데이터 활용 능력(Data Literacy)이 국가경쟁력을 높이기 위한 중요한 항목으로 부각되고 있습니다.

대한민국은 오래전부터 통계교육을 국가적으로 실시해 왔고, 근래에는 사회, 경제 등의 정규 교과목에서도 통계분석 능력을 향상을 위한 데이터 분석을 가르치고 있습니다. 심지어 대학수학능력시험의 외국어 영역에 데이터를 이용한 문제가 출제되기도 했고요. 이렇게 오랜기간 통계교육을 받아왔지만 국민들의 데이터 활용 능력은 선진국 보다 많이 떨어지는 것이 사실입니다.

국민들의 통계 활용 능력을 높이기 위해서는 분석 도구와 통계이론에 대한 교육보다는 통계를 실제로 활용하는 교육이 절실합니다. 불행히도 현재 우리나라의 통계교육은 개개의 분석 방법이나 분석 도구 위주로 이루어져 있습니다. 특히 대학이나 사회인을 대상으로 한 통계교육의 경우 가트너의 분석단계 중 기술분석이나 진단분석을 적용해 데이터를 실제로 분석해보는 방식의 교육보다는 예측분석이나 처방분석에 필요한 통계나 기계학습에 대한 교육에 집중되고 있습니다. 또한 R과 하둡(Hadoop)과 같은 도구교육과 빅데이터 전문가가 되기 위한 통계학과 학부 수준 이상의 통계 및 기계학습 교육이 대부분이기도 합니다.

물론 국가경쟁력을 위하여 심도 있는 데이터 과학자나 분석가의 양성도 필요하지만, 일반인의 데이터 활용 능력을 높이는 것도 중요하다고 생각됩니다. 데이터분석 현장에서 오랫동안 데이터분석 전문가로 활약해온 저자의 경험을 바탕으로 국가공인 데이터분석 완결판인 「빅데이터 분석기사 필기」를 출간하게 되었습니다.

빅데이터 분석기사는 빅데이터 이해를 기반으로 빅데이터 분석 기획, 빅데이터 수집·저장·처리, 빅데이터 분석 및 시각화를 수행하는 국내 최고의 국가공인자격증으로 빅데이터 시대에 필요한 수준 높은 전문가에게 요구되는 심도 있는 학습과정일 것입니다.

어려운 환경에서도 빅데이터 분석기사의 합격과 묵묵하게 취업준비를 하고 있는 학부생 및 대학원생 그리고 데이터 분석에 관심이 있는 직장인 분들에게 본 서가 도움이 되기를 바라며 용기와 격려를 보냅니다.

2025년 2월

저자 김계철 드림

출제경향분석 및 학습전략

2025 단·축·키 빅데이터 분석기사 필기

1 과목 빅데이터 분석 기획

CHAPTER 1. 빅데이터 이해
CHAPTER 2. 데이터 분석 계획
CHAPTER 3. 데이터 수집 및 저장 계획

- 데이터 3법과 관련된 개인정보 및 마이데이터(My Data) 문제가 꾸준히 출제될 가능성이 크고, 출제 비중도 높습니다.
- [빅데이터의 이해]와 [데이터 분석 계획] 파트에서는 ADP, ADsP 출제유형과 패턴을 벗어나지 못하는 예상되는 문제들이 출제되고 있는 것이 현실입니다.
- 따라서 본 도서에서도 관련된 문제들을 다수 수록했으니 빠짐없이 꼭 풀어보시기를 바랍니다.

2 과목 빅데이터 탐색

CHAPTER 1. 데이터 전처리
CHAPTER 2. 데이터 탐색
CHAPTER 3. 통계기법 이해

빅데이터 분석기사 중 가장 특징적 파트는 2과목입니다.

- 그중에서 [데이터 전처리]는 필기뿐만 아니라 실기에서도 중요한 파트입니다. 특히 변수변환 부분은 아무리 강조해도 지나침이 없을 것입니다.
- R 또는 파이썬 코딩에 익숙하지 않은 수험생은 필기시험을 준비하는 동안에도 틈틈이 데이터전처리 관련된 실기 준비 병행을 추천합니다. 결코 단시간에 코딩 실력이 향상될 수가 없기 때문입니다.
- [통계기법이해] 파트는 사회조사분석사 시험과 출제유형이 유사하기 때문에 본 서적의 기출문제와 예상 문제에도 관련된 문제들을 다수 수록했으니 빠짐없이 풀어보는 것이 실력향상에 도움이 될 것입니다.

3 과목 빅데이터 모델링

CHAPTER 1. 분석모형설계

CHAPTER 2. 분석기법 적용

- 3과목의 경우는 빅데이터 분석기사의 다른 데이터 검정 시험과 차별화되는 파트이지만 오히려 기초적인 문제들이 출제되고 있습니다.
- 수험생의 입장에서 가장 까다로운 난이도와 변별력 있는 파트는 딥러닝과 앙상블 모형의 부스팅(Boosting) 계열 알고리즘이라 생각합니다.
- 본 서에 수록된 기출문제와 예상 문제를 빠짐없이 꼭 풀어보시기를 부탁드리며, 수록된 문제만으로도 충분한 대비는 가능한 파트라 할 수 있을 것입니다.

4 과목 빅데이터 결과해석

CHAPTER 1. 분석모형 평가 및 개선

CHAPTER 2. 분석 결과 해석 및 활용

- 4과목의 출제유형은 ADP, ADsP 기출 문제 유형에서 벗어나지 않습니다. 특히 모형평가 파트와 정보 시각화 파트에서 출제 빈도가 높습니다.
- 분석모형의 평가지표는 실기 과정에서 작업형 제2유형에 해당하는 만큼 확실한 이해가 필요합니다.

자격시험안내

2025 단·축·키 빅데이터 분석기사 필기

1 빅데이터 분석기사 소개

1. 관련 근거
- 국가기술자격법 및 동법 시행령

2. 빅데이터 분석기사 정의
- 빅데이터 이해를 기반으로 빅데이터 분석기획, 빅데이터 수집·저장·처리, 빅데이터 분석 및 시각화를 수행하는 실무자

3. 빅데이터 분석기사의 필요성
- 전 세계적으로 빅데이터가 미래성장동력으로 인식돼, 각국 정부에서는 관련 기업투자를 끌어내는 등 국가·기업의 주요 전략 분야로 부상하고 있습니다. 국가와 기업의 경쟁력 확보를 위해 빅데이터 분석 전문가의 수요는 증가하고 있으나, 수요대비 공급 부족으로 인력확보에 어려움이 높은 실정입니다. 이에 정부 차원에서 빅데이터 분석 전문가 양성과 함께 체계적으로 역량을 검증하고자 국가기술자격이 만들어지게 되었습니다.

4. 빅데이터 분석기사의 직무
- 대용량의 데이터집합으로부터 유용한 정보를 찾고 결과를 예측하기 위해 목적에 따라 분석기술과 방법론을 기반으로 정형·비정형 대용량 데이터를 구축, 탐색, 분석하고 시각화를 수행하는 업무를 수행합니다.

2 응시 자격

다음 중 하나에 해당하는 사람
1. 대학졸업자 등 또는 졸업예정자(전공 무관)
2. 3년제 전문대학 졸업자등으로서 졸업 후 1년 이상 직장경력이 있는 사람(전공, 직무 분야 무관)
3. 2년제 전문대학 졸업자등으로서 졸업 후 2년 이상 직장경력이 있는 사람(전공, 직무 분야 무관)
4. 기사 등급 이상의 자격을 취득한 사람(종목 무관)
5. 기사 수준 기술훈련과정 이수자 또는 그 이수예정자(종목 무관)
6. 산업기사 등급 이상의 자격을 취득한 후 1년 이상 직장경력이 있는 사람(종목, 직무 분야 무관)
7. 산업기사 수준 기술훈련과정 이수자로서 이수 후 2년 이상 직장경력이 있는 사람(종목, 직무 분야 무관)
8. 기능사 등급 이상의 자격을 취득한 후 3년 이상 직장경력이 있는 사람(종목, 직무분야 무관)
9. 4년 이상 직장경력이 있는 사람(직무 분야 무관)
   ※ 졸업증명서 및 경력증명서 제출 필요

[비고]
1. 대학 및 대학원 수료자로서 학위를 취득하지 못한 사람은 "대학졸업자등", 전 과정의 2분의 1 이상을 마친 사람은 "2년제 전문대학졸업자등"에 해당
2. "졸업예정자"란 필기시험일 기준으로 최종 학년에 재학 중인 사람
3. 최종 학년이 아닌 경우, 106학점 이상 인정받은 사람은 "대학졸업예정자", 81학점 이상을 인정받은 사람은 "3년제 대학졸업예정자", 41학점 이상을 인정받은 사람은 "2년제 대학졸업예정자"에 해당(이때 대학 재학으로 취득한 학점 이외의 자격증 취득, 학점은행제 등 기타의 방식으로 18학점 이상 포함 필수)
4. 전공심화과정의 학사학위를 취득한 사람은 "대학졸업자", 그 졸업예정자는 "대학졸업예정자"에 해당
5. "이수자"란 기사 수준 기술훈련과정 또는 산업기사 수준 기술훈련과정을 마친 사람
6. "이수예정자"란 국가기술자격 검정의 필기시험일 또는 최초 시험일 현재 기사 수준 기술훈련과정 또는 산업기사 수준 기술훈련과정에서 각 과정의 2분의 1을 초과하여 교육훈련을 받는 사람
7. 산업기사 등급 이상의 자격 취득자 및 3(2)년제 전문대학 졸업자는 취득 및 졸업시점 이후 직장경력만 인정

자격시험안내

2025 단·축·키 빅데이터 분석기사 필기

3 시험과목

1. 출제기준 - 필기

직무 분야	정보통신	직무 분야	정보기술	자격 종목	빅데이터 분석기사
필기검정방법	객관식	문제수	80	시험시간	120분

2. 과목별 주요항목 - 필기

필기과목명	문제수	주요항목
빅데이터 분석기획	20	빅데이터의 이해
		데이터분석 계획
		데이터 수집 및 저장 계획
빅데이터 탐색	20	데이터 전처리
		데이터 탐색
		통계기법 이해
빅데이터 모델링	20	분석모형 설계
		분석기법 적용
빅데이터 결과 해석	20	분석모형 평가 및 개선
		분석결과 해석 및 활용

4 합격결정기준

필기시험 합격기준	실기시험 합격기준
과목당 100점을 만점으로 1. 전 과목 40점 이상 2. 전 과목 평균 60점 이상	100점을 만점으로 60점 이상

5 2025년 빅데이터 분석기사 시험일정

회차	필기시험 원서접수	필기시험	사전점수 공개	증빙서류 제출기간	실기시험 원서접수	실기시험	최종합격자 발표
10	3.4 ~ 3.10	4.5	4.19 ~ 4.23	4.28 ~ 5.8	5.19 ~ 5.23	6.21	7.11
11	8.4 ~ 8.8	9.6	9.19 ~ 9.23	9.29 ~ 10.16	10.27 ~ 10.31	11.14	12.19

자격시험안내

2025 단·축·키 빅데이터 분석기사 필기

6 시험 주요 내용

필기 과목명	주요항목	세부항목	세세항목
빅데이터 분석 기획	빅데이터의 이해	빅데이터 개요 및 활용	빅데이터의 특징, 빅데이터의 가치, 데이터 산업의 이해, 빅데이터 조직 및 인력
		빅데이터 기술 및 제도	빅데이터 플랫폼, 빅데이터와 인공지능, 개인정보 법·제도, 개인정보 활용
	데이터분석 계획	분석방안수립	분석 로드맵 설정, 분석 문제 정의, 데이터 분석 방안
		분석 작업 계획	데이터 확보 계획, 분석 절차 및 작업 계획
	데이터 수집 및 저장 계획	데이터 수집 및 전환	데이터 수집, 데이터 유형 및 속성파악, 데이터 변환, 데이터 비식별화, 데이터 품질 검증
		데이터 적재 및 저장	데이터 적재, 데이터 저장
빅데이터 탐색	데이터 전처리	데이터 정제	데이터 정제, 데이터 결측값 처리, 데이터 이상값 처리
		분석 변수 처리	변수 선택, 차원축소, 파생변수 생성, 변수 변환, 불균형 데이터 처리
	데이터 탐색	데이터 탐색 기초	데이터 탐색 개요, 상관관계 분석, 기초통계량 추출 및 이해, 시각적 데이터 탐색
		고급 데이터 탐색	시공간 데이터 탐색, 다변량 데이터 탐색, 비정형 데이터 탐색
	통계기법 이해	기술통계	데이터요약, 표본추출, 확률분포, 표본분포
		추론통계	점추정, 구간추정, 가설검정
빅데이터 모델링	분석모형 설계	분석 절차 수립	분석모형 선정, 분석모형 정의, 분석모형 구축 절차
		분석 환경 구축	분석 도구 선정, 데이터 분할
	분석기법 적용	분석기법	회귀분석, 로지스틱 회귀분석, 의사결정나무, 인공신경망, 서포트벡터머신, 연관성분석, 군집분석
		고급 분석기법	범주형 자료 분석, 다변량 분석, 시계열 분석, 베이지안 기법, 딥러닝 분석, 비정형 데이터 분석, 앙상블 분석, 비모수 통계
빅데이터 결과해석	분석모형 평가 및 개선	분석모형 평가	평가 지표, 분석모형 진단, 교차 검증, 모수 유의성 검정, 적합도 검정
		분석모형 개선	과대적합 방지, 매개변수 최적화, 분석모형 융합, 최종모형 선정
	분석결과 해석 및 활용	분석결과 해석	분석모형 해석, 비즈니스 기여도 평가
		분석결과 시각화	시공간 시각화, 관계 시각화, 비교 시각화, 인포그래픽
		분석결과 활용	분석모형 전개, 분석결과 활용 시나리오 개발, 분석모형 모니터링, 분석모형 리모델링

저자소개

❏ 김 계 철

약력

- 성균관대학교 학사
- KDI 국제정책대학원 MPM 석사
- 고려대 경제통계학과 박사과정 수료
- 빅데이터 특강 - 농협, KB 손해보험, 성균관대학교, 국민대, 중앙대, IBK기업은행, 한국교통대, 울산대, 도로교통공단, 국방부 외 다수
- 데이터 기반 행정 - 법원 공무원, 국가 인재 개발원 외 다수 공공기관
- 디자인 씽킹 프로세스 - JB금융그룹외 신규 직원 연수 프로그램
- ADsP 한 권으로 끝내기 저자
- ADP 한 권으로 끝내기 저자
- 빅데이터 분석기사 저자
  단축키 빅데이터 분석기사 필기 저자
  단축키 빅데이터 분석기사 실기 R 저자
  단축키 빅데이터 분석기사 실기 파이썬 저자
- [전] 통계청 근무

교재의 특징

2025 단·축·키 빅데이터 분석기사 필기

1 적중률 높은 무료 강의  를 통해 반복 학습이 가능해요!
- 2025 유튜브 빅데이터 분석 기사 필기 키워드 무료 강의 업로드 일정

2 핵심요약 및 기출 해설 강의 제공
- 1차 라이브 강의 일정 : 2025.3.10 ~ 3.14
  주요 내용 : 8, 9회 기출문제 해설 강의
- 2차 라이브 강의 일정 : 2025.8.11 ~ 8.14
  주요 내용 : 핵심 요약 강의
- 온라인 라이브 화상 강의(수강료 무료)
- QR코드 스캔 → 로그인 → PC + Mobile 0원 체크 → 수강신청
- 아래 QR를 통해서 빅분기 특강 신청

빅분기 쪽집게 특강

3 단원별 출제 키워드 가중치를 통해 요약 정리가 가능해요!

출제 KEYWORD

① 데이터의 정의 ★
② 정성적 데이터와 정량적 데이터 구분 ★
③ 정형데이터와 반정형데이터 특징 구분 ★★
④ 데이터 저장방식 중 RDBMS와 NoSQL 도구 분류 ★★
⑤ 암묵지와 형식지의 상호작용 정의 ★
⑥ DIKW 피라미드 정의 ★
⑦ 데이터베이스와 데이터 웨어하우스의 특징 구분 ★★★
⑧ 데이터베이스 설계 순서 ★
⑨ SQL 데이터 정의어, 데이터 조작어 구분 ★
⑩ ETL 기능 ★

4 기출문제를 동일한 파트 이론에 배치하여 쉽게 이해할 수 있어요!

》 기출유형 따라잡기

[02회] 다음 중 개인정보 주체의 동의없이 개인정보 이용이 가능한 경우?
① 입사 지원자에 대해 회사가 범죄이력 조회
② 회사가 요금부과를 위해 개인 인적 정보를 조회
③ 응급한 사고로 급하게 수술하는 경우의 개인정보 조회
④ 일상적인 계약이행을 위해 당사자의 개인 정보 조회

정답 ③

해설 개인정보보호법의 「개인정보의 수집 및 수집 목적내 이용이 가능한 경우」 참고

3) 개인정보 수집·이용 동의 시 필수 고지 사항
① 개인정보의 수집·이용 목적
② 수집하려는 개인정보의 항목
③ 개인 정보의 보유 및 이용 기간
④ 동의를 거부할 권리가 있다는 사실 및 동의 거부에 따른 불이익이 있는 경우에는 그 불이익의 내용

교재의 특징

5 최근 기출문제(02회~05회)를 모두 반영했어요!

》 기출유형 따라잡기

[02회] 다음 중 변수의 수만큼 축을, 그리고 각각의 축에 측정값을 표시하는 시각화 방법을 무엇이라 하는가?
① 스타차트 ② 파이차트
③ 버블차트 ④ 체르노프 페이스

정답 ①
해설 스타차트 : 중앙에서 외부 링까지 이어지는 몇 개의 축을 그리고, 전체 공간에서 하나의 변수마다 축 위의 중앙으로부터의 거리로 수치를 나타낸다.

[05회] 다음 그림이 나타내는 시각화 기법은 무엇인가?

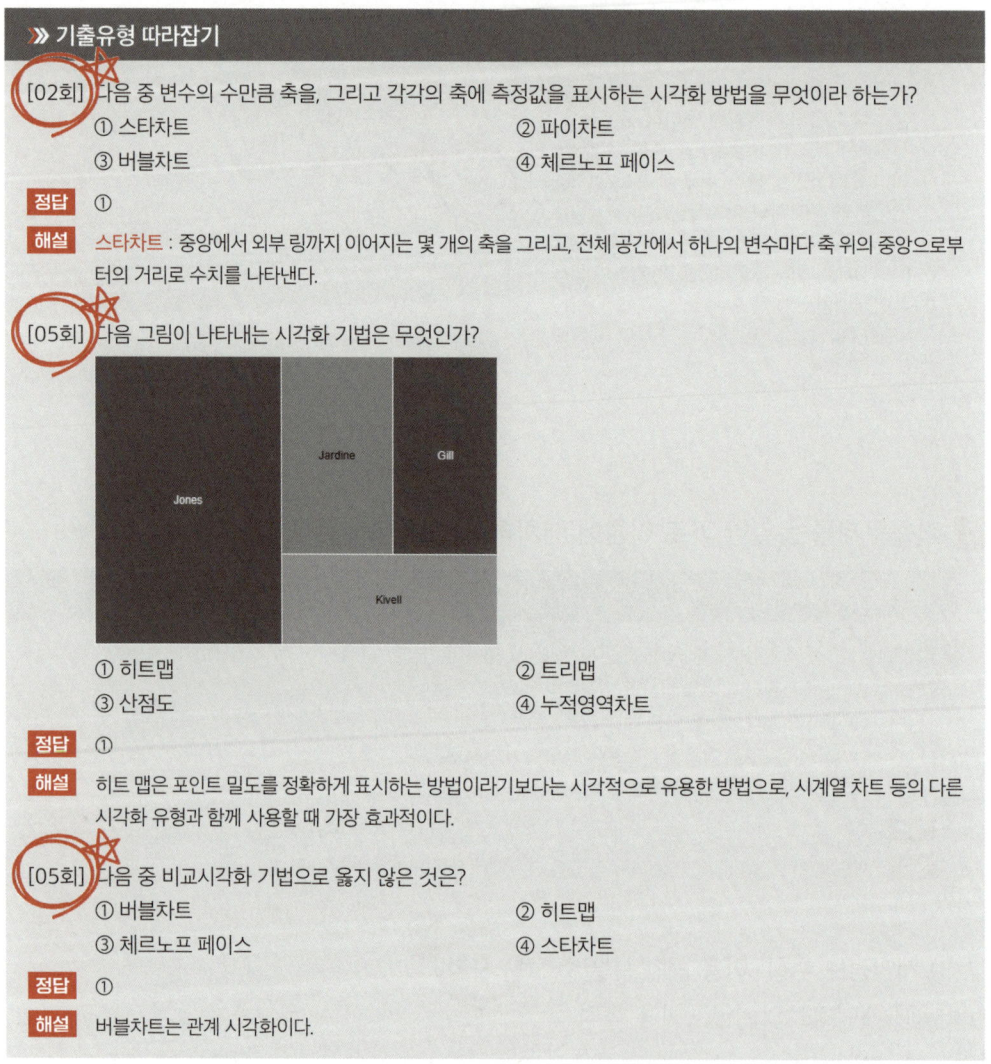

① 히트맵 ② 트리맵
③ 산점도 ④ 누적영역차트

정답 ②
해설 히트 맵은 포인트 밀도를 정확하게 표시하는 방법이라기보다는 시각적으로 유용한 방법으로, 시계열 차트 등의 다른 시각화 유형과 함께 사용할 때 가장 효과적이다.

[05회] 다음 중 비교시각화 기법으로 옳지 않은 것은?
① 버블차트 ② 히트맵
③ 체르노프 페이스 ④ 스타차트

정답 ①
해설 버블차트는 관계 시각화이다.

6 과목별로 100개씩 400개의 챕터별 실전문제로 응용력을 키우세요!

- 이론학습하고 바로 문제를 풀어야 문제에 대한 적응력과 응용력이 척척!!

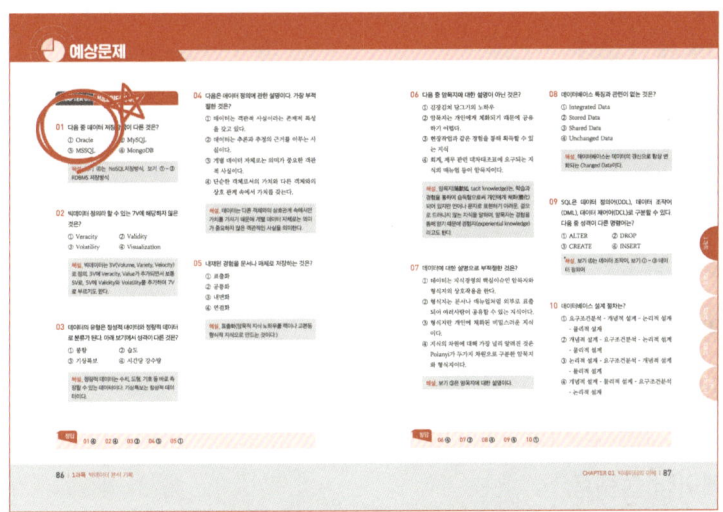

7 최종 모의고사 2회분 160문제 최종점검하세요!

- 시험 전 최종점검이 가능한 2회 모의고사 수록!!

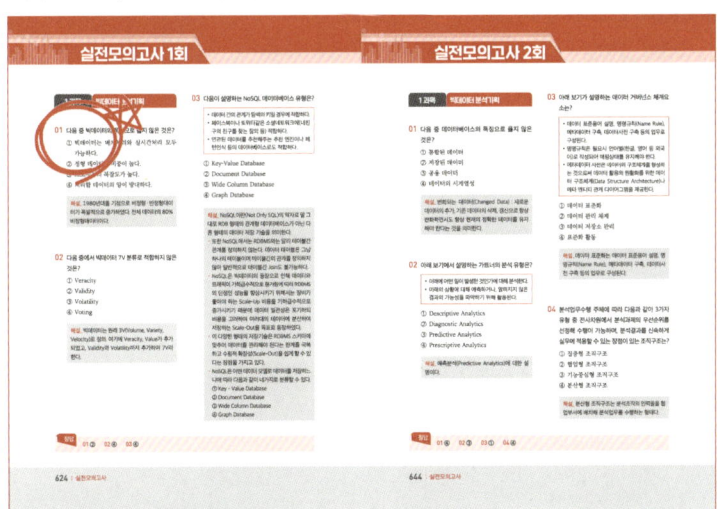

차 례

2025 단·축·키 빅데이터 분석기사 필기

1과목 빅데이터 분석 기획

CHAPTER 01 빅데이터의 이해

01 빅데이터 개요 및 활용 ... 26
  1. 빅데이터의 특징 ... 26
  2. 빅데이터의 가치 ... 36
  3. 데이터 산업의 이해 ... 47
  4. 빅데이터 조직 및 인력 ... 49

02 빅데이터 기술 및 제도 ... 61
  1. 빅데이터 플랫폼 ... 61
  2. 빅데이터와 인공지능 ... 69
  3. 개인정보 법·제도 ... 74
  4. 개인정보 활용 ... 80

03 CHAPTER 01 예상문제 ... 88

CHAPTER 02 데이터분석 계획

01 분석방안 수립 ... 103
  1. 분석 로드맵 설정 ... 103
  2. 분석문제 정의 ... 113
  3. 데이터 분석 방안 ... 123

02 분석작업 계획　　　　　　　　　　　　　　　　　135
　　1. 데이터 확보 계획　　　　　　　　　　　　　　135
　　2. 분석절차 및 작업계획　　　　　　　　　　　　140

03 CHAPTER 02 예상문제　　　　　　　　　　　　　144

CHAPTER 03　데이터 수집 및 저장 계획

01 데이터 수집 및 전환　　　　　　　　　　　　　　152
　　1. 데이터 수집　　　　　　　　　　　　　　　　152
　　2. 데이터 유형 및 속성 파악　　　　　　　　　　159
　　3. 데이터 변환　　　　　　　　　　　　　　　　165
　　4. 데이터 비식별화　　　　　　　　　　　　　　171
　　5. 데이터 품질검증　　　　　　　　　　　　　　175

02 데이터 적재 및 저장　　　　　　　　　　　　　　183
　　1. 데이터 적재　　　　　　　　　　　　　　　　183
　　2. 데이터 저장　　　　　　　　　　　　　　　　186

03 CHAPTER 03 예상문제　　　　　　　　　　　　　197

2과목 빅데이터 탐색

CHAPTER 01 데이터 전처리

01 데이터 정제   206
1. 데이터 정제(Data Cleansing)   206
2. 데이터 결측값 처리   209
3. 데이터 이상값 처리   213

02 분석 변수 처리   221
1. 변수 선택   221
2. 차원축소(Dimensionality Reduction)   226
3. 파생변수 생성   233
4. 변수 변환   235
5. 불균형 데이터 처리   244

03 CHAPTER 01 예상문제   251

CHAPTER 02 데이터 탐색

01 데이터 탐색 기초   260
1. 데이터 탐색의 개요   260
2. 상관관계 분석   263
3. 기초통계량 추출 및 이해   268
4. 시각적 데이터 탐색   276

02 고급 데이터 탐색   281

   1. 시공간 데이터(Spatio-Temporal Data) 탐색   281
   2. 다변량 데이터 탐색   284
   3. 비정형 데이터 탐색   291

03 CHAPTER 02 예상문제   303

CHAPTER 03 통계기법 이해

01 기술통계   309

   1. 데이터 요약   309
   2. 표본추출   311
   3. 확률분포   317
   4. 표본분포   330

02 추론통계   334

   1. 점추정   335
   2. 구간추정   338
   3. 가설검정   344

03 CHAPTER 03 예상문제   359

3과목 빅데이터 모델링

CHAPTER 01 분석모형 설계

01 분석절차 수립 ... 12
1. 분석모형 선정 ... 12
2. 분석모형 정의 ... 21
3. 분석모형 구축 절차 ... 23

02 분석 환경 구축 ... 27
1. 분석 도구 선정 ... 27
2. 데이터 분할 ... 28

03 CHAPTER 01 예상문제 ... 34

CHAPTER 02 분석기법 적용

01 분석기법 ... 39
1. 회귀분석(Regression Analysis) ... 39
2. 로지스틱 회귀분석(Logistic Regression) ... 52
3. 의사결정나무 ... 57
4. 인공신경망(Artificial Neural Network) ... 64
5. 서포트 벡터머신(SVM, Support Vector Machine) ... 73
6. 연관성분석 ... 78
7. 군집분석 ... 81

02 고급 분석기법 ... 97
1. 범주형 자료분석 ... 97
2. 다변량 분석 ... 103
3. 시계열 분석(Time Series Analysis) ... 114
4. 베이지안 기법 ... 123
5. 딥러닝 분석 ... 129
6. 비정형데이터 분석 ... 141
7. 앙상블분석 ... 144
8. 비모수 통계 ... 153

03 CHAPTER 02 예상문제 ... 157

4과목 빅데이터 결과 해석

CHAPTER 01 분석모형 평가 및 개선

01 분석모형 평가 ... 182
1. 평가지표 ... 183
2. 분석모형 진단 ... 202
3. 교차 검증(Cross Validatiion) ... 204
4. 모수 유의성 검증 ... 210
5. 적합도 검정 ... 214

02 분석모형 개선 218
1. 과대적합 방지 218
2. 매개변수 최적화(Parameter Optimization) 223
3. 분석모형 융합(Aggregation) 233
4. 최종 모형 선정 236

03 CHAPTER 01 예상문제 239

CHAPTER 02 분석결과 해석 및 활용

01 분석결과 해석 255
1. 분석모형 해석 255
2. 비즈니스 기여도 평가 257

02 분석결과 시각화 259
1. 데이터 시각화 259
2. 정보 시각화 265
3. 인포그래픽 279

03 분석결과 활용 284
1. 분석모형 전개 284
2. 분석결과 활용 시나리오 개발 285
3. 분석 모형 모니터링 287
4. 분석 모형 리모델링 288

04 CHAPTER 02 예상문제 291

기출문제 및 실전모의고사

빅데이터분석기사 필기 기출문제 및 실전모의고사

- 01 빅데이터분석기사 필기 실전모의고사 1회 — 304
- 02 빅데이터분석기사 필기 실전모의고사 2회 — 324
- 03 8회 빅데이터 분석기사 필기 기출문제 — 343

1과목

빅데이터 분석 기획

CHAPTER 01 빅데이터의 이해
CHAPTER 02 데이터분석 계획
CHAPTER 03 데이터 수집 및 저장 계획

CHAPTER 01 빅데이터의 이해

01 빅데이터 개요 및 활용

1 빅데이터의 특징

학습 목표

1. 데이터의 특징과 유형을 구분할 수 있다.
2. 데이터 분석과 관련된 기본 개념을 학습한다.
3. 데이터베이스의 기본 개념 및 질의어(SQL) 기능을 이해한다.

출제 KEYWORD

① 데이터의 정의 ★
② 정성적 데이터와 정량적 데이터 구분 ★
③ 정형 데이터와 반정형 데이터 특징 구분 ★★
④ 데이터 저장방식 중 RDBMS와 NoSQL 도구 분류 ★★
⑤ 암묵지와 형식지의 상호작용 정의 ★
⑥ DIKW 피라미드 정의 ★
⑦ 데이터베이스와 데이터 웨어하우스의 특징 구분 ★★★
⑧ 데이터베이스 설계 순서 ★
⑨ SQL 데이터 정의어, 데이터 조작어 구분 ★
⑩ ETL 기능 ★

1. 데이터의 정의

- 데이터라는 용어는 1646년 영국 문헌에 처음으로 등장한 것으로 알려져 있다.
- 라틴어의 dare(주다, to give)의 과거분사형 '주어진 것'이란 의미로 처음 사용되었다.
- 데이터를 추론과 추정의 근거를 이루는 사실로 정의하고 있다.
① 데이터는 '객관적 사실(Fact)'이라는 존재적 특성을 가진다.
  → 데이터는 개별 데이터 자체로는 의미가 중요하지 않은 객관적인 사실을 말한다.
② 동시에 '추론·예측·전망·추정을 위한 근거(Basis)'로 기능하는 당위적 특성을 가진다.
  → 다른 객체와의 상호관계 속에서 가치를 갖는다는 의미

2. 데이터의 유형

- 데이터의 특성에 따라 정성적 데이터(Qualitative Data)와 정량적 데이터(Quantitative Data)로 구분할 수 있다.
- 정량적(Quantitative) 데이터란 통계에 더 초점을 맞춘 데이터로, 측량하거나 분석이 가능한 수량적 데이터를 의미한다. 일반적으로 정량적 데이터는 사용자의 행동과 의견을 계량화하기 위해 사용한다.
- 정성적(Qualitative)데이터란 사용자의 경험 및 구매행태를 보여주는 기술적인 데이터를 의미하며, 사람들이 어떻게 생각하고 느끼는지에 초점을 맞춘다.

구분	정성적데이터	정량적데이터
형태	비정형데이터	정형·반정형 데이터
특징	객체 하나에 함의된 정보 보유	속성이 모여 객체를 이룸
구성	언어, 문자 등으로 이루어짐	수치, 도형, 기호 등으로 이루어짐
저장 형태	파일, 웹	데이터베이스, 스프레드시트
소스 위치	SNS데이터	관계형데이터베이스

3) 데이터의 구조 형태에 따른 분류

- 데이터를 형태에 따라 정형 데이터, 반정형 데이터, 비정형 데이터로 나눌 수 있다.

① 정형 데이터(Structured Data)
- 정형 데이터(Structured Data)는 관계형 데이터베이스 시스템의 테이블과 같이 고정된 컬럼에 저장되는 데이터와 파일, 그리고 지정된 행과 열에 의해 데이터의 속성이 구별되는 스프레드시트 형태의 데이터도 있을 수 있다.
- 관계형 데이터베이스 시스템의 정형 데이터를 비정형 데이터(Unstructured Data)와 비교할 때 가장 큰 차이점은 데이터의 스키마를 지원한다는 점이다.
- 정형 데이터의 경우, 스키마 구조를 가지고 있기 때문에 데이터를 탐색하는 과정이 테이블 탐색, 컬럼구조 탐색, 로우(Row) 탐색 순으로 정형화되어 있다.
- 정형 데이터 예 RDBMS의 테이블들(단일 테이블 혹은 조인한 테이블 포함), 스프레드 시트

② 반정형 데이터(Semi-Structured Data)
- 정형 데이터는 데이터의 스키마 정보를 관리하는 DBMS와 데이터 내용이 저장되는 데이터 저장소로 구분되지만, 반정형 데이터는 데이터 내부에 정형 데이터의 스키마에 해당되는 메타데이터를 갖고 있으며, 일반적으로 파일형태로 저장된다.

- 반정형 데이터의 경우 데이터 내부에 데이터 구조에 대한 메타정보를 갖고 있기 때문에 어떤 형태를 가진 데이터인지 파악하는 것이 필요하다.
- 데이터 내부에 있는 규칙성을 파악해 데이터를 파싱할 수 있는 파싱규칙을 적용한다.
- 반정형 데이터 예 HTML, JSON, 웹로그, IOT에서 제공하는 센서 데이터, RDF, XML

> **용어정리**
> - JSON
>   ① JSON 구조는 name:value 쌍으로 구성된다.
>   ② 경량의 데이터 교환 포맷이다.
>   ③ 간단한 포맷 (읽고 쓰기가 쉽다.)
> - 파싱(Parsing)
>   다른 형식으로 저장된 데이터를 원하는 형식의 데이터로 변환하는 것을 말한다.

③ 비정형 데이터(Unstructured-Data)
- 비정형 데이터(Unstructured-Data)는 데이터 세트가 아닌 하나의 데이터가 수집 데이터로 객체화되어 있다. 언어분석이 가능한 텍스트 데이터나 이미지, 동영상 같은 멀티미디어 데이터가 대표적인 비정형 데이터이다.
- 비정형 데이터 예 동영상, 이미지, 소셜 데이터의 텍스트

4) 데이터 저장방식에 따른 분류

저장방식	특징	도구
RDBMS	• 관계형 데이터를 저장하거나 수정하고 관리할 수 있게 해주는 데이터베이스 • SQL 문장을 통하여 데이터베이스의 생성, 수정 및 검색 등 서비스를 제공	Oracle MSSQL MySQL 등
NoSQL	• NoSQL은 RDBMS와는 달리 데이터 간의 관계를 정의하지 않는다. • RDBMS보다 훨씬 더 큰 대용량의 데이터를 저장할 수 있다. • 분산형 구조 • 고정되지 않은 테이블 스키마	MongoDB Cassandra HBase Redis
하둡 분산 파일 시스템 (Hadoop Distributed File System)	• 분산 파일 시스템이란 네트워크를 이용해 접근하는 파일 시스템을 말한다.	HDFS 등

> **용어정리**
> - 빅데이터 저장 기술은「대용량·비정형·실시간성」속성을 수용할 수 있는 저장방식이 필요함
> - HDFS는 대용량 데이터를 파일 형태로 저장하기 때문에 실시간 처리에는 한계가 있음
> - NoSQL은 데이터를 비정형이나 반정형 형태로 유연하게 저장할 수 있다는 점이 특징
> - 일부 메모리 기반 NoSQL 데이터베이스(예 : Redis)는 실시간 처리에 적합하지만, 모든 NoSQL이 실시간 처리를 지원하는 것은 아님

> **기출유형 따라잡기**

[03회] 다음 중 Cassandra와 관련이 있는 데이터 저장방식은?
① RDBMS ② NoSQL
③ HDFS ④ SQL

정답 ②

해설 MongoDB, Cassandra, Redis NoSQL 저장 방식이다.

[05회] 테이블의 행과 열로 구조화되어 있지는 않으나 스키마 및 메타데이터 특성을 가지고 있으며 주로 XML, HTML, JSON 등의 데이터 유형을 무엇이라 하는가?
① Structured Data ② Semi-Structured Data
③ Unstructured Data ④ Unname Structured Data

정답 ②

해설
- 반정형 데이터는 구조에 따라 저장된 데이터지만 정형 데이터와 달리 데이터 내용 안에 구조에 대한 설명이 함께 존재한다.
- 그렇기 때문에 데이터 내용에 대한 설명인 구조를 파악하는 파싱 과정이 필요하고, 파일 형태로 저장된다.

[07회] 비정형 데이터의 사례가 아닌 것은?
① 판매 가격 데이터 ② 이미지 데이터
③ 팟캐스트 음성 데이터 ④ 소셜 미디어 데이터

정답 ①

해설 판매 가격 데이터는 정형 데이터 사례이다.

[07회] 데이터의 구조와 처리 방식에 대한 유형 중 성격이 다른 것은?
① HTML ② XML
③ RDF ④ RDB

정답 ④

해설 정형 데이터는 엄격한 구조를 가지며 일반적으로 테이블 형태로 표현되는 데이터를 말한다. RDB(Relational Database)는 정형 데이터를 효과적으로 저장, 검색 및 관리하기 위한 데이터베이스 관리 시스템(DBMS)의 한 유형이다.

3. 데이터와 지식

- 지식의 차원에 대해 가장 널리 활용되고 있는 것은 Polanyi(1966)가 두 가지 차원으로 구분한 암묵지와 형식지이다.

① 암묵지 : 학습과 체험을 통하여 개인에게 습득되지만 겉으로는 드러나지 않는 상태의 지식
    예 관찰, 모방, 현장 작업과 같은 경험을 통해 획득할 수 있는 지식

② 형식지 : 암묵지가 문서나 매뉴얼처럼 외부로 표출되어서, 여러 사람이 공유할 수 있는 지식
    예 책, 설계도 등 체계화된 재료 등을 통해서 획득할 수 있는 지식

→ 데이터는 지식경영의 핵심 이슈인 암묵지와 형식지의 상호작용 역할을 한다.

1) 암묵지와 형식지의 상호작용

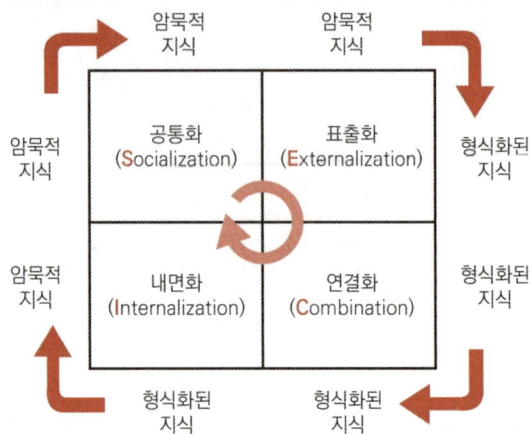

- 공통화(Socialization) : 암묵지 지식 노하우를 다른 사람에게 알려줌
- 표출화(Externalization) : 암묵지 지식 노하우를 책, 교본 형식으로 전환함
- 연결화(Combination) : 책, 교본에 자신이 알고 있는 새로운 지식을 추가함
- 내면화(Internalization) : 만들어진 책, 교본을 보고 다른 직원의 암묵적 지식을 습득함

4. 데이터와 정보의 관계

- DIKW 피라미드(Data Information Knowledge Wisdom)에서는 데이터, 정보, 지식을 통해 최종적으로 지혜를 얻어내는 과정을 계층구조로 설명하고 있다.

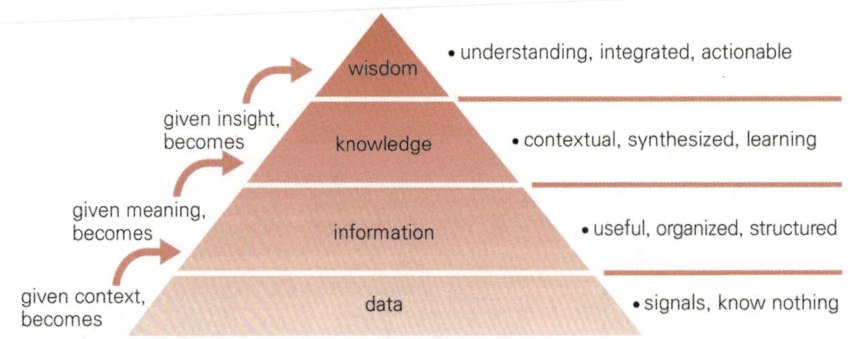

[DIKW 계층구조]

- Data : 존재형식을 불문하고, 타 데이터와 상관관계가 없는 가공하기 전의 순수한 수치나 기호
  → A마트는 100원, B마트는 200원에 연필을 판매한다.

- Information : 데이터의 가공 및 상관관계 간 이해를 통해 패턴을 인식하고 의미를 부여
  → A마트의 연필가격이 더 싸다.
- Knowledge : 상호연결된 정보패턴을 이해하여 이를 토대로 예측한 결과물
  → 상대적으로 저렴한 A마트에서 연필을 사야겠다.
- Wisdom : 근본원리에 대한 깊은 이해를 바탕으로 도출되는 아이디어
  → A마트의 다른 상품들도 B마트보다 저렴하리라 판단한다.

5. 데이터베이스

1) 데이터베이스 정의

- 데이터베이스는 "동시에 복수의 적용업무를 지원할 수 있도록 복수이용자의 요구에 대응해서 데이터를 받아들이고 저장, 공급하기 위하여 일정한 구조에 따라서 편성된 데이터의 집합", "관련된 레코드의 집합"을 의미한다. 소프트웨어로는 데이터베이스 관리시스템(DBMS)을 의미한다.
- 데이터베이스가 DBMS와 혼용되고 있는데, DBMS는 이용자가 쉽게 데이터베이스를 구축하고 유지할 수 있도록 하는 소프트웨어로서 데이터베이스와 구분되며, 일반적으로 데이터베이스와 DBMS를 함께 데이터베이스 시스템이라고 칭한다.

2) 데이터베이스 특징

① 통합된 데이터(Integrated Data) : 데이터베이스에서 동일한 내용의 데이터가 중복되어 있지 않다는 것을 의미한다.
② 저장된 데이터(Stored Data) : 자기 디스크나 자기 테이프 등과 같이 컴퓨터가 접근할 수 있는 저장매체에 저장되는 것을 의미한다.
③ 공용 데이터(Shared Data) : 여러 사용자가 서로 다른 목적으로 데이터베이스의 데이터를 공동 이용한다.
④ 변화되는 데이터(Changed Data) : 새로운 데이터의 추가, 기존 데이터의 삭제, 갱신으로 항상 변화하면서도 항상 현재의 정확한 데이터를 유지해야 한다는 것을 의미한다.

3) 데이터베이스 관리시스템의 발전과정

① 1세대 : 네트워크 DBMS, 계층 DBMS
  - 복잡하고 변경이 어려움

② 2세대 : 관계(Relation) DBMS
- 데이터베이스를 테이블 형태구성
  - 예 오라클(유료), 액세스, MySQL(무료)
③ 3세대
- 객체지향(Objected) DBMS : 멀티미디어 데이터의 확산으로 관계형 데이터 모델을 표현하기 어려움. 같은 행위를 갖는 객체는 한 클래스에 속하며, 클래스 연산을 나타내기 위해 메소드 함수로 정의함
- 객체 관계형 모델(ORDBMS) : 기존의 관계형 모델에 객체 지향형 모델의 장점을 선별하여 관계형 모델에 통합한 새로운 개념의 데이터 모델
④ 4세대 : NoSQL DBMS
- 데이터구조를 미리 정해두지 않기 때문에 비정형 데이터를 저장하고 처리함

4) 데이터베이스 설계의 과정
- 데이터베이스 설계는 사용자의 다양한 요구사항을 고려하여 데이터베이스를 생성하는 과정이다.

[데이터베이스 설계 과정]

5) 데이터베이스 언어 SQL
- SQL(Structure Query Language)은 관계 데이터베이스를 위한 표준 질의어로 사용하는 언어이다.

- SQL은 기능에 따라 데이터 정의어(DDL), 데이터 조작어(DML), 데이터 제어어(DCL)로 나눈다.
  ① 데이터 정의어(DDL) : 테이블을 생성(Create)하고 변경(Alter), 제거(Drop)하는 기능을 제공
  ② 데이터 조작어(DML) : 데이터를 검색(Select), 데이터 삽입(Insert), 데이터 수정(Update), 데이터 삭제(Delete)하는 기능 제공
  ③ 데이터 제어어(DCL) : 보안을 위해 데이터에 대한 접근 및 사용권한을 사용자별로 부여하거나 취소하는 기능을 제공

6) 데이터 웨어하우스(DW, Data Warehouse)
- 데이터 웨어하우스는 업무 트랜잭션을 처리하는 데이터베이스 시스템에서 사용자들이 필요로 하는 정보를 추출해서 가공된 데이터 형태로 구성되는 업무분석을 위한 데이터베이스이다.
- 이는 데이터베이스 관련자들이 업무처리와 관련된 데이터들은 잘 저장하지만 저장된 데이터들을 제대로 활용하지 못한다는 점에 착안하여 어떻게 하면 데이터베이스에 저장된 데이터들을 보다 유익하고 효율적으로 활용할 수 있는가의 관점에서 개발되었다.

① 데이터베이스와 데이터 웨어하우스 비교
- 흔히 데이터베이스는 OLTP(On-Line Transaction Processing) 데이터를 저장하는 자료저장소이고, 데이터 웨어하우스는 OLAP(On-Line Analytical Processing) 데이터를 저장하는 자료저장소라고 비교한다.
- 이는 저장되는 데이터의 성격에 따라 비교하는 방법으로 쉽게 이해할 수 있다.

> **용어정리**
> - OLTP(On-Line Transaction Processing) : 온라인 거래처리
>   OLTP 데이터는 주로 비즈니스 업무를 처리하는 과정에서 발생하는 데이터들로써 네트워크상의 여러 이용자들이 실시간으로 데이터를 갱신하거나 조회하는 등의 단위 작업을 수행하며 발생한다.
> - OLAP(On-Line Analytical Processing) : 온라인 분석처리
>   OLAP란 사용자가 온라인상에서 직접 데이터에 접근하며, 대화식으로 정보를 분석하므로 사용자가 기업의 전반적인 상황을 이해할 수 있게 하고 의사결정을 지원하는데 그 목적이 있다고 할 수 있다. 사용자들이 요구하는 분석적 질의들을 처리하기 위하여 데이터베이스에 존재하는 수많은 데이터·레코드와 테이블 데이터들을 집계 또는 요약하여 저장한다.

② 데이터 웨어하우스와 데이터 마트의 비교
- 데이터 웨어하우스(DW, Data Warehouse)
    - 방대한 양의 이력 데이터를 가지고 있는 자료저장소
    - 데이터 웨어하우스의 변경은 시간 순서를 가지고 입력
    - 데이터 웨어하우스의 쿼리는 실시간 분석처리의 특성을 가짐(OLAP)
- 데이터 마트(Data Mart)
    - 데이터 웨어하우스와 유사하지만 제한된 업무 도메인을 가짐
    - 데이터가 특정유형, 특정업무기능 또는 특정업무단위로 제한됨

③ 데이터 웨어하우스 아키텍쳐

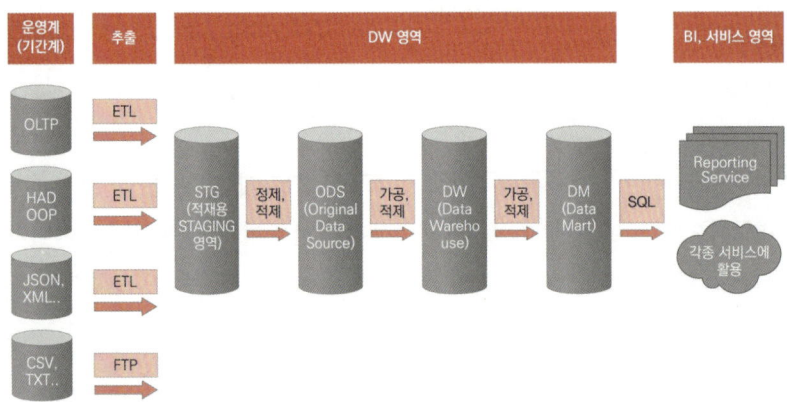

[데이터 웨어하우스 구조]

- 데이터 웨어하우스의 데이터는 주로 R-DBMS(Relational Database Management System) 형태로 저장한다.
- 데이터 웨어하우스에 데이터가 들어가기 전에 중간단계의 데이터 저장소인 ODS 에 별도로 저장할 수도 있다.
- ETL은 데이터 웨어하우스(DW), 운영 데이터 스토어(ODS), 데이터 마트(DM)에 대한 데이터 적재작업의 핵심 구성요소이다.

④ ETL의 중요기능
- Extraction : 하나 또는 그 이상이 데이터 원천들로부터 데이터 획득
- Transformation : 데이터 클렌징·형식 변환·표준화, 통합 또는 다수 애플리케이션에 내장된 비즈니스 룰 적용
- Loading(적재) : 위 변형단계 처리가 완료된 데이터를 특정 목표 시스템에 적재한다.

⑤ 데이터 웨어하우스 특징
- 데이터의 주제지향성
  데이터 웨어하우스는 의사결정에 필요한 주제와 관련된 데이터만 유지하는 주제지향적인 특징을 가진다.
- 데이터의 통합성
  데이터 웨어하우스는 데이터가 항상 일관된 상태를 유지하도록 여러 데이터베이스에서 추출한 데이터를 통합하여 저장하는 특징을 가진다.
- 데이터의 시계열성
  데이터 웨어하우스는 과거와 현재의 데이터를 동시에 유지하여 데이터 간의 시간적 관계나 동향을 분석해 의사결정에 반영할 수 있도록 하는 특징을 가진다.
- 데이터의 비휘발성
  데이터베이스의 저장된 데이터는 삽입·삭제·수정 작업이 자주 발생하지만 데이터 웨어하우스는 검색작업만 수행되는 읽기전용의 데이터를 유지한다.

≫ 기출유형 따라잡기

[03회] 다음 중 데이터웨어하우스 특징 중 올바르지 않은 것은?
① 소멸성　　　　　　　　　② 주제지향성
③ 데이터 통합성　　　　　　④ 데이터는 시간에 따라 변화한다.

정답 ①

해설 소멸성 → 비휘발성

[02회] 데이터 이동 및 변환 절차와 관련된 표준용어로 추출, 변환, 적재의 단계로 구성되어 데이터웨어하우스나 데이터 마트에 대한 적재작업의 기술을 무엇이라 하는가?
① ETL　　　　　　　　　　② OpenAPI
③ SAP PI　　　　　　　　　④ Crawing

정답 ①

해설 ETL(Extra, Transform, Load) 역할
- ETL은 "추출(Extraction)", "변환(Transformation)", "적재(Loading)"의 약자로, 데이터 웨어하우스나 데이터 마트와 같은 대규모 데이터베이스에 데이터를 효과적으로 이동시키는 프로세스를 가리킨다.
- ETL 도구는 이러한 프로세스를 자동화하고 효율적으로 관리하기 위해 사용된다.

[06회] 다음 중 데이터를 추출하여 저장하는 기술로 옳은 것은?
① ETL　　　　　　　　　　② OLAP
③ Hadoop　　　　　　　　④ OLTP

정답 ①

해설 ETL은 "Extract, Transform, Load"의 약자로, 데이터 웨어하우스나 데이터마트 등의 데이터 저장소에 데이터를 수집, 가공, 적재하는 프로세스를 나타낸다. ETL은 데이터를 여러 소스에서 추출하여 필요한 형식으로 변환하고, 그 결과를 대상 데이터베이스나 저장소에 적재하는 과정을 포함한다.

> **기출유형 따라잡기**

[04회] 데이터 분석을 위해 추출할 때 변환하여 분석할 필요한 없는 원시 데이터셋의 저장소를 무엇이라 하는가?
① 운영 데이터베이스　　　　　　② 데이터웨어하우스
③ 하둡　　　　　　　　　　　　④ 데이터레이크

정답 ④

해설
- 데이터 레이크(Data Lake)는 기업이 다양한 유형과 형식의 대량 데이터를 중앙 저장소에 저장하고 분석할 수 있도록 하는 데이터 저장 및 관리 아키텍처이다.
- 이는 전통적인 데이터웨어하우스와는 다르게, 원시 형태의 비정형 데이터부터 정형 데이터까지를 모두 수용하며, 저장된 데이터는 필요에 따라 분석, 가공, 모델링 등의 작업을 수행할 수 있다.

[07회] 데이터베이스나 데이터 저장 시스템에서 데이터가 변경되거나 파괴되는 상황에 노출되지 않고, 보존될 수 있도록 완전성을 보장하는 특성을 무엇이라 하는가?
① 데이터 무결성　　　　　　　　② 데이터 주제 지향성
③ 데이터 일관성　　　　　　　　④ 데이터 저항성

정답 ①

해설 데이터 무결성은 데이터의 정확성, 일관성, 유효성이 유지되는 것을 의미한다.

2 빅데이터의 가치

학습 목표
1. 빅데이터의 구성요소를 이해한다.
2. 빅데이터 출현 배경 및 본질적인 변화를 이해한다.

출제 KEYWORD
① 빅데이터의 구성요소 ★
② 빅데이터의 출현 배경 ★
③ 빅데이터가 만들어내는 본질적인 변화 ★★
④ 빅데이터의 위기요인과 통제방안 ★★
⑤ 가트너의 비즈니스 분석 유형 ★

1. 빅데이터의 정의

- (데이터 크기 관점) "빅데이터는 일반적인 데이터베이스 소프트웨어로 저장, 관리, 분석할 수 있는 범위를 초과하는 규모의 데이터이다."(McKinsey, 2011)
- (데이터 분석 관점) "빅데이터는 다양한 종류의 대규모 데이터로부터 저렴한 비용으로 가치를 추출하고 데이터의 초고속 수집·발굴·분석을 지원하도록 고안된 차세대 기술 및 아키텍처다."(IDC, 2011)

- **(데이터 가치 관점)** "빅데이터란 대용량 데이터를 활용해 작은 용량에서는 얻을 수 없었던 새로운 통찰이나 가치를 추출하는 일이다. 나아가 이를 활용해 시장, 기업 및 시민과 정부의 관계 등 많은 분야에 변화를 가져오는 일이다."(Mayer-Schonberger & Crukier, 2013)

1) 빅데이터 구성요소

- 가트너의 애널리스트 더그 레이니는 연구 보고서에서 현재 가장 널리 사용되는 빅데이터의 속성을 3V, 즉 규모(Volume), 다양성(Variety), 속도(Velocity)로 정의했다.
- IBM은 여기에 정확성(Veracity) 요소를 더해 4V로 정의했고, 최근에는 가치(Value)를 포함하여 5V로 정의한다.

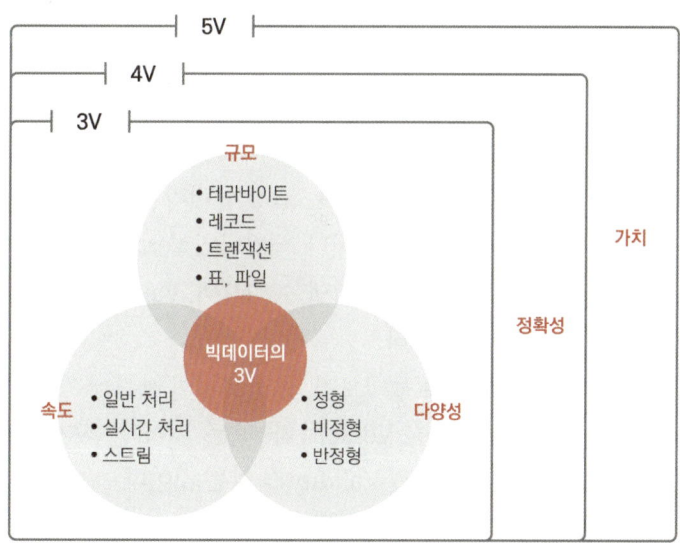

[빅데이터의 5가지 요소]

① 규모(Volume)
- 규모는 미디어나 위치정보, 동영상 등과 같이 다루어야 할 데이터의 크기를 말하는 것이다.
- 물리적인 크기뿐만 아니라 현재의 기술로 처리 가능한 양인지, 불가능한 양인지에 따라 빅데이터를 판단하며, 기술의 발달에 따라 킬로바이트, 메가바이트, 기가바이트, 최근에는 테라바이트를 훌쩍 넘어 요타바이트까지를 빅데이터로 통칭한다.

② 다양성(Variety)
- 다양성은 다양한 종류의 데이터를 수용하는 속성을 말한다.
- 빅데이터는 형식이 정해져 있는 정형 데이터뿐만 아니라, 감시카메라에서 생성되는 동영상, 개인이 디지털 카메라로 생성하여 웹 사이트에 올리는 사진, 소셜 네트워크 서비스로 전달되는 메시지, 물건에 부착되거나 주변에 설치된 센서에서 발생하는 RFID 태그나 센서 값 등 다양한 비정형 데이터도 생성한다.

③ 속도(Velocity)
- 속도는 대용량의 데이터를 빠르게 처리하고 분석할 수 있는 속성을 말한다.
- 데이터를 자동으로 생성하는 센서, 스마트폰 등 데이터 생성 및 유통채널의 다변화로 데이터 생성속도가 빨라진다. 이는 처리 속도의 가속화를 요구한다.

④ 진실성 또는 신뢰성(Veracity)
- 진실성이라고 번역하는 Veracity는 빅데이터가 얼마나 신뢰할 수 있는지를 의미한다.

⑤ 정확성(Validity)
- Validity의 개념은 그 데이터의 정확성을 의미한다.
- 데이터가 타당한지, 정확한지의 여부는 결정을 내리는데 중요하다.
- Veracity와 Validity는 비슷한 개념이나, 데이터에 Veracity가 없다면, 노이즈와 바이어스로 인해 잘못된 결론을 이끌어낼 수 있으며, Validity가 없다면 데이터는 규모가 크더라도 쓸모가 없어진다.
- 개와 고양이 사진 DB를 예로 들어보면, 개와 고양이 사진에 기술적 결함으로 생겨난 인공적 노이즈가 많다면, Veracity가 없는 것이다. 하지만 개와 고양이의 Labeling이 잘못된 데이터라면 Validity가 없는 것이다.

⑥ 휘발성(Volatility)
- 아무리 데이터의 양이 많고 깔끔하게 정리되어있더라도 몇 년만 지나면 의미가 없어지는 유형의 데이터이거나, 데이터의 양이 너무나도 커서 오래 저장하기 힘들다면, 빅데이터로서의 활용성을 점검해야 한다.
- 빅데이터는 단기적으로 활용하기보다는 장기적인 관점에서 유용한 가치를 창출할 수 있어야 한다.

⑦ 가치(Value)
- 빅데이터는 결국 비즈니스나 연구에 사용되며, 유용한 가치를 이끌어낼 수 있어야 의미가 있다.
- Value는 이러한 빅데이터의 가치를 의미한다.

2) 광의의 빅데이터 정의

- 노무라 연구소는 가트너의 3V 특성을 협의의 빅데이터로 분류하고 아래 그림과 같이 인재·조직, 데이터 처리·축적·분석 기술, 데이터(정형, 비정형 데이터)까지 포함하는 광의의 빅데이터 특성으로 정의한다.

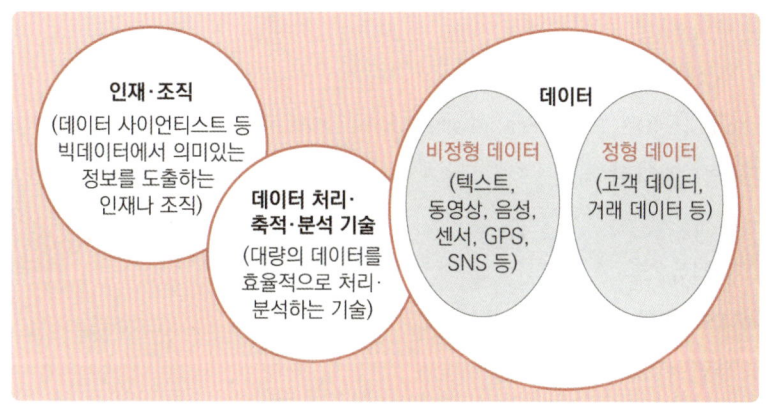

[광의의 빅데이터 정의]

빅데이터의 정의를 종합하면 빅데이터는 보는 관점의 범위에 따라
- 첫째, 3V로 요약되는 데이터 자체의 특성 변화에 초점을 맞춘 좁은 범위의 정의가 있다.
- 둘째, 데이터뿐만 아니라 처리, 분석 기술적 변화까지 포함하는 중간 범위의 정의가 있다.
- 마지막으로 인재, 조직 변화까지 포함해 빅데이터를 넓은 관점으로 정의하는 방식이 있다.

3) 빅데이터의 활용 3요소

- 빅데이터 활용은 가치 있는 데이터를 찾는 것에서부터 시작한다.
- 빅데이터를 다룰 수 있는 기술이 필요하며, 이를 활용할 인력이 필요하다.
- 이를 빅데이터 3대 요소라고 한다.

① 자원
- 빅데이터(Big Data)
- 데이터 자원 확보
- 데이터 품질 관리

② 기술
- 빅데이터 플랫폼(Big Data Platform)
- 빅데이터 기술을 잘 사용할 수 있도록 준비된 환경
- 빅데이터 기술의 집합체
- 데이터 저장, 관리 기술
    - NoSQL(Not only SQL)
    - ETL(Extraction, Transformation, Loading / 데이터의 추출, 변환, 적재)
- 대용량 데이터 처리
    - 하둡
    - 맵리듀스
- 빅데이터 분석
    - 자연어 처리
    - 의미 분석
    - 데이터 마이닝
- 시각화
    - 빅데이터 표현

③ 인력
- 데이터 사이언티스트(Data Scientist)
- 수학, 공학(IT기술과 엔지니어링) 능력
- 경제학, 통계학, 심리학 등 이해
- 비판적 시각과 커뮤니케이션 능력
- 스토리텔링 등 시각화 능력

>> 기출유형 따라잡기

[06회] 빅데이터는 기존의 정형 데이터(Structured Data)뿐만 아니라 비정형 데이터(Unstructured Data), 반정형 데이터(Semi-structured Data)와 같은 다양한 형태와 속성을 포함하는 빅데이터의 특징을 무엇이라 하는가?
① Volume   ② Velocity
③ Variety   ④ Veracity

정답 ③
해설 빅데이터의 "다양성(Variety)"은 다양한 종류의 데이터 유형과 형식을 의미한다.

2. 빅데이터 출현 배경

① IT 기술의 발전
② IT 기기 및 서비스의 가격하락
③ SNS 확산
④ 센서 및 임베디드 시스템 증가

→ 빅데이터 분석이 가능했던 결정적 기술은 클라우드 컴퓨팅과 분산 병렬처리 기법이라 할 수 있다. 이를 통해 대규모 데이터의 신속한 처리와 처리비용을 하락시켜 빅데이터 분석의 경제성을 개선하였다.

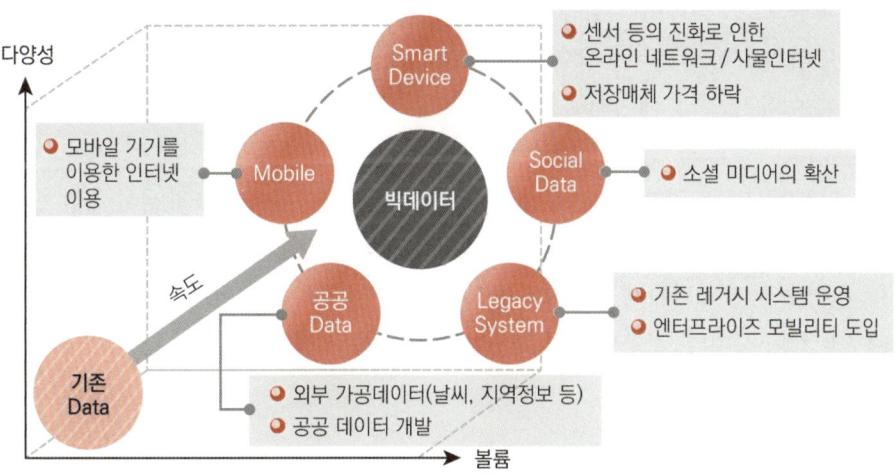

[빅데이터 출현배경]

> **용어정리**
>
> - **임베디드 시스템**
>   임베디드 시스템(Embedded System)은 특정한 작업이나 기능을 수행하기 위해 설계된 전용 컴퓨터 시스템이다. 이 시스템은 다른 시스템의 부분으로 내장되어 있으며, 주로 특정 장치나 제품의 핵심 기능을 수행하기 위해 사용된다.

3. 빅데이터가 만들어내는 본질적인 변화

① **사전처리에서 사후처리 시대로** : 산업혁명 시대에 발전해온 것이 바로 정보의 사전처리(Pre-Processing) 방식이다. 빅데이터 시대에는 가능한 한 많은 데이터를 모으고 그 데이터를 다양한 방식으로 조합해 숨은 정보를 찾아낸다. 이른바 사후처리(Post-Processing) 방식이라고 부를 수 있다.

② **표본조사에서 전수조사로** : 빅데이터 시대가 되면서 많은 제약이 사라졌다. 데이터 수집 비용이 더는 문제가 되지 않았고, 클라우드 컴퓨팅 기술의 발전에 따라 데이터 처리 비용이 급격히 감소하고 있다.

③ **질보다 양으로** : 빅데이터 성공사례로 자주 언급되는 구글의 자동 번역시스템 구축과정은 데이터의 양이 질보다 중요함을 잘 보여준다. 빅데이터를 다룰 때, 질보다 양이 중요한 또 다른 이유가 있다. 데이터 수가 증가함에 따라 사소한 몇 개의 오류 데이터가 '대세에 영향을 주지 못하는' 경향이 늘어나기 때문이다.

④ **인과관계에서 상관관계로** : 기존의 과학적 발견법은 이론에 기초해서 수집할 변인을 결정하고 엄격한 실험을 통해 잘 정제된 데이터를 얻고 이를 정교한 이론적 틀에 맞춰 분석한 후 변수 간에 인과관계를 찾으려 했다. 이러한 접근법은 데이터를 얻는데 드는 비용이 매우 비쌌던 시대의 모델이다. 비즈니스 상황에서는 인과관계를 모르고 상관관계 분석만으로 충분한 경우가 많다.

4. 빅데이터의 가치산정이 어려운 이유

- 빅데이터 시대에서는 특정 데이터의 가치를 측정하는 것이 쉽지 않다. 그 이유는 데이터의 활용방식과 가치 창출 방식, 분석기술의 발전 때문이라 할 수 있다.

① **데이터의 활용방식** : 데이터의 재사용, 재조합(Mashup), 다목적용 데이터 개발 등이 일반화되면서 특정 데이터를 언제, 어디서, 누가 활용할지 알 수 없다.
  - 재사용 사례 : 구글 검색 결과를 저장 후 재사용한다.
  - 다목적용 사례 : 전기자동차의 배터리 충전시간 & 주유소 최적위치, CCTV(절도범 & 구매정보)
  - 재조합 사례 : 휴대전화 전자파와 뇌종양의 관계

② **데이터가 기존에 없던 가치를 창출한다.**
  - 아마존 킨들 전자책 읽기 관련 데이터의 분석을 통해 독서패턴을 알 수 있다.
  - 페이스북 소셜커머스 그래프

③ 분석기술의 발달이 데이터 가치에 영향을 준다. 기존에는 가치가 없는 데이터도 새로운 분석기법으로 가치를 만든다.
- SNS 비정형 데이터를 이용한 텍스트마이닝 활용

5. 빅데이터의 위기 요인과 통제 방안

- 빅데이터 시대가 진행되면서 부가되고 있는 위기 요인에는 사생활 침해, 책임원칙 훼손, 데이터 오용 등을 들 수 있다.

① 사생활 침해
→ (위기 요인) 빅데이터 시대가 본격화되면서 우리를 둘러싼 정보수집 센서들의 수가 점점 늘어나고 있고, 특정 데이터가 본래 목적 외에 가공 처리되어 2차·3차적 목적으로 활용될 가능성이 증가하면서 사생활 침해를 넘어 사회·경제적 위협으로 변형될 수 있다. 이러한 상황을 방지하기 위해 익명화 기술이 발전되고 있으나 아직도 충분하지 않다는 의견이 많다.
→ (통제 방안) 개인정보의 활용에 대해 개인이 매번 동의하는 것은 경제적으로도 매우 비효율적이다. 따라서 사생활 침해 문제를 개인정보 제공자의 동의를 통해 해결하기보다는 개인정보 사용자에게 책임을 지움으로써 개인정보 사용 주체가 보다 적극적인 보호장치를 미련하게 하는 것이 효율적이다.

② 책임 원칙의 훼손
→ (위기 요인) 빅데이터 기반 분석과 예측기술이 발전하면서 정확도가 증가한 만큼, 분석대상이 되는 사람들은 예측 알고리즘의 희생양이 될 가능성이 증가한다. 미국 경찰관들은 컴퓨터 알고리즘 분석에 따라 특정 지역을 순찰한다. 그 결과 강력범죄 발생률이 상당수 감소하는 성과를 거둔 것으로 나타났다. 그러나 이러한 알고리즘의 예측을 더 진전시키면 영화 '마이너리티 리포트'에 나오는 것처럼 범죄 예측 프로그램으로 범행을 저지르기 전에 체포될 수 있다.
→ (통제 방안) 책임원칙 훼손 위기의 통제 방안으로는 기존의 책임 원칙을 좀 더 보강하고 강화할 수밖에 없다. 특정 기업이 담합할 가능성이 크다고 판단할 예측 알고리즘의 판단을 근거로 해당 기업을 처벌하면 안 되고, 실제 담합한 결과에 대해서만 처벌해야 한다.

③ 데이터의 오용
- → (위기 요인) 빅데이터는 일어난 일에 대한 데이터에 의존한다. 그것을 바탕으로 미래를 예측하는 것은 적지 않은 정확도를 가질 수 있지만 항상 맞을 수는 없다. 주어진 데이터에 잘못된 인사이트를 얻어 비즈니스에 직접 손실을 불러올 수 있다.
- → (통제 방안) 이러한 문제를 해결하기 위해 알고리즘에 대한 접근권을 보장해야 한다는 목소리가 높아지고 있다. 나아가 접근권뿐만 아니라 객관적인 인증방안을 도입하자는 의견도 제시되고 있으며, 알고리즘이 부당함을 반증할 수 있는 방법을 명시해 공개할 것을 주문하기도 한다.

> **용어정리**
> - 알고리즈미스트(Algorithmist)
>   데이터 사이언티스트, 데이터 분석가, 인공지능 전문가 등이 만들어낸 알고리즘으로 부당한 피해를 보는 사람을 방지하기 위해서 생겨난 직업으로 이들이 만들어 낸 알고리즘을 해석하여 피해를 입은 사람을 구제하는 인력이다.

6. 가트너의 비즈니스 분석 4가지 유형

- "비즈니스 분석"이란 주어진 데이터를 기반으로 현상을 파악하고, 앞으로의 일을 예측하여 이에 적합한 조치를 결정하기 위한 정보를 활용하는 방법이다.
- 비즈니스 분석 프로세스에서 어떤 종류의 분석 결과를 제공하는가에 따라 Descriptive Analytics, Diagnostic Analytics, Predictive Analytics, Prescriptive Analytics 총 4가지로 구분할 수 있다.

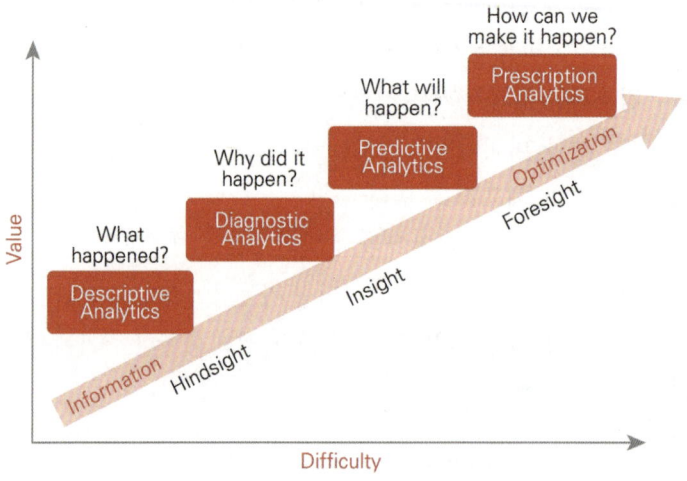

① 묘사적 분석(Descriptive Analytics)
- 과거나 현재에 어떤 일이 발생했는지에 대한 분석을 의미한다.
- 과거의 비즈니스 활동 수행 결과를 이해하고, 추세를 발견하며, 활동의 성과를 모니터링하는데에 사용된다.

② 진단적 분석(Diagnostic Analytics)
- 과거나 현재에 발생한 사건의 원인에 대해 분석한다.
- 데이터 간의 관계를 발견하고, 왜 특정 결과가 발생했는지 설명할 수 있다.

③ 예측분석(Predictive Analytics)
- 미래에 어떤 일이 발생한 것인가에 대해 분석한다.
- 미래의 상황에 대해 예측하거나, 알려지지 않은 결과의 가능성을 파악하기 위해 활용된다.

④ 처방분석(Prescriptive Analytics)
- 앞으로 무엇을 해야 비즈니스에 도움이 될 것인가에 대해 분석한다.
- 제한된 자원을 효율적으로 할당하여 최상의 대안을 찾기 위해 활용된다.
- 처방분석은 기존보다 더 나아가, 예측분석을 통해 도출된 예측 결과를 바탕으로 자동으로 의사결정을 도출하게 된다.
- 인간의 개입이 최소화되거나 완전히 불필요해 하게 된다.

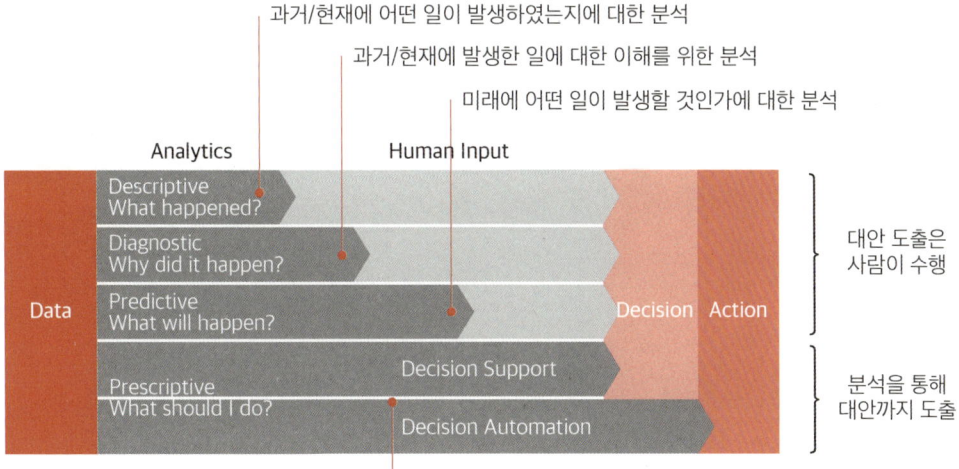

[분석 기능 프레임워크]

기출유형 따라잡기

[02회] 다음 중 진단적 분석(Diagnostic Analytics) 목적으로 해당하는 것은?
① 앞으로 무엇이 일어날 것인가? 언제 일어날 것인가?
② 현재 무엇이 일어났는가? 왜 일어났는가?
③ 앞으로 무엇이 일어날 것인가? 왜 일어났는가?
④ 현재 무엇이 일어났는가? 언제 재발할 것인가?

정답 ②

해설 1번 예측분석, 3번 처방분석, 4번 묘사적분석

[06회] 빅데이터 시대에 본질적인 변화에 대한 설명으로 옳은 것은?
① 의학, 공학 등 다양한 연구 분야에서 적용되고 있다.
② 데이터 처리 시점이 사후 처리에서 사전 처리로 이동하였다.
③ 데이터의 가치 판단 기준이 양보다 질로 그 중요도가 달라졌다.
④ 단순한 상관관계 중심에서 이론적 인과관계로 변화되는 경향이 있다.

정답 ①

해설 ② 사전처리에서 사후처리로, ③ 데이터 질에서 양적인 변화, ④ 인과관계에서 상관관계로

[06회] 빅데이터 시대의 위기 요인이 아닌 것은?
① 사생활 침해   ② 책임 원칙의 훼손
③ 데이터의 오용   ④ M2M 시대의 본격화

정답 ④

해설 "M2M"은 "Machine to Machine"의 약어로 기계 간의 통신을 의미한다. 빅데이터 기술은 M2M에서 생성되는 대량의 데이터를 효율적으로 관리하고 분석하는 데 활용될 수 있으며, 이를 통해 기계 간 통신 시스템의 성능을 향상시키고 지능적인 결정을 내릴 수 있다.

3 데이터 산업의 이해

학습 목표

1. 데이터 산업의 진화 과정을 이해한다.

출제 KEYWORD

① 마이데이터 정의 ★

1. 데이터 산업 정의

- 데이터 산업은 '데이터의 생산·수집·처리·분석·유통·활용 등을 통해 가치를 창출하는 상품과 서비스를 생산·제공하는 산업'으로 정의한다.
- 데이터의 생명주기(또는 가치사슬) 상에 나타난 데이터와 관련된 제반 활동을 포함해 데이터로부터 가치가 창출되는 일련의 모든 과정, 이와 연관된 활동을 포함한다.

1) 데이터 산업의 진화

- 데이터 산업은 데이터 처리, 데이터 통합, 데이터 분석, 데이터 연결, 데이터 권리시대로 진화하고 있다. 2019년 들어 데이터 분석, 데이터 연결, 데이터 권리 등이 동시에 발전하고 있다.

① 데이터 처리시대
- 데이터 처리시대에는 컴퓨터 프로그래밍 언어를 이용하여 대규모 데이터를 빠르고 정확하게 처리할 수 있게 되었다.
- 기업들은 EDPS(Electronic Data Processing System)를 도입하여 급여계산, 회계 전표처리 등의 업무에 적용하였다.

② 데이터 통합시대
- 많은 기업과 기관들이 차세대시스템 구축을 통해서 데이터 통합을 달성했다. 데이터 통합은 비즈니스 프로세스 재설계(BPR, Business Process Reengineering), 고객 관계 관리(CRM, Customer Relationship Management) 등을 통해 업무성과를 획기적으로 높이는 데 기여했다.

③ 데이터 분석시대
- 데이터 분석시대에 이르러서 대부분 업무에 정보기술이 적용되고, 모바일 기기 보급, 공정 센서 확대, 소셜 네트워크 이용 확산 등으로 인해 데이터가 폭발적으로 증가했다.

- 대규모 데이터를 보관하고 관리할 수 있는 하둡, 스파크 등의 빅데이터 기술이 등장했다. 그 결과 데이터로부터 통찰력을 찾아내고 이를 비즈니스에 활용하는 조직들이 더욱 뛰어난 성과를 거두기 시작했다.

④ 데이터 연결시대
- 디지털 경제의 중요한 특징은 초연결이다. 기업 또는 기관, 사람, 사물 등 모든 것이 항상, 그리고 동시에 둘 이상의 방식으로 연결된다. 연결은 네트워크 효과를 가속화한다. 연결은 네트워크를 만들게 되고, 네트워크는 새로운 비즈니스 모델을 탄생시킨다.

⑤ 데이터 권리시대
- 데이터의 원래 소유자인 개인이 자신의 데이터에 대한 권리를 보유하고 있으며 스스로 행사할 수 있어야 한다는 생각이 사회적으로 공감대를 얻고 있다. 이를 통상 마이데이터(My Data)라고 부른다. 데이터 권리를 원래 주인인 개인에게 돌려주어야 한다는 의미다.

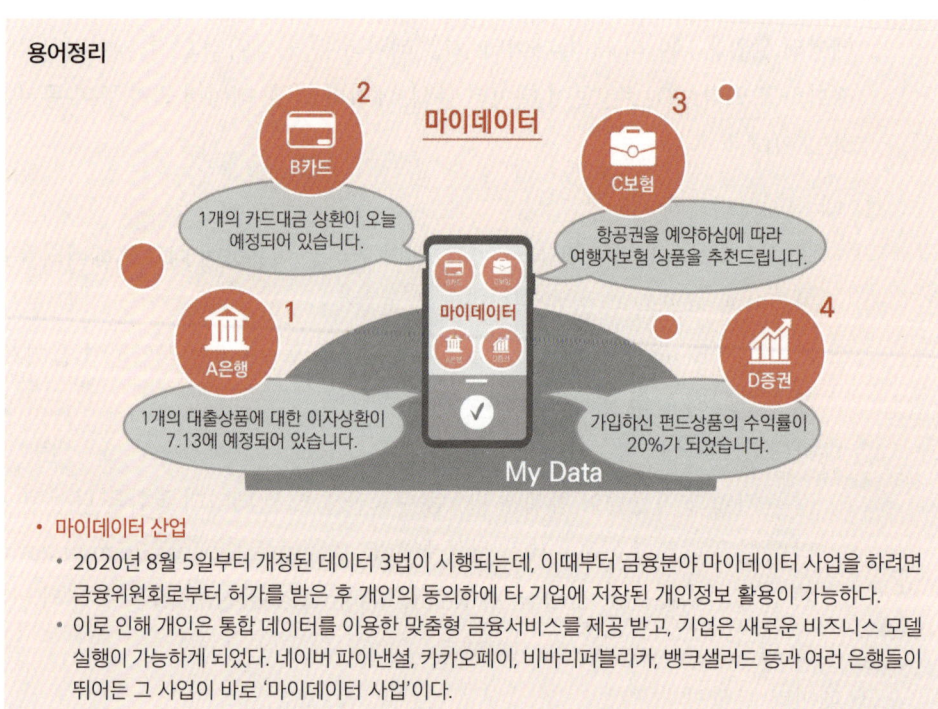

- 마이데이터 산업
  - 2020년 8월 5일부터 개정된 데이터 3법이 시행되는데, 이때부터 금융분야 마이데이터 사업을 하려면 금융위원회로부터 허가를 받은 후 개인의 동의하에 타 기업에 저장된 개인정보 활용이 가능하다.
  - 이로 인해 개인은 통합 데이터를 이용한 맞춤형 금융서비스를 제공 받고, 기업은 새로운 비즈니스 모델 실행이 가능하게 되었다. 네이버 파이낸셜, 카카오페이, 비바리퍼블리카, 뱅크샐러드 등과 여러 은행들이 뛰어든 그 사업이 바로 '마이데이터 사업'이다.

▶▶ 기출유형 따라잡기

[03회] B기업이 A기업으로부터 정보를 넘겨받아 활용할 수 있는 방법을 설명한 용어로써 적절한 것은?
① 로우 데이터 ② 데이터 레이크
③ 데이터 리터러시 ④ 마이데이터

정답 ④

해설 마이데이터는 정보의 주체가 되는 개인이 본인의 데이터를 다룰 수 있어, 한 기업이 보유한 개인 데이터를 허락을 받고 다른 기업이나 개인 등의 제 3자에게 공유하는 역할을 한다.

[06회] 다음 중 데이터 산업에 대한 설명으로 옳지 않은 것은?
① 데이터를 관리하고 분석하기 위한 소프트웨어 영역이 있다.
② 데이터 그 자체를 제공하거나 이를 가공한 정보를 제공한다.
③ 데이터 산업을 통해 Human to Human 상호작용이 높아진다.
④ 데이터 산업은 인프라 영역과 서비스 영역으로 구성되어 있다.

정답 ③

해설 데이터 산업에서는 빅데이터 기술을 도입하여 대규모 데이터를 다루고 가치 있는 통찰을 얻을 수 있다.

4 빅데이터 조직 및 인력

🖉 학습 목표
1. 빅데이터 분석 업무 유형에 대해 학습한다.
2. 빅데이터 구성원의 역량을 이해한다.
3. 분석 준비도와 성숙도 모델 평가 항목을 학습한다.
4. 데이터 거버넌스의 정의 및 체계 요소를 이해한다.

🔍 출제 KEYWORD
① 분석업무 수행 주체에 따른 3가지 조직구조 유형 구분 ★★
② 데이터 사이언티스트 역량 중 하드스킬과 소프트스킬의 정의 ★★
③ 데이터 분석 수준 진단을 위한 분석 준비도 6개 영역 구분 ★★★
④ 데이터 분석 수준 진단을 위한 분석 성숙도의 도입 단계, 활용 단계, 확산 단계, 최적화 단계 구분 ★★★
⑤ 데이터 거버넌스의 정의 및 체계요소 ★★★

- 빅데이터의 등장에 따라 기업의 비즈니스도 많은 변화를 겪고 있다. 이러한 비즈니스 변화를 인식하고 기업의 차별화한 경쟁력을 확보하는 수단으로서 데이터 과제발굴, 기술검토 및 전사 업무적용계획 수립 등 데이터를 효과적으로 분석·활용하기 위해 기획, 운영 및 관리를 전담할 수 있는 전문 분석조직의 필요성이 제기되고 있다.

1. 분석조직의 개요
- 데이터 분석조직은 기업의 경쟁력 확보를 위해 데이터 분석 가치를 발견하고, 이를 활용하여 비즈니스를 최적화하는 목표를 갖고 구성되어야 한다.
- 이를 위해 기업의 업무 전반에 걸쳐 다양한 분석과제를 발굴해 정의하고, 데이터 분석을 통해 의미 있는 인사이트를 찾아 실행하는 역할을 수행할 수 있어야 한다.
- 다양한 분야의 지식과 경험을 가진 인력과 업무담당자 등으로 구성된 전사 또는 부서 내 조직으로 만들어질 수 있다.

2. 분석조직 및 인력구성 시 고려사항
- 분석 전문조직은 아래 표와 같이 조직구조 및 인력구성을 고려해 기업에 최적화 형태로 구성해야 한다.

구분	주요 고려사항
조직구조	• 비즈니스질문을 선제적으로 찾아낼 수 있는 구조인가? • 분석 전담조직과 타 부서간 유기적인 협조와 지원이 원활한 구조인가? • 효율적인 분석업무를 수행하기 위한 분석조직의 내부 조직구조는? • 전사 및 단위부서가 필요시 접촉하여 지원할 수 있는 구조인가? • 어떤 형태의 조직(중앙집중형, 분산형)으로 구성하는 것이 효율적인가?
인력구성	• 비즈니스 및 IT 전문가의 조합으로 구성되어야 하는가? • 어떤 경험과 어떤 스킬을 갖춘 사람으로 구성해야 하는가? • 통계적 기법 및 분석 모델링 전문인력을 별도로 구성해야 하는가? • 전사 비즈니스를 커버하는 인력이 없다. 그렇다면? • 전사 분석업무에 대한 적합한 인력규모는 어느 정도인가?

3. 분석업무 수행 주체에 따른 3가지 조직구조 유형
- 데이터 분석을 위한 조직구조는 다양한 형태로 살펴볼 수 있는데, 특히 분석업무수행 주체에 따라 다음과 같이 3가지 유형의 조직구조로 살펴볼 수 있다.

① 집중형 조직구조
- 조직 내에 별도의 독립적인 분석 전담조직을 구성하고, 회사의 모든 분석업무를 전담조직에서 담당한다.
- 분석 전담조직 내부에서 전사 분석과제의 전략적 중요도에 따라 우선순위를 정하여 추진할 수 있다.
- 일부 협업부서와 분석업무 중복 또는 이원화될 가능성이 있다.

② 기능중심형 조직구조
- 일반적으로 분석을 수행하는 형태이며, 별도의 분석조직을 구성하지 않고 각 해당 업무부서에서 직접 분석하는 형태다.
- 특징으로 전사적관점에서 핵심분석이 어려우며, 특정 업무부서에 국한된 분석을 수행할 가능성이 높거나 일부 중복된 분석업무를 수행할 수 있는 조직구조다.

③ 분산형 조직구조
- 분석조직의 인력들을 협업부서에 배치해 분석업무를 수행하는 형태다.
- 전사차원에서 분석과제의 우선순위를 선정해 수행이 가능하며, 분석결과를 신속하게 실무에 적용할 수 있는 장점이 있다.

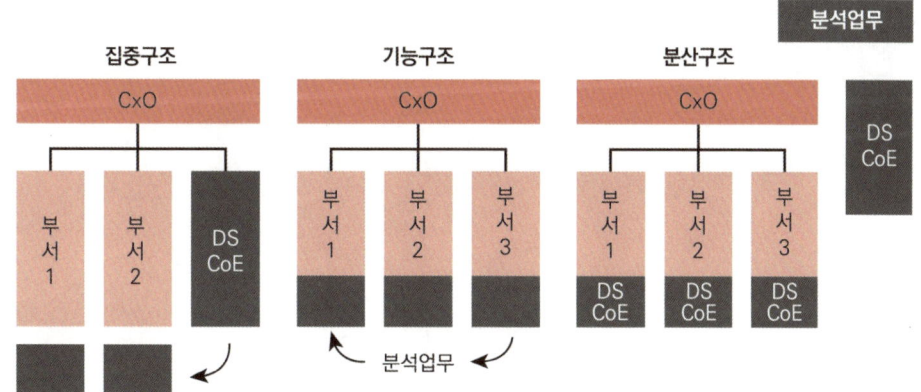

[분석 조직 구조]

> **용어정리**
>
> - **CoE(Center of Excellence)**
>   다양한 배경, 교육수준 및 경력을 지닌 전문가들로 구성된 팀이다. 각 전문가는 각자 자신이 담당한 주제에 대해 최고 수준의 전문성을 지니고 있다.

4. 빅데이터 구성원의 요구역량

1) 데이터 사이언스 의미와 역할
- 데이터 사이언스는 정형 또는 비정형을 막론하고 인터넷, 휴대전화, 감시용 카메라 등에서 생성되는 숫자와 문자, 영상정보 등 다양한 유형의 데이터를 대상으로 한다.
- 데이터 사이언스가 기존의 통계학과 다른 점은 데이터 사이언스는 총체적 접근법을 사용한다는 점이다(O'Reilly Media, 2012).
- 데이터 사이언스는 전략적 통찰을 추구하고 비즈니스 핵심이슈에 답을 하고, 사업의 성과를 견인해 나갈 수 있다. 이것이 단순한 데이터 분석과 데이터 사이언스를 가른다.

2) 데이터 사이언스의 구성요소

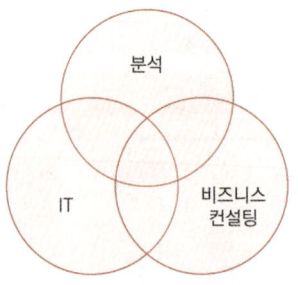

[데이터 사이언스의 핵심 구성 요소]

① IT(Data Management)
② Analytics(분석적 영역)
③ 비즈니스 컨설팅(도메인 영역)

3) 데이터 사이언티스트의 역량
- 빅데이터 환경에서 일하는 데이터 사이언티스트들은 주로 데이터 처리 분석기술과 관련된 하드스킬만 요구되는 것처럼 보인다.
- 하지만 이러한 하드스킬은 데이터 사이언티스트가 갖춰야 하는 능력의 절반에 불과하다. 나머지 절반은 통찰력 있는 분석, 설득력 있는 전달, 협력 등 소프트스킬이다.
- Hard Skill
  ① 빅데이터에 대한 이론적 지식 : 관련 기법에 대한 이해와 방법론 습득
  ② 분석기술에 대한 숙련 : 최적의 분석설계 및 노하우 축적

- Soft Skill
    ① 통찰력 있는 분석 : 창의적사고, 호기심, 논리적비판
    ② 설득력 있는 전달 : 스토리텔링, Visualization
    ③ 다분야 간 협력 : Communication

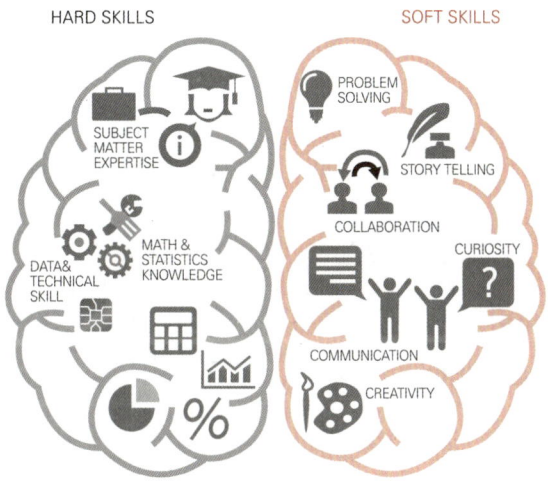

[데이터 사이언티스트의 요구 역량]

> **기출유형 따라잡기**
>
> [07회] 데이터 사이언티스트의 역량 중 소프트 스킬(Soft Skill)에 해당 하는 것은?
> ① 빅데이터에 대한 이론적 지식 ② 분석기술에 대한 숙련
> ③ 데이터 처리 능력 ④ 통찰력 있는 분석
> **정답** ④
> **해설** 통찰력 있는 분석, 설득력 있는 전달, 협력 등 소프트 스킬이다.

5. 조직의 데이터 분석 모델 및 수준진단

- 이미 많은 기업에서 빅데이터는 화두가 되고 있으며 데이터를 어떻게 분석·활용 하느냐가 기업의 경쟁력을 좌우하는 궁극적 요소로 인식되고 있다.
- 이러한 관점에서 기업들은 데이터 분석의 도입 여부와 활용에 대한 명확한 분석수준을 점검할 필요가 있다.
- 데이터 분석 수준진단을 통해 데이터 분석 기반을 구현하기 위해 무엇을 준비하고 보완해야 하는지 등 분석의 유형 및 분석의 방향성을 결정할 수 있다.

- 기업의 데이터 분석 수준은 6개 영역에서의 분석 준비도와 3개 영역에서의 분석 성숙도를 함께 평가함으로써 수행될 수 있다.

1) 분석 준비도
- 분석을 위한 준비도 및 성숙도를 진단하는 궁극적인 목표는 각 기업이 수행하는 현재의 분석수준을 명확히 이해하고, 분석수준 진단결과를 토대로 미래의 목표수준을 정의하는데 있다.
- 데이터를 활용한 분석의 경쟁력 확보를 위해 어떠한 영역에 선택과 집중을 해야 하는지, 어떤 관점을 보완해야 하는지 등 개선방안을 도출할 수 있다.

분석적 업무파악	인력 및 조직	분석 기법
• 발생한 사실 분석업무 • 예측분석 업무 • 시뮬레이션 분석업무 • 최적화 분석업무 • 분석업무 정기적개선	• 분석전문가 직무 존재 • 분석전문가 교육훈련 프로그램 • 관리자들의 기본적 분석능력 • 전사 분석업무 총괄조직 존재 • 경영진 분석업무 이해능력	• 업무별 적합한 분석기법 사용 • 분석업무 도입 방법론 • 분석기법 라이브러리 • 분석기법 효과성 평가 • 분석기법 정기적 개선
분석 데이터	**분석 문화**	**IT 인프라**
• 분석업무를 위한 데이터 충분성 • 분석업무를 위한 데이터 신뢰성 • 분석업무를 위한 데이터 적시성 • 비구조적 데이터관리 • 외부 데이터 활용체계 • 기준데이터 관리(MDM)	• 사실에 근거한 의사결정 • 관리자의 데이터 중시 • 회의 등에서 데이터 활용 • 경영진의 직관보다 데이터 • 데이터공유 및 현업문화	• 운영시스템 데이터 통합 • EAL, ETL 등 데이터 유통체계 • 분석전용 서버 및 스토리지 • 빅데이터 분석환경 • 통계분석 환경 • 비주얼 분석 환경

[분석 준비도]

2) 분석 성숙도 모델
- 분석 성숙도 진단은 비즈니스 부문, 조직·역량 부문, IT 부문 등 3개 부문을 대상으로 성숙도 수준에 따라 도입 단계, 활용 단계, 확산 단계, 최적화 단계로 구분해 살펴볼 수 있다.
- 소프트웨어공학에서는 시스템 개발 업무능력과 성숙도(Maturity)를 파악하기 위해 CMMI(Capability Maturity Model Integration) 모델을 기반으로 조직의 성숙도를 평가한다.

단계	도입 단계	활용 단계	확산 단계	최적화 단계
설명	• 분석을 시작하여 환경과 시스템을 구축	• 분석 결과를 실제 업무에 적용	• 전사 차원에서 분석을 관리하고 공유	• 분석을 진화시켜서 혁신 및 성과향상에 기여
비즈니스 부문	• 실적분석 및 통계 • 정기보고 수행 • 운영데이터 기반	• 미래 결과 예측 • 시뮬레이션 • 운영데이터 기반	• 전사 성과 실시간 분석 • 프로세스 혁신 3.0 • 분석규칙 관리 • 이벤트 관리	• 외부환경 분석 활용 • 최적화 업무 적용 • 실시간 분석 • 비즈니스 모델 진화
조직·역량 부문	• 일부 부서에서 수행 • 담당자역량에 의존	• 전문 담당부서에서 수행 • 분석기법 도입 • 관리자가 분석수행	• 전사 모든부서 수행 • 분석 CoE 조직 운영 • 데이터 사이언티스트 확보	• 데이터 사이언스 그룹 • 경영진 분석활용 • 전략 연계
IT 부문	• 데이터웨어하우스 • 데이터 마트 • ETL / EAI • OLAP	• 실시간 대시보드 • 통계분석 환경	• 빅데이터 관리 환경 • 시뮬레이션 최적화 • 비주얼 분석 • 분석 전용 서버	• 분석 협업환경 • 분석 Sandbox • 프로세스 내재화 • 빅데이터 분석

[분석 성숙도]

≫ 기출유형 따라잡기

[02회] 분석 성숙도 진단은 비즈니스 부문, 조직·역량 부문, IT 부문 등 3개 부문을 대상으로 성숙도 수준에 따라 도입 단계, 활용 단계, 확산 단계, 최적화 단계로 구분해 살펴볼 수 있다. 다음 중 최적화 단계의 내용이 아닌 것은?
① 외부환경 분석 활용
② 분석 협업 환경
③ 프로세스 내재화
④ 이벤트 관리

정답 ④

해설 이벤트 관리는 확산단계에 속한다.

[06회] 분석 준비도의 진단 영역이 아닌 것은?
① 분석적 업무파악
② 분석 데이터
③ 분석 기법
④ 분석 결과 활용

정답 ④

해설 분석 준비도 6개 영역은 분석적 업무파악, 인력 및 조직, 분석 기법, 분석 데이터, 분석 문화, IT 인프라이다.

> **》기출유형 따라잡기**
>
> [06회] 데이터 거버넌스의 3요소가 아닌 것은?
> ① 원칙(Principal)
> ② 조직(Organization)
> ③ 프로세스(Process)
> ④ 시스템(System)
>
> **정답** ④
> **해설** 데이터 거버넌스의 구성요소인 원칙(Principal), 조직(Organization), 프로세스(Process)의 유기적인 조합을 통하여 데이터를 비즈니스 목적에 부합하고 최적의 정보 서비스를 제공할 수 있도록 효과적으로 관리한다.
>
> [06회] 데이터 분석을 위한 조직구조에 대한 설명 중 옳지 않은 것은?
> ① 분산형 조직구조는 분석조직의 인력들을 협업부서에 배치해 분석업무를 수행하는 형태다.
> ② 기능형 조직구조는 특정 업무부서에 국한된 분석을 수행할 가능성이 크다.
> ③ 집중형 조직구조는 조직 내에 별도의 독립적인 분석 전담 조직이 없고, 협업부서와 이중화될 가능성이 없다.
> ④ 데이터분석조직은 기업의 경쟁력 확보를 위해 데이터 분석 가치를 발견하고, 이를 활용하여 비즈니스를 최적화하는 목표를 갖고 구성되어야 한다.
>
> **정답** ③
> **해설** 집중형 조직구조는 조직 내에 별도의 독립적인 분석 전담조직을 구성하고, 회사의 모든 분석업무를 전담 조직에서 담당한다.

3) 분석 수준 진단 결과

- 사분면 분석 그림과 같이 분석 관점에서 4가지 유형으로 분석 수준 진단결과를 구분하여 향후 고려해야 하는 데이터 분석 수준에 대한 목표 방향을 정의하고, 유형별 특성에 따라 개선방안을 수립할 수 있다.
- 해당 기업의 분석 준비도와 성숙도 진단 결과를 토대로 기업의 현재 분석수준을 객관적으로 파악할 수 있다.
- 이를 토대로 유관 업종 또는 경쟁사의 분석수준과 비교하여 분석경쟁력 확보 및 강화를 위한 목표수준을 설정할 수 있다.

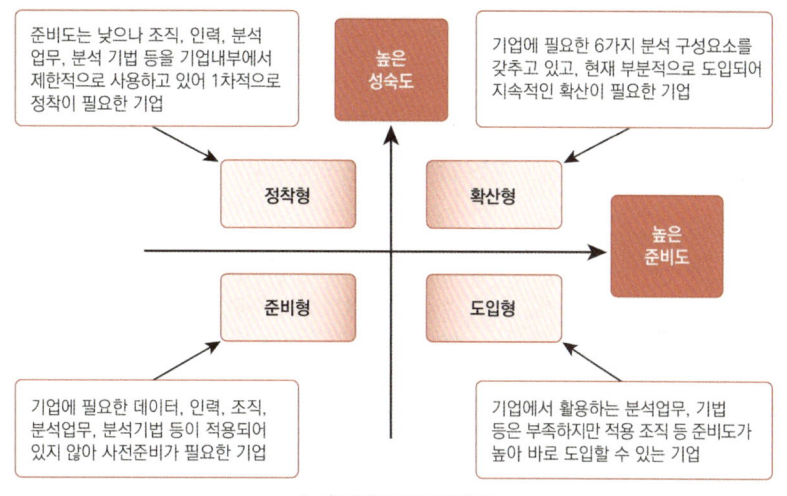

[사분면 분석 결과]

> **기출유형 따라잡기**
>
> [06회] 기업의 분석 수준 진단에 대한 설명 중 옳지 않은 것은?
> ① 확산형:기업에 필요한 6가지 분석 구성 요소를 갖추고 있다.
> ② 정착형:인력,분석업무,조직, 분석기법 등을 기업 내부·외부에서 공개적으로 사용할 수 있다.
> ③ 도입형:기업에서 활용하는 분석업무,기법 등이 부족하다.
> ④ 준비형:기업에 필요한 데이터, 인력, 조직, 분석업무 등이 적용되어 있지 않다.
>
> **정답** ②
> **해설** 정착형은 분석 준비도는 낮으나 조직, 인력, 분석업무, 분석기법 등을 기업 내부에서 제한적으로 사용하고 있어 일차적으로 정착이 필요한 기업 분석 수준을 의미한다.

6. 데이터 거버넌스 체계 수립

- 빅데이터는 데이터의 크기로 그 의미의 절대성을 갖는 것은 아니다. 그러나 실시간으로 쏟아지는 비정형·반정형의 데이터는 조직이나 프로젝트 단위의 데이터 관리체계로는 솔루션이 될 수 없고, 전사 차원의 체계적인 데이터 거버넌스의 필요성이 부각된다.
- <u>데이터 거버넌스란</u> 전사 차원의 모든 데이터에 대하여 정책 및 지침, 표준화, 운영조직 및 책임 등의 표준화된 관리 체계를 수립하고 운영을 위한 프레임워크 및 저장소를 구축하는 것을 말한다. 기업에서 가치 있는 양질의 데이터를 지속적으로 발굴 및 관리해 비즈니스 자산으로 활용하기 위한 데이터 통합관리체계를 말한다. 특히 <u>마스터데이터, 메타데이터, 데이터 사전</u>은 데이터 거버넌스의 중요한 관리대상이다.

- 기업은 데이터 거버넌스 체계를 구축함으로써 데이터의 가용성, 유용성, 통합성, 보안성, 안전성을 확보할 수 있으며 이는 빅데이터 프로젝트를 성공으로 이끄는 기반이 된다.
- 데이터 거버넌스는 독자적으로 수행될 수도 있지만 전사차원의 IT 거버넌스나 EA(Enterprise Architecture)의 구성요소로 구축되는 경우도 있다.

> **용어정리**
>
> - **마스터데이터**
>   기업의 핵심 데이터인 기준정보를 생성하고, 이를 일관성 있게 유지하며 비즈니스 프로세스 흐름에 맞춰 정확하게 관리하기 위한 솔루션이다.
>
> - **메타데이터**
>   메타데이터 관리는 종종 마스터 데이터관리(MDM)와 혼동되곤 한다. 메타데이터라는 것 역시 기준정보로 이해할 수 있기 때문이다. 그러나 MDM으로 통칭하는 마스터데이터, 즉 기준정보는 메타데이터와 구분되어야 한다.
>
> - **데이터 사전**
>   데이터베이스 관리 시스템(Database Management System, 이하 DBMS)을 효율적으로 사용하기 위해 데이터베이스에 저장된 정보를 요약한 것이다. 즉 일련의 데이터를 정의하고 설명해 주는 메타데이터(Metadata)를 유지하는 것을 의미한다.
>   데이터 사전은 데이터 정보를 분류하고 처리하기 위한 시스템과 절차로서 데이터를 이해하는 과정에서 발생하는 오류, 또는 데이터 해석상의 어려움을 제거하기 위해 사용된다.

1) 데이터 거버넌스 구성 요소

데이터 거버넌스의 구성요소인 원칙(Principal), 조직(Organization), 프로세스(Process)의 유기적인 조합을 통하여 데이터를 비즈니스 목적에 부합하고 최적의 정보 서비스를 제공할 수 있도록 효과적으로 관리한다.

① 원칙
  - 데이터를 유지·관리하기 위한 지침과 가이드
  - 보안, 품질기준, 변경관리

② 조직
  - 데이터를 관리할 조직의 역할과 책임
  - 데이터 관리자, 데이터베이스 관리자, 데이터 아키텍트(Data Architect)

③ 프로세스
  - 데이터관리를 위한 활동과 체계
  - 작업절차, 모니터링 활동, 측정 활동

2) 데이터 거버넌스 체계 요소

① 데이터 표준화
- 데이터 표준화는 데이터 표준용어 설명, 명명 규칙(Name Rule), 메타데이터 구축, 데이터사전 구축 등의 업무로 구성된다.
- 데이터 표준용어는 표준 단어사전, 표준 도메인사전, 표준코드 등으로 구성되며 사전 간 상호검증이 가능하도록 점검 프로세스를 포함해야 한다.
- 명명 규칙은 필요시 언어별(한글, 영어 등 외국어)로 작성되어 매핑상태를 유지해야 한다.
- 메타데이터 사전은 데이터의 구조체계를 형성하는 것으로써 데이터 활용의 원활화를 위한 데이터 구조체계(Data Structure Architecture)나 메타 엔티티 관계 다이어그램을 제공한다.

② 데이터 관리 체계
- 데이터 정합성 및 활용의 효율성을 위하여 표준데이터를 포함한 메타데이터와 데이터 사전의 관리원칙을 수립한다.
- 수립된 원칙에 근거하여 항목별 상세한 프로세스를 만들고 관리와 운영을 위한 담당자 및 조직별 역할과 책임을 상세하게 준비한다.
- 빅데이터의 경우 데이터 양의 급증으로 데이터의 생명주기 관리방안(Data Life Management)을 수립하지 않으며 데이터 가용성 및 관리비용 증가 문제에 직면하게 될 수도 있다.

③ 데이터 저장소 관리
- 메타데이터 및 표준데이터를 관리하기 위한 전사차원의 저장소를 구성한다.
- 저장소는 데이터 관리체계 지원을 위한 워크플로우 및 관리용 응용 소프트웨어를 지원하고 관리대상 시스템과의 인터페이스를 통한 통제가 이루어져야 한다.
- 또한 데이터 구조변경에 따른 사전영향평가도 수행되어야 효율적인 활용이 가능하다.

④ 표준화 활동
- 데이터 거버넌스의 체계를 구축한 후 표준준수 여부를 주기적으로 점검하고 모니터링을 실시한다.
- 거버넌스의 조직 내 안정적 정착을 위한 계속적인 변화관리 및 주기적인 교육을 진행한다.
- 지속적인 데이터 표준화 개선 활동을 통하여 실용성을 높여야 한다.

용어정리
- **빅데이터 거버넌스와 데이터 거버넌스의 차이점**
  빅데이터 거버넌스는 데이터 거버넌스의 체계에 빅데이터의 효율적인 관리, 다양한 데이터의 관리체계, 데이터 최적화, 정보보호, 데이터 생명주기 관리, 데이터 카테고리 관리책임자(Data Steward)지정 등을 포함한다.

≫ 기출유형 따라잡기

[02회] 전사 차원의 모든 데이터에 대하여 정책 및 지침, 표준화, 운영조직 및 책임 등의 표준화된 관리체계를 수립하고 운영을 위한 프레임워크 및 저장소 구축을 무엇이라 하는가?
① 데이터 거버넌스
② 메타데이터
③ 데이터웨어하우스
④ 데이터 마트

정답 ①

해설 기업은 데이터 거버넌스 체계를 구축함으로써 데이터의 가용성, 유용성, 통합성, 보안성, 안전성을 확보할 수 있으며 이는 빅데이터 프로젝트를 성공으로 이끄는 기반이 된다.

02 빅데이터 기술 및 제도

1 빅데이터 플랫폼

학습 목표
1. 빅데이터 플랫폼의 구성 및 기능을 이해한다.

출제 KEYWORD
① 빅데이터 플랫폼을 구성하는 오픈소스 소프트웨어들의 역할 ★★★

1. 빅데이터 플랫폼의 정의

- 빅데이터 플랫폼은 다양하고 방대한 양의 데이터로부터 수집한 데이터를 처리하고, 분석하여 지식을 추출함으로써 지능화된 서비스를 제공하기 위한 IT 환경이다.

1) 빅데이터 플랫폼 구성 및 기능

- 빅데이터 플랫폼을 구성하는 구성요소는 빅데이터 수집, 저장, 처리, 분석, 표현 측면에서 구분할 수 있다. 각 구성요소가 제공해야 하는 주요기능은 다음과 같다.

구분	주요 기능
수집	비정형 데이터 수집, 정형 데이터 수집, ETL, Web Robot, 로그 수집 웹페이지 크롤링(Crawling), Open API를 활용한 데이터 수집, IoT 센싱
저장	정형 및 비정형 데이터 분산관리, 데이터 공유, 메모리 관리, 데이터 보안 등
처리	배치처리, 실시간 처리, 분산병렬 처리, 인메모리 처리 등
분석	텍스트 분석, 기계학습, 통계기능, 데이터마이닝, 소셜 네트워크 분석, 예측분석
시각화	차트, 다차원 그래프 등 연관관계·상관관계 시각화기능

빅데이터 수집 및 정제	빅데이터 저장 및 관리	빅데이터 처리	빅데이터 분석	빅데이터 표현
• 데이터 추출 • 데이터 변환 • 데이터 로딩	• NoSQL • 확장성 RDBMS • 분산 파일 시스템	• 분산 컴퓨팅 • 맵리듀스	• 탐구요인 분석 • 확인요인 분석	• 표 • 그래프

[빅데이터 플랫폼 구조]

2) 빅데이터 플랫폼을 구성하는 오픈소스 프로그램

- 빅데이터 플랫폼을 대표하는 기술로 분산 처리기술을 제공하는 하둡(Hadoop)을 들 수 있다.
- 하둡은 자바기반 프레임워크로서 대용량의 데이터를 분산처리하는 기능을 제공한다. 초기의 빅데이터 플랫폼은 하둡 분산파일시스템(HDFS : Hadoop Distributed File System)과 맵리듀스(MapReduce)의 모듈로 구성되었지만, 빅데이터 수집, 저장, 활용, 관리 등을 위한 데이터 처리에는 부족한 부분이 많았다.
- 최근에는 하둡의 기능을 보완하는 오픈소스 소프트웨어들을 활용하여 빅데이터 플랫폼을 구축한다.
- 빅데이터 플랫폼을 구성하는 오픈소스 소프트웨어(에코시스템)

기능	소프트웨어	설명
코디네이터	Zookeeper	• 분산 환경에서 서버간의 상호 조정이 필요한 다양한 서비스를 제공하는 시스템으로 크게 다음과 같은 역할을 수행한다. ① 하나의 서비스에만 집중되지 않게 서비스를 알맞게 분산해 동시에 처리할 수 있도록 지원 ② 하나의 서버에서 처리한 결과를 다른 서버와도 동기화해서 데이터의 안정성을 보장 ③ 운영(Active) 서버에 문제가 발생해서 서비스를 제공할 수 없을 때, 다른 대기 중인 서버를 운영 서버로 바꿔서 서비스가 중지 없이 제공 ④ 분산 환경을 구성하는 서버의 환경설정을 통합적으로 관리
리소스 관리	YARN	• 얀(YARN)은 데이터 처리 작업을 실행하기 위한 클러스터 자원(CPU, 메모리, 디스크 등)과 스케줄링을 위한 프레임워크이다. • 맵리듀스, 하이브, 임팔라, 타조, 스파크 등 다양한 애플리케이션들은 얀에서 리소스를 할당받아서 작업을 실행한다.
데이터 저장	HBase	• H베이스(HBase)는 HDFS 기반의 컬럼 기반 데이터베이스이다. • 구글의 빅테이블 논문을 기반으로 개발, 실시간 랜덤 조회 및 업데이트가 가능하며, 각 프로세스는 개인의 데이터를 비동기적으로 업데이트 할 수 있다.
	Kudu	• Kudu는 컬럼 기반 스토리지로 특정 컬럼에 대한 데이터 읽기를 고속화 할 수 있다.
데이터 수집	Chukwa	• Chukwa는 분산 환경에서 생성되는 데이터를 HDFS에 안정적으로 저장하는 플랫폼이다. • 분산된 각 서버에서 에이전트를 실행하고 콜렉터(Collector)가 에이전트로 부터 데이터를 받아서 HDFS에 저장한다.
	Flume	• 플룸(Flume)은 척와(Chukwa)처럼 분산된 서버에서 에이전트가 설치되고, 에이전트로 부터 데이터를 전달받은 콜렉터로 구성 • 차이점은 전체 데이터의 흐름을 관리하는 마스터 서버가 있어서 데이터를 어디서 수집하고 어떤 방식으로 전송하고 어디에 저장할지를 동적으로 변경할 수 있다.

기능	소프트웨어	설명
데이터 처리	Kafka	• 카프카(Kafka)는 데이터 스트림을 실시간으로 관리하기 위한 분산 메세징 시스템이다. • 2011년 링크드인에서 자사의 대용량 이벤트처리를 위해 개발됐으며, 2012년 아파치 탑레벨 프로젝트가 되었다. • 데이터 손실을 막기 위하여 디스크에 데이터를 저장한다. • 파티셔닝을 지원하기 때문에 다수의 카프카 서버에서 메세지를 분산 처리할 수 있으며, 시스템 안정성을 위하여 로드 밸런싱과 내고장성(Fault Tolerant)을 보장한다.
	Pig	• 피그(Pig)는 야후에서 개발했으나 현재 아파치 프로젝트에 속한 프로젝트로서 복잡한 맵리듀스 프로그래밍을 대체할 피그 라틴(Pig Latin) 이라는 자체 언어를 제공한다. • 맵리듀스 API를 매우 단순화한 형태이고 SQL과 유사한 형태로 설계되었다.
	Spark	• 스파크(Spark)는 인메모리 기반의 범용 데이터 처리 플랫폼이다. • 배치 처리, 머신러닝, SQL 질의 처리, 스트리밍 데이터 처리, 그래프 라이브러리 처리와 같은 다양한 작업을 수용할 수 있도록 설계되었다. • Spark는 주로 실시간 처리 영역, Hadoop은 배치처리 영역에서 사용된다.
	Hive	• 하이브(Hive) 는 하둡 기반의 데이터웨어하우징용 솔루션이다. • 페이스북에서 개발했으며, 오픈소스로 공개되어 주목받은 기술로 SQL과 매우 유사한 HiveSQL 이라는 쿼리 언어를 제공한다. • 자바를 모르더라도 하둡 데이터를 쉽게 분석할 수 있도록 도와주는 역할을 한다.
	Mahout	• 머하웃(Mahout)은 하둡 기반으로 데이터 마이닝 알고리즘을 구현한 오프소소 프로젝트이다. • 분류(Classification), 클러스터링(Clustering) 등 주요 알고리즘을 지원한다.
	Impala	• 임팔라(Impala)는 클라우데라에서 개발한 하둡 기반의 분산 쿼리 엔진이다. • 임팔라는 데이터 조회를 위한 인터페이스로 HiveQL을 사용하며, SQL 질의 결과를 확인할 수 있다.
	Presto	• 프레스토(Presto)는 페이스북이 개발한 대화형 질의를 처리하기 위한 분산 쿼리 엔진이다. • 메모리 기반으로 데이터를 처리하며 다양한 데이터 저장소에 저장된 데이터를 SQL로 처리할 수 있다.
	Tajo	• 타조(Tajo)는 고려대학교 박사 과정 학생들이 주도해서 개발한 하둡 기반의 데이터웨어하우스 시스템이다. • 맵리듀스 엔진이 아닌 자체 분산처리 엔진을 사용한다.
워크플로우 관리	Oozie	• 우지(Oozie)는 하둡 작업을 관리하는 워크플로우 및 코디네이터 시스템이다.
	Airflow	• 에어플로우는 에어비앤비에서 개발한 워크플로우 플랫폼이다.
	Azkaban	• 아즈카반은 링크드인에서 개발한 워크플로우 플랫폼이다.
	Nifi	• 나이파이(Nifi)는 데이터 흐름을 모니터링하기 위한 프레임 워크이다.
데이터 시각화	Zeppelin	• 제플린(Zeppelin)은 빅데이터 분석가를 위한 웹 기반의 분석 도구이며 분석 결과를 시각화 작업을 지원한다.

용어정리

- **에코시스템**
  하둡은 비즈니스에 효율적으로 적용할 수 있도록 다양한 서브 프로젝트를 제공한다. 이러한 서브 프로젝트가 상용화되면서 하둡 에코시스템(Hadoop Ecosystem)이 구성되었다. 분산 데이터를 저장하는 HDFS(스토리지)와 분석 데이터를 처리하는 맵리듀스(컴퓨팅)가 하둡 코어 프로젝트에 속하고 그 외는 모두 하둡의 서브 프로젝트들이다.

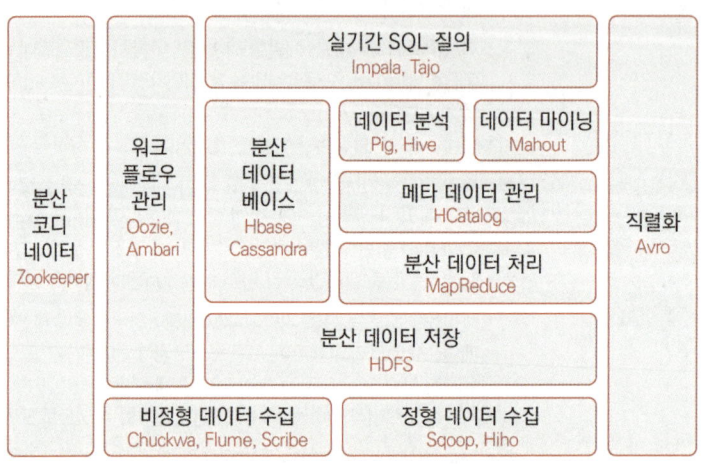

[하둡 에코시스템(Hadoop Ecosystem)]

≫ 기출유형 따라잡기

[03회] 하둡을 관리하는 워크플로우 에코시스템은 무엇인가?
① Oozie
② Tajo
③ Pig
④ Hbase

정답 ①

해설 우지(Oozie)는 하둡 작업을 관리하는 워크플로우 및 코디네이터 시스템이다.

[05회] 빅데이터의 수집-저장-처리-분석-시각화의 단계 중 저장에 사용하는 도구가 아닌 것은?
① 텍스트 마이닝
② 하둡의 HDFS
③ NoSQL
④ 데이터베이스 클러스터

정답 ①

해설 텍스트마이닝은 분석에 사용하는 기법이다.

3) 빅데이터 플랫폼 프로세스

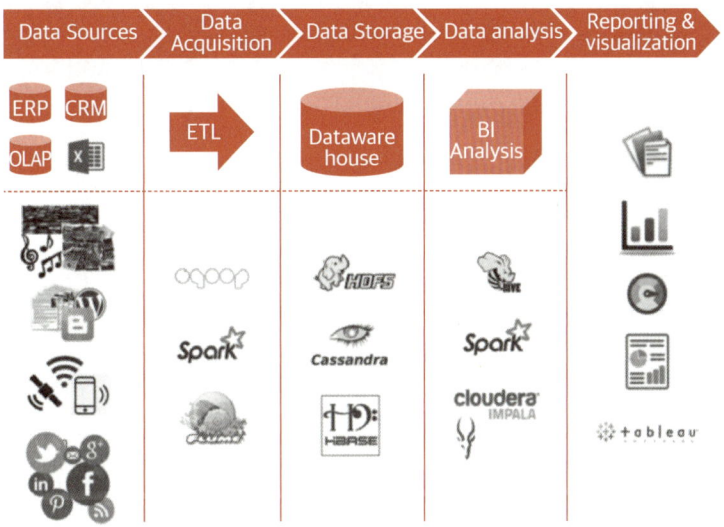

[빅데이터 처리 프로세스]

(1) 빅데이터 수집 및 정제
- 정형, 반정형, 비정형 데이터가 혼재되어 있어 부정확한 데이터를 수집하면 빅데이터를 처리·분석할 때 비효율성이 발생하기 때문에 데이터 수집 및 정제에도 기술이 필요하다.
- 데이터 정제는 데이터 품질을 향상시키기 위해 데이터의 오류 및 불일치를 감지하고 제거한다.
- 이 단계에서는 ETL 프로세스가 데이터 추출, 변환, 로딩을 수행하며, 이를 데이터웨어하우스에서 데이터를 관리하는 데 중요한 역할을 한다.

(2) 빅데이터 저장 및 관리
- 빅데이터의 용량과 다양성의 속성 때문에 데이터베이스 시스템에서 확장성이 중요한 관심사가 되었다.
- 하지만 기존 관계형 데이터베이스 관리시스템으로는 한계가 있기 때문에 NoSQL이나 확장성을 지원하는 RDBMS 연구가 진행되었다.
  ① NoSQL
    - NoSQL이란 관계형 데이터 모델과 SQL 문을 사용하지 않는 데이터베이스 시스템 혹은 데이터 저장소를 의미한다.

- 문자 그대로 NoSQL 또는 Not Only SQL이라고도 한다. 기존 RDBMS가 분산 환경에 적합하지 않기 때문에 이를 극복하기 위해 NoSQL이 고안된 것이다.
- NoSQL의 데이터베이스는 단순하게 Key와 Value의 형태로 저장하고 빠르게 조회할 수 있는 자료구조를 제공하는 저장소이다.
- 전통적인 RDBMS처럼 복잡한 연산 기능, 데이터 무결성을 제공하지는 않지만, 대용량 데이터와 대규모 확장성을 제공한다.

② 분산 파일 시스템
- 데이터가 단일 물리머신의 저장용량을 초과하게 되면 전체 데이터셋을 분리된 여러 머신에 나눠서 저장할 필요가 있다. 네트워크로 연결된 여러 머신의 스토리지를 관리하는 파일 시스템을 분산 파일 시스템이라고 한다.

(3) 빅데이터 처리
- 수집 및 정제된 데이터를 효과적으로 분석하는 처리기술이 필요한 단계로, 보통 작업을 병렬 및 분산 처리하여 성능을 향상한다.
- 분산 시스템은 네트워크에서 분산된 컴퓨터를 단일 시스템 형태로 구동하는 개념으로, 병렬시스템은 문제해결을 위해 CPU 등의 자원을 데이터 버스나 지역 통신 시스템 등으로 연결하여 분할된 작업을 동시에 처리함으로써 계산속도를 빠르게 하는 개념으로 생각할 수 있다.

① 하둡의 등장 배경
- 정형 데이터는 RDBMS에 저장할 수 있지만, 비정형 데이터를 RDBMS에 저장하기에는 데이터의 크기가 너무 크다.
- 상용 RDBMS가 설치되는 곳은 대부분 고가의 장비인데, 데이터를 감당하기 위한 스토리지를 무한정 늘릴 수도 없다.
- 기존 RDBMS는 데이터가 저장된 서버에서 데이터를 처리하는 방식이지만 하둡은 여러 대의 서버에 데이터를 저장하고, 데이터가 저장된 각 서버에서 동시에 데이터를 처리하는 방식이다.
- 이런 분산 컴퓨팅을 통해 기존의 데이터 분석 방법으로는 상상도 못했던 성과를 보여주게 된다.

(4) 빅데이터 분석

- 빅데이터 분석단계에서는 데이터를 효과적으로 분석하는 기술이 필요하다.
- 데이터 분석은 크게 탐구요인분석(Exploratory Factor Analysis, EFA)과 확인요인분석(Confirmatory Factor Analysis, CFA)으로 구분한다.
- EFA는 데이터 간 상호관계를 파악하여 데이터를 분석하는 방법이고, CFA는 관찰된 변수들의 집합 요소의 구조를 파악하기 위한 통계적 기법을 통해 데이터를 분석하는 방법이다.
- 현재 빅데이터 분석을 위한 다양한 분석기법이 개발되어 있고 상황에 맞는 적절한 분석기법의 선택이 중요한 문제이다.

(5) 빅데이터 시각화

- 빅데이터 표현단계에서는 빅데이터 처리 및 분석 결과를 사용자에게 보여주는 기술이 필요하다. 처리 및 분석된 결과를 표, 그래프 등을 이용해 쉽게 이해할 수 있도록 표현하여 결과를 더 효과적으로 분석할 수 있도록 해야 한다.

4) 빅데이터 플랫폼 구조 및 세부 기술

- 빅데이터 처리 과정별 요소 기술을 이용한 빅데이터 플랫폼 구조는 소프트웨어 계층, 플랫폼 계층, 인프라스트럭처 계층으로 구분할 수 있다.

(1) 소프트웨어 계층

- 빅데이터 응용을 구성하며 데이터 처리 및 분석과 이를 위한 데이터 수집 및 정제등을 수행한다.

(2) 플랫폼 계층

- 빅데이터를 응용하는 플랫폼을 제공하고, 이를 위한 데이터 및 자원 할당을 작업 스케줄링, 자원 및 데이터 할당, 프로파일링, 데이터 관리, 자원 관리 등을 통해 수행한다.

(3) 인프라스트럭처 계층

- 자원 배치, 노드, 스토리지, 네트워크 관리 등을 통해 빅데이터 처리 및 분석에 필요한 자원을 제공한다.

데이터 처리 및 분석 엔진	데이터 수집 및 정제 모듈	서비스 관리 모듈	사용자 관리 모듈	모니터링 모듈	보안 모듈
데이터 처리 및 분석	데이터 추출		인증 및 접속 관리	서비스 모니터링	
처리 및 분석 워크플로우 구성	데이터 변환		사용자 서비스 관리		
데이터 표현	데이터 로딩		SLA 관리		소프트웨어 계층

사용자 요청 파싱 모듈	작업 스케줄링 모듈	데이터 및 자원 할당 모듈	프로파일링 모듈	데이터 관리 모듈	자원 관리 모듈
		초기 데이터 할당	자원 프로파일링		
		데이터 재할당 및 복제	응용 프로파일링		
		초기 자원 할당	응용 시뮬레이션		
		자원 재할당 및 스케일링			
서비스 관리 모듈	사용자 관리 모듈	모니터링 모듈	보안 모듈		
	인증 및 접속 관리	서비스 모니터링			
	사용자 서비스 관리				
	SLA 관리				플랫폼 계층

사용자 요청 파싱 모듈	자원 배치 모듈	노드 관리 모듈	스토리지 관리 모듈	네트워크 관리 모듈	서비스 관리 모듈
	초기 자원 배치				
	자원 재할당 및 스케일링				
사용자 관리 모듈	모니터링 모듈	보안 모듈			
인증 및 접속 관리	서비스 모니터링				
사용자 서비스 관리	자원 모니터링				
SLA 관리					인프라스트럭처 계층

[빅데이터 플랫폼 구조]

▶▶ 기출유형 따라잡기

[05회] 아래 보기가 설명하는 계층 플랫폼을 무엇이라 하는가?

> 자원배치, 노드, 스토리지, 네트워크 관리 자원을 제공

① 인프라스트럭처 플랫폼 ② 소프트웨어 플랫폼
③ 분산컴퓨팅 플랫폼 ④ 자원관리 플랫폼

정답 ①

해설 인프라스트럭처 계층
자원 배치, 노드, 스토리지, 네트워크 관리 등을 통해 빅데이터 처리 및 분석에 필요한 자원을 제공한다.

[04회] 빅데이터 분산처리 엔진으로 인메모리(In-Memory)기반으로 대량 데이터를 처리할 수 있는 빅데이터 에코시스템을 무엇이라 하는가?

① 맵리듀스(Map Reduce) ② 스파크(Spark)
③ 하이브(Hive) ④ 피그(Pig)

정답 ②

해설 기존 맵리듀스의 디스크 입출력을 보완하여 인 메모리기반 데이터 처리 프레임워크이다.

> **기출유형 따라잡기**

[07회] 빅데이터 플랫폼에 대한 설명으로 옳지 않은 것은?
① 인프라스트럭처 계층에서는 빅데이터 응용을 구성하며 데이터 처리 및 분석과 이를 위한 데이터 수집 및 정제등을 수행한다.
② 빅데이터 처리 과정별 요소 기술을 이용한 빅데이터 플랫폼 구조는 소프트웨어 계층, 플랫폼 계층, 인프라스트럭처 계층으로 구분할 수 있다.
③ 빅데이터 플랫폼은 다양하고 방대한 양의 데이터로부터 수집한 데이터를 처리하고, 분석하여 지식을 추출함으로써 지능화된 서비스를 제공하기 위한 IT 환경이다.
④ 빅데이터 플랫폼을 대표하는 기술로 분산처리기술을 제공하는 하둡(Hadoop)을 들 수 있다.

정답 ①
해설 ① 소프트웨어 계층에 대한 설명이다.

2 빅데이터와 인공지능

학습 목표
1. 인공지능의 정의를 학습한다.

출제 KEYWORD
① 강한 인공지능과 약한 인공지능의 개념 구분 ★

1. 인공지능(AI : Artificial Intelligence)

1) 인공지능의 정의
- 인공지능은 학자들 사이에서 다양하게 정의되고 있다. 다양한 정의를 종합하면 인지, 추론 등을 통한 학습과 문제해결 등 인간의 사고능력을 기계적으로 구현해 자동화한 시스템을 의미한다.
- 인공지능이라는 용어는 1950년대 다트머스 회의에서 처음 사용됐다. 다트머스 회의 이후 인공지능은 활발히 연구됐고 논리적인 분야에서 많은 성과를 냈다.
- 1980년대에 전문가의 지식을 논리적인 규칙으로 생성해 특정 영역에 대한 사람의 질문에 답할 수 있는 전문가 시스템의 인공지능이 부상한다.
- 2012년에 제프리 힌튼(Geoffrey Hinton) 캐나다 토론토대학 교수 연구실이 IMAGENET(이미지인식 경진대회)에서 딥러닝 알고리즘을 활용해 우승하면서 인공지능이 각광을 받게 된다.

2) 강한 인공지능과 약한 인공지능으로 분류

① 강한 인공지능(Strong AI)
- 사람과 같은 지능
- 마음을 가지고 사람처럼 느끼면서 지능적으로 행동하는 기계
- 추론, 문제해결, 판단, 계획, 의사소통, 자아의식(Self - Awareness), 감정(Sentiment), 지혜(Sapience), 양심(Conscience)

② 약한 인공지능(Weak AI, Narrow AI)
- 특정 문제를 해결하는 지능적 행동
- 사람의 지능적 행동을 흉내를 낼 수 있는 수준
- 대부분의 인공지능 접근방향
  → 현재 대부분의 인공지능 발전 방향은 약한 인공지능

3) 인공지능의 역사

연도	주요 특징
1960년대 이전	• 1946년 펜실베니아 대학, ENIAC 개발 • LISP 언어 개발 (McCarthy, 1958) • Advice Taker - 공리(Axiom) 기반 지식표현 및 추론 (McCarthy) • Perceptron - 신경망 모델 (Rosenblatt, 1958)

1970 ~ 1980	• 일반적인 방법보다는 특정 문제영역에 효과적인 방법을 찾는 연구
	• 전문가 시스템(Expert System)
	  - 특정 영역의 문제에 대해서는 전문가 수준의 해답을 제공
	  - 1970년대 초반부터 1980년대 중반 상업적 성공사례
	  - MYCIN(혈액진단), PROSPECTOR(광물탐사), DENDRAL(분자구조)

1980 ~ 1990	• 신경망 모델 발전
	  - 다층 퍼셉트론(Multi-Layer Perceptron, MLP)
	  - 오차 역전파(Error Backpropagation) 알고리즘
	• 퍼지이론(Fuzzy Theory)
	• 진화연산 : 유전자 알고리즘, 진화 프로그래밍
	• 확률적 그래프 모델
	  - 베이지안 네트워크(Bayesian Network)
	  - 마르코프 랜덤 필드(Markov Random Field)
	• 서포트 벡터 머신(Support Vector Machine, SVM)

2000년 이후	• 에이전트(Agent) • 시맨틱 웹(Semantic Web) • 기계학습(Machine Learning) • 데이터 마이닝(Data Mining) • 심층 학습(Deep Learning, 딥러닝)

4) 인공지능의 기술

① **탐색(Search)**

문제의 답이 될 수 있는 것들의 집합을 공간(Space)으로 간주하고, 문제에 대한 최적의 해를 찾기 위해 공간을 체계적으로 찾아보는 것

> 예 무정보탐색, 휴리스틱 탐색, 게임 트리탐색

② **지식표현(Knowledge Representation)**

문제해결에 이용하거나 심층적 추론을 할 수 있도록 지식을 효과적으로 표현하는 방법

> 예 IF-THEN 규칙(Rule), 의미망(Semantic Net), 확률 그래프 모델, 함수기반 지식표현

③ **추론(Inference)**

- 가정이나 전제로부터 결론을 이끌어내는 것
- 관심 대상의 확률 또는 확률분포를 결정하는 것

> 예 베이즈정리(Bayesian Theorem)

④ **기계학습(Machine Learning)**

- 경험을 통해서 나중에 유사하거나 같은 일(Task)을 더 효율적으로 처리할 수 있도록 시스템의 구조나 파라미터를 바꾸는 것
- 알고 있는 것으로부터 모르는 것을 추론하기 위한 알고리즘을 만드는 것

》 기출유형 따라잡기

[03회] 전통적인 데이터 분석과 AI를 통한 빅데이터 분석의 차이점에 대한 설명으로 올바르지 않은 것은?
① 문제에 대한 최적의 해를 찾기 위해 공간을 체계적으로 구축
② 인간과의 검색기반의 질의응답
③ 음성인식을 통한 서비스 제공
④ 고유한 인간의 특성까지 인공지능이 활용

정답 ④
해설 ④ 강한 인공지능과 약한 인공지능의 차이이다.

용어정리

- **지도학습(Supervised Learning)**
  문제(입력)와 답(출력)의 쌍으로 구성된 데이터들이 주어질 때, 새로운 문제를 풀 수 있는 함수 또는 패턴을 찾는 것
- **비지도학습(Unsupervised Learning)**
  답이 없는(목표변수) 문제들만 있는 데이터들로부터 패턴을 추출하는 것
- **강화학습(Reinforcement Learning)**
  문제에 대한 직접적인 답을 주지는 않지만, 경험을 통해 기대 보상(Expected Reward)이 최대가 되는 정책(Policy)을 찾는 학습

> **기출유형 따라잡기**

[02회] 입력값에 대한 라벨 데이터를 학습시켜 새로운 입력값에 대해 예측하는 방법으로 주로 분류, 회귀문제에 활용하는 분석 방법은?
① 지도학습　　　　　　　　　② 강화학습
③ 전이학습　　　　　　　　　④ 비지도학습

정답 ①

해설
- 지도학습(Supervised Learning)은 기계 학습의 한 유형으로, 모델을 훈련시키기 위해 레이블이 지정된 훈련 데이터를 사용하는 방법이다.
- 이는 모델이 입력 데이터와 해당 데이터에 대한 정답(레이블) 사이의 관계를 학습하도록 하는 것을 의미한다.
- 강화학습(Reinforcement Learning)은 기계 학습의 한 분야로, 에이전트라고 불리는 결정을 내리는 시스템이 환경과 상호작용하며 어떤 목표를 달성하기 위해 시행착오를 통해 학습하는 방법이다.

2. 인공지능(Artificial Intelligence, AI)과 머신러닝(machine learning), 딥러닝(deep learning)

인공지능(Artificial Intelligence)
인간과 유사하게 사고하는 컴퓨터 지능을 일컫는 포괄적 개념

머신러닝(Machine Learning)
데이터를 통해 컴퓨터를 학습시키거나, 컴퓨터가 스스로 학습하여 인공지능의 성능(정확도, 속도, 응용 범위 등)을 향상시키는 방법

딥러닝(Deep Learning)
- 인공신경망 이론 기반으로, 인간의 뉴런과 유사한 입·출력 계층 및 복수의 은닉 계층을 활용하는 학습 방식
- 복잡한 비선형 문제를 비지도학습으로 해결하는데 효과적

- **머신러닝**은 인공지능의 한 분야로, 누적된 경험을 통해 컴퓨터가 스스로 학습할 수 있게 하는 알고리즘이다.
- 알고리즘을 이용해 데이터를 분석 및 학습하고, 학습한 내용을 기반으로 어떠한 결정을 판단하거나 예측한다.
- 머신러닝은 작업을 수행할 때마다 얻은 결과를 스스로 학습하여 향후 작업을 더 정확한 수행이 가능하다.
- **딥러닝**은 머신러닝과 마찬가지로 인공지능의 하위개념이며, 인공신경망에서 발전한 형태이다.

- 인공신경망(Artificial Neural Network)은 뇌의 뉴런과 유사한 정보입출력 계층을 활용한 것으로, 블랙박스 형태의 데이터를 입력하면, 자동으로 복잡한 수학식 형태로 모델링되는 기법이다.
- 딥러닝은 이러한 복잡한 인공신경망을 사용한 알고리즘을 통해 데이터를 학습한다.
- 머신러닝은 알고리즘이 부정확한 예측을 반환할 경우, 분석자가 개입하여 조정해야 한다. 그러나 딥러닝은 알고리즘의 자체 신경망을 통해 예측 정확성 여부를 스스로 판단한다.

》 기출유형 따라잡기

[05회] 인공지능, 머신러닝, 딥러닝의 포함 관계 중 옳은 것은?
① 머신러닝>인공지능>딥러닝
② 머신러닝>딥러닝>인공지능
③ 인공지능>딥러닝>머신러닝
④ 인공지능>머신러닝>딥러닝

정답 ④

해설
- 인공지능이 가장 큰 개념으로 머신러닝 개념을 포함한다.
- 인공지능(Artificial intelligence)은 인간의 학습 능력과 추론 능력, 지각 능력 등을 컴퓨터 프로그램으로 실현한 기술을 말하는데 그 연구 분야 중 하나가 바로 머신러닝이다.
- 그리고 딥러닝은 인공신경망을 이용한 머신러닝의 한 종류로 머신러닝의 하위 개념으로 볼 수 있다.

[07회] 머신러닝과 딥러닝에 대한 설명으로 옳지 않은 것은?
① 머신러닝은 주어진 데이터 패턴을 학습하고 유추하는 것이다.
② 인공지능(AI)의 하위 집합이다.
③ 머신러닝은 딥러닝의 일부이다.
④ 컴퓨터 성능에 따라 처리 성능이 달라진다.

정답 ③

해설 딥러닝은 머신러닝의 한 분야로, 머신러닝의 하위 집합 중 하나이다. 딥러닝은 인공 신경망을 사용하여 복잡한 패턴 및 표현을 학습하는 기술을 포함한다. 이는 기존의 머신러닝 방법들보다 데이터의 특징을 더 자동적으로 추출하고 모델을 구성하는 데 있어 더 유연한 방법을 제공한다.

3 개인정보 법·제도

학습 목표
1. 데이터와 관련한 개인정보 보호법을 이해한다.

출제 KEYWORD
① 개인정보의 수집·이용 관련 주요 사항 ★★

1. 개인정보 보호법의 목적
- 개인정보 보호법은 개인정보 보호에 관한 일반법으로 개인정보의 효율적 활용과 정보 주체의 사생활 보호 등 정당한 권익을 보호하고, 개인정보보호의 사각지대를 해소하면서도 적절한 규율대상을 명확하기 위함이다.

2. 개인정보 정의
- 「개인정보 보호법」에서 정의하는 개인정보는 살아 있는 개인에 관한 정보로 아래에 해당하는 정보를 말한다.
① 성명, 주민등록번호 및 영상 등을 통하여 개인을 알아볼 수 있는 정보
② 해당 정보만으로는 특정 개인을 알아볼 수 없더라도 다른 정보와 쉽게 결합하여 알아볼 수 있는 정보
③ ①또는 ②를 가명 처리함으로써 원래의 상태로 복원하기 위한 추가 정보의 사용, 결합 없이는 특정 개인을 알아볼 수 없는 정보(**가명정보**)
→ 따라서 개인정보의 주체는 자연인(自然人)이어야 하며, 법인(法人) 또는 단체의 정보는 해당하지 않는다. 따라서 법인의 상호, 영업 소재지, 임원 정보, 영업실적 등의 정보는 「개인정보 보호법」에서 보호하는 개인정보의 범위에 해당하지 않는다.

3. 개인정보의 구성요소
① 살아있는 개인에 관한 정보
  - 사망한 자에 관한 정보는 개인정보가 아니다.
  - 단 사망자의 정보가 유족과의 관계를 나타내는 정보이거나 유족 등의 사생활을 침해할 경우 개인정보에 해당한다.

- 법인 또는 단체 정보는 개인정보가 아니다. 단 임원이나 업무담당자 이름, 자택주소, 개인연락처 등은 개인정보에 해당한다.

② 특정 개인과의 관련성
- 개인정보 해당성 여부는 구체적 상황에 따라 다르게 평가된다.
- 일반 사물에 관한 정보는 개인정보는 아니지만, 특정 개인과의 관련 있는 사물에 관한 정보는 개인정보가 될 수 있다.
- 특정 개인과의 관련성은 1인에 한정되지 않음. 해당정보를 통해 직·간접적으로 1인 이상의 정보주체를 특정할 수 있으면, 그들 모두의 개인정보에 해당한다.
- 특정 개인을 식별할 수 없다면 개인정보가 아님
- 모든 정보가 개인정보는 아니지만, 모든 정보가 개인정보가 될 수 있다.
- 정보의 종류, 형태, 성격, 형식 등에 대해서는 특별한 제한 없지만, 개인을 식별할 수 있다면 개인정보가 될 수 있음

③ 식별 가능성이 있는 개인정보
- 특정 개인을 다른 사람과 구분하거나 구별할 수 있다는 의미
- 주민등록번호 등 고유 식별 정보, 영상정보, 성명, 주소, 쿠키 정보 등 다른 정보와 쉽게 결합하여 특정 개인을 식별할 수 있으면 개인정보에 해당
- 결합 가능성이란 결합이 불가능하거나 비합리적인 수준이라면 '쉽게 결합하여'의 의미를 벗어난 것을 의미

④ 정보의 임의성

1) 개인정보 보호 필요성 및 원칙
① 정보기술의 고도화
- 개인정보가 정보 주체의 의사와 상관없이 타인에 의해 임의로 수집, 이용 공개될 수 있는 새로운 ICT 환경에 노출

② 개인정보 보호법의 준수
- 안전한 개인정보 보호 환경 구축
- 정보 주체의 자유와 권리 보장
- 국가발전과 기업 이익 증진에 기여

2) OECD 프라이버시 8원칙

- 프라이버시 보호와 개인정보의 국가 간 유통에 관한 가이드 라인
- 국내·외 개인정보 보호법에 큰 영향을 미침

OECD 프라이버시 원칙	개인정보 보호법 원칙
수집 제한의 원칙(1원칙)	• 목적에 필요한 최소한 범위 안에서 적법하고 정당하게 수집(제1항) • 사생활 침해를 최소화하는 방법으로 처리(제6항) • 익명처리의 원칙(제7항)
정보 정확성의 원칙(2원칙)	• 처리 목적 범위 안에서 정확성, 안정성, 최신성 보장(제3항)
목적 명확화 원칙(3원칙)	• 처리 목적의 명확화(제1항)
이용 제한의 원칙(4원칙)	• 필요 목적 범위 안에서 적법하게 처리, 목적 외 활용금지(제2항)
안전성 확보의 원칙(5원칙)	• 정보주체의 권리침해 위험성 등을 고려한 안전성 확보조치(제4항)
(처리방침) 공개의 원칙(6원칙)	• 사생활 침해를 최소화하는 방법으로 처리(제6항), 익명처리의 원칙(제7항), 개인정보 처리사항 공개(제5항)
정보 주체 참여의 원칙(7원칙)	• 열람청구권 등 정보 주체의 권리보장(제5항)
책임의 원칙(8원칙)	• 개인정보처리자의 책임준수, 실천, 신뢰성 확보 노력(제8항)

≫ 기출유형 따라잡기

[03회] 유럽연합이 2018년 5월 25일부터 적용한 개인정보를 통제할 권리, 정보에 접근할 권리, 정보를 삭제할 권리 등을 규정을 무엇이라 하는가?
① ACT   ② DPO
③ GDPR   ④ Right to be forgotten

정답 ③

해설 2016년 5월 유럽연합(이하 'EU')에서 제정한 「일반 개인정보보호법(General Data Protection Regulation)」(이하 'GDPR')이 2년간의 유예기간이 종료됨에 따라 2018년 5월 25일 본격 적용되었다.
GDPR은 정보 주체가 프로파일링에 대해 반대할 권리와 자동화된 의사결정의 대상이 되지 않을 권리가 있음을 규정하고 있다. 또한, 정보 주체가 그들에 관하여 수집된 정보에 접근할 권리가 있으며, 수집된 개인정보에 관해 통지를 받을 권리가 있음을 규정하고 있다.

용어정리

- **가명정보**
  - '추가 정보의 사용·결합 없이는 특정 개인을 알아볼 수 없는 정보'임에 비해서(제2조제1호다 목), "익명정보"는 '시간·비용·기술 등을 합리적으로 고려할 때 다른 정보를 사용하여도 더 이상 개인을 알아볼 수 없는 정보'이다(제58조의2)5).
  - → 가명정보는 개인정보의 일종이기 때문에 개인정보 관련 법령에 따라 처리해야 한다.

4. 달라진 개인정보 보호법

개정 개인정보 보호법 2020년 8월 5일 시행

① 개인정보 판단 기준 명확화
- 개인정보의 판단기준 세부화, 익명정보는 법 적용대상이 아님을 명시

개정 전(기존)	개정 후(달라지는 점)
개인정보 : 살아있는 개인에 관한 정보	개인정보 ① 살아있는 개인에 관한 정보 ② 개인정보를 가명처리한 정보

- 가명처리된 정보(가명정보)는 통계작성, 과학적 연구, 공익적 기록 보존 등의 목적으로 동의없이 처리 가능

② 수집목적과 합리적 관련 범위 내에서 활용 확대

개정 전(기존)	개정 후(달라지는 점)
• 개인정보 수집·이용 또는 제공 시 사전에 목적을 구체적으로 정하고, 그 목적의 범위에서 이용·제공 가능 • 목적변경 시, 정보주체의 재동의 필요	• 당초 수집 목적과 합리적으로 관련된 범위내에서 정보주체의 동의 없이 개인정보 이용·제공 가능 • 고려사항 : 정보주체에게 불이익이 발생하는지 여부, 암호화 등 안전성 확보조치 여부 등

③ 개인정보보호 추진 체계 효율화

개정 전(기존)	개정 후(달라지는 점)
행안부, 방송위, 금융위, 개인정보위 등 분야별 감독기구 상이	개인정보보호 위원회로 감독기구 일원화

- 개인정보처리자 책임성 강화 : **가명처리** 처리 및 결합 시 안전성 확보에 필요한 기술적·관리적 및 물리적 조치의무, 재식별 금지 의무, 위반 시 벌칙 조항이 신설

5. 개인정보 처리단계별 보호

1) 개인정보의 수집·이용
- 개인정보수집 : 정보주체로부터 직접 이름, 주소, 전화번호 등의 정보를 제공 받는 것뿐만 아니라 정보 주체에 관한 모든 형태의 개인 정보를 취득하는 것을 말함
- 정보원칙 : 개인 정보는 정보주체로부터 직접 수집이 원칙이나 필요한 경우 제3자(국가기관, 신용평가기관 등), 공개된 자료원(인터넷, 전화번호부)등에서 수집·이용 가능

2) 개인정보의 수집 및 수집 목적 내 이용이 가능한 경우
- 정보주체의 동의를 받는 경우
- 법률에 특별한 규정이 있거나 법령상 의무를 준수하기 위하여 불가피한 경우
- 공공기관이 법령 등에서 정하는 소관 업무의 수행을 위하여 불가피한 경우
- 정보주체와의 계약의 체결 및 이행을 위하여 불가피하게 필요한 경우
- 명백히 정보주체 등의 급박한 생명, 신체, 재산의 이익을 위해 필요한 경우
- (정보주체의 권리보다 우선하는) 개인정보처리자의 정당한 이익 달성을 위하여 필요한 경우

> **기출유형 따라잡기**
>
> [02회] 다음 중 개인정보 주체의 동의 없이 개인정보 이용이 가능한 경우?
> ① 입사 지원자에 대해 회사가 범죄이력 조회
> ② 회사가 요금부과를 위해 개인 인적 정보를 조회
> ③ 응급한 사고로 급하게 수술하는 경우의 개인정보 조회
> ④ 일상적인 계약이행을 위해 당사자의 개인정보 조회
>
> **정답** ③
> **해설** 개인정보보호법의「개인정보의 수집 및 수집 목적 내 이용이 가능한 경우」참고
>
> [05회] 개인정보에 대한 설명 중 옳지 않은 것은?
> ① 통계 작성 시 개인에게 동의를 구해야 한다.
> ② 법인 단체는 개인정보의 범위가 아니다.
> ③ 개인정보보호법 개정 후 개인정보는 가명처리가 원칙이다.
> ④ 개인정보 제공 범위 안에서 불이익들을 고려하여 동의 없이 제공할 수 있다.
>
> **정답** ③
> **해설** 개인정보처리자는 개인정보를 익명 또는 가명으로 처리하여도 개인정보 수집 목적을 달성 할 수 있는 경우 익명처리가 가능한 경우에는 익명에 의하여, 익명처리로 목적을 달성할 수 없는 경우에는 가명에 의하여 처리될 수 있도록 한다.

3) 개인정보 수집·이용 동의 시 필수 고지 사항
① 개인정보의 수집·이용 목적
② 수집하려는 개인정보의 항목
③ 개인 정보의 보유 및 이용 기간
④ 동의를 거부할 권리가 있다는 사실 및 동의 거부에 따른 불이익이 있는 경우에는 그 불이익의 내용

> **기출유형 따라잡기**

[02회] 개인정보 수집·이용 동의 시 필수 고지 사항이 아닌 것은?
① 개인정보의 수집·이용 목적
② 수집하려는 개인정보의 항목
③ 동의를 거부할 권리가 있다는 사실
④ 파기하게 되는 정보

정답 ④
해설 개인정보보호법 개인정보 수집·이용 동의 시 필수 고지 사항 참고

4) 개인정보의 수집 제한

- 개인정보를 수집할 때는 그 목적에 필요한 범위에서 최소한의 개인정보만을 적법하게 정당하게 수집하여야 한다.
  → 개인 정보수집 처리자는 '정보주체가 필요 최소한의 정보 외의 개인정보 수집에 동의하지 않는다'라는 이유로 정보주체에게 재화 또는 서비스의 제공을 거부할 수 없다.

(1) 민감정보·고유식별정보 처리제한

- 예외적으로 정보주체에게 별도 동의를 얻거나, 법령에서 구체적으로 허용된 경우에 한하여 처리 가능하다.

민감정보	고유식별 정보
• 사상·신념 • 노동조합·정당의 가입·탈퇴 • 정치적 견해 • 인종 및 민족 • 건강, 성생활 등에 관한 정보 • 유전자검사 등의 결과로 얻어진 유전정보 • 범죄경력자료에 해당하는 정보	• 주민등록번호 • 외국인등록번호 • 여권번호 • 운전면허번호

> **기출유형 따라잡기**

[03회] 다음 중 개인정보 수집 제한과 관련하여 민감정보에 해당하지 않는 것은?
① 사상·신념
② 정치적 견해
③ 유전정보
④ 취미생활

정답 ④

> **기출유형 따라잡기**

[03회] 개인정보처리자의 의무사항과 관련이 없는 것은?
① 개인정보를 수집할 때는 그 목적에 필요한 범위에서 최소한의 개인정보만을 수집해야 한다.
② 반드시 익명으로 처리해야 한다.
③ 개인의 사생활 침해가 최소화되는 방법으로 처리한다.
④ 개인정보처리자는 특별한 경우를 제외하고 고유식별정보를 처리할 수 없다.

정답 ②
해설 익명으로 처리가 가능한 경우 익명으로 처리

4 개인정보 활용

📝 학습 목표
1. 데이터 3법의 주요 개정 내용을 이해한다.

🔍 출제 KEYWORD
① 프라이버시 모델 ★★

1. 데이터 3법 주요 개정 내용

- 데이터 3법은 데이터 이용을 활성화하는 '개인정보보호법', '정보통신망 이용촉진 및 정보보호 등에 관한 법률(이하 정보통신망법)', '신용정보의 이용 및 보호에 관한 법률(이하 신용정보법)' 등 3가지 법률을 통칭한다.

1) 데이터 3법 주요 개정 내용
- 데이터 이용 활성화를 위한 가명정보개념 도입
- 관련 법률의 유사·중복 규정을 정비하고 추진체계를 일원화하는 등 개인정보 보호 협치(거버넌스) 체계의 효율화
- 데이터 활용에 따른 개인정보처리자의 책임 강화
- 모호한 개인정보판단 기준의 명확화

2. 가명정보 처리 가이드 라인

- 데이터 3법이 통과됨에 따라 데이터 산업이 활성화될 것으로 기대되고 있다. 특히 비식별 조치가 된 개인정보를 산업적 통계 등 연구목적으로 명시적 동의 없이 활용할 수 있게 되면서 데이터의 활용도가 높아질 것이 확실시된다.
- 또한 비식별조치 중 가명정보가 명시됨으로써 활용되는 데이터의 품질도 크게 향상될 것으로 보인다.
- 데이터 3법의 주요 내용 중 하나는 역시 '가명정보'의 개념을 도입하고 이를 명시화했다는 것이다. 이전에는 익명정보의 개념만 도입했기 때문에, 데이터 활용 측면에서 의미 있는 결과를 도출하기 어려웠다. 하지만 이번 데이터 3법에 가명정보개념이 도입됨에 따라 데이터 품질이 높아질 것으로 기대되고 있다.

용어정리 - 가명정보처리 관련

- **가명처리**
  개인정보 일부를 삭제하거나 일부 또는 전부를 대체하는 등의 방법으로 추가정보가 없이는 특정 개인을 알아볼 수 없도록 처리하는 것
- **가명정보**
  가명처리한 개인정보로, 원래의 상태로 복원하기 위한 추가정보의 사용·결합 없이는 특정 개인을 알아볼 수 없는 정보
- **추가정보**
  개인정보의 전부 또는 일부를 대체하는데 이용된 수단이나 방식(알고리즘, Salt 값 등), 가명정보와의 비교·대조 등을 통해 삭제 또는 대체된 개인정보를 복원할 수 있는 정보(가명정보와 기존 개인식별정보를 연결하는 매핑 테이블 정보 등)
- **익명처리**
  데이터 값 삭제, 가명처리, 총계처리, 범주화 등의 방법으로 개인정보의 전부 또는 일부를 삭제하거나 대체함으로써 더 이상 개인을 알아볼 수 없도록 개인정보를 처리하는 것
- **익명정보**
  시간·비용·기술 등을 합리적으로 고려할 때 다른 정보를 사용하여도 더 이상 개인을 알아볼 수 없도록 개인정보를 익명처리한 정보
- **가명정보 처리**
  "가명정보 처리"는 가명처리를 통해 생성된 가명정보를 이용·제공 등 활용하는 행위를 말함

1) 가명처리 가이드 라인

① 추진 배경
- 빅데이터, AI 등 다양한 융·복합 산업에서의 데이터 이용수요가 급증하고 있으며, 데이터활용의 핵심인 가명정보 활용에 대한 법적 근거가 마련되어 체계적인 데이터 활용기반이 조성되었음

- 이에 데이터 활용에 필요한 가명처리 기술·절차·관리체계 등을 구체적으로 안내하여 개인정보보호는 더욱 강화하고 안전한 데이터 활용기반을 마련하고자 함
- 가명처리는 '개인정보의 일부를 삭제하거나 일부 또는 전부를 대체하는 등의 방법으로 추가정보 없이는 특정 개인을 알아볼 수 없도록 처리하는 것을 의미

2) 가명처리 및 가명정보의 처리
(1) 개요

① 개인정보처리자는 통계작성, 과학적 연구, 공익적 기록 보존 등을 위하여 정보주체의 동의 없이 가명정보를 이용, 제공, 결합 등 처리할 수 있음(보호법 제28조의2 제1항, 제28조의3 제1항)

※ (주의)「가명정보 처리에 관한 특례」에 따라 정보주체의 동의 없이 처리가 가능한 가명정보는 통계작성, 과학적 연구, 공익적 기록 보존 등 목적에 한정되므로 처리 목적이 설정되지 않은 상황에서 보유하고 있는 개인정보를 가명처리하여 보관하는 것은「가명정보 처리에 관한 특례」에 근거한 처리로 볼 수 없음

※ 불특정 제3자에게 제공하는 경우(공개 등) 익명정보로 처리하는 것을 원칙으로 함

(2) 개인정보의 가명처리는 ① 가명처리 목적 설정 등 사전준비, ② 위험성 검토 ③ 가명처리 수행, ④ 적정성 검토 및 추가 가명처리, ⑤ 가명정보의 안전한 관리 단계로 이루어짐

3) 가명정보의 안전한 관리
- 개인정보처리자가 가명정보를 처리하는 경우에는 원래의 상태로 복원하기 위한 추가정보를 별도로 분리하여 보관·관리하여야 하고, 가명정보가 분실·도난·유출·위조·변조 또는 훼손되지 않도록 안전성 확보에 필요한 관리적·기술적·물리적 보호조치를 적용하여야 한다.

① 관리적 보호조치
- 개인정보처리자는 가명정보 및 추가정보를 안전하게 관리하기 위한 내부관리계획을 수립·시행하여야 함
- 가명정보처리자는 내부관리계획에서 정한 사항에 중요한 변경이 있는 경우 이를 즉시 반영하여 내부관리계획을 수정·시행하고, 관리책임자는 연 1회 이상 내부관리계획 이행실태를 점검·관리하여야 함
- 가명정보 처리업무를 외부에 위탁하는 경우, 가명정보도 개인정보에 해당하므로 법 26조에 따라 위탁업무 수행목적 외 가명정보의 처리금지에 관한 사항 등을 포함한 문서를 작성하여야 함

② 기술적 보호조치
- 가명정보처리자는 추가정보의 분리보관, 접근권한 관리, 접근통제 및 접속기록의 보관 및 점검 등의 기술적 보호조치를 하여야 함
- 가명정보처리시스템의 접근권한 부여, 변경 또는 말소에 대한 내역을 기록하고, 그 기록을 최소 3년간 보관하여야 함

③ 물리적 보호조치
   가명정보처리자는 가명정보 또는 추가정보의 안전한 관리를 위하여 물리적 안전조치를 취하여야 함

4) 가명정보의 결합 및 반출
- 가명정보는 개인정보처리자의 정당한 처리범위 내에서 통계작성, 과학적 연구, 공익적 기록보존 등의 목적으로 정보주체의 동의 없이 처리할 수 있음

① 통계작성 : 통계란 특정집단이나 대상 등에 관하여 작성한 수량적인 정보를 의미
  ※ 직접(1 : 1) 마케팅 등을 위해 특정개인을 식별할 수 있는 형태의 통계는 해당하지 않음

② 과학적 연구 : 과학적 연구는 기술의 개발과 실증, 기초연구, 응용연구 및 민간 투자 연구 등 과학적 방법을 적용하는 연구를 의미
  예 코로나19 위험 경고를 위해 생활패턴과 코로나19 감염률의 상관성에 대한 가설을 세우고, 건강관리용 모바일앱을 통해 수집한 생활습관, 위치정보, 감염증상, 성별, 나이, 감염원 등을 가명처리하고 감염자의 데이터와 비교·분석하여 가설을 검증하는 경우

③ 공익적 기록 보존 : 공공의 이익을 위하여 지속적으로 열람할 가치가 있는 정보를 기록하여 보존하는 것을 의미

> **예** 연구소가 현대사 연구과정에서 수집한 정보 중에서 사료가치가 있는 생존인물에 관한 정보를 기록·보관하고자 하는 경우
> → (가명정보 결합) 서로 다른 개인정보처리자가 보유한 가명정보는 개인정보보호위원회 또는 관계 중앙행정기관의 장이 지정한 결합전문기관을 통해서만 결합하여 처리할 수 있으며, 개인정보처리자 내부에서 보유한 가명정보의 결합은 별도의 결합전문기관을 통하지 않아도 됨

5) 프라이버시(Privacy Model) 모델

- 프라이버시 모델이란 가능한 추론의 형태와 프라이버시 노출에 대한 정량적인 위험성을 규정하는 방법

※ 개인정보법 개정 전 비식별조치의 적정성 검토에 해당되었지만 법 개정 후 이보다 완화된 가명 처리 가이드라인으로 변경됨

기법	의미	적용례
k - 익명성	특정인임을 추론할 수 있는지를 여부를 검토, 일정 확률수준 이상 비식별 되도록 함	동일한 값을 가진 레코드를 k개 이상으로 함. 이 경우 특정개인을 식별할 확률은 1 / k임
l - 다양성	특정인 추론이 안된다고 해도 민감한 정보의 다양성을 높여 추론 가능성을 낮추는 기법	각 레코드는 최소 1개 이상의 다양성을 가지도록 하여 동질성 또는 배경지식 등에 의한 추론방지
t - 근접성	l - 다양성뿐만 아니라, 민감한 정보의 분포를 낮추어 추론 가능성을 더욱 낮추는 기법	전체 데이터 집합의 정보분포와 특정정보의 분포차이를 t이하로 하여 추론 방지

용어정리

- **K-익명성**
  환자의 의료정보를 연구목적으로 개인정보 보호처리(성명 속성을 삭제) 후 배포한다.

식별자	준식별자			민감 속성
성명	연령	성별	우편번호	질병
해미	28	F	13053	기관지염
은옥	29	F	13068	감기
✗	21	M	13068	위암
미강	23	M	13053	감기
세찬	31	M	13053	기관지염
기정	37	M	13053	감기
예은	38	F	13068	위암
우일	35	M	13067	위암

》 기출유형 따라잡기

[07회] 데이터 3법에 해당하지 않은 것은?
① 개인정보 보호법　　　　　　② 정보통신망법
③ 신용정보법　　　　　　　　④ 공공데이터 활성화에 관한 법률

정답 ④

해설 데이터 3법은 데이터이용을 활성화하는 '개인정보보호법', '정보통신망 이용촉진 및 정보보호 등에 관한 법률(이하 정보통신망법)', '신용정보의 이용 및 보호에 관한 법률(이하 신용정보법)' 등 3가지 법률을 통칭한다.

- **연결 공격(Linking Attack)**
  준식별자 정보는 공개된 정보를 통해 추론의 근거로 사용가능하다. 준식별자 값들의 조합(연령, 성별, 우편번호 등의 조합)을 통해 배포된 데이터에 개인이 추론되어 민감정보가 노출될 수 있다.

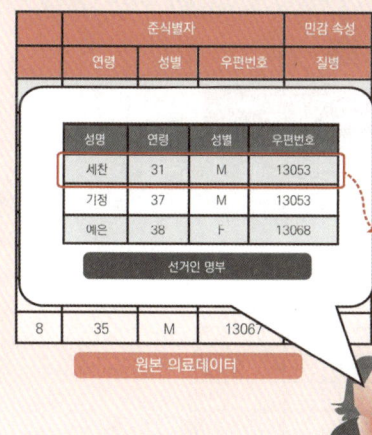

CHAPTER 01 빅데이터의 이해 | 85

- **l-다양성**

  k-익명성 모델은 동질성 공격에 취약하며, 데이터가 k-익명성을 만족하더라도, 아래와 같은 경우 개인의 민감정보가 노출될 수 있다.

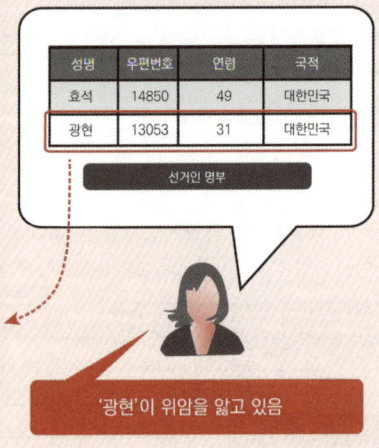

l-다양성은 각 블록이 적어도 l개의 다양한 민감정보를 가지고 있어야 한다는 조건을 만족해야 한다.(블록은 데이터에서 민감하지 않은, 속성값이 동일한 레코드 집합을 말한다)

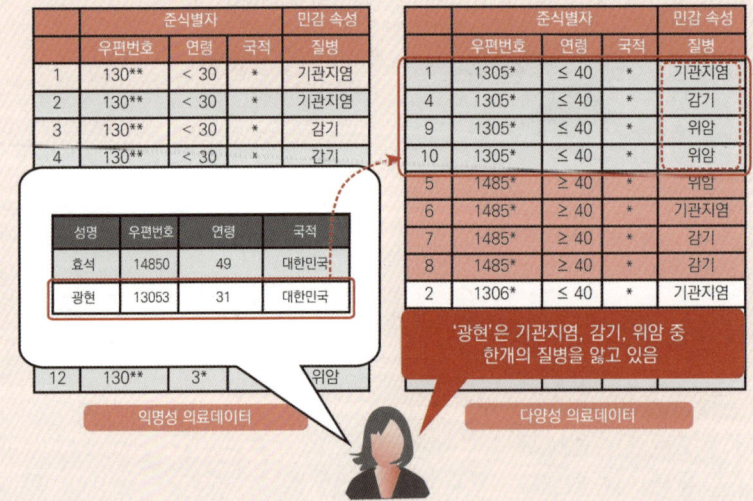

- **t - 근접성**
  l-다양성을 만족하더라도 (모집단 대비) 민감한 정보의 분포차이를 통해 사생활 정보가 노출되는 문제가 발생한다. 예를 들어 아래 1, 2, 3에 해당하는 레코드는 급여가 '30 ~ 50백만원' 사이이며, '위'와 관련된 질병을 가지고 있다는 사실이 노출된다.

	준식별자		민감 정보	
	우편번호	연령	급여(백만원)	질병
1	476**	2*	30	위궤양
2	476**	2*	40	급성 위염
3	476**	2*	50	만성 위염
4	4790*	≥ 40	60	급성 위염
5	4790*	≥ 40	110	감기
6	4790*	≥ 40	80	기관지염
7	476**	3*	70	기관지염
8	476**	3*	90	폐렴
9	476**	3*	100	만성 위염

t-근접성은 데이터집합에서 구별되지 않는 레코드들의 민감한 정보의 분포와 전체 데이터의 민감 정보의 분포 차이를 t 이하로 만들어 프라이버시를 보호하는 모델을 말한다.

- **m - 유일성**
  원본 데이터와 동일한 속성값의 조합이 비식별 결과 데이터에 최소 m개가 존재해야 한다.

≫ 기출유형 따라잡기

[02회] 다음 중 비식별화 익명성 검증 방법에 대한 설명 중 적절하지 않은 것은?
① K-익명성 : 동일한 값을 가진 레코드를 K개 이상으로 하여 특정 개인을 식별할 수 없게 하는 방법이다.
② l-다양성 : 민감한 정보의 다양성을 낮춰 동질성의 문제를 해결하고, 배경지식을 통한 추론 가능성을 낮추는 방법이다.
③ t-근접성 : 전체 데이터 집합의 정보 분포와 특정 정보분포의 분포 차이를 t라고 하여 추론을 방지하는 방법이다.
④ m-유일성 : 원본 데이터와 동일한 속성값의 조합이 비식별 결과 데이터에 최소 m개 존재해야 한다.

정답 ②
해설 l-다양성(l-diversity) : 데이터 집합에서 익명화 레코드들은 다른 민감정보(l개)를 가져 동질성 공격을 방어

예상문제

CHAPTER 01 빅데이터의 이해

01 다음 중 데이터 저장방식이 다른 것은?
① Oracle   ② MySQL
③ MSSQL   ④ MongoDB

해설_ 보기 ④는 NoSQL저장방식, 보기 ①~③ RDBMS 저장방식

02 빅데이터 정의라 할 수 있는 7V에 해당하지 않은 것은?
① Veracity   ② Validity
③ Volatility   ④ Visualization

해설_ 빅데이터는 3V(Volume, Variety, Velocity)로 정의. 3V에 Veracity, Value가 추가되면서 보통 5V로, 5V에 Validity와 Volatility를 추가하여 7V로 부르기도 한다.

03 데이터의 유형은 정성적 데이터와 정량적 데이터로 분류가 된다. 아래 보기에서 성격이 다른 것은?
① 풍향   ② 습도
③ 기상특보   ④ 시간당 강수량

해설_ 정량적 데이터는 수치, 도형, 기호 등 바로 측정할 수 있는 데이터이다. 기상특보는 정성적 데이터이다.

04 다음은 데이터 정의에 관한 설명이다. 가장 부적절한 것은?
① 데이터는 객관적 사실이라는 존재적 특성을 갖고 있다.
② 데이터는 추론과 추정의 근거를 이루는 사실이다.
③ 개별 데이터 자체로는 의미가 중요한 객관적 사실이다.
④ 단순한 객체로서의 가치와 다른 객체와의 상호 관계 속에서 가치를 갖는다.

해설_ 데이터는 다른 객체와의 상호관계 속에서만 가치를 가지기 때문에 개별 데이터 자체로는 의미가 중요하지 않은 객관적인 사실을 의미한다.

05 내재된 경험을 문서나 매체로 저장하는 것은?
① 표출화
② 공통화
③ 내면화
④ 연결화

해설_ 표출화(암묵적 지식 노하우를 책이나 교본등 형식적 지식으로 만드는 것이다.)

정답 01 ④   02 ④   03 ③   04 ③   05 ①

06 다음 중 암묵지에 대한 설명이 아닌 것은?

① 김장김치 담그기의 노하우
② 암묵지는 개인에게 체화되기 때문에 공유하기 어렵다.
③ 현장 작업과 같은 경험을 통해 획득할 수 있는 지식
④ 회계, 재무 관련 대차대조표에 요구되는 지식의 매뉴얼 등이 암묵지이다.

> **해설_** 암묵지(暗默知, tacit knowledge)는, 학습과 경험을 통하여 습득함으로써 개인에게 체화(體化)되어 있지만, 언어나 문자로 표현하기 어려운, 겉으로 드러나지 않는 지식을 말하며, 암묵지는 경험을 통해 얻기 때문에 경험지(experiential knowledge)라고도 한다.

07 데이터에 대한 설명으로 부적절한 것은?

① 데이터는 지식경영의 암묵지와 형식지의 상호작용을 한다.
② 형식지는 문서나 매뉴얼처럼 외부로 표출되어 여러 사람이 공유할 수 있는 지식이다.
③ 형식지란 개인에 체화된 비밀스러운 지식이다.
④ 지식의 차원에 대해 가장 널리 알려진 것은 Polanyi가 두 가지 차원으로 구분한 암묵지와 형식지이다.

> **해설_** 보기 ③은 암묵지에 대한 설명이다.

08 데이터베이스 특징과 관련이 없는 것은?

① Integrated Data
② Stored Data
③ Shared Data
④ Unchanged Data

> **해설_** 데이터베이스는 데이터의 갱신으로 항상 변화되는 Changed Data이다.

09 SQL은 데이터 정의어(DDL), 데이터 조작어(DML), 데이터 제어어(DCL)로 구분할 수 있다. 다음 중 성격이 다른 명령어는?

① ALTER   ② DROP
③ CREATE   ④ INSERT

> **해설_** 보기 ④는 데이터 조작어, 보기 ① ~ ③ 데이터 정의어

10 데이터베이스 설계 절차는?

① 요구조건분석 - 개념적 설계 - 논리적 설계 - 물리적 설계
② 개념적 설계 - 요구조건분석 - 논리적 설계 - 물리적 설계
③ 논리적 설계 - 요구조건분석 - 개념적 설계 - 물리적 설계
④ 개념적 설계 - 물리적 설계 - 요구조건분석 - 논리적 설계

정답 06 ④ 07 ③ 08 ④ 09 ④ 10 ①

예상문제

11 데이터웨어하우스 고유 특성이 아닌 것은?

① 데이터웨어하우스는 기업 내의 의사결정 지원 애플리케이션을 위한 정보를 제공하는, 하나의 통합된 데이터 저장공간을 말한다.
② ETL는 주기적으로 내부 및 외부 데이터베이스로부터 정보를 추출하고, 정해진 규약에 따라 정보를 변환한 후에 데이터웨어하우스에 정보를 적재한다.
③ 데이터웨어하우스에서 관리하는 데이터들은 시간적 흐름에 따라 변화하는 값을 유지한다.
④ 일반적으로 데이터웨어하우스는 전사적 차원에서 접근하기보다는 재무, 생산, 운영과 같이 특정 조직의 특정 업무 분야에 초점을 두고 있다.

> **해설** 데이터웨어하우스와 데이터 마트의 차이점이다. 보기 ④는 데이터마트에 대한 설명이다. 보기 ③은 데이터웨어하우스는 시간에 따라 변하는 Time Variant 갖는다. 올바른 의사결정을 위해 현재와 과거 데이터를 함께 유지한다. 해당 시점의 데이터를 주기적으로 유지해두는 것이다.

12 다음 중 데이터 저장방식이 다른 것은?

① MongoDB   ② Cassandra
③ HBase   ④ MySQL

> **해설** MySQL, Oracle, MSSQL 등은 RDBMS 저장방식, 보기 ① ~ ③은 모두 NoSQL 저장방식이다.

13 DIKW 피라미드 계층구조에서 지식(Knowledge)에 해당하는 것은?

① A마트 100원, B마트는 200원 연필을 판매한다.
② A마트의 연필가격이 더 싸다.
③ 상대적으로 저렴한 A마트에서 연필을 사야겠다.
④ A마트의 다른 상품들도 B마트보다 쌀 것이라고 판단한다.

> **해설** 지식은 상호 연결된 정보 패턴을 이해하고 이를 토대로 예측한 결과물

14 다음 중 용어에 대한 설명으로 올바르지 않은 것은?

① OLTP : 다차원의 데이터를 대화식으로 분석하기 위한 소프트웨어
② BI(Business Intelligence) : 데이터 기반 의사결정을 지원하기 위한 리포트 중심의 도구
③ BA(Business Analytics) : 경영 의사결정을 위한 통계적이고 수학적인 분석에 초점을 둔 기법
④ 데이터마이닝(Data Mining) : 대용량 데이터로부터 의미 있는 관계, 규칙, 패턴을 찾는 과정

> **해설** OLAP에 대한 설명이다.

정답 11 ④   12 ④   13 ③   14 ①

15 데이터를 구조화한 데이터로 다른 데이터를 설명해 주는 데이터를 무엇이라 하는가?

① 메타데이터 ② 데이터 사전
③ 데이터웨어하우스 ④ 데이터베이스

16 SQL 언어 중 다음 설명에 해당하는 것은 무엇인가?

- SELECT : 데이터를 조회할 때 사용한다.
- INSERT : 데이터를 입력할 때 사용한다.
- UPDATE : 데이터 내용을 변경할 때 사용한다.
- DELETE : 데이터 내용을 삭제할 때 사용한다.

① 데이터 조작어, DML(Data Manipulation Language)
② 데이터 정의어, DDL(Data Definition Language)
③ 데이터 제어어, DCL(Data Control Language)
④ 트랜잭션 제어어, TCL(Transaction Control Language)

해설 데이터 조작어(Data Manipulation Language, DML) : 데이터베이스 내의 원하는 데이터를 검색, 수정, 삽입, 삭제한다.

17 다음 중 빈칸에 알맞은 용어는 무엇인가?

(Flat Files, XML, Unstructured data) →
(　　) → Data Warehouse → Data Mart

① ODS ② ETL
③ RDBMS ④ BI

18 다음 중 ETL 기능과 관련이 없는 것은?

① Transaction ② Transformation
③ Extraction ④ Loading

해설
ETL는 데이터 이동과 변환을 주목적으로 하며 3가지 기능으로 구성된다.
- Extraction(추출) : 하나 또는 그 이상이 데이터 원천들로부터 데이터 획득
- Transformation(변형) : 데이터 클렌징·형식 변환·표준화, 통합 또는 다수 애플리케이션에 내장된 비즈니스 규칙 적용
- Loading(적재) : 위 변형단계 처리가 완료된 데이터를 특정 목표 시스템에 적재

19 다음 중 데이터웨어하우스의 고유한 특성이 아닌 것은?

① 데이터웨어하우스에서는 데이터의 지속적 갱신에 따른 데이터의 무결성 유지가 무엇보다 중요하다.
② 데이터웨어하우스의 데이터들은 전사적 차원에서 일관된 형식으로 정의된다.
③ 데이터웨어하우스에서 관리되는 데이터들은 시간의 흐름에 따라 변화하는 값을 저장한다.
④ 데이터웨어하우스에서는 특정 주제에 따라 데이터가 분류, 저장, 관리된다.

해설 데이터웨어하우스의 4대 특징 : 데이터 주제지향성, 데이터 시계열성, 데이터 비휘발성, 데이터 통합성

정답 15 ① 16 ① 17 ② 18 ① 19 ①

예상문제

20 빅데이터 분석에 경제적 효과를 제공해준 결정적 기술로 가장 적절한 것은?

① 텍스트 마이닝
② 클라우드 컴퓨팅
③ 저장장치 비용의 지속적인 하락
④ 스마트폰의 급속한 확산

> **해설** 클라우딩 컴퓨팅과 분산 병렬처리 기술로 인해 대규모 데이터의 신속한 처리와 비용을 하락시켜 분석의 경제성이 가능하게 되었다.

21 다음 중 빅데이터에 관한 설명으로 가장 적절한 것은?

① 빅데이터 분석을 통한 가치 창출 여부는 데이터의 규모에 의해 크게 좌우된다.
② 비즈니스 핵심에 대해 더욱 객관적이고 종합적인 통찰을 줄 수 있는 데이터를 확보해야 한다.
③ 빅데이터 프로젝트의 가장 큰 걸림돌은 소요 비용이다.
④ 성과가 높은 기업 대부분은 폭넓은 가치 분석적 통찰력을 갖추고 있다.

> **해설**
> - 빅데이터 분석은 복잡하고 다양한 데이터를 최적화하는 능력이 반드시 최고의 가치를 창출하는 것이 아니다. 가치에 적합한 분석을 하는 것이 중요 포인트라 할 수 있다.
> - 빅데이터와 관련된 걸림돌은 비용이 아니라 분석적 방법과 성과에 대한 이해 부족이라 할 수 있다.
> - 성과가 높은 기업일수록 데이터에 기반한 의사결정을 하지만 성과가 높은 기업들이 반드시 분석적 통찰력을 가지고 있다고 볼 수는 없다.
> - 기업의 핵심 가치와 관련된 전략적 통찰력을 가져다주는 데이터 분석을 내재화하는 것은 결코 쉬운 일이 아니다.

22 빅데이터와 기존 데이터 분석 방법의 차이에 대한 설명 중 적절하지 않은 것은?

① 전통적 데이터 분석이 조직 내부의 데이터 분석을 중심으로 이루어졌다면, 빅데이터 분석은 웹상, SNS상의 외부 데이터까지 활용한다.
② 전통적 데이터 분석은 정형 데이터 분석 중심으로 이루어졌지만, 빅데이터 분석은 사진, 동영상, 텍스트를 모두 포함한 비정형 데이터까지 활용된다.
③ 전통적 데이터 분석에 비교해서 빅데이터 분석은 분석대상 데이터의 규모에 큰 차이가 있다.
④ 빅데이터 분석 또한 수많은 데이터 중에서 분석에 필요한 데이터를 선정하기 때문에 표본조사 기법의 중요성이 대두되고 있다.

> **해설** 표본조사 → 전수조사

정답 20 ② 21 ② 22 ④

23 빅데이터가 만들어내는 본질적인 변화에 대한 설명 중 적절하지 않은 것은?

① 사전처리에서 사후처리시대로의 변화
② 전수조사에서 표본조사로의 변화
③ 질보다 양을 강조하는 변화
④ 인과관계에서 상관관계로의 변화

해설_ 표본조사 → 전수조사

24 빅데이터 위기요인과 통제방안에 대한 설명 중 올바르지 않은 것은?

① 데이터 오용의 위기요소에 대한 대응책으로 알고리즘에 대한 접근권 보장과 알고리즘미스트가 필요하다.
② 특정인이 채용이나, 대출 등에서 예측자료에 의한 불이익을 당할 가능성을 최소화하는 장치를 마련하는 것이 필요하다.
③ 책임원칙 훼손위기에 대한 통제방안으로 개인정보활용에 대한 동의제를 책임제로 전환하는 것이 효과적이다.
④ 사생활침해 가능성도 함께 증가하고 있기 때문에 개인정보 활용에 대한 가이드라인 제정에 대한 요구가 급증하고 있다.

해설_ 보기 ③은 사생활 침해에 대한 통제방안이라 할 수 있다.

25 다음 중 빅데이터 위기 요인과 해결 방안을 잘못 연결된 것을 고르시오.

가. 사생활 침해 → 동의제를 책임제로 전환
나. 책임 원칙의 훼손 → 알고리즘 허용
다. 데이터의 오용 → 결과 기반 책임 원칙

① 가, 나   ② 가, 다
③ 나, 다   ④ 가, 나, 다

해설_ 책임 원칙의 훼손 → 결과 기반 책임원칙
데이터 오용 → 알고리즘 허용

26 가트너의 비즈니스 분석 4가지 유형 중 아래 보기에 해당하는 분석을 무엇이라 하는가?

- 앞으로 무엇을 해야 비즈니스에 도움이 될 것인가에 대해 분석한다.
- 제한된 자원을 효율적으로 할당하여 최상의 대안을 찾기 위해 활용한다.
- 예측분석을 통해 도출된 결과를 바탕으로 의사결정을 도출하게 된다.
- 인간의 개입이 최소화되거나 완전히 불필요해하게 된다.

① 묘사적 분석(Descriptive Analytics)
② 진단적 분석(Diagnostic Analytics)
③ 예측분석(Predictive Analytics)
④ 처방분석(Prescriptive Analytics)

해설_ 처방 분석은 "어떤 조치를 취해야 하나?"에 대한 답변을 제공한다. 이 최첨단 분석 유형은 설명적 분석, 진단 분석, 예측 분석에서 찾은 결과를 토대로 최신 툴과 기법을 사용해 잠재적인 의사결정의 영향을 평가하고 특정 시나리오에서 최적의 행동 방침을 결정한다.

정답 23 ② 24 ③ 25 ③ 26 ④

예상문제

27 정보주체가 개인데이터에 대한 열람, 제공범위, 접근승인 등을 직접 결정함으로써 개인의 정보 활용권한을 보장, 데이터 주권을 확립하는 패러다임을 의미하는 용어를 무엇이라 하는가?

① My Data ② BPR
③ CRM ④ EDPS

해설_ 데이터 3법의 핵심은 '가명정보'의 범위를 확대한 점이다. 개인정보를 가명처리해 동의 없이도 정보를 활용하거나, 상업적 목적을 포함해 제3자에게 제공하는 것이 가능해졌다.
- 마이데이터는 이 같은 개인정보를 활용하는 개념으로, 개인이 마이데이터 플랫폼에 데이터를 제공하면 희망 기업은 이를 활용해 서비스를 개발할 수 있다. 기존 은행과 보험사, 카드사 등이 개별적으로 보유한 개인 신용정보를 한곳으로 모아 새로운 서비스를 제공할 수 있게 됐다.

28 별도로 분석조직이 없고, 해당 업무부서에서 분석을 수행하는 데이터 분석 조직은?

① 집중구조 ② 분산구조
③ 기능구조 ④ 혼합구조

해설_ 기능구조는 별도 분석조직이 없고 해당 업무부서에서 분석을 수행한다.
전사적 핵심분석이 어려우며, 부서 현황 및 실적 통계 등 과거 실적에 국한된 분석수행 가능성이 크다.

29 데이터 분석을 위한 조직구조는 분석업무 수행 주체 및 특성에 따라 집중구조, 기능구조, 분산구조 유형으로 구분될 수 있다. 다음 중 분산구조 특징으로 부적절한 것은?

① 분석조직 인력들을 협업부서로 직접 배치하여 분석 업무수행
② 분석결과에 따른 신속한 조치 가능
③ 부서 분석업무와 역할 분담을 명확히 할 필요없음
④ 전사 차원의 우선순위 수행

해설_ 분산구조는 부서 분석업무와 역할부담을 명확히 해야 한다.

30 다음 중 반정형데이터(Semi-Structured Data)에 대한 설명 중 올바르지 않은 것은?

① 반정형 데이터의 경우 데이터 내부에 데이터구조에 대한 메타정보를 갖고 있으므로 어떤 형태를 가진 데이터인지 파악하는 것이 필요하다.
② 반정형 데이터는 데이터 내부에 정형 데이터의 스키마에 해당되는 메타데이터를 갖고 있다.
③ 반정형 데이터 연산이 불가능한 데이터이며 대표적으로 HTML, JSON, 로그형태 등이 있다.
④ 반정형 데이터는 형태가 없으며, 연산도 불가능한 데이터이며, 예를 들면 소셜데이터(트위치, 페이스북), 영상, 이미지, 음성 등이 있다.

해설_ 보기 ④는 비정형 데이터에 대한 설명이다. 여기에서 형태라는 것은 스키마 또는 메타데이터를 의미한다.

정답 27 ① 28 ③ 29 ③ 30 ④

31 빅데이터 출현 배경과 거리가 먼 것은?

① 소셜 미디어, 영상 등 비정형 데이터의 급격한 확산
② 데이터 처리 기술의 발전
③ 학계의 거대 데이터 활용 확산
④ 정부의 공공데이터 개방 확산

> **해설_** 빅데이터 출현 배경과 공공데이터 개방 확산과는 관계가 없다.

32 데이터 사이언스에 대한 설명 중 옳지 않은 것은?

① 데이터 사이언스가 기존의 통계학과 다른 점은 데이터 사이언스는 총체적 접근법을 사용한다는 것이다.
② 강력한 호기심이야말로 데이터 사이언티스트의 중요한 특징이라고 할 수 있다.
③ 데이터 사이언스란 데이터로부터 의미 있는 정보를 추출하는 학문이다.
④ 통계와 데이터 마이닝을 융합한 새로운 학문이다.

> **해설_** 데이터 사이언스란 데이터로부터 의미 있는 정보를 추출해내는 학문이다. 통계학이 정형화된 실험 데이터를 분석대상으로 하는 것에 비해, 데이터 사이언스는 정형 또는 비정형을 막론하고 인터넷, 휴대전화, 감시용 카메라 등에서 생성되는 숫자와 문자, 영상 정보 등 다양한 데이터를 대상으로 한다. 또한 데이터마이닝은 주로 분석에 초점을 두는 것에 반해 데이터 사이언스는 분석뿐만 아니라 이를 효과적으로 구현하고 전달하는 과정까지 포함한 포괄적 개념이다.

33 다음 중 일반적으로 통용되고 있는 빅데이터의 정의와 가장 거리가 먼 것은 무엇인가?

① 빅데이터는 일반적인 데이터베이스 소프트웨어로 저장, 관리, 분석할 수 있는 범위를 초과하는 규모의 데이터다.
② 빅데이터는 다양한 종류의 대규모 데이터로부터 저렴한 비용으로 가치를 추출하고 데이터의 초고속 수집·발굴·분석을 지원하도록 고안된 차세대 기술 및 아키텍처다.
③ 빅데이터는 데이터의 양(Volume), 다양성(Variety), 데이터 수집과 처리 측면에서 속도(Velocity)가 급격히 증가하면서 나타난 현상이다.
④ 빅데이터는 기존의 작은 데이터 처리분석으로는 얻을 수 없었던 통찰과 가치를 하둡(Hadoop)을 기반으로 하는 대용량 분산처리 기술을 통해 창출하는 새로운 방식이다.

> **해설_** 하둡은 분산처리 기술일 뿐 그것이 빅데이터를 의미하지 않는다.

34 데이터 사이언티스트가 갖춰야 할 역량은 빅데이터의 처리 및 분석에 필요한 이론적 지식과 기술적 숙련과 관련된 능력인 하드 스킬, 그리고 데이터 속에 숨겨진 가치를 발견하고 새로운 발전 기회를 만들어 내기 위한 능력인 소프트 스킬로 나누어진다. 다음 중 성격이 다른 하나는 무엇인가?

① Machine Learning ② Storytelling
③ Modeling ④ Data Technical Skill

> **해설_** 보기 ②는 소프트 스킬에 해당된다.

정답 31 ④   32 ④   33 ④   34 ②

35 분석 준비도는 기업의 데이터 분석 도입 수준을 파악하기 위한 진단 방법으로 총 6가지 영역을 통해 현재 수준을 파악한다. 다음 중 분석업무파악 영역에 해당하지 않은 것은?

① 발생한 사실 분석 업무
② 예측분석 업무
③ 최적화분석 업무
④ 통계분석 업무

해설_ 통계분석 업무는 IT 인프라 영역에 해당된다.

36 데이터 사이언티스트가 효과적인 분석모델 개발을 위해 고려해야 하는 사항으로 가장 부적절한 것은?

① 분석모델이 예측할 수 없는 위험을 살피기 위해 현실 세계를 돌아보고 분석을 경험과 세상에 대한 통찰력과 함께 활용한다.
② 가정들과 현실의 불일치에 대해 끊임없이 고찰하고 모델의 능력에 대해 항상 의구심을 가진다.
③ 분석의 객관성에 의문을 제기하고 분석모델에 포함된 가정과 해석의 개입 등의 한계를 고려한다.
④ 넓은 시각에서 모델 범위 바깥의 요인들을 판단할 수 있도록 가능한 한 많은 과거 상황 데이터를 모델에 포함한다.

해설_ 모델 범위 밖의 요인까지 판단하지 않는다.

37 분석 성숙도의 IT 부문의 최적화 단계의 구성이 아닌 것은?

① 분석 협업환경
② 분석 샌드박스
③ 프로세스 내재화
④ 시뮬레이션 최적화

해설_ 시뮬레이션 최적화는 확산 단계에 해당한다.

38 분석 수준 진단 방법 중 조직의 분석 및 활용을 위한 역량 수준을 파악하기 위해 도입 → ( ) → 확산 → 최적화의 분석 성숙도 단계 포지셔닝을 파악하게 된다. 빈칸에 알맞은 용어는?

① 활용
② 분석
③ 적합성
④ 사례탐색

39 기업에서 활용하는 분석업무, 기법 등은 부족하지만 적용조직 등 준비도가 높아 바로 도입할 수 있는 기업의 유형을 무엇이라 하는가?

① 정착형
② 확산형
③ 준비형
④ 도입형

정답 35 ④ 36 ④ 37 ④ 38 ① 39 ④

40 분석 준비도의 분석 데이터 진단 영역이 아닌 것은?

① 내부 데이터 활용 체계
② 기준데이터 관리(MDM)
③ 분석업무를 위한 데이터 충분성, 신뢰성, 적시성
④ 비구조적 데이터 관리

해설 _ 내부 → 외부 데이터 활용 체계

41 다음 아래 보기가 설명하는 모델을 무엇이라 하는가?

- 1991년 미국 카네기 멜론대 부설 소프트웨어 공학 연구소(SEI, Software Engineering Institute)가 소프트웨어 개발 및 유지보수 프로세스를 지속적으로 개선하기 위한 모델로 개발된 것이 시초다.
- 단계 1(초기 : Initial), 단계 2(관리됨 : Managed), 단계 3(정의됨 : Defined), 단계 4(정량적으로 관리됨 : Quantitatively Managed), 단계 5(최적화 : Optimizing)으로 1 ~ 5단계로 구성된다.

① CMMI
② ISP
③ 임베디드
④ 거버넌스

해설 _ 능력성숙도모델(CMM, Capability Maturity Model)은 소프트웨어 개발 업체들의 업무능력평가 기준을 세우기 위한 평가모형을 말한다.

42 다음은 데이터 거버넌스 중 무엇에 관한 설명인가?

> 데이터의 표준용어 설정, 명명 규칙 수립, 메타데이터 구축, 데이터 사전 구축

① 데이터 표준화   ② 표준화 활동
③ 데이터 저장 관리 ④ 데이터 관리 체계

해설 _ 데이터 거버넌스의 특징인 데이터 표준화, 데이터 관리체계, 데이터 저장소 관리, 표준화 활동에 관한 내용을 알고 있어야 한다.

43 메타데이터와 데이터 사전의 관리 원칙을 수립하고, 빅데이터의 경우 데이터 생명주기 관리방안 수립에 해당하는 데이터 거버넌스 체계를 무엇이라 하는가?

① 데이터 표준화   ② 데이터 관리체계
③ 데이터 저장소 관리 ④ 표준화 활동

44 다음 중 빅데이터 가치 산정이 어려운 이유를 나타내는 가장 부적절한 것은?

① 재사용이나 재조합, 다목적용 데이터 개발 등이 일반화되면서 특정 데이터를 언제·어디서·누가 활용할지 알 수 없다.
② 데이터가 기존에 없던 가치를 창출함에 따라 그 가치를 측정하기 어렵다.
③ 분석 기술의 발달로 지금은 가치 없는 데이터도 새로운 분석 기술, 기법의 등장으로 가치를 만들어내는 재료가 될 가능성이 있다.
④ 빅데이터 전문인력의 증가로 다양한 곳에서 빅데이터가 활용되고 있어 빅데이터 가치 산정이 어렵다.

정답 40 ① 41 ① 42 ① 43 ② 44 ④

45 빅데이터 거버넌스와 비교할 때 데이터 거버넌스와의 차이점에 해당하지 않는 것은?

① 데이터 생명주기 관리
② 데이터 백업 주기 변경
③ 개인정보보호 및 보안
④ 데이터 품질기준, 변경관리

> 해설_ 빅데이터 거버넌스는 데이터 거버넌스의 체계에 더하여 빅데이터의 효율적인 관리, 다양한 데이터의 관리체계, 데이터 최적화, 정보보호, 데이터 생명주기 관리, 데이터 카테고리별 관리, 책임자 지정 등을 포함한다.

46 다음 중 데이터 거버넌스에 대한 설명 중 적절하지 않은 것은?

① 데이터 거버넌스의 구성요소는 원칙, 조직, 프로세스이다.
② 기업은 데이터 거버넌스 체계를 구축함으로써 데이터의 가용성, 유용성, 통합성, 보안성, 안전성 등을 확보할 수 있다.
③ 데이터 거버넌스란 모든 데이터에 대하여 정책 및 지침, 표준화, 운영조직 및 책임 등의 표준화된 관리체계를 수립하고 운영하는 프레임워크 및 저장소 구축을 의미한다.
④ 데이터 거버넌스는 독자적으로 수행해야만 하고 전사차원의 IT 거버넌스나 EA의 구성요소로 구축되는 경우는 없다.

> 해설_ 데이터 거버넌스는 독자적으로 수행될 수도 있지만 전사차원의 IT 거버넌스나 EA의 구성요소로 구축되는 경우도 있다.

47 데이터 분석 준비도 프레임워크 중 분석업무 파악에 관한 항목으로 적절하지 않은 것은?

① 최적화분석 업무
② 시뮬레이션 분석 업무
③ 예측분석 업무
④ 분석기법 라이브러리

> 해설_ 보기 ④는 분석기법 영역에 해당한다.

48 메타데이터와 데이터 사전의 관리 원칙을 수립하고, 빅데이터의 경우 데이터 생명주기 관리방안 수립에 해당하는 데이터 거버넌스 체계를 무엇이라 하는가?

① 데이터 표준화
② 데이터 관리체계
③ 데이터 저장소 관리
④ 표준화 활동

49 데이터 거버넌스의 구성요소가 아닌 것은?

① 원칙
② 조직
③ 프로세스
④ 활동

정답 45 ② 46 ④ 47 ④ 48 ② 49 ④

50 맵리듀스 잡(Job)을 실행시켜주는 일종의 런처(Launcher) 역할을 하며, 하둡 에코시스템에서 사용하는 워크플로우 스케줄 프레임워크는 무엇인가?

① Hive
② Flume
③ Oozie
④ Sqoop

> **해설_** 우지(Oozie)는 작성된 맵리듀스 잡(Job)을 실행시켜주는 일종의 런처(Launcher) 역할을 하는 워크플로우 관리 툴이다. 자바로 작성된 웹서버로 별도로 운용되며 하둡과 연동하여 미리 작성된 워크플로우에 따라 맵리듀스 잡(Job)을 실행시켜주게 된다. 우지의 기능은 3가지로 요약된다.
> ① 스케줄링 : 이벤트가 발생하면 액션 수행
> ② 코디네이팅 : 이전 액션이 성공적으로 끝나면 다음 액션 시작
> ③ 매니징 : 액션 수행시간이나 액션의 단계를 저장

51 다양한 데이터 소스를 위한 하둡기반의 데이터 웨어하우스 시스템으로, 한국 개발자들이 주도해 개발하고 있는 아파치 재단의 최상위 프로젝트는 무엇인가?

① 아파치 타조
② 임팔라
③ 드릴
④ 스팅거

52 데이터 스트림을 실시간으로 관리하기 위한 분산 메시징 시스템이며, 2011년 링크드인에서 자사의 대용량 이벤트 처리를 위해 개발된 데이터 수집의 에코시스템을 무엇이라 하는가?

① Kafka
② Pig
③ Sqoop
④ Spark

> **해설_** Apache Kafka는 실시간으로 기록 스트림을 게시, 구독, 저장 및 처리할 수 있는 분산형 데이터 스트리밍 플랫폼이다.

53 전통적 데이터 처리기법과 빅데이터 처리기법에 대한 설명 중 올바르지 않은 것은?

① 시각화를 통해 대용량 데이터에서 통찰력을 획득하고자 하는 시도는 빅데이터 고유의 특성이다.
② 각종 통계도구·기법과 데이터 마이닝의 분석 모델 설계·운영·개선 기법의 적용은 유사하다.
③ 전통적 데이터 저장 메커니즘 대비 다수의 노드에 중복을 허용하는 방식으로 데이터를 저장하는 것은 빅데이터의 고유 특성이다.
④ SQL, NoSQL 모두 전통적인 처리기법의 인프라스트럭처에 해당된다.

> **해설_** NoSQL, 초대형 분산 데이터 스토리지는 빅데이터 처리기법에 해당된다.

정답 50 ③ 51 ① 52 ① 53 ④

예상문제

54 아파치 스파크에 대한 설명 중 올바르지 않은 것은?

① 데이터를 메모리에 캐시로 저장하는 인메모리 실행모델로 성능을 향상시켰다.
② 스칼라, 자바, 파이썬, R을 지원한다. 특히 스칼라를 사용하면 융통성, 유연성, 데이터 분석에 적합한 함수형 프로그래밍 개념을 사용할 수 있다.
③ 스파크는 다양한 유형의 클러스터 매니저를 사용할 수 있다.
④ 인메모리 기반 프레임워크이므로 높은 메모리가 필요 없다.

해설 아파치 스파크의 특징
아파치 스파크는 인메모리 처리를 강조하고 있어 대용량 데이터를 효율적으로 처리하기 위해 높은 메모리 요구를 가지고 있다. 이러한 특징은 스파크가 데이터를 메모리에 유지하고 재사용함으로써 빠른 속도의 데이터 처리와 분석을 제공할 수 있도록 설계되었기 때문이다.

55 다음 중 NoSQL에 관한 설명 중 적절하지 않은 것은?

① 저렴한 비용으로 여러 대의 컴퓨터에 데이터를 분석·저장·처리하는 것이 가능한 데이터베이스이다.
② NoSQL은 관계모델보다 더 융통성 있는 데이터 모델을 사용하고, 스키마 없이 동작하기 때문에 데이터 구조를 미리 정의할 필요가 없고, 수시로 그 구조를 바꿀 수 있어서 비정형 데이터를 저장하기에 적합하며 대부분 오픈소스로 제공한다.
③ NoSQL이 관계 데이터베이스를 완전히 대체하였다.
④ NoSQL 제품으로 HBase, Casandra, Mongo DB, CouchDB 등이 있다. 국내에서는 Mongo DB가 가장 많이 사용 중이다.

해설 관계형 데이터베이스를 완전히 대체하기는 어렵다. 관계 데이터베이스는 트랜잭션을 통해 일관성을 유지하고 외래키로 테이블간의 관계를 표현함으로써 조인과 같은 복잡한 질의를 처리할 수 있지만, 빠른 속도로 증가하는 대량의 비정형 데이터를 저장하기에는 확장성 측면에서 비효율적이다.
• RDB에서는 여러 행으로 존재하던 데이터를 하나의 집합된 형태로 저장한다. 하둡, NoSQL, RDBMS는 각기 장단점이 존재하기 때문에 상호 보완적인 관계로 이해해야 한다.

56 다음 중 로그 수집용 환경이 아닌 것은?

① Flume
② Chukwa
③ Scribe
④ HDFS

해설 Flume 플룸은 로그수집기 도구이다. Source - Channel - Sink 아키텍처로 쉽고 다양한 방식으로 로그를 수집할 수 있는 방법을 제공한다.

정답 54 ④ 55 ③ 56 ④

57 정답 라벨이 없는 데이터를 비슷한 특징끼리 군집화하여 새로운 데이터에 대한 결과를 예측하는 방법을 무엇이라 하는가?

① Unsupervised Learning
② Supervised Learning
③ Reinforcement Learning
④ Semi-Supervised Learning

> **해설_** 지도학습과는 달리 정답 라벨이 없는 데이터를 비슷한 특징끼리 군집화 하여 새로운 데이터에 대한 결과를 예측하는 방법을 비지도학습(Unsupervised Learning)이라 한다.

58 다음 중 보기가 설명하는 학습방법을 무엇이라 하는가?

> 행동 심리학에서 나온 이론으로 분류할 수 있는 데이터가 존재하는 것도 아니고, 데이터가 있어도 정답이 따로 정해져 있지 않으며 자신이 한 행동에 대해 보상(reward)를 받으며 학습하는 것을 말한다.

① Unsupervised Learning
② Supervised Learning
③ Reinforcement Learning
④ Semi-Supervised Learning

59 인공신경망의 한 분야로서 여러 개의 은닉층을 가진 심층신경망을 기반으로 하는 학습 방법을 사용하는 모델을 무엇이라 하는가?

① 딥러닝
② 머신러닝
③ 패턴인식
④ 텍스트마이닝

60 2018년 5월 25일부터 시행되는 EU(유럽연합)의 개인정보보호 법령으로, 정보주체의 권리와 기업의 책임성 강화 등을 주요 내용으로 구성되어 있는 법령을 무엇이라 하는가?

① GDPR   ② KISA
③ EEA   ④ POPI

> **해설_** 일반 개인정보 보호법(GDPR, General Data Protection Regulation)은 EU 회원국에 일괄적으로 적용되는 개인정보 보호법으로, 2016년 제정되어 2018년 시행되었다.
> - GDPR은 11장 99개 조항으로 구성되어 있으며, 정보주체의 권리와 기업의 책임성 강화 등을 주요내용으로 한다. GDPR은 EU 내 사업장을 운영하는 기업뿐만 아니라 전자상거래 등을 통해 해외에서 EU 주민의 개인정보를 처리하는 기업에도 적용된다.
> - GDPR은 위반시 과징금을 부과하고 있으며, 최대 과징금은 일반적 위반사항인 경우 전 세계 매출액의 2% 혹은 1천만 유로(약 125억원) 중 높은 금액이며, 중요한 위반사항인 경우 전 세계 매출액의 4% 혹은 2천만 유로(약 250억원) 중 높은 금액이다.

정답 57 ① 58 ③ 59 ① 60 ①

예상문제

61 다음 중 개인정보처리자가 특정사항에 대해 개인정보를 수집할 수 있으며 그 수집목적의 범위에서 이용할 수 있는 경우가 아닌 것은?

① 법률에 특별한 규정이 있거나 법령상 의무를 준수하기 위하여 불가피한 경우
② 공공기관이 법령 등에서 정하는 소관 업무의 수행을 위하여 불가피한 경우
③ 정보주체와의 계약의 체결 및 이행을 위하여 불가피하게 필요한 경우
④ 주소불명 등으로 사전동의를 받을 수 있는 경우로서 명백히 정보주체 또는 제3자의 급박한 생명, 신체, 재산의 이익을 위하여 필요하다고 인정되는 경우

해설_ 사전 동의를 받을 수 없는 경우에 해당된다.

62 개인정보처리자는 정보주체의 동의를 받는 경우 다음 각 호의 사항 중 정보주체에게 알려야 하는 사항이 아닌 경우는?

① 개인정보의 수집·이용 목적
② 수집하려는 개인정보의 항목
③ 개인정보의 보유 및 이용 기간
④ 개인정보의 폐기 사유

해설_ 개인정보처리자는 제1항 제1호에 따른 동의를 받을 때는 다음 각호의 사항을 정보주체에게 알려야 한다. 다음 각 호의 어느 하나의 사항을 변경하는 경우에도 이를 알리고 동의를 받아야 한다.

- 개인정보의 수집·이용 목적
- 수집하려는 개인정보의 항목
- 개인정보의 보유 및 이용기간
- 동의를 거부할 권리가 있다는 사실 및 동의거부에 따른 불이익이 있는 경우에는 그 불이익의 내용

63 다음 중 고유식별 정보에 해당하지 않는 것은?

① 주민등록번호
② 외국인등록번호
③ 운전면허번호
④ 범죄경력자료

해설_ 보기 ④는 민감정보에 해당한다.

정답 61 ④ 62 ④ 63 ④

CHAPTER 02 데이터 분석 계획

01 분석방안 수립

1 분석 로드맵 설정

학습 목표
1. 데이터 분석 기획의 특징을 이해한다.
2. 분석 마스터 플랜 수립에 대한 과정을 학습한다.

출제 KEYWORD
① 분석 주제 유형 ★★
② 마스터 플랜 수립 개요 ★★
③ ROI 관점에서 보는 빅데이터의 4V 및 평가 기준 ★★★

- 분석 로드맵 설정에서는 분석대상이 되는 과제를 도출하고 우선순위를 평가하여 단기적인 세부 이행계획과 중·장기적인 로드맵을 작성해야 한다.
- 이러한 분석과제를 잘 수행하는 것도 중요하지만 분석이 주는 가치를 체계적으로 관리하고 분석역량을 내재화하고 싶다면 단기적인 과제수행뿐만 아니라 중·장기적 관점의 마스터 플랜수립이 필요하다.

추진 단계	[1단계] 분석체계 도입	[2단계] 분석 유효성 검증	[3단계] 분석확산 및 고도화
[단계별] 추진목표	• 분석기회발굴 • 분석과제 정의 • 로드맵 수립	• 분석과제 수행 • 성과검증 • 분석아키텍처 설계	• 분석과제 업무 프로세스 내재화 • 검증 결과 확산 • 활용시스템 구축 및 고도화
[단계별] 추진과제	• 분석기회 발굴 및 과정 정의 • 분석 로드맵 수립	• 알고리즘 및 아키텍처 설계 • 분석과제 Pilot 수행	• 업무 프로세스의 내재화를 위한 변화관리 • 빅데이터 분석 활용 시스템 구축 • 유관 시스템 고도화

*Pilot : 본 프로젝트에 앞서 문제점을 파악하기 위해 소규모 프로젝트 운영을 의미함

[분석 로드맵 단계별 추진목표 및 과제]

1. 데이터 분석기획

1) 데이터 분석기획의 특징

- 분석기획이란 실제 분석을 수행하기에 앞서 분석을 수행할 과제의 정의 및 의도 했던 결과를 도출할 수 있도록 이를 적절하게 관리하는 방안을 사전에 계획하는 일련의 작업이다.
- 분석과제 및 프로젝트를 직접 수행하는 것은 아니지만, 어떠한 목표(What)를 달성하기 위하여 어떤 데이터를 가지고 어떤 방식(How)을 수행할지에 대한 일련의 계획을 수립하는 작업이기 때문에 성공적인 분석 결과를 도출하기 위한 중요한 사전작업이다.
- 아래 그림을 통해 알 수 있듯이 세 가지 영역에 대한 고른 역량과 시각이 필요하다. 분석을 기획한다는 것은 해당 문제영역에 대한 전문성 역량 및 통계학적 지식을 활용한 분석역량과 분석의 도구인 데이터 및 프로그래밍 기술 역량에 대한 균형 잡힌 시각을 가지고 방향성 및 계획을 수립해야 한다는 것을 의미한다.

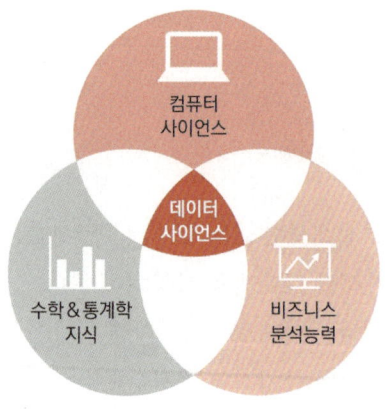

[데이터 사이언스 역량]

(1) 분석 주제 유형

- 분석의 대상 및 분석의 방법에 따라서 그림과 같이 4가지로 나누어진다.

		분석의 대상(What)	
		Known	Un-Known
분석의 방법(How)	Known	최적화(Optimization)	통찰(Insight)
	Un-Known	솔루션(Solution)	발견(Discovery)

[분석 주제 유형]

- 분석의 주제 및 기법의 특성상 이러한 4가지 유형은 서로 융합적으로 반복하게 된다.
  ① Optimization : 분석대상 및 분석방법을 이해하고 현 문제를 최적화의 형태로 수행
  ② Solution : 분석과제는 수행되고, 분석방법을 알지 못하는 경우 솔루션을 찾는 방식으로 분석과제수행
  ③ Insight : 분석대상이 불분명하고, 분석방법을 알고 있는 경우 인사이트 도출
  ④ Discovery : 분석대상, 방법을 모른다면 발견을 통하여 분석대상 자체를 새롭게 도출

(2) 목표 시점별 분석기획방안

목표 시점별로는 당면한 과제를 빠르게 해결하는 과제 중심적인 접근방식과 지속적인 분석 내재화를 위한 장기적인 마스터플랜 방식으로 나누어 볼 수 있으며 이 둘은 융합적으로 적용하는 것이 바람직하다.

당면한 분석 주제의 해결 (과제 단위)		지속적 분석 문화 내재화 (마스터플랜 단위)
Speed & Test	〈1차 목표〉	Accuracy & Deploy
Quick-Win	〈과제의 유형〉	Long Term View
Problem Solving	〈접근방식〉	Problem Definition

[목표 시점별 분석기획 방안]

(3) 분석기획 시 고려사항
  ① 가용한 데이터(Available Data)
    → 분석을 위한 데이터의 확보가 필수적이다. 데이터 유형에 따라서 적용 가능한 솔루션 및 분석방법이 달라서 유형에 대한 분석이 선행적으로 이루어져야 한다.
  ② 적절한 유스케이스(Proper Use-Case) 탐색
    → 유사 분석 시나리오 및 솔루션이 있다면 이를 최대한 활용하는 것이 중요하다.
  ③ 장애 요소들에 대한 사전 계획수립이 필요(Low Barrier of Execution)
    → 정확도를 올리기 위해서는 기간과 투입 리소스가 늘어나게 되는데 이것은 비용 상승으로 이어질 수 있으므로 많은 사전 고려가 필요하다. 일회성 분석으로 그치지 않고 조직의 역량을 내재화하기 위해서는 충분하고 계속적인 교육 및 활용방안 등의 변화관리(Change Management)가 고려되어야 한다.

2. 분석 마스터플랜 수립 프레임워크

- 분석 마스터플랜은 분석대상이 되는 과제를 도출하고 우선순위를 평가하여 단기적인 세부 이행계획과 중·장기적인 로드맵을 작성해야 한다.
- 중·장기적 관점의 마스터플랜 수립을 위해서는 분석과제를 대상으로 전략적 중요도, 비즈니스 성과 및 ROI(투자회수율), 분석과제의 실행 용이성 등 다양한 기준을 고려해 적용할 우선순위를 설정할 필요가 있다.
- 분석을 업무에 내재화할 것인지, 별도의 분석화면으로 일단 적용할 것인지, 분석데이터를 내부의 데이터로 한정할 것인지, 외부의 데이터까지 포함할 것인지, 분석기술은 어느 기술 요소까지 적용할 것인지 등 분석의 적용 범위 및 방식에 대해서도 종합적으로 고려하여, 데이터 분석을 실행하기 위한 로드맵을 수립한다.

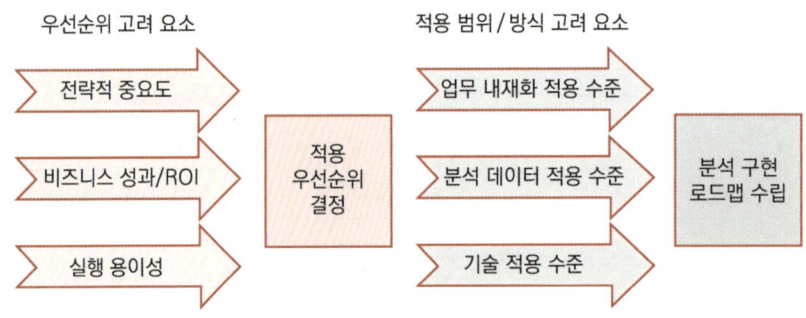

[마스터플랜 수립 개요]

- 분석 마스터플랜은 일반적인 ISP(정보전략계획) 방법론을 활용하되 데이터 분석 기획의 특성을 고려하여 수행하고 기업에서 필요한 데이터 분석 과제를 빠짐없이 도출한 후 과제의 우선순위를 결정하고 단기 및 중·장기로 나누어 계획을 수립한다.

> **용어정리**
> - **정보전략계획(ISP, Information Strategy Planning)**
>   기업의 경영 목표달성에 필요한 전략적 주요 정보를 포착하고, 주요 정보를 지원하기 위한 전사적관점의 정보구조를 도출하며, 이를 수행하기 위한 전략 및 실행계획을 수립하는 전사적인 종합정보 추진계획이다.

1) 수행과제 도출 및 우선순위 평가

- 우선순위 평가는 정의된 데이터 과제에 대한 실행순서를 정하는 것으로 업무영역별로 도출된 분석과제를 우선순위 평가 기준에 따라 평가하고 과제수행의 선·후행 관계를 고려하여 적용순위를 조정해 최종적으로 확정한다.

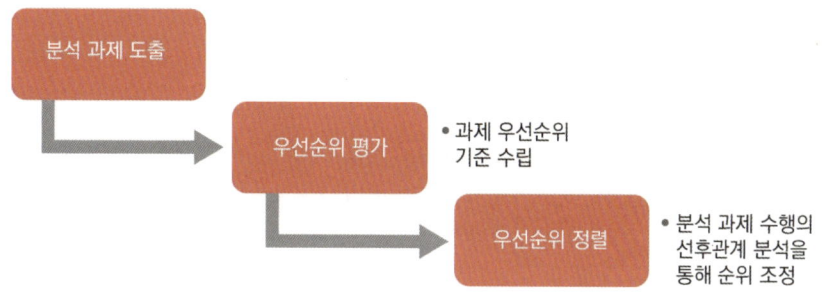

[우선순위 평가 방법 및 절차]

(1) 일반적인 IT 프로젝트의 우선순위 평가

- ISP와 같은 일반적인 IT 프로젝트는 과제의 우선순위 평가를 위해 전략적 중요도, 실행 용이성 등 기업에서 고려하는 중요가치 기준에 따라 다양한 관점에서의 우선순위 기준을 수립하여 평가한다.
- 데이터 분석과제의 우선순위 평가 기준은 그 기업이 당면한 상황에 따라 다르고 기존의 IT 프로젝트의 우선순위 평가 기준과도 다른 관점에서 살펴볼 필요가 있다.

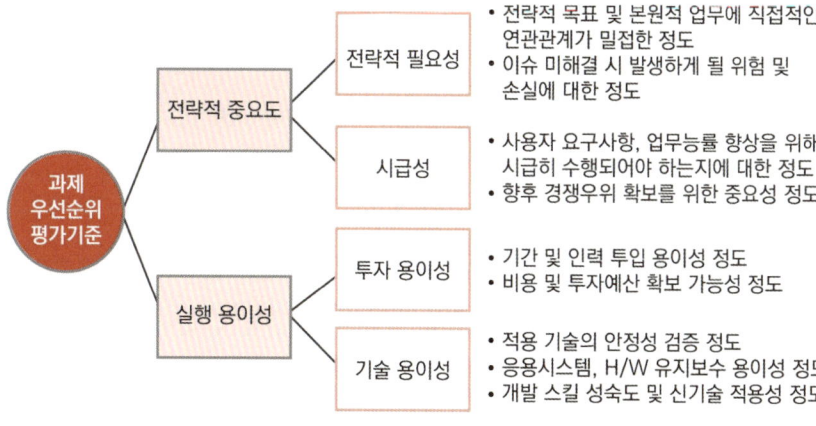

[일반적인 IT 프로젝트의 우선순위 평가 예시]

(2) ROI(Return On Investment, 투자자본수익률) 관점에서 보는 빅데이터의 4V
- 빅데이터의 4V를 ROI 관점으로 보면 Volume, Variety, Velocity 등 3V는 투자비용(Investment), 그리고 Value는 비즈니스 효과 요소라고 볼 수 있다.
- 이는 기업이 데이터 분석을 통해 추구하거나 달성하고자 하는 목표 가치라고 정의할 수 있다.

[빅데이터 특징을 고려한 분석 ROI 요소]

> **용어정리**
>
> - ROI(%)
>   누적 순효과 / 총비용, 만약 어떤 프로젝트의 누적된 총순이익이 총비용의 1배라면, ROI는 100% 라고 표현한다.
>   IT-ROI란 IT 투자비용대비 IT 투자성과를 도출하는 것으로, IT 투자성과는 IT가 비즈니스 성과향상에 기여하는 바를 재무적으로 환산한 것을 의미한다.

(3) ROI 관점에서의 분석과제 우선순위 평가 기준
① 시급성
- 판단 기준은 전략적 중요도가 핵심이며, 이는 전략적 중요도가 시점에 따라 시급성 여부를 고려할 수 있다는 뜻이다. 예) 현재는 미래보다 시급성이 높다.

② 난이도
- 현시점에서 과제를 추진하는 것이 비용과 범위 측면을 고려했을 때 바로 적용하기 쉬운 것인지 또는 어려운 것인지를 판단하는 것이다.
- 과제의 범위를 시범과제(Pilot 또는 PoC)형태로 일부 수행할 것인지, 처음부터 크게 수행할 것인지, 아니면 데이터 소스는 기업 내부의 데이터로부터 우선 활용하고, 외부 데이터까지 확대해 나갈 것인지에 대한 난이도를 고려해 볼 수 있다.

- 난이도는 해당 기업의 현 상황에 따라 조율할 수 있다. '분석 거버넌스 체계 수립'에서 제시하는 분석 준비도 및 성숙도 진단 결과에 따라 해당 기업의 분석 수준을 파악하고 이를 바탕으로 분석 적용 범위 및 방법에 따라 난이도를 조정할 수 있다.

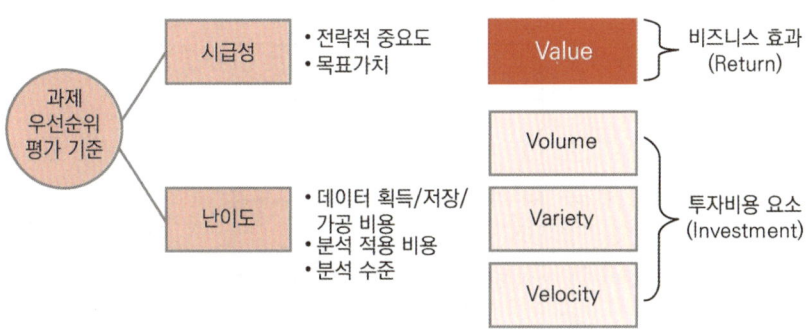

[분석 우선순위 평가 기준]

(4) 포트폴리오 사분면 분석을 통한 과제 우선순위를 선정하는 기법
- 우선순위 기준을 난이도와 시급성으로 구분하여, 우선 추진해야 하는 분석과제와 제한된 자원을 고려한 단기적 또는 중장기적으로 추진해야 하는 분석과제들의 4가지 유형으로 구분하고 우선순위를 결정한다.
- 분석과제의 적용 우선순위를 '시급성'에 둔다면 Ⅲ → Ⅳ → Ⅱ 영역 순이며, 난이도를 기준으로 둔다면 Ⅲ → Ⅰ → Ⅱ 영역 순으로 의사결정을 할 수 있다.

① Ⅰ사분면

전략적 중요도가 높아 경영에 미치는 영향이 크므로 현재 시급하게 추진이 필요함. 난이도가 높아 현재 수준에서 과제를 바로 적용하기에 어려움

② Ⅱ사분면

현재 시점에서는 전략적 중요도가 높지 않지만, 중장기적 관점에서는 반드시 추진되어야 함. 분석과제를 바로 적용하기에는 난이도가 높음

③ Ⅲ사분면

전략적 중요도가 높아 현재 시점에 전략적 가치를 두고 있음. 과제 추진의 난이도가 높지 않아 우선하여 바로 적용 가능할 필요성이 있음

④ Ⅳ사분면

전략적 중요도가 높지 않아 중장기적 관점에서 과제 추진이 바람직함. 과제를 바로 적용하는 것은 어렵지 않음.

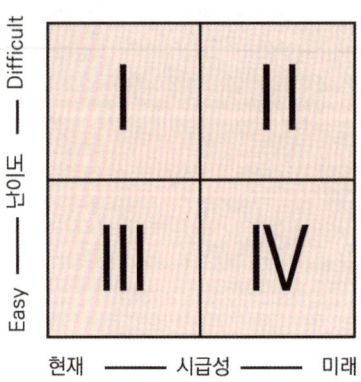

[분석과제 우선순위 선정 매트릭스]

(5) 분석과제 우선순위 조정

① 데이터 양, 데이터 특성, 분석범위 등에 따라 난이도 조정은 경영진 또는 실무 담당자의 의사결정에 따라 적용 우선순위를 조정할 수 있다. 예를 들어 그림의 ⑨번 과제와 같이 1사분면에 위치한 분석과제는 데이터의 양, 데이터 특성, 분석범위 등에 따라 난이도를 조율함으로써 적용 우선순위를 조정할 수 있다.

② 기술적 요소에 따라서도 적용 우선순위를 조정할 수 있다. 기본적으로 대용량 데이터 분석은 데이터 저장·처리·분석을 위한 새로운 기술요소들로 인하여 운영 중인 시스템에 영향을 미친다. 이때 기존 시스템에 미치는 영향을 최소화하여 적용하거나 또는 운영 중인 시스템과 별도 분리하여 시행함으로써 난이도 조율을 통해 우선순위를 조정할 수 있다.

③ 분석범위에 따라서도 적용 우선순위를 조정할 수 있다. 분석과제의 전체 범위를 한 번에 일괄적으로 적용하여 추진할 것인지, 일부 범위로 한정하여 시범과제 형태로 추진하고 평가를 통하여 분석범위를 확대할 것인지에 대한 의사결정이 필요하다.

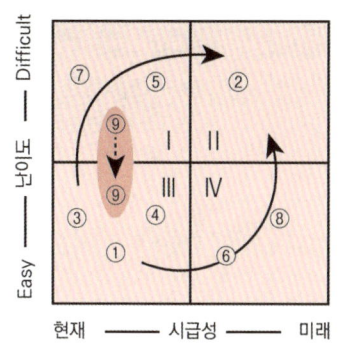

[분석과제 우선순위 선정 조정]

3. 이행계획 수립

1) 로드맵 수립
분석과제에 대한 포트폴리오 사분면 분석을 통해 결정된 과제의 우선순위를 토대로 분석과제별 적용 범위 및 방식을 고려하여 최종적인 실행 우선순위를 결정한 후 단계적 구현 로드맵을 수립한다.

2) 세부 이행계획 수립
반복적인 정렬 과정을 통하여 프로젝트의 완성도를 높이는 방식을 주로 사용한다. 이러한 반복적인 분석체계는 모든 단계를 반복하기보다 데이터 수집 및 확보와 분석 데이터를 준비하는 단계를 순차적으로 진행하고, 모델링 단계는 반복적으로 수행하는 혼합형을 많이 적용한다.

> **기출유형 따라잡기**
>
> [03회] 다음 중 마스터 플랜에 대한 설명 중 올바르지 않은 것은?
> ① 분석역량을 내재화하려고 하면 단기적인 과제수행뿐만 아니라 중·장기적 관점의 마스터 플랜 수립이 필요하다.
> ② 분석 프로젝트는 과제의 우선순위 평가를 위해 전략적 중요도, 실행 용이성 등 기업에서 고려하는 중요가치 기준에 따라 다양한 관점에서 우선순위 기준을 수립하여 평가한다.
> ③ 전략적 중요도, 비즈니스 성과와 과제의 실행 용이성을 고려하여 분석과제의 우선순위를 고려한다.
> ④ 분석 마스터 플랜은 조직 내외부 환경분석, 기회 또는 문제점 도출, 사용자의 요구사항 분석, 마지막으로 시스템 구축 등으로 우선순위 결정 순서를 정한다.
>
> **정답** ④
> **해설** 분석 마스터 플랜은 분석대상이 되는 과제를 도출하고, 우선순위를 평가하여 단기적인 세부 이행계획과 중·장기적인 로드맵을 작성해야 한다.

> **기출유형 따라잡기**

[02회] 다음 중 분석대상과 분석방법을 모두 알고 있을 때 적용할 수 있는 문제 해결 방법은?
① 최적화 ② 솔루션
③ 통찰 ④ 발견

정답 ①

해설 Optimization : 분석대상 및 분석방법을 이해하고 현 문제를 최적화의 형태로 수행

[06회] 다음 중 분석 마스터 플랜에 대한 설명으로 옳은 것은?
① 데이터 분석 기획의 특성을 고려하지 않는다.
② 분석 과제의 중요도나 난이도는 고려하지 않는다.
③ 중장기적 관점의 수행 계획을 수립하는 절차이다.
④ 그 과제의 목적이나 목표에 따라 부분적인 방향성을 제시한다.

정답 ③

해설 분석 마스터플랜은 분석대상이 되는 과제를 도출하고 우선순위를 평가하여 단기적인 세부 이행계획과 중·장기적인 로드맵을 작성해야 한다.

[07회] 분석 마스터플랜 수립 시 우선순위 고려 요소가 아닌 것은?
① 전략적 중요도 ② 비즈니스 성과
③ 실행 용이성 ④ 분석 데이터 적용 수준

정답 ④

해설 분석 데이터 적용 수준은 분석과제 적용 및 방식의 고려 요소이다.

2 분석문제 정의

학습 목표
1. 하향식 접근방법(Top Down Approach)과 상향식 접근방법(Bottom Up Approach)을 이해한다.

출제 KEYWORD
① 하향식 접근방법 개념 및 프로세스 ★★★
② 상향식 접근방법 개념 및 프로세스 ★★★

- 분석과제는 풀어야 할 다양한 문제를 데이터 분석 문제로 변환한 후 이해관계자들이 이해하고 프로젝트로 수행할 수 있는 분석과제 정의서 형태로 도출된다.
- 분석과제를 도출하기 위한 방식은 크게 하향식 접근방법(Top Down Approach)과 상향식 접근방법(Bottom Up Approach)이 있다.
- 하향식 접근방법(Top Down Approach)
 문제가 주어지고 이에 대한 해답을 찾기 위하여 각 과정이 체계적으로 단계화되어 수행하는 방식
- 상향식 접근방법(Bottom Up Approach)
 문제의 정의 자체가 어려울 때 데이터를 기반으로 문제의 재정의 및 해결방안을 탐색하고 이를 지속적으로 개선하는 방식. 데이터를 활용하여 생각하지 못했던 인사이트를 도출하고 시행착오를 통해서 개선해가는 방식

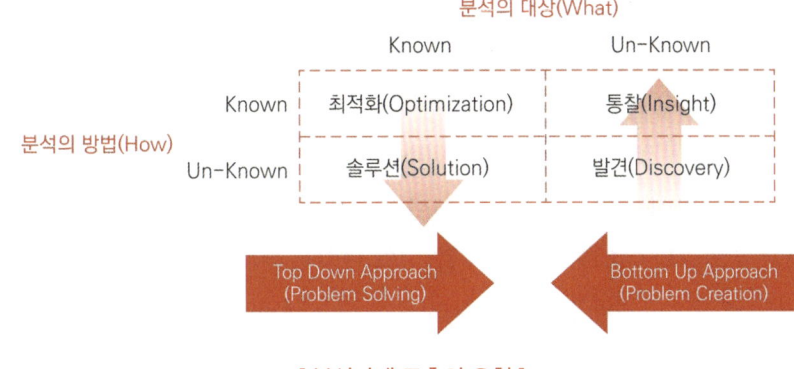

[분석과제 도출의 유형]

- 분석과제발굴을 두 가지 방법으로 나누었지만, 실제 새로운 상품을 개발하거나 전략 수립 등 중요한 의사결정을 할 때는 상향식 접근방법과 하향식 접근방법이 혼용되어 사용되며, 동적인 환경에서 분석의 가치를 높일 수 있는 최적의 의사결정을 위해서는 두 가지 접근방식이 상호 보완관계에 있을 때 가능하다.

1. 하향식 접근방식(Top-down approach)

- 현황분석 또는 인식된 문제점, 전략으로부터 기회나 문제를 탐색(Problem Discovery), 해당 문제를 데이터 문제로 정의(Problem Definition)한 후 해결방안 탐색(Solution Search), 그리고 데이터 분석의 타당성 평가(Feasibility Study)를 거쳐 분석과제를 도출하는 과정으로 이루어진다.

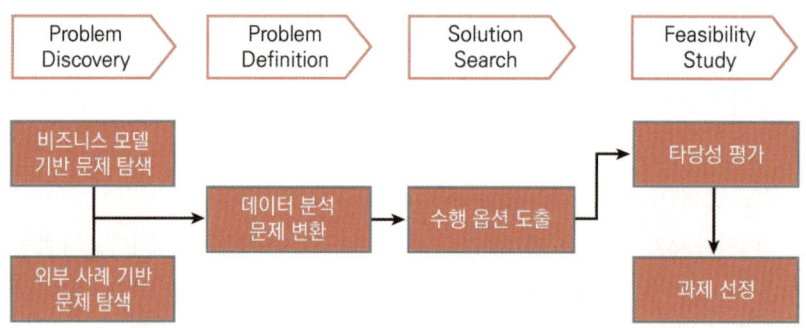

[하향식 접근 방법]

1) 문제 탐색(Problem Discovery) 단계

(1) 비즈니스 모델 기반 문제 탐색
- 비즈니스 모델 틀을 활용하여 가치가 창출될 문제를 누락 없이 도출할 수 있다.
- 비즈니스 모델 관점에서는 해당 기업의 사업모델을 도식화한 비즈니스 모델 캔버스의 9가지 블록을 단순화하여 업무, 제품, 고객 단위로 문제를 발굴하고, 이를 관리하는 두 가지의 영역인 규제와 감사 영역과 지원 인프라 영역에 대한 기회를 추가로 도출하는 작업을 수행한다.

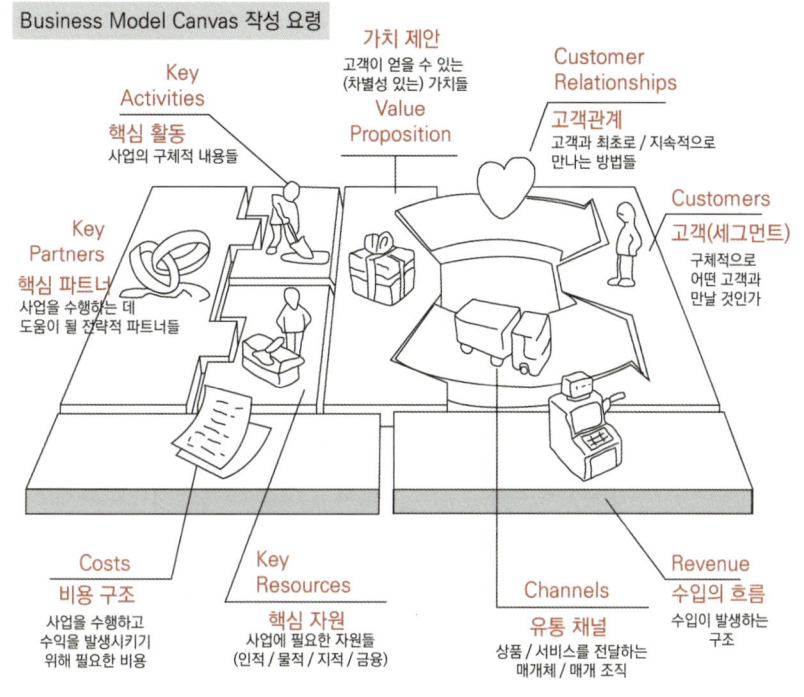

[비즈니스 모델 캔버스 작성 요령]

① 업무(Operation)
- 제품 및 서비스를 생산하기 위해서 운영하는 내부 프로세스 및 주요 자원 관련 주제 도출

    예 생산공정 최적화, 재고량 최소화 등

② 제품(Product)
- 생산 및 제공하는 제품·서비스를 개선하기 위한 관련 주제 도출

    예 제품의 주요 기능 개선

③ 고객(Customer)
- 제품·서비스를 제공 받는 사용자나 고객, 이를 제공하는 채널의 관점에서 관련 주제 도출

    예 고객 전화 대기 시간 최소화

④ 규제와 감사(Regulation & Audit)
- 제품 생산 및 전달 과정 프로세스 중에서 발생하는 규제 및 보완의 관점에서 주제 도출
  - 예 제공서비스 품질의 이상 징후 관리, 새로운 환경 규제 시 예상되는 제품 추출 등
⑤ 지원 인프라(IT & Human Resource)
- 분석을 수행하는 시스템 영역 및 이를 운영·관리하는 인력의 관점에서 주제 도출
  - 예 EDW 최적화, 적정 운영 인력 도출 등

(2) 분석 기회 발굴의 범위 확장
- 현재의 사업 방식 및 비즈니스에 대한 문제 해결은 최적화 및 단기 과제 형식으로 도출될 가능성이 높기 때문에 새로운 문제의 발굴 및 장기적인 접근을 위해서는 기업이 현재 수행하고 있는 비즈니스뿐만 아니라 환경과 경쟁 구도의 변화 및 역량의 재해석을 통한 "혁신(Innovation)"의 관점에서 분석 기회를 추가 도출하는 것이 요구된다.
- 현재 사업을 영위하고 있는 환경, 경쟁자, 보유하고 있는 역량, 제공하고 있는 시장 등을 넘어서 거시적 관점의 요인, 경쟁자의 동향, 시장의 니즈 변화, 역량의 재해석 등 새로운 관점의 접근을 통해 새로운 유형의 분석 기회 및 주제 발굴을 수행해야 한다.
- 이러한 작업을 수행할 때는 분석가뿐만 아니라 해당 기능을 수행하는 직원 및 관련자에 대한 폭넓은 인터뷰와 워크숍 형태의 아이디어 발굴 작업이 필요하다.

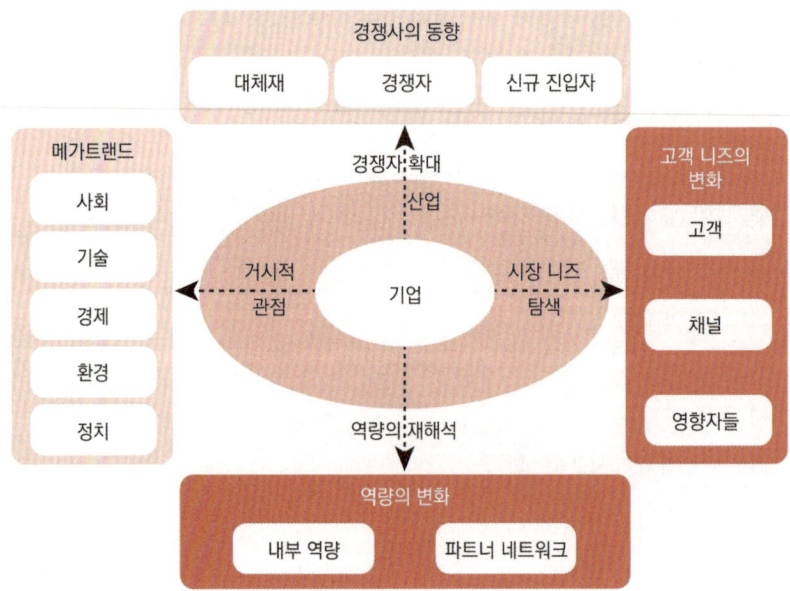

① 거시적 관심의 요인
- STEEP로 요약되는 사회(Social), 기술(Technological), 경제(Economic), 환경(Environmental), 정치(Political) 영역으로 나누어서 좀 더 폭넓게 기획 탐색을 수행한다.

영역	주요내용	사례
사회 (Social)	비즈니스모델의 고객영역에 존재하는 현재 고객을 확장하여 전체 시장을 대상으로 사회적, 문화적, 구조적 트랜드 변화에 기반한 분석기회도출	• 노령화 • 밀레니엄 세대 등장
기술 (Technological)	과학, 기술, 의학 등 최신기술의 등장 및 변화에 따른 역량내재화와 제품·서비스 개발에 대한 분석기회 도출	• 나노기술 • IT융합기술
경제 (Economic)	산업과 금융 전반의 변동성 및 경제구조 변화 동향에 따른 시장의 흐름을 파악하고 이에 대한 분석기회 도출	• 원자재가격 • 환율
환경 (Environmental)	환경과 관련된 정부, 사회단체, 시민사회의 관심과 규제 동향을 파악하고 이에 대한 분석 기회도출	원가절감 및 정보 가시화
정치 (Political)	주요 정책방향, 정세, 지정학적 동향 등의 거시적인 흐름을 토대로 한 분석기회 도출	원자재 구매 거래선의 다변화

② 경쟁자 확대 관점
- 사업 영역의 직접 경쟁사 영역 및 제품·서비스의 대체재 영역과 신규진입자 영역 등으로 관점을 확대하여 위협이 될 수 있는 상황에 대한 분석 기회 발굴의 폭을 넓혀서 탐색한다.

영역	주요내용	사례
대체재 (Substitute)	융합적인 경쟁 환경에서 현재 생산을 수행하고 있는 제품·서비스의 대체재를 파악하고 이를 고려한 분석 기회 도출	현재 오프라인으로 제공하고 있는 자사의 상품·서비스를 온라인으로 제공하는 것에 대한 탐색 및 잠재적 위협 파악
경쟁자 (Competitor)	현재 생산하고 있는 제품·서비스의 주요 경쟁자에 대한 동향을 파악하고 이를 고려한 분석 기회 도출	식별된 주요 경쟁사의 제품·서비스 카탈로그 및 전략을 분석하고 이에 대한 잠재적 위협 파악
신규진입자 (Customer)	현재 직접적인 제품·서비스의 경쟁자는 아니지만, 향후 시장에 대해서 파괴적인 역할을 수행할 수 있는 신규 진입자에 대한 동향을 파악하고 이를 고려한 분석기회 도출	새로운 제품에 대한 크라우드 소싱 서비스인 kickstarter의 유사 제품을 분석하고 자사의 제품에 대한 잠재적 위협 파악

③ 시장의 니즈 탐색
- 고객 영역과 고객과 접촉하는 역할을 수행하는 채널영역 및 고객의 구매와 의사결정에 영향을 미치는 영향자들 영역에 대한 관점을 바탕으로 분석 기회를 탐색한다.

영역	주요내용	사례
고객 (Customer)	고객의 구매동향 및 고객의 컨텍스트를 더욱 깊게 이해하여 제품·서비스의 개선에 필요한 분석 기회 도출	철강 기업의 경우 조선산업과 자동차 산업의 동향 및 주요 거래선의 경영 현황 등을 파악하고 분석기회 도출
채널 (Channel)	영업사원, 직판 대리점, 홈페이지 등 자체적으로 운영하는 채널뿐만 아니라 최종 고객에게 상품·서비스를 전달하는 경로에 존재하는 채널별로 분석 기회를 확대하여 탐색	은행의 경우 인터넷전문은행 등 온라인 채널의 등장에 따른 변화에 대한 전략분석 기획 도출
영향자들 (Influencer)	기업 의사결정에 영향을 미치는 주주·투자자·협회 및 기타 이해관계자의 주요 관심사항에 대해서 파악하고 분석 기회 탐색	M&A 시장확대에 따른 유사 업종의 신규 기업인수 기회 탐색

④ 역량의 재해석 관점
- 내부역량 영역뿐만 아니라 해당 조직의 비즈니스에 영향을 미치는 파트너 네트워크 영역을 포함한 활용 가능한 역량을 토대로 폭넓은 분석기회를 탐색한다.

영역	주요내용	사례
내부역량 (Competency)	지적재산권, 기술력 등 기본적인 것뿐만 아니라 중요하면서도 자칫 간과하기 쉬운 지식, 기술, 스킬 등의 노하우와 인프라적인 유형 자산에 대해서 폭넓게 재해석하고 해당영역에서 분석기회를 탐색한다.	자사소유 부동산을 활용한 부가가치창출 기회발굴 등
파트너와 네트워크 (Partners & Networks)	자사가 직접 보유하고 있지 않지만 밀접한 관계를 유지하고 있는 관계사와 공급사 등의 역량을 활용해 수행할 수 있는 기능을 파악해보고 이에 대한 분석기회를 추가적으로 도출	수출입·통관 노하우를 활용한 추가 사업기회 탐색

(3) 외부 참조모델 기반 문제탐색
- 유사·동종 사례 벤치마킹을 통한 분석 기회 발굴은 제공되는 산업별, 업무 서비스별 분석 테마 후보 그룹을 통해 "Quick & Easy" 방식으로 필요한 분석 기회가 무엇인지에 대한 아이디어를 얻고, 기업에 적용할 분석 테마 후보 목록을 워크숍 형태의 브레인스토밍을 통해 빠르게 도출하는 방법이다.
- 특히 현재의 환경에서는 데이터를 활용하지 않은 업종 및 업무 서비스가 사실상 존재하지 않기 때문에 업무에 활용되는 사례들을 발굴하여 자사의 업종 및 업무 서비스에 적용할 수 있다.
- 산업 및 업종을 불문하고 데이터 분석 사례를 기반으로 분석 테마 후보 그룹을 미리 정의하고 그 후보 그룹을 통해 해당 기업에서 벤치마킹할 대상인 분석기회를 고려한다면 빠르고 쉽게 분석기회를 도출할 수 있다.

- 따라서 데이터 분석을 통한 가치발굴 사례를 정리하여 풀(Pool)로 만들어 둔다면 과제 발굴 및 탐색 시 빠르고 의미 있는 분석기회 도출이 가능하다. 또한 유사·동종업계뿐만 아니라 타 업종·분야의 데이터 분석 활용사례 또한 정리해 놓으면 새로운 주제 탐색에 도움이 된다.

(4) 분석 유즈 케이스(Analytics Use Case)
- 현재의 비즈니스 모델 및 유사·동종 사례탐색을 통해서 빠짐없이 도출한 분석기회들을 구체적인 과제로 만들기에 앞서 분석 유즈 케이스로 표기하는 것이 필요하다.
- 분석 유즈 케이스는 풀어야 할 문제에 대한 상세한 설명 및 해당 문제를 해결했을 때 발생하는 효과를 명시함으로써 향후 데이터 분석 문제로의 전환 및 적합성 평가에 활용한다.

업무	분석 유즈 케이스	설명	효과
재무	자금 시재 예측	일별로 예정된 자금 지출과 입금을 추정	자금 과부족 현상 예방, 자금 운용 효율화
	구매 최적화	구매 유형과 구매자별로 과거 실적과 구매조건을 비교·분석하여 구매 방안 도출	구매 비용 절감

[분석 유즈 케이스 예시]

2) 문제 정의(Problem Definition)
- 식별된 비즈니스 문제를 데이터의 문제로 변환하여 정의하는 단계이다. 필요한 데이터 및 기법을 정의하기 위한 데이터 분석 문제로의 변환을 수행하게 된다.
- 앞서 수행한 문제탐색의 단계가 무엇을(What), 어떤 목적으로(Why), 수행해야 하는지에 대한 관점이었다면 문제정의(Problem Definition) 단계에서는 이를 달성하는 데 필요한 데이터 및 기법(How)을 정의하기 위한 데이터 분석 문제로의 변환을 수행하게 된다.
- 데이터 분석 문제의 정의 및 요구사항은 분석을 수행하는 당사자뿐만 아니라 해당 문제가 해결되었을 때 효용을 얻을 수 있는 최종사용자(End User)관점에서 이루어져야 한다.
- 데이터 분석 문제가 잘 정의되었을 때 필요한 데이터의 정의 및 기법발굴이 용이하기 때문에 가능한 한 정확하게 분석의 관점으로 문제를 재정의할 필요가 있다.
  - 예 '고객 이탈의 증대'라는 비즈니스 문제는 '고객의 이탈에 영향을 미치는 요인을 식별하고 이탈 가능성을 예측'하는 데이터 분석 문제로 전환

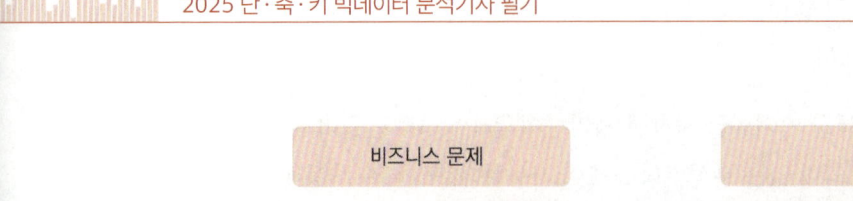

[비즈니스 문제의 분석 문제 변환 예시]

3) 해결 방안 탐색(Solution Search) 단계
- 이 단계에서는 정의된 데이터 분석 문제를 해결하기 위한 다양한 방안이 모색된다.
- 동일한 데이터 분석 문제라 해도 어떤 데이터 또는 분석시스템을 사용할 것인지에 따라서 소요되는 예산 및 활용 가능한 도구가 다르기 때문에 다각도로 고려할 필요가 있다.
- 기존 정보시스템의 단순한 보완으로 분석할 수 있는지, 엑셀 등의 간단한 도구로 분석이 가능한지, 또는 하둡 등 분산 병렬처리를 활용한 빅데이터 분석 도구를 통해 더욱 체계적이고 심도 있는 방안이 고려되는지 등 여러 대안이 도출될 수 있다.
- 분석역량을 기존에 가지고 있는지 파악하여 보유하고 있지 않은 경우에는 교육이나 전문 인력 채용을 통한 역량을 확보하거나 분석전문업체를 활용하여 과제를 해결하는 방안에 대해 사전검토를 수행한다.

분석 기법 및 시스템(How)	분석 역량(who)	
	확보	미확보
기존 시스템	기존 시스템 개선 활용	교육 및 채용을 통한 역량 확보
신규 도입	시스템 고도화	전문업체(Sourcing)

[해결 방안 탐색 영역]

4) 타당성 검토(Feasibility Study) 단계

① 경제적 타당도
- 비용대비 편익 분석관점이 필요하다. 비용항목은 데이터, 시스템, 인력, 유지보수 등과 같은 분석 비용으로 구성된다.
- 비용편익분석 결과를 적용함으로써 추정되는 실질적 비용 절감, 추가적 매출과 같은 경제적 가치로 산출된다.

② 데이터 및 기술적 타당도
- 데이터분석에는 데이터 존재 여부, 분석시스템 환경, 그리고 분석역량이 필요하다.
- 특히 분석역량의 경우 실제 프로젝트 수행 때 걸림돌이 되는 경우가 많기 때문에 기술적 타당성분석 시 역량 확보 방안을 사전에 수립해야 한다.
- 이를 효과적으로 평가하기 위해서는 비즈니스 지식과 기술적 지식이 요구되기 때문에 비즈니스 분석가, 데이터 분석가, 시스템 엔지니어 등과의 협업이 수반 되어야 한다.

》 기출유형 따라잡기

[02회] 다음 중 비즈니스 모델 분석의 상향식 접근방식의 순서는?
① 분석요건 식별 → 분석요건 정의 → 프로세스 분류 → 프로세스의 흐름 분석
② 프로세스 분류 → 프로세스의 흐름 분석 → 분석요건식별 → 분석요건 정의
③ 프로세스의 흐름 분석 → 분석요건식별 → 분석요건 정의 → 프로세스 분류
④ 분석요건 정의 → 프로세스 분류 → 프로세스의 흐름 분석 → 분석요건 식별

정답 ②

해설 상향식 접근 방식
하위단위 비즈니스 프로시저, 프로세스를 통해 비즈니스를 분석하여 분석요건을 식별하고 정의한다.

---

2. 상향식 접근방식(Bottom Up)

- 문제의 정의 자체가 어려운 경우 데이터를 기반으로 문제의 재정의 및 해결 방안을 탐색하고 이를 지속적으로 개선하는 방식이며, 일반적으로 상향식접근방식의 데이터 분석은 비지도학습(Unsupervised Learning) 방법에 의해 수행된다.
- 통계적분석에서는 인과관계(원인과 결과) 분석을 위해 가설을 설정하고 이를 검정하기 위해 모집단으로 표본을 추출하고, 그 표본을 이용한 가설검정을 실시하는 방식으로 문제를 해결한다.

- 그러나 빅데이터 환경에서는 이와 같은 논리적인 인과관계 분석뿐만 아니라 상관관계 분석 또는 연관분석을 통하여 다양한 문제해결에 도움을 받을 수 있다. 즉 인과관계 분석에서 상관관계 분석으로의 이동이 빅데이터 분석의 주요 변화라고 할 수 있다.
- 상향식 접근방법은 결국 다양한 원천데이터로부터 분석을 통하여 통찰력과 지식을 얻는 접근방법을 말한다.

1) 상향식 접근방식절차

순서	단계	설명
1	프로세스 분류	전사 업무 프로세스를 가치사슬, 메가 프로세스, 메이저 프로세스, 프로세스 단계로 구조화해 업무 프로세스 정의
2	프로세스 흐름 분석	프로세스 맵을 통해 프로세스별로 업무 흐름을 상세히 표현
3	분석 요건 식별	각 프로세스 맵상의 주요 의사결정 포인트 식별
4	분석 요건 정의	각 의사결정 시점에 무엇을 알아야만 의사결정을 할 수 있는지 정의

> **용어정리**
>
> - **비지도학습**
>   비지도학습은 데이터 분석의 목적이 명확히 정의된 형태의 특정 필드값을 구하는 것이 아니라, 데이터 자체의 결합, 연관성, 유사성 등을 중심으로 데이터의 상태를 표현하는 것이다.

2) 하향식 접근방법에 대한 문제점

- 기존 접근방법인 논리적인 단계별 접근법은 문제의 구조가 분명하고 문제를 해결하고 해결책을 도출하기 위한 데이터 분석가 및 의사결정자가 존재하고 있음을 가정하기 때문에 솔루션 도출에는 유효하지만 새로운 문제탐색에는 한계가 있다.
- 따라서 기존의 논리적인 단계별 접근법에 기반한 문제해결 방식은 최근 복잡하고 다양한 환경에서 발생하는 문제에는 적합하지 않을 수 있다.

3) 하향식 접근방법에 대한 문제점 극복

- 하향식접근방식은 문제가 정형화되어 있고 문제해결을 위한 데이터가 완벽하게 조직에 존재할 경우에 효과적이다.
- 이에 반해 프로토타이핑 방법론은 완전하지는 못하지만 신속하게 해결책이나 모형을 제시함으로써 이를 바탕으로 문제를 좀 더 명확하게 인식하고 필요한 데이터를 식별하고 구체화할 수 있게 하는 유용한 상향식접근방식이다.

① 프로토타이핑 접근법
- 프로토타이핑 접근법의 기본 프로세스는 가설의 생성(Hypotheses), 디자인에 대한 실험(Design Experiment), 실제 환경에서의 테스트(Test), 테스트 결과에서의 통찰(Insight) 도출 및 가설 확인으로 구성된다.
- 한 번의 분석을 통해서 의도했던 결과가 나오기 쉽지 않은 동적인 환경에서 최대한 빨리 결과를 보여주고 해당 내용을 토대로 지속적인 반복을 수행하는 프로토타이핑방식이 빅데이터 환경에서 더욱 유용하다고 알려져 있다.

→ 분석요건 정의 후에 분석을 통해 얻고자 하는 목표를 명확히 하기 위해 분석목표(요건)정의서를 수립할 수 있다.
- 분석목표 정의서에는 분석별로 필요한 소스데이터, 분석 방법. 데이터 입수 난이도, 분석의 난이도, 분석 수행주기, 분석 결과에 대한 검증이 가능한 성과평가 기준을 설계할 수 있다.
- 분석목표 정의서에 상세 분석 과정별 담당 조직, 인원을 명확히 기재하여 실무자와 워크숍 등을 통해 공유할 수 있다.

3 데이터 분석 방안

학습 목표
1. 빅데이터 분석 방법론을 학습한다.

출제 KEYWORD
① KDD(Knowledge Discovery in Database) ★★★
② CRISP-DM(Cross Industry Standard Process For Data Mining) ★★★
③ 빅데이터 분석 방법론 ★★★

1. 분석 방법론의 개요
- 데이터 분석을 효과적으로 기업에 정착하기 위해서는 이를 체계화하는 절차와 방법이 정리된 데이터 분석 방법론의 수립이 필수적이다.
- 일반적으로 방법론은 계층적 프로세스 모델(Stepwised Process Model)의 형태로 구성된다.

- 최상위계층은 단계(Phase)로서 프로세스 그룹(Process Group)을 통하여 완성된 단계별 완료 보고서가 생성된다.
- 각 단계는 여러 개의 태스크(Task)로 구성되는데 각 태스크는 단계를 구성하는 단위 활동으로 구성되며 마지막 계층은 스텝(Step)으로 입력자료, 처리 및 도구, 출력자료로 구성된 단위 프로세스이다.

1) 분석 방법론의 구성요소
   ① 상세한 절차(Procedure)
   ② 방법(Methods)
   ③ 도구와 기법(Tools & Techniques)
   ④ 템플릿과 산출물(Templates & Outputs)

(1) 기업의 합리적 의사결정의 중요성
- 최근 기업 경쟁력을 향상하기 위하여 데이터 분석 및 활용의 중요성이 강조되고 있다.
- 지금까지 기업들은 일반 수준의 품질목표나 재무성과를 달성하기 위하여 데이터 기반의 의사결정보다는 경험과 감에 의한 판단만으로도 어느 정도 목표를 달성할 수 있었다.
- 그러나 극한의 글로벌 경쟁 환경에서는 더 이상 경험과 감에 의한 의사결정으로는 한계가 있음을 인식하고 데이터 기반의 의사결정을 위하여 많은 노력을 기울이고 있다.
- 고정관념, 편향된 생각, 프레이밍 효과 등은 기업의 합리적 의사결정을 가로막는 장애요소에 해당된다.
- 결국 데이터 기반의 의사결정을 위해서는 기업문화의 변화와 업무 프로세스개선이 필수적이다.

> **용어정리**
> - 프레이밍 효과(Framing Effect)
>   문제의 표현방식에 따라 같은 사건이나 상황임에도 불구하고 개인의 판단이나 선택이 달라질 수 있는 현상을 말한다.

(2) 분석 방법론의 생성 과정
- 일반적으로 방법론의 생성 과정은 개인의 암묵지가 조직의 형식지로 발전하는 형식화 과정을 거치고 이를 체계화하여 문서화하고 이를 최적화된 형식지로 전개됨으로써 방법론이 만들어질 수 있다.

- 이렇게 만들어진 방법론은 다시 개인에게 전파되고 활용되는 내재화 과정을 거쳐 암묵지로 발전하는 선순환 과정이 진행되면서 조직 내 방법론이 완성될 수 있다.
- 방법론은 적용 업무의 특성에 따라 다양한 모델을 가질 수 있다.

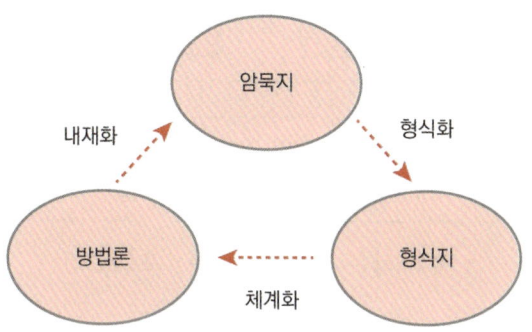

[방법론의 생성과정]

2) 빅데이터 분석 방법론
(1) 빅데이터 분석 방법론의 계층적 프로세스 모델

빅데이터를 분석하기 위한 방법론은 계층적 프로세스 모델(Stepwised Process Model)로써 3계층으로 구성된다.

① 단계(Phase)
- 프로세스 그룹(Process Group)을 통하여 완성된 단계별 산출물이 생성되어야 한다.
- 각 단계는 기준선(Baseline)으로 설정되어 관리되어야 하며 버전관리(Configuration Management) 등을 통하여 통제가 이루어져야 한다.

② 태스크(Task)
- 각 단계는 여러 개의 태스크(Task)로 구성되는데 각 태스크는 단계를 구성하는 단위 활동으로써 물리적 또는 논리적 단위로 품질검토의 항목이 될 수 있다.

③ 스텝(Step)
- WBS(Work Breakdown Structure)의 작업 패키지에 해당되고 입력자료(Input), 처리 및 도구(Process & Tool), 출력자료(Output)로 구성된 단위 프로세스(Unit Process)이다.

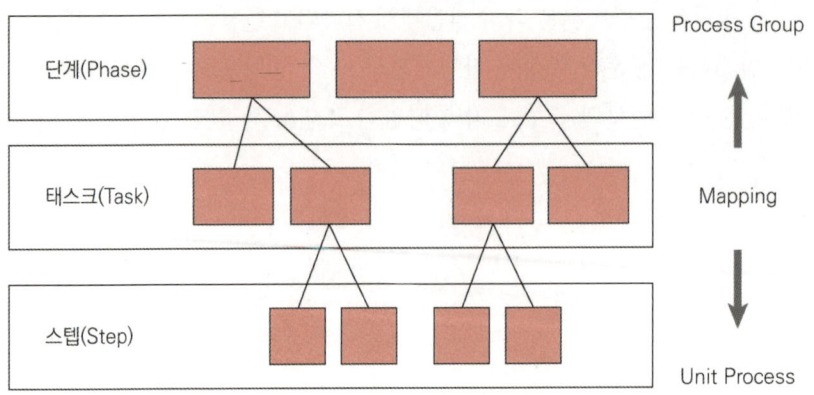

[빅데이터 분석 방법론의 계층적 프로세스]

(2) 빅데이터 분석 방법 절차

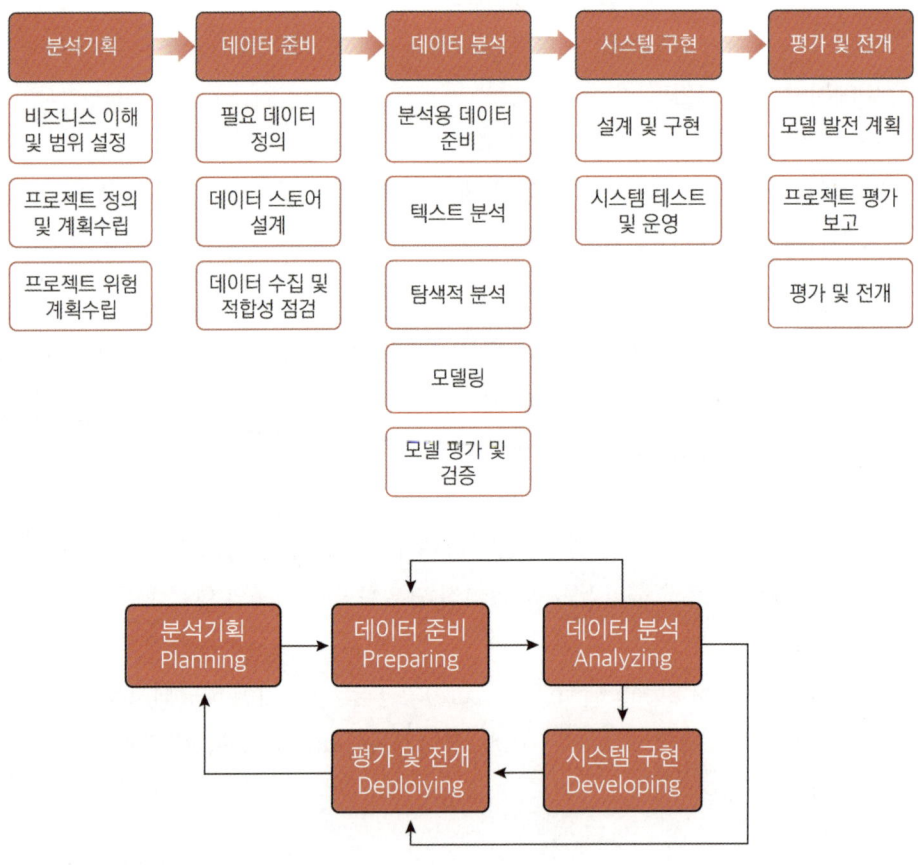

[빅데이터 분석 방법론 분석 환류]

단계(Phase)	태스크(Task)	내용
분석기획	비즈니스 이해범위 및 범위설정	• 프로젝트에 참여하는 관계자들(Stakeholders)의 이해를 일치시키기 위하여 구조화된 프로젝트 범위정의서인 SOW(Statement of Work)를 작성
	프로젝트 정의 및 계획수립	• 프로젝트의 목표 및 KPI(핵심성과지표), 목표수준 등을 구체화하여 상세 프로젝트 정의서를 작성 • 프로젝트 수행계획서를 작성하는 단계로서 프로젝트의 목적 및 배경, 기대효과, 수행방법, 일정 및 추진조직, WBS를 작성한다.
	프로젝트 위험계획 수립	• 데이터 분석 위험식별, 계획수립단계에서 빅데이터분석 프로젝트를 진행하면서 발생 가능한 모든 위험을 식별한다. • 예상되는 위험에 대한 대응은 회피(Avoid), 전이(Transfer), 완화(Mitigate), 수용(Accept)으로 구분하여 위험 관리계획서를 작성한다.
데이터 준비	필요 데이터 준비	• 정형·비정형·반정형 등의 모든 내·외부 데이터를 포함하고 데이터의 속성, 데이터 오너, 데이터 관련 시스템담당자 등을 포함하는 데이터 정의서를 작성한다.
	데이터 스토어 설계	• 일반적으로 관계형 데이터베이스(RDBMS)를 사용하고 데이터의 효율적인 저장과 활용을 위하여 데이터 스토어의 논리적, 물리적 설계를 구분하여 설계한다. • 하둡, NoSQL 등을 이용하여 비정형 또는 반정형 데이터를 저장하기 위한 논리적, 물리적 데이터 스토어를 설계한다.
	데이터 수집 및 정합성 점검	• 크롤링 등의 데이터 수집을 위한 ETL 등의 다양한 도구와 API, 스크립트 프로그램 등을 이용하여 데이터를 수집하고, 수집된 데이터를 설계된 데이터를 스토어에 저장한다.
데이터 분석	분석용 데이터 준비	• 분석계획단계에서 비즈니스 이해, 도메인 문제점 인식, 프로젝트 정의 등을 이용하여 프로젝트의 목표를 정확하게 인식한다. • 데이터 스토어로부터 분석에 필요한 정형·비정형데이터를 추출한다.
	텍스트 분석	• 감성분석(Sentimental Analysis), 토픽분석(Topic Analysis), 오피니언 분석(Opinion Analysis), 소셜네트워크 분석(SNA) 등을 실시하여 텍스트로부터 분석목적에 맞는 적절한 모델을 구축한다.
	탐색적 분석	• 다양한 관점별로 기초 통계량을 산출하고 데이터의 분포와 변수간의 관계 등 데이터특성 및 데이터의 통계적 특성을 이해하고 모델링을 위한 기초자료로 활용한다.
	모델링	• 모델링이란 분석용 데이터를 이용한 가설설정을 통하여 통계모델을 만들거나 기계학습을 이용한 데이터의 분류, 예측, 군집 등의 기능을 수행하는 모델을 만드는 과정이다. • 데이터 분할, 데이터 모델링, 모델 적용 및 운영방안
	모델평가 및 검증	• 프로젝트 정의서의 모델 평가 기준에 따라 모델을 객관적으로 평가하고 품질관리 차원에서 모델평가 프로세스를 진행한다.
시스템 구현	설계 및 구현	• 모델링 태스크에서 정의된 알고리즘 설명서와 데이터 시각화 보고서를 이용하여 시스템 및 아키텍처 설계, 사용자 인터페이스 설계를 진행한다. • 설계서를 바탕으로 패키지를 활용하여 프로그램을 구축한다.
	시스템 테스트 및 운영	• 단위 테스트, 통합 테스트, 시스템 테스트 실시
평가 및 전개	모델발전 계획수립	• 개발된 모델의 지속적인 운영과 기능향상을 위한 발전계획을 상세하게 수립한다.
	프로젝트 평가 보고	• 프로젝트의 성과를 정량적, 정성적으로 평가하고 프로젝트 진행 과정에서 산출된 지식, 프로세스, 출력자료를 지식 자산화하고 프로젝트 최종보고서를 작성한다.

[빅데이터 단계별 프로세스]

용어정리

- **WBS(Work Breakdown Structure, 작업분할구조도)**
전체 업무를 분류하여 구성요소로 만든 후 각 요소를 평가하고 일정별로 계획하며 그것을 완수할 수 있는 사람에게 할당해주는 역할을 한다.

- **위험에 대한 대응방법**
회피(Avoid) : 위험의 영향도가 너무 커서 위험을 회피
전이(Transfer) : 위험의 영향을 다른 사람(방법)으로 전가시킴. 예 하자보수보증 등
완화(Migration) : 어떠한 방법을 통해 영향도를 감소시키는 방법
수용(Accept) : 위험을 고스란히 수용하고 인력투입 등의 방법으로 대응처리

- **크롤링(Crawling) 혹은 스크레이핑(Scraping)**
웹페이지를 그대로 가져와서 데이터를 추출해내는 행위이다. 크롤링하는 소프트웨어는 크롤러(Crawler)라고 부른다.

- **의사코드(Pseudocode)**
특정 프로그래밍 언어의 문법에 따라 쓴 것이 아니라, 일반적인 언어로 코드를 흉내내어 알고리즘을 써 놓은 코드를 말한다. 특정 언어로 프로그램을 작성하기 전에 알고리즘의 모델을 대략적으로 모델링 할 때 쓰인다.

≫ 기출유형 따라잡기

[03회] 다음 중 데이터 분석 과정이 아닌 것은?
① 데이터 분포와 변수 간의 관계를 탐색한다. ② 데이터 수집 정합성을 검증한다.
③ 리모델링 모델을 검증한다. ④ 분석에 필요한 데이터를 추출한다.

정답 ②

해설 데이터 수집 정합성 검증은 데이터 준비단계에 해당된다.

[02회] 빅데이터 분석 방법론의 분석절차에 대한 설명 중 올바른 것은?
① 분석기획 → 데이터 준비 → 데이터 분석 → 시스템 구현 → 평가 및 전개
② 데이터 준비 → 분석기획 → 데이터 분석 → 평가 및 전개 → 시스템 구현
③ 데이터 분석 → 평가 및 전개 → 분석기획 → 데이터 순비 → 시스템 구현
④ 평가 및 전개 → 분석기획 → 데이터 준비 → 데이터 분석 → 시스템 구현

정답 ①

해설 빅데이터 분석 방법론의 태스크에 해당되는 내용까지 꼭 이해하고 있어야 한다.

[06회] 데이터 탐색(Data Exploration) 단계에서 설명으로 옳지 않은 것은?
① 데이터에 대한 통계적인 요약, 시각화, 그리고 기초적인 분석을 수행하여 데이터의 특징을 파악한다.
② 변수 간의 상관관계를 살펴보고, 이를 통해 변수 간의 관련성을 이해한다.
③ 데이터 탐색 단계에서는 모델 자체의 예측력이나 해석력이 필요하다.
④ 데이터의 특성, 패턴, 관계 등을 이해하고 탐색하는 것이 중요하다.

정답 ③

해설 모델의 해석은 주로 머신러닝 모델이나 통계 모델을 학습한 후에 모델의 예측을 설명하거나 해석하는 과정을 의미한다. 데이터 탐색은 주로 모델링 이전에 수행되는 단계로, 모델의 해석은 모델링 이후에 주로 이루어진다.

기출유형 따라잡기

[06회] 데이터 분석 수행을 위해 특정 주제나 분야에서 발생하는 다양한 과제를 식별하고 정의하는 프로세스를 무엇이라 하는가?
① 도메인 이슈 도출 ② 탐색적 데이터 분석
③ 문제 정의 및 가설 설정 ④ 모델링

정답 ①

해설 도메인 이슈 도출(Domain Issue Elicitation)은 특정 도메인(예: 비즈니스, 기술, 학문 분야)에서 발생할 수 있는 문제나 과제를 식별하고 정의하는 프로세스를 나타낸다. 이는 특정 주제나 분야에서 발생하는 다양한 이슈들을 찾아내고 문제 해결이나 개선을 위한 기반을 마련하는데 도움이 된다.

[06회] 다음 중 데이터 전처리의 수행단계로 옳은 것은?
① 시스템 구현 ② 데이터 준비
③ 데이터 분석 ④ 평가 및 전개

정답 ②

해설 데이터 전처리는 빅데이터 분석방법론 중 데이터 준비 단계에서 실행한다.

[06회] 다음 중 탐색적 데이터 분석(EDA)에 대한 설명으로 옳지 않은 것은?
① 데이터 구조를 파악할 수 있다.
② 시각화 도구를 이용하여 수행할 수 있다.
③ 분석 모델을 선정하고 구성하기 위한 절차로 볼 수 있다.
④ 주성분 분석(PCA)은 탐색적 데이터 분석에 포함되지 않는다.

정답 ④

해설 탐색적 데이터 분석(Exploratory Data Analysis, EDA)를 통해 데이터를 이해하고 모델을 선정하며 구성하는 과정은 다양한 단계를 포함한다. 주성분 분석(Principal Component Analysis, PCA)은 다차원 데이터의 차원을 축소하고 주요한 정보를 추출하는 통계적 방법 중 하나로, 주로 탐색적 데이터 분석(EDA) 단계에서 데이터의 구조를 이해하거나 불필요한 차원을 제거하기 위해 사용된다.

[07회] 빅데이터 분석방법론 프로세스에서 분석기획의 주요 내용이 아닌 것은?
① 비즈니스 이해 범위 및 설정 ② 프로젝트 정의 및 계획수립
③ 프로젝트 위험 계획수립 ④ 데이터 준비

정답 ④

해설 데이터 준비는 빅데이터 분석 방법의 두 번째 프로세스 단계이다.

> **기출유형 따라잡기**

[05회] 빅데이터 분석 방법 프로세스에서 WBS 작성되는 태스크(Task)로 맞는 것은?
① 비즈니스 이해범위 및 범위설정
② 프로젝트 정의 및 계획수립
③ 프로젝트 위험계획 수립
④ 필요 데이터 준비

정답 ②

해설 프로젝트 정의 및 계획수립 태스크 주요 내용
- 프로젝트의 목표 및 KPI(핵심성과지표), 목표수준 등을 구체화하여 상세 프로젝트 정의서를 작성
- 프로젝트 수행계획서를 작성하는 단계로서 프로젝트의 목적 및 배경, 기대효과, 수행방법, 일정 및 추진조직, WBS를 작성한다.

[05회, 06회] CRISP-DM의 분석 프로세스의 순서는?
① 비즈니스 이해 → 데이터 이해 → 데이터 준비 → 전개 → 평가
② 비즈니스 이해 → 데이터 이해 → 데이터 준비 → 평가 → 전개
③ 데이터 이해 → 비즈니스 이해 → 데이터 준비 → 전개 → 평가
④ 비즈니스 이해 → 데이터 준비 → 데이터 이해 → 전개 → 평가

정답 ②

해설 CRISP-DM 분석 절차는 비즈니스 이해 → 데이터 이해 → 데이터 준비 → 평가 → 전개 순이다.

(3) 기타 분석 방법론

① KDD(Knowledge Discovery in Database)

- KDD(Knowledge Discovery in Database)는 1996년 Fayyad가 체계적으로 정리한 데이터마이닝 프로세스로서 데이터베이스에서 의미 있는 지식을 탐색하는 데이터 마이닝, 기계학습, 인공지능, 패턴인식, 데이터 시각화 등에서 응용될 수 있는 구조를 갖고 있다.

- KDD 분석 절차

단계	내용
데이터셋 선택 (Selection)	• 분석대상의 비즈니스 도메인에 대한 이해와 프로젝트의 목표 설정 • 데이터마이닝에 필요한 목표 데이터 선택
데이터 전처리 (Preprocessing)	• 분석 데이터셋에 포함된 잡음(Noise), 이상값(Outlier), 결측치(Missing Value)를 식별하고 필요할 때 제거한다.
데이터 변환 (Transformation)	• 분석목적에 맞는 변수를 선택하거나 데이터의 차원을 축소하여 데이터 마이닝을 효율적으로 적용할 수 있도록 데이터셋을 변경한다.

데이터 마이닝 (Data Mining)	• 변환된 데이터셋을 이용하여 분석목적에 맞는 데이터 마이닝 기법을 선택하고, 데이터 마이닝 알고리즘을 선택하여 데이터의 패턴을 찾거나 데이터를 분류 또는 예측 등의 마이닝 작업을 시행한다.
데이터 마이닝 결과평가 (Interpretation / Evaluation)	• 분석결과에 대한 해석과 평가 및 활용을 한다.

② CRISP-DM
- CRISP-DM(Cross Industry Standard Process For Data Mining)은 1996년 유럽연합의 ESPRIT에서 있었던 프로젝트에서 시작되었으며, 계층적 프로세스 모델로서 4개 레벨로 구성되어 있다.
- 최상위 레벨은 여러 개의 단계(Phases)로 구성되고 각 단계는 일반화 태스크(Genetic Tasks)를 포함한다.
- 일반화 태스크는 데이터 마이닝의 단일 프로세스를 완전하게 수행하는 단위이다.
- 세 번째 레벨은 세분화 태스크(Specialized Tasks)로 일반화 태스크를 구체적으로 수행하는 레벨이다.
- 마지막 레벨인 프로세스 실행(Process Instance)은 데이터 마이닝을 위한 구체적인 실행을 포함한다.
- CRISP-DM는 4개의 계층적 레벨(Level)로 구성되어 있다.

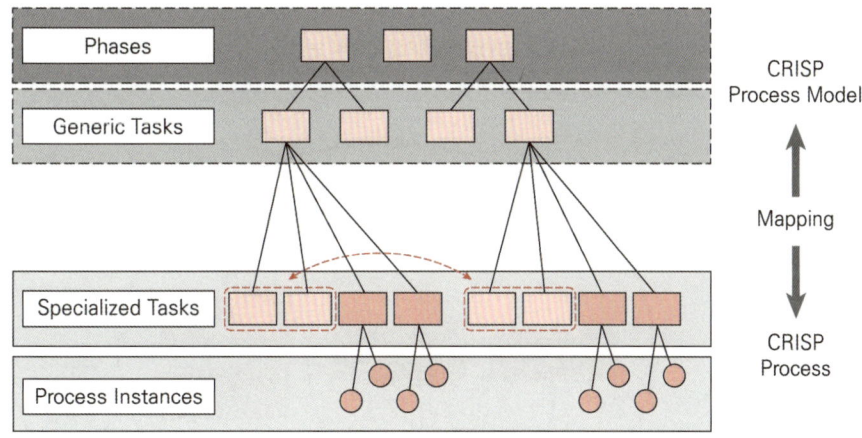

[CRISP-DM 계층적 구조]

- CRISP-DM 분석 절차

단계	내용
업무 이해 (Business Understanding)	• 비즈니스 관점 프로젝트의 목적과 요구 사항을 이해하기 위한 단계로서, 도메인 지식을 데이터 분석을 위한 문제 정의로 변경하고 초기 프로젝트 계획을 수립하는 단계 • **일반화 태스크**: 업무 목적 파악, 상황 파악, 데이터 마이닝 목표 설정, 프로젝트 계획 수립
데이터 이해 (Data Understanding)	• 데이터 이해는 분석을 위한 데이터를 수집하고 데이터속성을 이해하기 위한 과정으로 구성되고, 데이터 품질에 대한 문제점을 식별하고 숨겨져 있는 인사이트를 발견하는 단계 • **일반화 태스크**: 초기 데이터 수집, 데이터 기술 분석, 데이터 탐색, 데이터 품질 확인
데이터 준비 (Data Preparation)	• 데이터 준비는 분석을 위하여 수집된 데이터에서 분석 기법에 적합한 데이터셋을 편성하는 단계로서 많은 시간 소요 • **일반화 태스크**: 분석용 데이터셋 선택, 데이터 정제, 데이터 통합, 데이터 포맷팅
모델링 (Modeling)	• 다양한 모델링 기법과 알고리즘을 선택하고 모델링 과정에서 사용되는 파라미터를 최적화해 나가는 단계. 모델링 단계를 통하여 찾아낸 모델은 테스트용 프로세스와 데이터셋으로 평가하여 모델 과적합(Overfitting) 등의 문제를 발견하고 대응 방안 마련 • **일반화 태스크**: 모델링 기법 선택, 모델 테스트 계획 설계, 모델작성, 모델 평가로 구성
평가 (Evaluation)	• 모델링 단계에서 얻은 모델이 프로젝트의 목적에 부합하는지 평가 • 이 단계의 목적은 데이터 마이닝 결과를 수용할 것인지 최종적으로 판단 • 비즈니스 목적에 부합하지 않으면 다시 비즈니스 이해 단계로 피드백 한다. • **일반화 태스크**: 분석 결과 평가, 모델링 과정 평가, 모델 적용성 평가
전개 (Deployment)	• 모델링과 평가 단계를 통하여 완성된 모델을 실제 업무에 적용하기위한 계획 수립 • **일반화 태스크**: 전개 계획 수립, 모니터링과 모델링 유지보수 계획 수립, 프로젝트 종료 보고서 작성, 프로젝트 리뷰

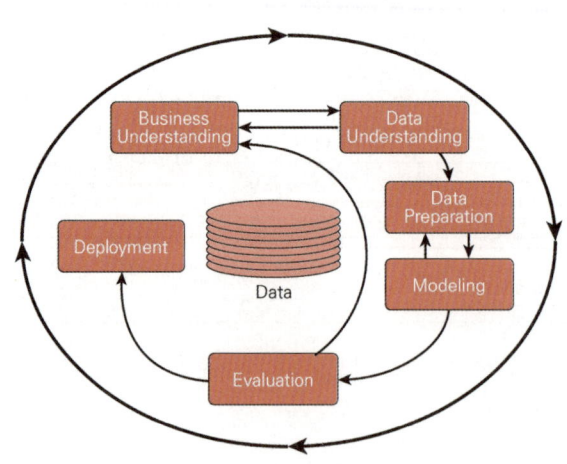

[CRISP-DM 분석 절차]

③ KDD와 CRISP-DM 비교

KDD	CRISP-DM
분석대상 비즈니스 이해	업무 이해(Business Understanding)
데이터셋 선택(Selection)	데이터 이해(Data Understanding)
데이터 전처리(Preprocessing)	
데이터 변환(Transformation)	데이터 준비(Data Preparation)
데이터 마이닝(Data Mining)	모델링(Modeling)
데이터 마이닝 결과평가(Interpretation / Evaluation)	평가(Evaluation)
데이터 마이닝 활용	전개(Deployment)

> **용어정리**
>
> - **과대적합(Overfitting)**
>   과대적합(Overfitting)은 머신러닝 모델이 훈련 데이터에 너무 맞춰져서 새로운 데이터에 대한 일반화 능력이 떨어지는 현상을 나타낸다. 즉, 모델이 훈련 데이터에 너무 과하게 학습되어 특정 데이터에 대한 예측을 매우 정확하게 수행하지만, 다른 데이터에 대해서는 제대로 작동하지 않는 경우이다.
>   과대적합은 주로 모델의 복잡도가 데이터의 복잡도보다 높을 때 발생하며, 특히 훈련 데이터의 양이 적거나 노이즈가 많은 경우에 더 쉽게 나타난다.

④ SEMMA

- SEMMA(Sample, Explore, Modify, Model and Assess)는 SAS institute의 주도로 만들어진 기술과 통계 중심의 데이터 마이닝 프로세스이다.
- SEMMA 분석 절차

단계	내용	세부요소 / 산출물
추출 (Sample)	• 분석할 데이터 추출 • 모델을 평가하기 위한 데이터준비	• 통계적 추출 • 조건 추출
탐색 (Explore)	• 분석용 데이터 탐색 • 데이터 오류확인 • 비즈니스 이해 • 이상현상 및 변화탐색	• 그래프 • 기초통계 • 군집분석 • 변수 유의성 및 상관분석
수정 (Modify)	• 분석용 데이터 변환 • 데이터 표현 시각화 • 파생변수 생성, 선택, 변형	• 수량화 • 표준화 • 변환 • 그룹화

단계	내용	세부요소 / 산출물
모델링 (Model)	• 분석모델 구축 • 패턴 발견 • 모델링과 알고리즘의 적용	• 인공신경망 • 의사결정나무 • 로지스틱 회귀분석 • 통계기법
평가 (Assess)	• 모델평가 및 검증 • 서로 다른 모델 비교	• 리포트 • 모델검증

용어정리

- 다양한 방법론에 따른 분석모형 프로세스

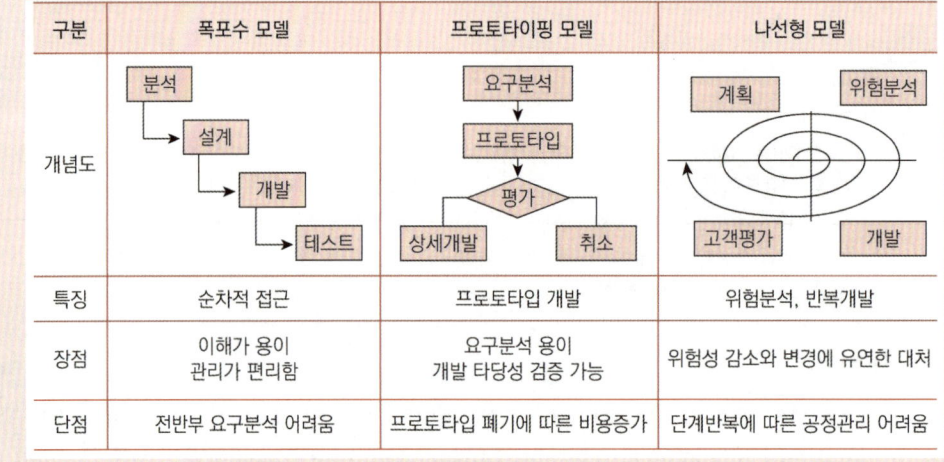

[다양한 분석 모형 프로세스]

02 분석작업 계획

1 데이터 확보 계획

학습 목표

1. 데이터 확보 프로세스를 이해한다.

출제 KEYWORD

① 데이터 확보 프로세스 절차 ★

- 분석 데이터 확보를 위해 우선적으로 고려해야 할 사항은 수집 대상 데이터의 유형이다.
- 분석요건 정의에 의해 도출된 목표에 맞추어 어떤 데이터를 가지고 어떤 분석기법을 통해 수행할 것인지를 수립된 계획에 따라 데이터의 유형을 선택하고 분석변수를 정의한다.

1. 데이터 확보 계획 프로세스

1) 활용 시나리오에 맞는 빅데이터 분석에 필요한 분석 변수를 정의
- 빅데이터 분석요건에 따라 도출된 활용 시나리오에 적합한 데이터의 유형 및 분석 변수를 정의한다.
- 기업 내부시스템, 외부 유사 시스템의 데이터를 수집한다.
- 데이터 수집기법을 활용하여 필요 데이터를 배치 자동화 수집한다.
- 빅데이터의 특징을 고려하여 분석변수생성을 기획한다.
- 빅데이터의 분석변수 유형과 형성 알고리즘을 이용하여 분석유형을 도출한다. 목표 변수의 분포를 구별하는 정도에 따라 순수도(Purity) 또는 불순도(Impurity)에 의해서 측정 구간별 순수도를 가장 높이는 분석변수를 도출한다.

구분	ID3	CHAID	CART	QUSET
목표변수	• 명목형 • 순서형	• 명목형 • 순서형 • 연속형	• 명목형 • 순서형 • 연속형	• 명목형
예측변수	• 명목형 • 순서형	• 명목형 • 순서형 • 연속형	• 명목형 • 순서형 • 연속형	• 명목형 • 순서형 • 연속형

[변수유형 및 주요 형성 알고리즘]

- 분석 변수 유형에 따른 형성 알고리즘
  - 범주형(빈도수 기반) : 카이제곱 검정에 대한 P값(Chi - Square), 지니지수(Gini Index), 엔트로피(Entropy)
  - 연속형(통계적 접근) : 분산분석(ANOVA)에서의 F - 검정, 분산의 감소량 등

2) 분석변수의 출처를 확인하고, 목적에 맞는 분석변수를 생성할 수 있는 프로세스를 정의한다.
   - 분석대상 사물에 대한 객관적 인식과 논리적 인과관계 분석 및 데이터 간 상관관계 분석을 위한 분석변수 생성 프로세스를 정의한다.

① 분석대상에 대해 Fact 중심의 문제접근을 통해 분석변수를 정의한다.
   - 명확한 문제인식을 위하여 분석적 관점과 가정에 의한 접근(Why) 방법과 함께 문제를 그대로 인식하고 무엇(What)이 문제인지를 파악하여 객관적 관찰데이터 유형을 식별한다.
   - Fact 기반 분석변수 도출 예시
     - 디자인 씽킹을 통한 시각적 접근법과 행위적 접근법 활용
     - 객관적으로 존재하는 데이터를 관찰하고 분석
     - 실제적 행위와 실험검증을 통한 문제의 본질 분석

② 빅데이터 분석대상의 연관성 분석을 통해 데이터 집합 간 통계적 관련성을 분석할 수 있는 변수를 생성하고 변수의 척도를 분류한다.
   - 데이터 간의 상관성은 하나의 데이터값이 변화할 때 다른 하나도 변화할 가능성이 높다는 데이터간의 관계를 나타내는 것으로, 상관분석은 빅데이터 분석의 중요 목적 중 하나인 데이터 간 숨겨진 관계를 찾고 가치 있는 데이터의 가치를 도출하는 핵심 방법이다.
   - 연관성 개념을 활용한다.

- 변수 간 밀접한 관련성을 갖고 변화하는가를 분석하는 통계적 상호관계 분석기법이다.
- 변수 척도에 따른 연관성 분석을 수행한다.
- 변수 간에 연관성 파악을 위해 변수들 간의 관계 분석을 수행한다.

변수 척도	내용
명목, 서열	교차분석을 이용한 연관성 분석
등간, 비율	상관분석을 이용한 연관성 분석

[변수 척도에 따른 연관성 분석]

③ 빅데이터에서 의미 있는 분석변수를 생성하기 위하여 프로토타이핑 접근법을 통해 결과를 확인하며, 반복적으로 개선하여 필요한 데이터를 식별하고 구체화한다.
- 빅데이터는 대부분 비정형 데이터 형태이며, 사용자가 빅데이터의 정보 및 분석 변수를 명확히 규정하기 어렵다. 이러한 문제해결을 위해 프로토타이핑 모델로 반복적으로 개선하여 의미 있는 데이터와 분석변수를 생성한다.

필요성	내용
문제인식 수준의 확인	• 사용자와 분석가 간 요구사항과 문제해결에 대한 인식 수준 차이를 확인할 수 있다. • 문제해결에 대한 명확한 목표 확인 및 필요변수를 정의한다.
필요 데이터 존재 여부	• 수집 데이터양이 부족한 경우, 재수집 방법, 대체 데이터 등에 대한 사용자와 분석가 간 반복적 확인을 통해 협의한다.
사용 목적에 따른 가변성 검증	• 데이터의 가치는 지속적으로 변화할 수 있다. • 데이터의 사용 목적과 범위에 따라 분석변수를 재정의한다. • 데이터의 사용범위를 확대 또는 축소할 수 있다.

[프로토타이핑 모델의 필요성]

3) 생성된 분석변수에 대해 데이터 정제를 위한 점검항목을 정의한다.
- 분석기획 단계에서 도출된 문제인식, 해결을 위한 개념적 대안설계를 통해 도출된 데이터에 대해 가용성을 평가하고 점검항목을 정의한다.

① 도출된 활용 시나리오를 실현할 빅데이터 분석을 위하여 확보된 데이터와 분석 변수에 대한 적정성 및 가용성 평가수행을 기획한다.
- 빅데이터 분석변수 점검의 필요성을 점검한다.
- 빅데이터 분석변수 점검항목을 정의한다.

분류	점검항목	내용
데이터 수집	데이터 적정성	문제해결에 적절한 분석 변수인가?
	데이터 가용성	수집 가능한 데이터인가?
	대체 분석 데이터 유무	수집 불가능한 데이터인 경우 간접적으로 연관성 있는 데이터로 대체 가능한가?
데이터 적합성	데이터 중복	중복이나 노이즈 제거, 데이터값 존재 여부 등 기초 데이터 클렌징 수행 여부는 가능한가?
	분석변수별 범위	분석변수별 측정될 수 있는 MIN·MAX값을 확인하였는가?
	분석변수별 연관성	수집된 데이터 간 충분 간격으로 연관성이 있는가?
	데이터 내구성	데이터 노이즈, 왜곡이 발생하였을 때도 예측성능을 보장할 수 있는가?
특징변수	특징변수 사용	분석변수 중 바로 특징변수로 사용할 수 있는 가능성이 있는가?
	변수간 결합 가능 여부	분석변수를 결합하여 Cross Validation을 할 수 있는가?
타당성	편익/비용검증	분석비용과 분석 후 결과가 추가적 매출, 수익 등에 기여할 수 있는가?
	기술적 타당성	다양한 분석 툴을 활용할 수 있는 분석변수를 도출하였는가?

[분석변수 점검항목]

4) 생성된 변수에 대해 데이터 전처리 방법을 수립한다.

- 데이터 정제를 위한 점검항목 정의 후 이에 맞게 논리적 모형설계를 위한 데이터 전처리 방법을 수립한다.

처리기법	내용
데이터 정제	결측값을 채우거나 이상치를 제거하는 과정을 통해 데이터의 신뢰도를 높이는 작업
데이터 통합	다수의 정제된 데이터를 통합하여 표현하는 작업
데이터 축소	데이터 집합은 더 작지만, 분석 결과는 같은 데이터집합으로 만드는 작업
데이터 변환	데이터 마이닝의 효율을 높이기 위한 변환 및 변형작업

[데이터 전처리 기법]

5) 생성된 변수에 대하여 데이터 검증 방안을 수립한다.

빅데이터의 특징에 따라 주요 품질 요소를 도출하고 생성된 분석변수의 데이터 검증 방안을 수립한다.

① 빅데이터 특징에 따른 품질관리 및 검증방법
- 모든 개별 데이터에 대한 타당성 보장보다는 빅데이터 개념 및 특성 측면에서 관리되어야 하는 항목과 수준에 대해 품질검증을 정의한다.

구분	품질관리 접근방법
대량 데이터	• 데이터 사용자 오류는 무시 • 데이터 타당성에 치명적인 예외 상황만 탐지
정밀 데이터	• 개별 데이터에 대한 타당성 검증은 환경 및 상황에 따라 판단 • 데이터 전체가 나타내는 의미를 중심으로 검증기준 정의
데이터 출처의 불명확	• 명확한 목적이나 사전 통제 없이 생산된 데이터에 대한 별도의 품질기준 정의

[빅데이터 특징에 따른 품질검증 방법]

② 빅데이터의 주요 품질지표 및 검증전략을 수립한다.
- 빅데이터 품질관리 및 검증은 정확성보다는 데이터의 양이 충분한지에 대한 충분성(Good Enough) 개념 아래에 조직의 비즈니스 영역 및 목적에 따라 검증한다.

구분	품질 검증전략
정확성 (Accuracy)	• 데이터 사용 목적에 따라 데이터 정확성의 기준을 상이하게 적용
완전성 (Completeness)	• 필요한 데이터인지 식별하는 수준으로 품질 요소 적용
적시성 (Timeliness)	• 소멸성이 강한 데이터에 대한 품질기준 판단 • 웹로그 데이터, 트윗 데이터 등 지속적으로 생성·소멸하는 데이터에 대한 품질기준 수립
일관성 (Consistency)	• 동일한 데이터도 사용 목적에 따라 데이터의 의미가 달라지기 때문에 분석 요건에 따른 검증 요소 적용

[빅데이터 주요 품질 지표 검증전략]

③ 효과적 Value 추출을 위한 데이터검증체계를 수립한다.
- 데이터 수집 출처를 검증한다.
- 데이터 관리 대상 선별을 검증한다.
- 데이터 다양성을 검증한다.
- 주요 품질 지표를 분석 및 검증한다.
- 분석 변수 데이터 검증방안을 수립한다.

> **기출유형 따라잡기**

[06회] 다음 중 데이터 정제에 대한 설명으로 옳지 않은 것은?
① 이상치 처리　　　　　　　② 노이즈 처리
③ 데이터 변환　　　　　　　④ 결측치 처리

정답 ③

해설 데이터 정제는 결측값을 채우거나, 잡음값(Noise) 완화, 이상값(Outlier)을 발견하여 이를 제거하고 불일치를 해결하는 등의 과정을 통해 데이터 자체에 대한 신뢰도를 높이는 작업을 말한다.

2 분석절차 및 작업계획

학습 목표
1. 데이터 분석 절차 프로세스 과정을 학습한다.
2. 분석 프로젝트 계획 수립을 이해한다.

출제 KEYWORD
① 데이터 분석 프로세스 ★★
② 분석 프로젝트 관리 방안 ★★

1. 분석절차

- 데이터 분석을 수행하기 위한 분석절차는 문제인식, 연구조사, 모형화, 데이터 수집, 데이터 분석, 분석 결과제시 순으로 수행한다.

구분	주요 내용
문제인식	• 문제를 인식하고 분석목적을 명확하게 정의 • 분석주제는 가설 형태로 정의
연구조사	• 문제해결을 위한 각종 문헌조사 • 중요한 요인이나 변수들을 파악
모형화	• 복잡한 문제를 논리적이면서 단순화하는 과정 • 많은 변수가 포함된 현실 문제를 특징적 변수로 정의 • 문제들을 변수 간의 관계로 정의
데이터 수집	• 데이터 수집 또는 변수를 측정하는 과정 • 기존 데이터 활용이 불가능한 경우 추가적인 데이터 수집을 고려
데이터 분석	• 수집된 데이터에서 인사이트를 발굴 • 수집된 데이터로부터 변수 간의 관계를 분석
분석 결과 제시	• 변수들 간 인과관계나 상관관계를 포함한 분석 결과를 제시하고 공유 • 표, 그림, 차트, 그래프 등을 활용하여 시각화

≫ 기출유형 따라잡기

[02회] 빅데이터 분석절차에서 문제의 단순화를 통해 변수들 간의 관계로 정의하는 것을 무엇이라 하는가?
① 모델링 ② 탐색적 데이터 분석
③ 요인분석 ④ 모형화

정답 ④
해설 모형화에 대한 설명이다.

2. 작업(프로젝트) 계획

- 데이터 분석 프로젝트를 위한 계획수립을 위해 책정된 소요 비용에 관련된 예산, 예상되는 소요 기간, 현재의 IT 환경(데이터 분석 솔루션, 플랫폼, 데이터 현황)을 고려해야 한다.
- 이를 위해서는 앞선 단계에서 만들어진 분석목표 정의서 내용을 확인하고 해당 데이터 분석 프로젝트의 주관부서와의 협의를 통하여 최종적인 프로젝트 계획을 수립해야 한다.

1) 작업 계획 수립

(1) 프로젝트 소요 비용 배분

데이터 분석 프로젝트를 위해 책정된 비용을 기준으로 인건비, H / W, S / W, 기타비용 등으로 구분하여 세분화해야 한다.

(2) 프로젝트 WBS(Work Breakdown Structure)수립

- 프로젝트 일정계획 수립을 위해서는 분석목표 정의서, 프로젝트 소요 비용 배분 계획을 중심으로 데이터 분석 흐름에 맞춰 수립하는 것이 좋다.
- 데이터 분석 흐름은 데이터 분석 과제 정의, 데이터 준비 및 탐색 단계, 데이터 분석 모델링 및 검증, 산출물 정리 및 기타 등으로 크게 4단계로 구성하는 것이 좋으며, 필요에 따라 단계를 추가하면 된다.

  ① 데이터 분석과제 정의단계
  - 분석목표 정의서를 기준으로 프로젝트 전체일정에 맞게 사전 준비를 하는 단계이다. 인원, H / W, S / W의 전개가 전체일정을 기준으로 이루어질 수 있도록 하며, 단계별 필요 산출물, 주요 보고 시기 등으로 정리하여야 한다.

  ② 데이터 준비 및 탐색단계
  - 해당 단계는 데이터처리 엔지니어와 데이터 분석가의 역할을 구분하여 세부 일정이 만들어져야 한다.
  - 분석목표 정의서에 기재된 내용을 중심으로 데이터 처리 엔지니어가 필요 데이터를 수집하고 정리하는 일정과 데이터 분석가가 이를 토대로 분석에 필요한 데이터들로부터 변수 후보를 탐색하고 최종적으로 도출하는 과정이 포함되어야 한다.

  ③ 데이터 분석 모델링 및 검증단계
  - 데이터 준비 및 탐색이 완료된 이후 데이터 분석 가설이 증명된 내용을 중심으로 데이터 분석 모델링을 진행한다.

- 데이터 분석 모델링 과정에 대해서는 실험방법 및 절차를 구분하고 기획하여 검증하는 내용에 대해 자세한 일정을 수립하는 것이 좋다.

④ 산출물 및 기타
- 프로젝트 성격에 따라 데이터 분석 결과가 나오게 되어 종료되기도 하지만 해당 결과를 별도의 애플리케이션으로 연계 또는 화면개발 후 연계하는 방식으로 진행될 경우는 추가단계를 수립하여야 한다.

2) 분석 프로젝트 관리 방안

- 과제 형태로 도출된 분석 기획은 프로젝트를 통해서 그 가치를 증명해야 한다. 분석 프로젝트는 일반적인 IT 프로젝트처럼 범위, 일정, 품질, 이슈·리스크, 의사소통 등 관리가 수행되어야 할 뿐 아니라 데이터를 다루면서 분석 모델을 생성하는 특성상 Data Size, Data Complexity, Speed, Model Complexity, Accuracy & Precision 등 5가지의 추가적인 중점 관리 영역에 대한 고려가 필요하다.
- 분석 과제의 주요 5가지 특성 관리 영역

영역	내용
Data size	분석하고자 하는 데이터의 양을 고려한 관리방안 수립이 필요하다. 하둡 환경에서 엄청난 데이터양을 기반으로 분석하는 것과 기존 정형 데이터베이스에 있는 시간당 생성되는 데이터를 분석할 때의 관리방식은 차이가 날 수밖에 없다.
Data complexity	BI 프로젝트처럼 정형 데이터가 분석 마트로 구성되어 있는 상태에서 분석하는 것과 달리 텍스트, 오디오, 비디오 등의 비정형데이터 및 다양한 시스템에 산재되어 있는 원천 데이터들을 통합해서 분석 프로젝트를 진행할 때는, 초기 데이터의 확보와 통합 외에도 해당 데이터에 잘 적용될 수 있는 분석모델의 선정 등에 대한 사전 고려가 필요하다.
Speed	분석결과가 도출되었을 때 이를 활용하는 시나리오 측면에서의 속도를 고려해야 한다. 일 단위, 주 단위 실적의 경우에는 배치(Batch) 형태로 작업이 되어도 무방하지만, 실시간으로 사기(Fraud)를 탐지하거나 고객에게 개인화된 상품, 서비스를 추천하는 경우에는 분석 모델의 적용 및 계산이 실시간으로 수행되어야 하기 때문에 프로젝트 수행 시 분석모델의 성능 및 속도를 고려한 개발 및 테스트가 수행되어야 한다.
Analytic Complexity	분석 모델의 정확도와 복잡도는 트레이드 오프(Trade off) 관계가 존재한다. 분석 모델이 복잡할수록 정확도는 올라가지만 해석이 어려워지는 단점이 존재하므로 이에 관한 기준점을 사전에 정의해 두어야 한다.
Accuracy & Precision	Accuracy는 모델과 실제 값 사이의 차이가 적다는 정확도를 의미하고, Precision은 모델을 지속적으로 반복했을 때의 편차의 수준으로서 일관적으로 동일한 결과를 제시한다는 것을 의미한다. 분석의 활용적인 측면에서는 Accuracy가 중요하며, 안정적인 측면에서는 Precision이 중요하다. 그러나 Accuracy와 Precision은 트레이드 오프(Trade-off)가 되는 경우가 많기 때문에 모델의 해석 및 적용 시 사전에 고려해야 한다.

용어정리

- WBS(Work Breakdown Structure)
  일을 세분화하고 일정을 짜서 역할 분담을 하는 작업
  ① WBS의 역할
    - 프로젝트에서 수행할 업무를 식별
    - 일정계획과 산정
    - 전체일정 진행 사항 파악
    - 고객과 팀 간의 의사소통 링크
    - 프로젝트의 변경상황 통제

CHAPTER 02 데이터분석 계획

01 분석의 대상이 명확하게 무엇인지 모르는 경우에 기존 분석 방식을 활용하여 새로운 지식을 도출하는 분석 주제 유형은?

① Optimization ② Insight
③ Solution ④ Discovery

02 분석기획 고려사항 중 장애 요소에 대한 부적절한 설명은?

① 데이터 유형에 따라서 적용 가능한 솔루션 및 분석방법이 달라서 유형에 대한 분석이 선행적으로 이루어져야 한다.
② 유사분석 시나리오 및 솔루션이 있다면 이를 최대한 활용하는 것이 중요하다.
③ 장애 요소들에 대한 사전 계획수립이 필요하다.
④ 이해하기 쉬운 모델보다는 복잡하고 정교한 모형이 더 효과적이다.

03 다음 중 포트폴리오 사분면 분석에 대한 설명 중 적절하지 않은 것은?

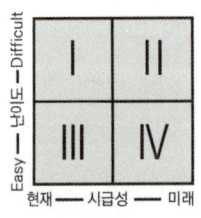

① 사분면 분석에서 가장 우선적인 분석과제 적용이 필요한 영역한 Ⅰ사분면이다.
② 분석 과제를 바로 적용하기 어려워 우선순위가 낮은 영역은 Ⅱ사분면이다.
③ 시급성에 기준을 둔다면, Ⅲ → Ⅳ → Ⅱ 사분면 순이다.
④ 난이도에 기준을 둔다면, Ⅲ → Ⅰ → Ⅱ 사분면 순이다.

해설_ 가장 우선적인 분석과제 적용이 필요한 영역은 Ⅲ사분면이다.

04 분석 과제의 우선순위 선정할 때 시급성과 난이도를 모두 우선순위로 둘 때 가장 먼저 추진해야 하는 것은?

① 시급성 : 현재, 난이도 : Easy
② 시급성 : 미래, 난이도 : Easy
③ 시급성 : 현재, 난이도 : Difficult
④ 시급성 : 미래, 난이도 : Difficult

05 마스터플랜 수립 시 적용범위 및 방식의 고려요소가 아닌 것은?

① 업무내재화 적용수준
② 분석데이터 적용수준
③ 투자비용 수준
④ 기술적용 수준

정답 01 ② 02 ④ 03 ① 04 ① 05 ③

06 목표 시점별로 당면한 과제를 빠르게 해결하는 "과제 중심적인 접근 방식"의 특징이 아닌 것은?

① Problem solving
② Quick & Win
③ Speed & Test
④ Accuracy & Deploy

> 해설_ Accuracy & Deploy는 지속적 분석 문화 내 재화를 위한 1차 목표에 해당한다.

07 다음 중 데이터 분석 구현을 위한 적용 우선순위 평가 시 주요 고려 요소가 아닌 것은?

① 전략적 중요도
② ROI(Return On Investment, 투자자본수익률)
③ 실행 용이성
④ 업무 내재화 적용 수준

> 해설_ 업무 내재화 적용 수준은 분석 적용 범위 및 방식의 따른 고려요소이다.

08 다음 중 분석과제 접근방법이 틀린 것은?

① 문제가 확실할 때 상향식 접근법을 사용한다.
② 문제가 주어지고 해법을 찾기 위해서 하향식 접근법을 사용한다.
③ 문제의 정의 자체가 어려운 경우 상향식 접근법을 사용한다.
④ 디자인 씽킹(Design Thinking)의 경우 상향식과 하향식을 반복적으로 사용하기 쉽다.

> 해설_ 문제정의가 확실할 때는 하향식 접근방법을 사용한다.

09 분석 마스터 플랜에 관한 설명 중 적절하지 않은 것은?

① 중장기적 마스터 플랜 수립을 위해서는 분석과제를 대상으로 다양한 기준을 고려해 적용할 우선순위를 설정할 필요가 있다.
② 분석과제의 적용범위 및 방식에 대해서도 종합적으로 고려하여 결정한다.
③ 분석과제 수행의 선후관계 분석을 통해 전체과제를 반복적이고 순환적으로 작성한다.
④ 일반적인 IT 프로젝트의 우선순위로는 전략적 중요도와 실행 용이성이 있다.

> 해설_ 분석과제수행의 선·후행 관계를 고려하여 우선순위를 조정해 나간다. 전체과정을 반복적으로 작성하지 않는다.

10 하향식 접근법의 문제탐색단계에 대한 설명이 아닌 것은?

① 비즈니스 모델 틀을 활용하여 가치가 창출될 문제를 누락 없이 도출할 수 있다.
② 환경과 경쟁 구도의 변화, 역량의 재해석을 통해 분석 기회를 추가 도출한다.
③ 외부 참조 모델 기반 문제탐색을 한다.
④ 분석 유즈 케이스보다 새로운 이유 탐색이 우선한다.

> 해설_ 하향식 접근법은 문제가 주어지고 이에 대한 해답을 찾기 위하여 각 과정이 체계적으로 단계화되어 수행하는 방식을 말한다.

정답 06 ④ 07 ④ 08 ① 09 ③ 10 ④

예상문제

11 과제 우선순위 결정 내용 중 부적절한 것은?

① Value는 투자비용 요소이다.
② ROI 관점에서 보는 빅데이터는 4V라 할 수 있다.
③ Volume, Variety는 투자비용 요소이다.
④ ROI 관점에서의 분석 과제 우선순위 평가 기준은 시급성과 난이도가 있다.

해설_ Value는 비즈니스 효과에 해당된다.

12 다음 중 프로토타이핑에 관한 설명으로 옳은 것은?

① 신속하게 해결책 모형 제시, 상향식 접근방법에 활용한다.
② 빠른 결과보다 모델의 정확성에 중점을 둔 기법이다.
③ 워터폴 방식처럼 전체적인 플랜을 짜고 문서를 통해 개발한다.
④ 대표적인 하향식 접근 방식이라 할 수 있다.

13 다음 중 경쟁자 확대 관점의 영역이 아닌 것은?

① 대체재 영역
② 경쟁자 영역
③ 신규진입자 영역
④ 채널 영역

14 하향식 접근법의 프로세스 단계는?

① Problem Discovery → Problem Definition → Solution Search → Feasibility Study
② Problem Definition → Problem Discovery → Solution Search → Feasibility Study
③ Feasibility Study → Problem Discovery → Problem Definition → Solution Search
④ Solution Search → Problem Definition → Problem Discovery → Feasibility Study

15 분석 성숙도 진단은 비즈니스 부문, 조직·역량 부문, IT 부문 등 3개 부문을 대상으로 성숙도 수준에 따라 4단계로 구분할 수 있다. 다음 아래 보기의 성숙단계는?

- 비주얼 분석
- 분석 전용 서버

① 도입 단계
② 활용 단계
③ 확산 단계
④ 최적화 단계

정답 11 ① 12 ① 13 ④ 14 ① 15 ③

16 다음 중 분석과제 정의서에 대한 설명으로 가장 적절한 것은?

① 분석과제 정의서에는 소스데이터 및 데이터 입수, 분석의 난이도 등에 대한 항목이 포함되어야 한다.
② 분석과제 정의서는 프로젝트를 수행하는 이해관계자가 프로젝트의 방향을 설정하고 성공 여부를 판별할 수 없는 자료이다.
③ 분석과제 정의서에는 분석 모델에 적용될 알고리즘과 분석 모델의 기반이 되는 Feature가 포함되어야 한다.
④ 분석과제 정의서에는 프로젝트 계획서를 작성하기 위한 중간 결과물의 구성항목으로 도출할 필요가 없다.

> 해설_ 분석과제 정의서를 통해 분석별로 필요한 소스데이터, 분석방법, 데이터 입수 및 분석의 난이도, 분석수행 주기, 분석결과에 대한 검증 오너쉽, 상세분석 과정 등을 정의한다.

17 분석 방법 프로세스 모델에 대한 설명 중 가장 적절하지 않은 것은?

① 나선형 모델은 위험관리를 지원하는 프로세스의 프레임워크라고 할 수 있다.
② 폭포수모델은 순차적이고 상향식 방법론이며, 구조상 피드백이 어렵다.
③ 나선형 모델은 프로토타이핑 모델을 기반으로 하고 있으며, 위험분석(Risk Analysis) 단계가 추가된다.
④ 폭포수 모델은 위험성이 낮고 요구사항이 명확하며, PM이 해당 방법론으로 프로젝트 경험이 있을 때 적합하다.

> 해설_ 폭포수 모델은 순차적이고 하향식(Top-Down) 방법론이며, 구조상 피드백이 어렵다.
> • 시스템 개발 시 위험을 최소화하기 위해 점진적으로 완벽한 시스템으로 개발해 나가는 모델로 키워드는 "위험 최소화"와 "점진적"이다.

18 빅데이터 분석 방법론 중 추가적인 데이터 확보가 필요한 경우 반복적인 피드백을 수행하는 구간은 어디인가?

① 분석 기획 ~ 데이터 준비
② 데이터 준비 ~ 데이터 분석
③ 데이터 분석 ~ 데이터 구현
④ 시스템 구현 ~ 평가 및 전개

> 해설_ 빅데이터 분석 방법론은 3단계 계층구조로 되어있다. 분석용 데이터셋을 추출하는 과정에서 분석에 필요한 충분한 데이터를 확보할 수 없을 경우 데이터 준비단계를 반복하여 수행한다.

19 분석기획 단계에서의 Task가 아닌 것은?

① 비즈니스의 이해
② 프로젝트 정의 및 계획 수립
③ 필요 데이터 정의
④ 프로젝트 위험 계획 수립

> 해설_ 빅데이터 분석방법의 Phase → Task → Step 계층구조와 세부내용을 꼭 알고 있어야 한다.

정답 16 ① 17 ② 18 ② 19 ③

예상문제

20 소프트웨어 개발 시 단계적으로 개발하는 방법론을 말하며, 분석, 설계, 개발 및 구현, 시험, 운영 및 유지보수 등 전 과정을 순차적으로 접근하는 개발모델은?

① 폭포수 모델　② 프로토타입 모델
③ 나선형 모델　④ 애자일 모델

21 다음 중 나선형 모델에 관한 설명이다. 적절하지 않은 것은?

① 반복을 통하여 점증적으로 개발하는 방법이다.
② 반복에 대한 관리체계를 효과적으로 갖추지 못한 경우 복잡도가 상승하여 프로젝트 진행이 어려울 수 있다.
③ 처음부터 위험에 대해 고려를 하면서 개발이 진행된다.
④ 나선형 모델은 유연하게 계속 진행되기 때문에 프로젝트 기간이 단축된다.

해설 나선형은 프로젝트 수행에 많은 시간이 소요된다.

22 KDD 분석 절차 중 데이터 세트에 포함된 잡음과 이상값, 결측치를 식별하고 필요 시 제거하거나 의미 있는 데이터로 처리하는 데이터 세트 정제 작업 단계를 무엇이라 하는가?

① 데이터 전처리
② 데이터 변환
③ 데이터 마이닝
④ 데이터 마이닝 결과 평가

23 빅데이터를 분석하기 위한 방법론은 계층적 프로세스 모델(Stepwised Process Model)로서 3계층으로 구성된다. 3계층 구조로 짝지어진 것은?

① 단계(Phase), 태스크(Task), 스텝(Step)
② WBS, Mapping, Process
③ 데이터, 분석, 평가
④ Data Size, Data Complexity, Speed

24 KDD 분석 방법론의 프로세스 중 아래 보기가 설명하는 단계를 무엇이라 하는가?

> 분석목적에 맞는 변수를 선택하거나 데이터의 차원을 축소하여 데이터 마이닝을 효율적으로 적용될 수 있도록 데이터셋을 변경하는 프로세스를 수행한다.

① 데이터 전처리
② 데이터 변환
③ 데이터 마이닝
④ 데이터셋 선택

25 프로젝트 위험계획 수립 시 예상되는 위험에 대한 방법이 아닌 것은?

① 회피(Avoid)
② 전이(Transfer)
③ 실행(Execution)
④ 완화(Mitigate)

해설 추가적으로 수용(Accept)이 있다.

정답 20 ①　21 ④　22 ①　23 ①　24 ②　25 ③

26 하향식 접근방법의 문제탐색에 대한 설명 중 올바르지 않은 것은?

① 문제탐색은 유스케이스 활용보다는 새로운 이슈 탐색이 우선이다.
② 역량의 재해석 관점은 내부역량과 파트너와 네트워크로 구분된다.
③ 식별된 비즈니스 문제를 데이터의 문제로 변환하여 정의하는 단계를 문제정의 단계라고 한다.
④ 타당성 검토에서는 경제적 타당도와 기술적·데이터 타당도로 구분한다.

27 CRISP-DM 분석 방법론의 데이터 준비 단계의 Task가 아닌 것은?

① 데이터 정제
② 데이터 통합
③ 데이터 탐색
④ 분석용 데이터셋 선택

해설_ 데이터 탐색은 데이터 이해의 Task에 해당된다.

28 빅데이터 분석 방법론에 대한 설명 중 올바르지 않은 것은?

① 시스템 구현단계에서는 정보보안은 중요한 문제가 아니다.
② 모델링 태스크에서는 모델의 과적합과 일반화를 위하여 데이터를 분할한다.
③ 단순한 데이터 분석이나 데이터마이닝을 통한 분석보고서를 작성하는 것으로 프로젝트가 종료될 때는 시스템 구현단계를 수행할 필요가 없다.
④ 프로젝트 위험계획 수립 시 대응으로 회피, 전이, 완화, 수용이 있다.

해설_ 시스템 구현단계에서 정보시스템 개발방법론에 근거하여 소스 코드 보안 진단 및 개선을 하게 된다.

29 다음 중 CRISP-DM의 모델링 단계의 Task로 올바르지 않은 것은?

① 모델링 기법 선택
② 모델 테스트 계획 설계
③ 모델 작성
④ 모델 적용성 평가

30 모델링 태스크 중 모델 적용 및 운영방안 스텝의 주요한 산출물은?

① 알고리즘 설명서
② 모델 검증 보고서
③ 모델 발전 계획서
④ 프로젝트 범위 정의서

정답 26 ① 27 ③ 28 ① 29 ④ 30 ①

31 비즈니스 모델 캔버스의 5가지 영역을 무엇이라 하는가?
① 업무, 제품, 고객, 규제와 감사, 지원 인프라
② 조직, 역량, 고객, 규제와 감사, 지원 인프라
③ IT 부문, 제품, 고객, 규제와 감사, 지원 인프라
④ 프로세스, 업무, 제품, 고객, 규제와 감사

32 데이터 확보계획 프로세스 절차로 올바른 것은?
① 분석변수 정의 → 분석변수를 생성할 수 있는 프로세스 정의 → 데이터 정제를 위한 점검항목 정의 → 생성된 변수에 대한 데이터 전처리 수립 → 생성된 변수에 대하여 데이터 검증방안을 수립
② 분석변수 정의 → 분석변수를 생성할 수 있는 프로세스 정의 → 데이터 정제를 위한 점검항목 정의 → 생성된 변수에 대한 데이터 검증방안 수립 → 생성된 변수에 대한 데이터 전처리 수립
③ 분석변수 정의 → 분석변수를 생성할 수 있는 프로세스 정의 → 생성된 변수에 대한 데이터 검증방안 수립 → 생성된 변수에 대해 데이터 전처리 수립 → 데이터 정제를 위한 점검항목 정의
④ 생성된 변수에 대하여 데이터 검증방안 수립 → 분석변수를 생성할 수 있는 프로세스 정의 → 데이터 정제를 위한 점검항목 정의 → 생성된 변수에 대한 데이터 전처리 수립 → 분석변수 정의

33 데이터 분석을 수행하기 위한 분석절차 중 복잡한 과정을 논리적이며 단순화하는 과정을 무엇이라 하는가?
① 문제인식 ② 연구조사
③ 모형화   ④ 데이터 분석

해설_ 데이터 분석을 수행하기 위한 분석절차는 문제인식, 연구조사, 모형화, 데이터 수집, 데이터 분석, 분석 결과제시 순으로 수행한다.

34 다음 중 분석 프로젝트에 관한 설명 중 가장 적절하지 않은 것은?
① 사용자가 원활하게 활용할 수 있도록 전체적인 과정을 고려해야 하므로 개별적인 분석 업무 수행뿐만 아니라 전반적인 프로젝트 관리 또한 중요하다.
② 분석 프로젝트에서는 데이터 영역과 비즈니스 영역의 현황을 이해하고 프로젝트의 목표인 분석의 정확도 달성과 결과에 대한 이해를 전달하는 조정자로서의 분석가 역할이 중요하다.
③ 분석 프로젝트 일정계획은 지속적인 철저한 통제와 관리로 일정 관리를 진행하는 것이 필요하다.
④ 분석 과제 정의서를 기반으로 프로젝트를 시작하되 지속적인 개선 및 변경을 염두에 두고 기간 내에 가능한 최선의 결과를 도출할 수 있도록 프로젝트 구성원들과 협업하는 것이 분석 프로젝트의 특징이다.

정답 31 ① 32 ① 33 ③ 34 ③

해설_ 데이터 분석 프로젝트는 초기에 의도했던 결과(모델)가 나오기 쉽지 않기 때문에 지속적인 반복을 위한 많은 시간이 필요하다. 분석 결과에 대한 품질이 보장된다는 전제로 타임 박싱기법으로 일정 관리를 진행하는 것이 필요하다.

35 다음 중 분석 방법론의 구성요소가 아닌 것은?

① 목적
② 절차
③ 방법
④ 도구와 기법

36 데이터 분석 프로젝트 실행과정의 관리사항으로 적절하지 않은 것은?

① 분석과제는 분석전문가의 상상력을 요구하므로 일정을 제한하는 일정계획은 적절하지 못하다.
② 분석과제에는 많은 위험이 있어 사전에 위험을 식별하고 대응 방안을 수립해야 한다.
③ 분석과제는 적용되는 알고리즘에 따라 범위가 변할 수 있어 범위관리가 중요하다.
④ 프로젝트 관리 프로세스들이 통합적으로 운영 될 수 있도록 관리해야 한다.

해설_ 분석 프로젝트의 시간 관리는 타입박싱 기법으로 철저한 통제는 아니지만 일정관리를 갖고 진행하는 것이 필요하다.

37 분석 프로세스의 일반적인 특징 중 적절하지 않은 것은?

① 분석 프로젝트는 다른 프로젝트 유형과는 다르며 추가적인 관리사항이 필요 없다.
② 분석 과제 주요특성으로 Data Size, Data Complexity, Speed, Analytic Complexity, Accuracy & Precision 등이 있다.
③ 분석 프로젝트는 도출된 결과의 재해석을 통한 지속적인 반복 및 정교화가 수행되기도 한다.
④ 분석 프로젝트의 경우에는 관리영역에서 일반 프로젝트와 다르게 유의해야 할 요소가 존재한다.

해설_ 분석 프로젝트는 다른 프로젝트 유형처럼 범위, 일정, 품질, 리스크, 의사소통 등 영역별 관리가 수행되어야 할 뿐 아니라 다양한 데이터에 기반한 분석 기법을 적용하는 특성 때문에 5가지 주요 속성(Data Size, Data Complexity, Speed, Accuracy, Precision, Analytic Complexity)을 고려하여 추가적인 관리가 필요하다

정답 35 ① 36 ① 37 ①

CHAPTER 03 데이터 수집 및 저장 계획

01 데이터 수집 및 전환

1 데이터 수집

학습 목표
1. 데이터 수집 기술을 이해한다.
2. 데이터 처리·저장 기술을 이해한다.

출제 KEYWORD
① 데이터 유형별 수집 기술 ★★★

- 데이터 수집은 데이터를 분석하거나, 의사 결정을 내리는데 활용하거나 콘텐츠를 제공하기 위해서 데이터를 모으는 작업이다.
- 데이터의 가공과 저장을 포함하기도 한다.
- 데이터를 수집할 때는 수집할 데이터의 위치, 수집의 빈도, 수집한 데이터의 저장 형태, 수집한 데이터의 서비스 제공 방법 등을 고려해야 한다.
- 데이터 수집은 서비스 등에 활용하기 위해 필요한 데이터를 시스템의 외부 혹은 내부에서 정기 또는 비정기적으로 모아 필요한 형태로 저장하는 활동으로 정의할 수 있다.

1. 데이터 수집 계획 수립

- 데이터 수집 세부 계획수립은 데이터 선정 이후, 데이터의 유형, 위치, 데이터의 저장방식, 데이터 수집기술, 데이터의 보안 사항 등을 구체적으로 작성하는 활동이다.

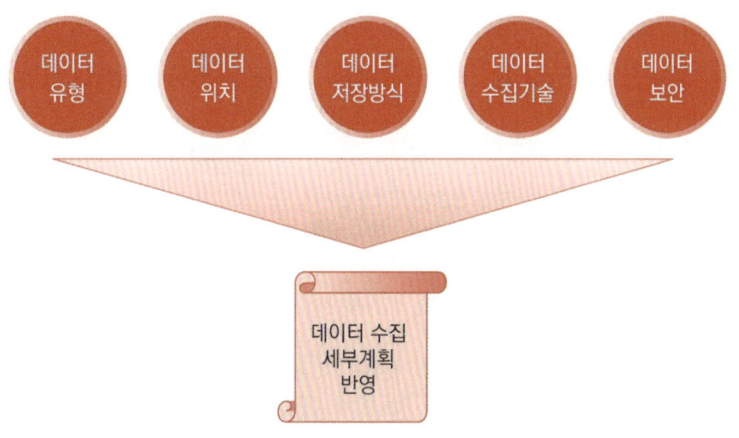

[데이터 수집 세부 계획 반영]

1) 데이터 유형

- 데이터 수집에서 가장 먼저 해야 할 작업은 수집하려는 데이터에 대한 탐색이다.
- 수집 대상이 되는 데이터의 종류를 개략적으로 살펴보면 수집할 데이터가 저장·관리되고 있는 형태에 따라 분류해 볼 수 있다.
- 형태에 따라서 수집 방법 및 적용 기술이 서로 상이할 수 있다.
- 데이터를 형태에 따라 분류해 보면 다음 표와 같이 정형 데이터, 반정형 데이터 그리고 비정형 데이터로 나눌 수 있다.

구분	특징	존재 형태
정형 데이터	• 데이터 스키마 지원	RDB, 파일
반정형 데이터	• 데이터 내에 메타 속성이 존재	파일
비정형 데이터	• 분석이 가능한 텍스트형 파일과 데이터 형태가 아닌 이미지나 동영상 파일로 존재	RDB, 파일

[데이터의 형태별 유형]

2) 데이터 위치

수집데이터의 원천에 따라 내부 데이터와 외부 데이터로 구분할 수 있다.

위치	특징	분석가치
내부 데이터	• 대부분 정형데이터로 존재 • 데이터 담당자와 협의 원활 • 수집 난이도가 낮다	보통
외부 데이터	• 대부분 반정형, 비정형 데이터로 존재 • 외부 소스 담당자와 의사소통 어려움 • 대부분 추가적인 데이터 가공작업 필요 • 수집 난이도가 높다	높음

[데이터의 위치에 따른 분류]

3) 데이터 저장 방식

- 수집 데이터는 파일시스템으로 저장, DBMS에 저장, 분산처리 DBMS에 저장할 수 있다.

① 파일시스템
  - 데이터를 읽고, 쓰고, 찾기 위해 일정한 규칙으로 파일에 이름을 명명하고 파일의 위치를 지정하는 체계
  - 파일 시스템과 데이터베이스 시스템의 차이점은 크게 자료보관 방법과 접근방식의 기술에 의해 비교된다.
  - 파일시스템은 동일한 데이터에 대해 다수 파일에서의 값들이 일치하도록 하는 시스템 차원의 방법이 없기 때문에 DBMS가 등장하였다.

② 관계형 DB
  - 데이터의 종류나 성격에 따라 여러 개의 칼럼을 포함하는 정형화된 테이블로 구성된 데이터 항목들의 집합체

③ 분산처리 DB
  - 데이터의 집합이 여러 물리적 위치에 분산 배치되어 저장되는 데이터베이스
  - 분산 데이터 저장 기술은 분산 파일 시스템, 데이터베이스 클러스터, NoSQL로 구분됨

4) 데이터 수집 기술

- 데이터의 수집은 수집 대상에 따라 로그데이터 수집, 정형데이터 수집, 웹 크롤링 및 소셜데이터 수집으로 분리할 수 있다.

수집기술	대상	수집 프로그램
정형데이터 수집기술	• 관계형 데이터와 분산 환경 데이터 간의 전송 데이터	• Sqoop(Sql to Hadoop)
로그데이터 수집기술	시스템 로그, IoT 센서 로그, 전산장비 로그 데이터	• Flume, Scribe, Chukwa, FTP
웹 크롤링 및 소셜 데이터 수집기술	웹상에 존재하는 콘텐츠 데이터	• Crawler, Scrap, Nutch

5) 데이터 확보비용 산정

- 데이터 확보비용 산정시 데이터의 크기, 수집주기, 수집기술, 수집방식, 대상데이터의 가치를 고려한다.

데이터 비용 요소	설명
데이터의 종류	RDB, 파일, HTML
데이터의 크기 및 보관주기	데이터 수집, 저장 Size 및 수집 데이터의 저장 주기
데이터 수집주기	실시간, 매시, 매일, 매주, 매달
데이터 수집방식	자동 수집, 수동 수집
데이터 수집기술	ETL, FTP, 크롤러, DBtoDB
데이터 가치성	분석수행을 위한 목적성 있는 대상 데이터

6) 데이터의 이관 절차

- 수집 대상 데이터 조사, 데이터 소유자와 이관 협의, 데이터 이관 수행, 데이터 검증을 거쳐 데이터를 이관한다.

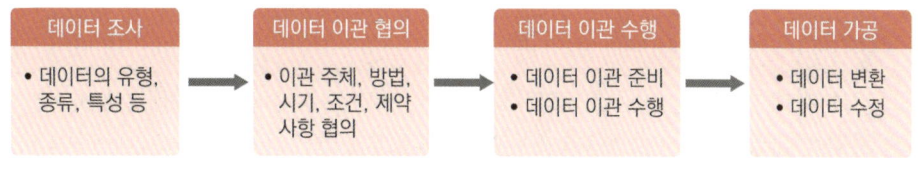

[데이터 이관 절차]

7) 데이터의 적정성 검증
- 수집 대상 데이터가 제대로 수집되었는지는 데이터의 누락 여부, 소스 데이터와의 비교, 데이터의 정확성, 보안 사항, 저작권 사항, 대량 트래픽 발생 여부를 검증한다.

① 데이터 누락
  수집 데이터 세트의 누락, 결측 여부를 판단하여 누락 발생 시 재수집한다.
② 소스 데이터와 비교
  수집 데이터와 소스 데이터의 사이즈 및 개수를 비교 검증한다.
③ 데이터의 정확성
  분석을 위해 데이터의 가공이 필요한지 판단한다.
④ 보안 사항 점검
  수집 데이터의 개인정보 유무 등 보안 사항의 점검이 필요하다.
⑤ 저작권 점검
  데이터의 저작권 등 법률적 검토를 수행한다.
⑥ 대량 트래픽 발생 여부 점검
  네트워크 및 시스템에 트래픽을 발생시키는 데이터 여부를 검증한다.

2. 빅데이터 분석 데이터 수집기법
- 빅데이터 분석 데이터는 단순 데이터베이스 데이터 추출 외에 데이터 트래킹, 데이터 조합 등을 활용한 수집기법을 사용한다.

1) 데이터 유형별 수집 기법
- 소스 데이터의 유형에 따라 수집기술을 선정하여 분석데이터를 수집하면 데이터 수집 시 다음과 같은 내용을 반영하여 수집한다.

데이터 유형	데이터 종류	수집기법
정형데이터	RDB, 스프레드시트 등	ETL, FTP, Open API
반정형데이터	HTML, XML, 웹로그, 센서데이터, JSON, 웹 문서	크롤링, RSS, Open API, FTP
비정형데이터	멀티미디어 데이터, 소셜 데이터, 문서 등	크롤링, RSS, Open API, FTP, Streaming

[데이터 유형별 수집기법]

2) 빅데이터 수집기법

- 포털 또는 소셜 네트워크 등 디지털 가상공간에 존재하며, 실시간 대량의 데이터가 지속적으로 생성되는 HTML, XML 형태의 모든 데이터에 대한 수집 적용 기법이다.

구분	특징	대상
크롤링	• 웹 문서 정보수집	웹문서 수집
스크래핑	• 특정정보만 추출하고 모든 동작을 자동으로 수행하는 기술	웹데이터 수집
FTP	• TCP / IP 프로토콜을 이용하여 인터넷 서버로부터 각종 파일들을 송수신	파일 수집
Open API	• 서비스, 정보, 데이터 등 개방된 정보로부터 API를 통해 데이터를 수집하는 기술	실시간 데이터 수집
RSS	• 웹상의 최신정보를 공유하기 위한 XML 기반의 콘텐츠 배급 프로토콜	Contents 수집
Streaming	• 인터넷에서 음성, 오디오, 비디오 등 멀티미디어 데이터를 송 / 수신할 수 있는 기술	실시간 데이터 수집
Log Aggregator	• 웹 서버 로그, 웹로그, 트랜잭션 로그, DB 로그 등 각종 서비스 로그 수집 오픈소스 기술	로그데이터 수집
RDB Aggregator	• 관계형 데이터베이스에서 정형 데이터를 수집하여 HDFS나 HBase 등 NoSQL에 저장하는 오픈소스기술	RDB기반 데이터 수집

» 기출유형 따라잡기

[02회] 다음 중 데이터 유형에 따른 데이터 수집 기술 방법으로 올바르지 않은 것은?
① DBMS : Crawling
② 웹 : FTP
③ 센서 데이터 : Open API
④ 동영상 : Streaming

정답 ①

해설
- FTP 수집: TCP/IP 프로토콜을 활용하는 인터넷 서비로부터 각종 파일 등을 송수신, 파일 전송에 최적화되어 있어서 대용량 데이터 수집에 용이, 프로토콜은 시스템과 애플리케이션 프로그램에서 정보를 교환할 수 있도록 하는 메시지 형식 및 프로시저에 대한 규칙 세트
- RSS(Really Simple Syndication): 다양한 웹사이트의 콘텐츠를 요약하고, 상호공유할 수 있도록 만든 XML 기반의 간단한 콘텐츠 배급 프로토콜, 뉴스나 공지사항과 같이 콘텐츠가 자주 갱신되는 웹사이트의 정보를 이용자들에게 실시간으로 쉽고 빠르게 제공하기 위해 만들어진 포맷

[06회] 네트워크를 통해 여러 호스트 컴퓨터 간에 파일을 전송하기 위한 표준 방식을 무엇이라 하는가?
① 분산 파일시스템
② 공유 데이터베이스
③ 네트워크 데이터베이스
④ 파일 전송 프로토콜(FTP)

정답 ④

해설 FTP는 네트워크 상에서 파일을 효과적으로 전송하고 공유하기 위한 표준적인 방법 중 하나이며, 여전히 많은 환경에서 사용되고 있다.

> **기출유형 따라잡기**

[05회] 데이터 수집 기법과 수집 대상 연결 관계가 적절하지 않은 것은?
① 크롤링-웹 문서
② 스크래핑-웹 문서
③ FTP-웹 로그
④ Open API-실시간 데이터

정답 ③

해설
- FTP는 주로 대량의 파일을 처리할 때 사용된다.
- 웹사이트를 수정할 때 FTP 세션을 통해 파일 전송을 관리하면 특정 파일 업로드, 이미지 파일 추가, 웹 템플릿 이동 등의 작업을 수월하게 처리할 수 있다.

[05회] 실시간 대량의 데이터가 지속적으로 생성되는 데이터를 수집하는 기술인 것은?
① API
② ETL
③ XML
④ HTTP

정답 ①

해설
- API (Application Programming Interface) 응용프로그램에서 사용할 수 있도록, 운영체제나 프로그래밍 언어가 제공하는 기능을 제어할 수 있게 만든 인터페이스
- 주로 파일 제어, 창 제어, 화상처리, 문자 제어 등을 위한 인터페이스를 제공함.

3) 분석데이터 확보 시 유의사항
- 데이터 수집 과정은 데이터 수집 목적에 따라 구체화할 수 있다.
- 적절한 데이터 수집 기술을 적용하기 위하여서는 각 기술이 가지고 있는 기능과 특성을 잘 파악하고 있어야 한다.
- 또 수집한 데이터를 서비스에 어떻게 활용할지에 정확히 파악하고 있어야 한다.
- 수집되는 많은 데이터에는 산업기밀, 개인정보 등 비밀이 보장되어야 하는 데이터가 다수 포함되어 있기 때문에, 이러한 데이터를 사전에 비식별 조치하여 정보의 유출을 방지할 수 있도록 계획해야 한다.

2 데이터 유형 및 속성 파악

학습 목표

1. 데이터 유형 및 속성 파악의 개념을 이해한다.

출제 KEYWORD

① 데이터별 특성에 따른 분류 ★

1. 데이터 유형 파악

- 데이터 수집을 위해 가장 먼저 고려해야 할 사항은 수집 대상 데이터의 유형 및 속성 파악 이다.
- 데이터 종류는 데이터가 저장·관리되는 형태와 데이터의 저장위치, 그리고 데이터의 생산 주체에 따라 구분할 수 있다.

1) 데이터의 유형 파악
(1) 분류기준에 따른 데이터 유형

생성 주체에 따른 분류	데이터 유형에 따른 분류	데이터 수집방식에 따른 분류
■ 기계 데이터 ■ 사람 데이터 ■ 관계 데이터	■ 정형 데이터 ■ 반정형 데이터 ■ 비정형 데이터	■ 내부 데이터 ■ 외부 데이터

[데이터의 분류기준]

분류기준	빅데이터 유형	종류
생성주체	기계 데이터	애플리케이션, 센서 등을 통해 수집되는 데이터 : 애플리케이션 서버 로그 데이터, 센서 데이터
	사람 데이터	불특정 다수로부터 생성되는 데이터 : 트위터, 블로그, 이메일
	관계 데이터	사람 간 또는 개체 간의 관계를 표현하는 데이터 : 트위터, 페이스북, 링크드인 등
데이터 유형	정형 데이터	고정된 필드에 저장된 데이터 : 데이터베이스, 스프레드시트 등
	반정형데이터	고정된 필드에 저장되어 있지 않지만 메타데이터나 스키마를 포함하는 데이터 : XML, HTML, JSON
	비정형데이터	고정된 필드에 저장되어 있지 않는 데이터 : 텍스트문서, 이미지 / 동영상
데이터 수집방식	내부 데이터	자체적으로 보유한 내부 파일시스템이나 데이터베이스 관리시스템 등에 접근하여 데이터를 수집
	외부 데이터	웹크롤링 엔진을 통해 인터넷링크의 모든 페이지 복사본을 생성함으로써 데이터를 수집

[분류기준에 따른 데이터 유형]

(2) 데이터의 형태 분류
- 산업전반의 데이터를 큰 범위로 정리하면 질적자료와 양적자료, 데이터의 특성을 토대로 분류하면 명목자료, 순서자료, 구간자료, 비율자료로 구분할 수 있다.

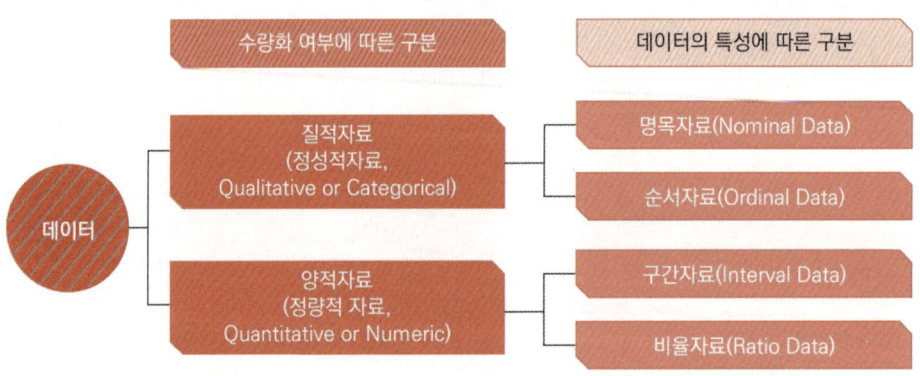

[데이터의 형태 분류]

(3) 데이터별 특징
- 수량화 여부에 따른 구분
  ① 질적자료(정성적 자료, Qualitative or Categorical)
  : 범주 또는 순서 형태의 속성을 가지는 자료

명목자료(범주형 자료, Nominal Data)	사람의 피부색, 성별, 혈액형
순서자료(순위자료, Ordinal Data)	제품의 품질, 등급, 순위

  ② 양적자료(정량적 자료, Quantitative or Numeric)
  : 관측된 값이 수치 형태의 속성을 가지는 자료

구간자료(범위형 자료, Interval Data)	화씨, 섭씨와 같이 수치 간에 차이가 의미를 가지는 자료
비율자료(Ratio Data)	무게와 같이 수치의 차이뿐만 아니라 비율 또한 의미를 가지는 자료

- 데이터의 특성에 따른 구분
  ① 명목자료(Nominal Data)
    - Nominal(이름과 관련한)이란 수식어에서 알 수 있듯이 여러 카테고리 중 하나의 이름에 데이터를 분류할 수 있을 때 사용됨
    - 순서를 매길 수 없고, 셀 수 있음
    - 명목자료가 두 개의 범주 중 하나에 속하는 경우 이분 자료(Dichotomous Data)라고 함
      예 남자 vs. 여자
    - 평균을 계산하는 것은 의미가 없음

  ② 순서자료(Ordinal Data)
    - 데이터가 속하는 카테고리들에 순서가 있는 경우
      예 특정 질문에서 아래 보기와 같이 Survey를 하는 경우의 답변 디자인
        매우높다(5) - 높다(4) - 보통(3) - 낮다(2) - 매우낮다(1)

  ③ 구간자료(Interval Data)
  - 사이(구간)의 간격이 동일한 경우
    예 11 : 00와 11 : 05의 차이는 15 : 55과 16 : 00의 차이와 동일함

- 수치(Numeric Value)를 가지므로 다양한 연산을 수 데이터의 연속된 측정구간에 행할 수 있음
- 절대 영점(Zero Point)이 없음
  예 시간 00 : 00, 시간의 값이 없다는 게 아니라 자정에 시간을 측정했다는 뜻

④ 비율자료(Ratio Data)
- 절대 영점(Meaningful Zero Point)이 존재하는 자료
- 모든 사칙연산이 가능함

2. 데이터 속성 파악

1) 수집 데이터의 형태에 따른 분류

데이터를 형태에 따라 분류해 보면 정형 데이터, 반정형 데이터, 비정형 데이터로 나눌 수 있다.

(1) 정형 데이터(Structured Data)

정형 데이터의 경우, 스키마 구조를 가지고 있기 때문에 데이터를 탐색하는 과정이 테이블 탐색, 컬럼 구조 탐색, 로우 탐색 순으로 정형화되어 있다.

[정형데이터 구조]

(2) 반정형 데이터(Semi - Structured Data)

[반정형 데이터와 정형 데이터의 차이]

- 반정형 데이터의 경우 데이터 내부에 데이터 구조에 대한 메터정보를 갖고 있기 때문에 어떤 형태를 가진 데이터인지 파악하는 것이 필요하다.
- 데이터 내부에 있는 규칙성을 파악해 데이터를 파싱할 수 있는 파싱 규칙을 적용한다.

  예 대표적인 반정형 데이터인 JSON 파일의 형태

  [{"Sepal.Length":5.1,"Spal.Width":3.5,"Petal.Length":1.4,"Petal.Width":0.2,"Species":"setosa"},{"Spal.length" :4.9, "Sepal.Width" :3,"Petal.Length" :1.4,"Petal.Width" :0.2, "Species" :setosa"},{Sepal.Length" :4.7,"Sepal.Width" :3.2, "Petal.Length" :1.3, "Petal.Width" :0.2, "Species" :"setosa"},{"Sepal.Length" :4.6, "Sepal.Width" :3.1, "Petal.Length" :1.5, "Petal.Width" :0.2, "Species" :"setosa"}]

(3) 비정형 데이터(Unstructured Data)
- 데이터 세트가 아닌 하나의 데이터가 수집데이터로 객체화되어 있음
- 웹에 존재하는 데이터의 경우 HTML 형태로 존재하여 반정형 데이터로 구분할 수도 있음
- 특수한 경우 텍스트 마이닝을 통해 데이터를 수집하는 경우도 존재하므로 명확한 구분은 어려움

2) 수집 위치에 따른 데이터

- 데이터의 수집 위치는 원천 시스템과 연계를 위한 인터페이스의 기술적 방법 및 정책의 차이 때문에 중요함

(1) 내부 데이터
- 물리적 저장소의 위치가 내부에 있는 데이터
- 데이터 제공자와 상호협약에 의한 의사소통이 가능함
- 기술적 제약이 적은 편이라 수집, 분석에 용이함

(2) 외부 데이터
- 원천 데이터의 저장소가 외부 시스템에 있는 데이터
- 데이터 제공자와 협약된 관계가 아니면 의사소통이 불가능함
- 수집을 위한 주기 및 방법에 관한 분석이 필요함
- 데이터의 전처리과정 없이 가능하다면 원본 데이터를 수집 후, 수집 시스템에서 처리할 수 있도록 인터페이스를 설계하는 것이 바람직함

3) 데이터별 수집 난이도에 따른 분류

형태	특징	난이도
정형 데이터	• 내부 시스템인 경우가 대부분이라 수집이 쉬움 • 파일형태의 스프레드시트라도 내부에 형식을 가지고 있어 처리가 쉬운 편임	하
반정형 데이터	• 보통 API 형태로 제공되기 때문에 데이터처리기술이 요구됨	중
비정형 데이터	• 텍스트 마이닝 혹은 파일일 경우 파일을 데이터 형태로 파싱해야 하기 때문에 수집 데이터처리가 어려움	상
내부 데이터	• 데이터의 저장소가 내부에 있으므로 해당 원본 데이터 담당자와 의사소통이 원활하기 때문에 수집 난이도가 외부 데이터와 비교해 낮음	하
외부 데이터	• 외부 데이터의 경우 해당 소스데이터 담당자와 의사소통이 어려워 상대적으로 수집 난이도가 높음	상

4) 데이터별 잠재적 가치 특징에 따른 분류

형태	특징	잠재적가치
정형 데이터	• 내부 데이터의 특성과 현실적가치의 한계상 활용측면에서 잠재적 가치는 상대적으로 낮음	보통
반정형 데이터	• 데이터의 제공자가 선별해 제공하는 데이터로 잠재적가치는 정형데이터 보다 높음	높음
비정형 데이터	• 수집 주체에 의해 데이터에 대한 분석이 선행되었기 때문에 목적론적 데이터 특징이 가장 잘 나타나는 데이터임	매우 높음
내부 데이터	• 내부 데이터의 특성과 현실적 가치의 한계상 활용측면에서 잠재적 가치는 상대적으로 낮음	보통
외부 데이터	• 데이터의 제공자가 선별해 제공하는 데이터나 수집 주체에 대한 분석이 이루어진 후 수집을 하는 데이터이기 때문에 데이터의 목적론적 특징이 가장 잘 나타나는 데이터	높음

> **기출유형 따라잡기**

[06회] 다음 중 공공데이터와 같은 외부 데이터를 이용할 때의 장점으로 옳은 것은?
① 비용이 저렴한 편이다.
② 다양한 데이터를 선택할 수 있다.
③ 내부 데이터보다 보안이 우수하다.
④ 데이터에 대한 소유권을 가질 수 있다.

정답 ②
해설 ①,③,④ 내부 데이터에 대한 설명이다.

[06회] 다음 중 연속형 변수가 아닌 것은?
① 속도
② 시간
③ 혈액형
④ 키

정답 ③
해설 연속형 변수(Continuous Variable):무한히 많은 가능한 값 중에서 어떤 값을 가질 수 있는 변수이다. 이산형 변수(Discrete Variable):한정된 몇 개의 값 중 하나를 가질 수 있는 변수이다. 값 간에는 불연속적인 간격이 존재하며, 측정 시에는 정밀한 측정이 어렵다.

3 데이터 변환

학습 목표
1. 빅데이터 저장 방식을 이해한다.

출제 KEYWORD
① 수집 데이터 저장 형태 ★

1. 데이터 구조 변환

- 빅데이터 처리는 수집, 저장, 처리, 분석의 순서로 이루어지게 된다.
- 첫째, 수집 단계에서는 하둡의 에코시스템 중 Flume, Sqoop, Scribe 등을 사용하여 데이터를 수집한다.
- 실시간 수집이 필요한 경우에는 Shark, Storm 등을 사용한다.

- 둘째, 수집 단계에서 모인 각종 형태의 데이터를 하둡의 분산 파일시스템, 관계형 DBMS, NoSQL 등 목적별 저장소에 저장한다.
- 셋째, 저장된 데이터를 맵리듀스 프로그래밍을 하거나 Hive, Impala 등의 SQL on Hadoop 소프트웨어를 사용하여 처리한다.
- 넷째, 처리된 데이터를 각종 통계 분석 도구나 기계학습 등을 이용하여 분석하고 시각화한다.

수집데이터 저장 형태	저장 솔루션	라이선스
RDBMS	MySQL, Oracle, DB2, PostgreSQL 등	상용, 오픈소스
분산 파일 저장	HDFS(Hadoop Distributed File System)	오픈소스
NoSQL	Hbase, Cassandra, MongoDB,	오픈소스

[RDBMS의 종류]

2. 데이터 변화 구조 설계 프로세스

1) 수집 데이터를 저장하기 위한 데이터베이스 구조를 설계한다.

① 수집 대상을 확인하고, 필요 데이터의 속성을 파악하여 DBMS 구축 여부를 결정한다.
- 수집데이터의 특성에 따라 저장 데이터베이스 생성 여부를 결정한다.
- 수집데이터가 정형 데이터일 경우는 수집 솔루션을 거쳐 바로 HDFS로 저장하지만, 그렇지 않을 때는 저장 데이터베이스를 선정하고 Table을 생성할 수 있다.
- 저장 데이터베이스는 분석이 쉬운 RDBMS를 보편적으로 사용한다.
- 수집데이터가 정형 데이터일 경우 수집데이터베이스를 설계하지 않는다.
- 수집데이터 처리방식은 파일 저장방식과 DB 저장방식으로 나눌 수 있는데, 반정형 데이터일 경우 두 가지 방식을 모두 채택할 수 있다.
- 비정형 데이터일 경우 수집데이터를 파일형태로 저장하도록 한다.

② 데이터베이스를 구축하는 것으로 판단하면 수집 데이터를 저장할 데이터베이스를 결정한다.

③ 선택한 DBMS를 설치한다.

④ 필요 데이터의 속성에 따라 테이블구조를 설계한다.

2) 비정형 및 반정형 데이터를 구조화된 형태로 변환하여 저장한다.
- 수집된 비정형 데이터를 변환하여 저장할 수 있다.
- 여기서 설명하는 저장은 데이터 전처리(필터링, 유형변환, 정제 등) 또는 후처리(평활화, 집계, 일반화, 정규화, 속성 생성, 중복데이터 검출, 표현 단위 일치, 불필요한 데이터 축소 등)가 수행되기 전에 비정형 데이터를 구조적 형태로 전환하여 저장하는 것을 말한다.

① 수집 데이터의 속성 파악
② 데이터 수집 절차에 수행 정의
③ 데이터 저장 프로그램 작성
④ 데이터베이스 저장

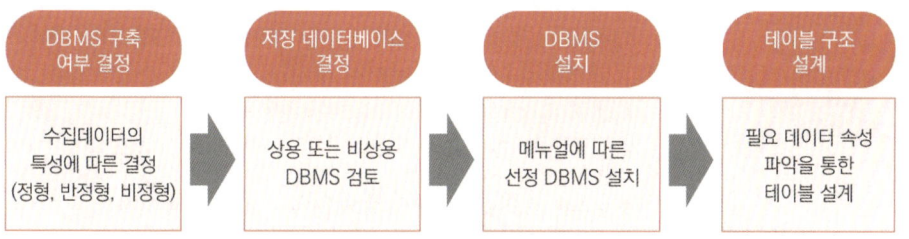

[데이터베이스 구조 설계 절차]

- 수집된 데이터는 활용 목적에 맞도록 적절한 처리 방식을 선정하여 전·후처리 단계를 변환

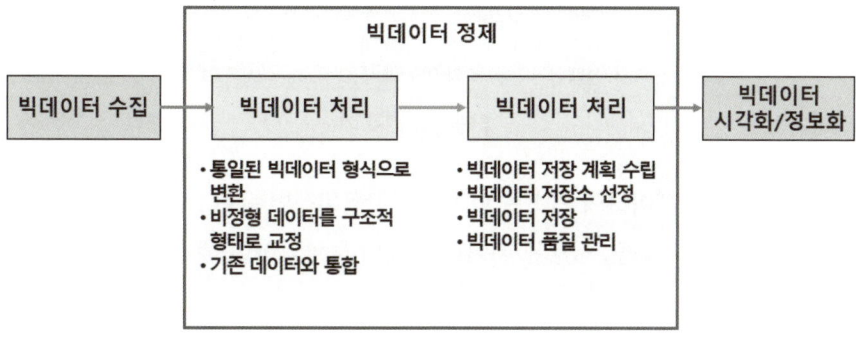

- 시스템 내/외부에서 데이터 수집하면 비정형 데이터가 많다.
- 비정형 데이터를 구조화된 정형 데이터로 변환하고, 변환된 데이터에서 값이 없거나 오류값을 수정한다.
- 기존 시스템에 있는 빅데이터와 비교 분석이 필요한 경우 레거시 데이터와 통합 변환을 할 수도 있다.

변환 기술	설명
평활화(Smoothing)	• 평활화는 데이터나 이미지에서 노이즈를 제거하거나 부드럽게 만드는 과정을 말함 • 평활화 기법은 데이터나 이미지에서 원하는 특성을 강조하거나 노이즈를 감소시키는 데 사용함 • 평활화 기법 사례 ① 이동평균(Moving Average): 이동평균은 일정 기간 동안의 관측값을 평균하여 새로운 값을 생성 ② 가우시안 평활화(Gaussian Smoothing): 가우시안 평활화는 가우시안 분포를 사용하여 주변 값들의 가중 평균을 계산하는 방법 ③ 메디안 필터 (Median Filter): 메디안 필터는 특정 지역의 값들을 정렬하고 중간 값을 선택하여 사용하는 방법
집계 (Aggregation)	• 다양한 차원의 방법으로 데이터를 요약하는 기법 • 복수 개의 속성을 하나로 줄이거나 유사한 데이터의 객체를 줄이고, 스케일을 변경하는 기법 적용
일반화(Generalization)	• 데이터 일반화는 민감한 정보를 보호하기 위해 데이터를 특정 수준으로 축소하거나 일반화하는 기술을 의미 • 예를 들어, 연령을 범주로 나누거나 위치 정보를 국가 수준으로 축소하여 개인 식별 가능성을 감소시키는 것이 여기에 해당함
Rescaling	• 데이터를 정해진 구간 내에 포함되도록 변환하는 기법 ① 정규화 (Normalization): 데이터를 0과 1 사이의 범위로 변환하여 상대적 크기를 조절합니다. 정규화는 특히 다른 변수 간에 크기 차이가 큰 경우에 유용 ② 표준화 (Standardization): 데이터를 평균이 0이고 표준편차가 1인 분포로 변환 표준화는 데이터가 정규분포를 따를 때 모델의 학습 성능을 향상함 ③ 최소-최대 스케일링 (Min-Max Scaling): 데이터를 새로운 범위로 변환하여 최소 값과 최대값 사이에 위치하도록 생성 이는 데이터의 이상치에 민감하지 않고, 특히 신경망과 같은 알고리즘에서 사용함
속성 생성 (Attribute/Feature)	• 데이터 통합을 위해 새로운 속성이나 특징을 만드는 방법 • 주어진 여러 데이터 분포를 대표할 수 있는 새로운 속성 및 특징을 활용하는 기법 • 선택한 속성을 하나 이상의 새 속성으로 대체하여 데이터를 변경 처리

[데이터 변환 기술]

3) **데이터의 유형 및 데이터의 의미를 파악하여 활용목적별 융합 DB를 설계한다.**
   - 구조화된 형태로 수집, 저장된 데이터의 의미를 파악하여 해당 데이터를 활용할 수 있는 융합 DB로 재구성할 수 있다.
   - 이를 위해서는 활용 업무 데이터 요구사항을 분석하고, 데이터 표준화 활동 및 모델링 과정을 수행하여야 한다.

- 여기서 설명하는 내용은 데이터베이스 설계에서 다루는 전반적인 내용이 아닌 수집된 데이터 테이블을 업무 요구사항에 맞게 조합 및 융합하여 최적의 DB를 설계하는 작업에 국한한다.

  ① 활용 업무 데이터 요구사항을 분석한다.
  - 업무 활용목적과 방향을 파악하여 어떤 데이터의 속성들이 필요한지 파악한다.
  - 필요한 데이터항목을 식별한다.
  - 식별된 데이터들은 개인정보 또는 민감정보를 포함하고 있는지 파악하여 암호화, 비식별화 조치가 필요함을 파악한다.

  ② 데이터 표준화 활동 및 모델링 과정을 수행한다.
  - 표준코드, 표준용어, 데이터 도메인(데이터값이 공통으로 갖는 형식과 값의 영역) 등을 정의한다.
  - 수집 데이터로부터 엔티티와 애트리뷰트를 추출하여 엔티티 간의 관계를 정의하는 개념적 설계와 관계형 스키마를 작성하는 논리적 설계과정을 수행한다.

4) 맵리듀스(MapReduce)
- 하둡의 맵리듀스(MapReduce)는 대규모 데이터 세트를 병렬로 처리하는 데 사용되는 프로그래밍 모델 및 프레임워크이다.
- Apache Hadoop 프로젝트의 일부로 개발되었으며, 대용량의 분산 파일 시스템인 Hadoop Distributed File System (HDFS)에서 데이터를 저장하고, 맵리듀스를 통해 이 데이터를 효과적으로 처리한다.
- 맵리듀스는 일반적으로 두 개의 주요 단계로 구성된다.
- 맵 단계(Map Phase)와 리듀스 단계(Reduce Phase)

  ① 맵 단계(Map Phase)
  - 입력 데이터를 여러 조각으로 나누어 여러 맵 태스크(Map Tasks)에 분배한다.
  - 각 맵 태스크는 입력 데이터를 처리하고 중간 키-값 쌍을 생성한다.
  - 이 단계에서는 데이터를 분할하고 필터링하는 등의 연산을 수행한다.

  ② 리듀스 단계(Reduce Phase)
  - 중간 결과를 기반으로 동일한 키를 갖는 데이터를 그룹화하여 리듀스 태스크(Reduce Tasks)에 전달한다.

- 각 리듀스 태스크는 그룹화된 데이터를 받아 최종 결과를 생성한다. 리듀스 함수를 통해 집계, 정렬, 필터링 등의 작업을 수행한다.
- 맵리듀스의 핵심 아이디어는 문제를 작은 부분 문제로 나누어 여러 노드에서 동시에 처리함으로써 대규모 데이터에 효과적으로 대응하는 것이다.
- 이 모델은 분산 환경에서 확장성과 내결함성을 제공하며, Hadoop 클러스터에서 여러 노드에 작업을 분산하여 수행할 수 있다.

- The Overall MapReduce Word Count Process

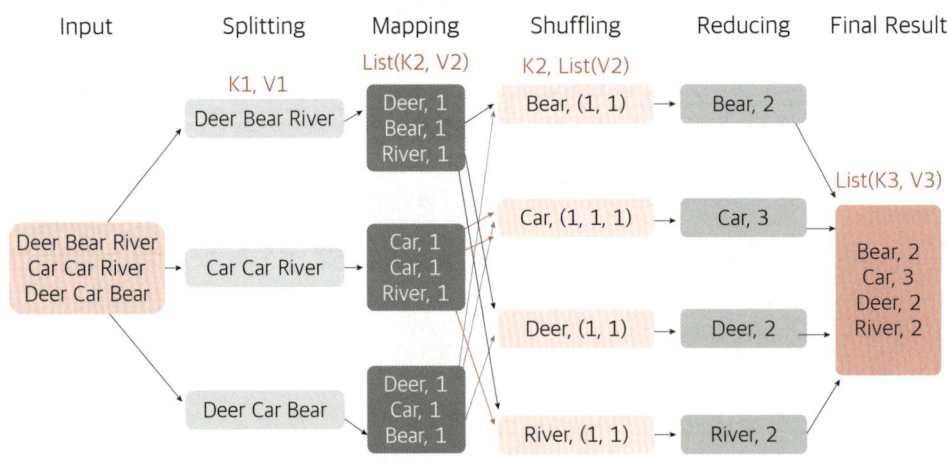

4 데이터 비식별화

학습 목표
1. 개인정보 비식별화 기술을 학습한다.

출제 KEYWORD
① 비식별화 처리 기법과 사례 ★★★

- 개인정보 수집은 「개인정보 보호법」 등 적법한 절차에 따라 최소한의 정보만 수집하고, 빅데이터 분석 및 테스트 등 데이터 처리 과정에서도 반드시 필요한 개인정보만 사용하며, 빅데이터 사용목적달성 후에는 안전하고 완벽하게 파기하고, 개인정보의 재활용을 위하여 보관 시에는 다른 개인정보와 분리하여 관리한다.
- 개인정보의 이름, 주민등록번호 등 식별자는 원칙적으로 삭제 조치하지만, 데이터 이용 시 필요한 식별자는 마스킹 처리, 가명처리 등 비식별 조치 후 활용한다.

기법	주요 세부기술	설명
가명처리	시계열 데이터 마이닝(K-익명화)	• 동일한 속성 값을 가지는 데이터를 K개 이상으로 유지하여 데이터를 공개하는 방법 • 지정된 속성이 가질 수 있는 값을 K개 이상으로 유지하여 프라이버시 누출을 방지
	휴리스틱 익명화	• 준식별자에 해당하는 값들을 몇 가지 정해진 규칙 혹은 사람의 판단에 따라 가공하여 자세한 개인정보를 숨기는 방법
	교환	• 추출된 표본 레코드에 대하여 이루어지며, 미리 정해진 변수들의 집합에 대하여 데이터베이스의 레코드와 연계하여 교환
총계	총계처리	• 데이터 전체 또는 부분을 집계(총합, 평균 등) ※ 단, 데이터 전체가 유사한 특징을 가진 개인으로 구성되어 있을 경우 그 데이터의 대푯값이 특정 개인의 정보를 그대로 노출시킬 수도 있으므로 주의
	부분총계	• 데이터 셋 내 일정부분 레코드만 총계 처리함. 즉, 다른 데이터 값에 비하여 오차 범위가 큰 항목을 통계값(평균 등)으로 변환
데이터값 삭제	식별자 삭제	• 원시데이터에서 개인식별 항목을 단순 제거하는 방법
	준 식별자 부분 삭제	• 식별자뿐만 아니라 잠재적으로 개인을 식별할 수 있는 준식별자를 모두 제거함으로써 프라이버시 침해 위험을 줄이는 방법

기법	주요 세부기술	설명
데이터 범주화	범위 방법	• 개인식별정보에 대한 수치 데이터를 임의의 기준의 범위로 설정하는 기법
	랜덤 라운딩	• 개인식별정보에 대한 수치 데이터를 임의의 기준으로 올림하는 기법
	제어 올림	• 랜덤 올림 방법에서 행과 열의 합이 일치하지 않는 단점을 해결하기 위해 행과 열이 맞지 않는 것을 제어하여 일치시키는 기법
데이터 마스킹	임의잡음추가	• 임의의 숫자, 즉 임의 잡음 추가를 더 하거나 곱하여 식별정보 노출을 방지하는 기법
	공백과 대체	• 마이크로 데이터 파일로부터 소수의 레코드를 선택한 후, 선택된 항목을 공백으로 바꾼 후에 대체법을 적용하여 공백 부분을 채우는 기법

[개인정보 식별 요소 제거기술]

1) 추가적인 비식별 조치 방법
- 가명화는 시스템에 개인정보가 저장될 때 해당 정보들이 가명화되어 저장되어야 한다는 것이며 가명 처리가 된 자료는 추가적인 정보를 사용하지 않고서는 더 이상 원래의 개인정보를 알아볼 수 없어야 한다.
- 비식별화 대표적인 기술은 데이터에서 특정한 정보를 없애는 기법인 데이터 마스킹이다.
- 마스킹은 이해가 용이하다는 장점이 있어 널리 이용되고 있으나 정보 손실과 노출 위험의 최적 수준을 객관적으로 선택하기 어렵다는 단점이 있다.
- 따라서 차등정보 보호(differential privacy) 및 재현자료(synthetic data)를 중심으로 비식별화 기법에 대해 언급한다.

① 차등정보 보호(differential privacy)
- 자료의 양이 방대해지는 빅데이터 시대에는 다양한 자료의 연결(matching or linkage)을 통해 특정 개인의 정보를 추론할 수 있는 가능성이 크게 증가하기 때문에 추론과 모형을 통해 노출 위험을 측정하는 척도가 반드시 필요하다.
- 이에 따라 Dwork(2006)는 한 개체가 전체 자료에 추가로 포함될 때 증가하는 노출 위험을 '차등정보보호'라 정의하고 이를 수학적으로 측정하는 방법을 제안하였다.
- 차등정보 보호란 주어진 쿼리(query)를 한 개체만 차이 나는 두 개의 데이터베이스에 적용했을 때, 결과물의 차이를 제어하여 해당 개체에 대한 정보 유출을 제한하는 것이다.
- AI 알고리즘이 학습하는 원시 데이터의 통계적 특성을 유지하면서 민감한 데이터에 노이즈를 추가한 합성 데이터를 생성한다. 차등 프라이버시는 기본 데이터 자체를 난독화하는 동시에 데이터 세트의 통계적 특성을 보존한다.

② **재현자료(Synthetic Data)**
- 재현자료는 원자료와 다르지만 원자료와 동일한 분포를 따르도록 통계적으로 생성한 자료이다.
- 재현자료의 기본 아이디어는 표본 조사에서 모집단을 대표하는 다수의 표본을 추출하는 것처럼, 다중대체(Multiple Imputation) 기법을 바탕으로 재현 모집단을 여러 세트로 작성하여 각 세트마다 랜덤 표본을 추출하여 표본들을 배포하는 것이다.

≫ 기출유형 따라잡기

[02회] 다음 설명 중 비식별 기술과 관련이 없는 것은?
① 익명　　　　　　　　　　② 섭동
③ 치환　　　　　　　　　　④ 특이치

정답 ④

해설
- 비식별화의 처리 방법으로 익명화와 가명화, 데이터 범주화 마스킹 등이 있다.
- 익명화 기법으로는 가명(Pseudonym), 일반화(Generalization), 치환(Permutation), 섭동(Perturbation) 등을 포함한 다양한 방법이 있다.
- 섭동 또는 교란(Perturbation) : 원 자료에 적당한 noise를 추가하여 교란하는 방법이다.

[03회] 다음 중 데이터 비식별화 기술에 해당하지 않은 것은?
① 범주화　　　　　　　　　② 가명처리
③ 마스킹　　　　　　　　　④ 값 대체

정답 ④

해설 비식별화 기술로 가명처리, 총계처리, 데이터값 삭제, 범주화, 데이터 마스킹이 있다.

[05회] 비식별화 기술인 총계처리(Aggregation)에 대한 설명 중 적절하지 않은 것은?
① 데이터 전체 또는 부분을 집계하는 것이다.
② 모수가 작을 때 추론 가능성이 있다.
③ 개별 데이터의 정밀 분석이 어렵다.
④ 비식별화 적용이 어렵다.

정답 ④

해설
- 총계처리 방법은 데이터 전체 또는 부분을 집계하는 것으로 나이, 신장, 카드 사용액, 유동인구, 사용자수, 제품재고량 및 판매량 등에 활용한다.
- 부분 총계는 데이터 셋 내 일정부분 레코드만 총계 처리하는 방법이다. 다른 데이터 값과 비교해 오차범위가 큰 항목을 통계값으로 변환한다. 주로 나이, 신장, 소득, 카드 사용액 등에 활용한다.
- 단점은 정밀 분석이 어렵고 집계 수량이 적을 때 추론에 의해 식별 가능성이 있다는 점이다.

> **기출유형 따라잡기**

[05회] 개인정보 비식별화 기술에 대한 설명 중 적절하지 않은 것은?
  ① 가명처리 : 개인 식별 정보에 중요한 데이터를 다른 데이터로 변경
  ② 총계처리 : 데이터 총합으로 처리해 개별 데이터로 보이지 않게 처리
  ③ 범주화 : 주요 식별 정보 일부 삭제
  ④ 데이터 마스킹 : 주요 식별 정보를 ○○, ** 처리

정답 ③

해설 범주화는 개인식별정보에 대한 수치 데이터를 임의의 기준의 범위로 설정하는 기법

[03회] 다음 중 재현자료(Synthetic Data)에 대한 설명 중 옳은 것은?
  ① 통계적 원본 보존
  ② 재현된 부분의 원자료가 남아 있지 않아 개인정보 노출 위험이 높지 않다.
  ③ 재현데이터는 민감정보가 아닌 경우 정보 노출의 위험성이 없다.
  ④ 샘플수를 무한대로 증가할 수 없다.

정답 ②

해설 재현자료는 원자료와 다르지만 원자료와 동일한 분포를 따르도록 통계적으로 생성한 자료이다.

[07회] 데이터를 일부 또는 전부를 삭제하거나 노이즈를 추가하는 비식별화 기술을 무엇이라 하는가?
  ① 가명처리   ② 데이터값 삭제
  ③ 데이터 범주화   ④ 데이터 마스킹

정답 ④

해설 데이터 마스킹은 민감한 정보를 보호하기 위해 데이터의 일부 또는 전체를 가려서 가짜 또는 익명의 데이터로 대체하는 프로세스를 말한다.

[07회] 개인정보 비식별 기술로 수치적 개인정보를 임의적 기준으로 설정하는 비식별화 기술을 무엇이라 하는가?
  ① 데이터 마스킹   ② 데이터 범주화
  ③ 데이터값 삭제   ④ 데이터 가명처리

정답 ②

해설 데이터 범주화는 개인식별정보에 대한 수치적 데이터를 임의의 범위로 부여하는 기법이다.

5 데이터 품질검증

학습 목표
1. 빅데이터 품질검증 프로세스를 이해한다.

출제 KEYWORD
① 정형데이터 품질 기준 ★★
② 데이터 프로파일링(Data-Profiling) 정의 및 절차 ★

1. 빅데이터 품질관리의 정의

- "데이터 품질(Data Quality)"이란 "데이터의 최신성, 정확성, 상호연계성 등을 확보하여 이를 사용자에게 유용한 가치를 줄 수 있는 수준"으로 정의
- 데이터 품질을 사용자 관점에서 지속적으로 유지하거나 향상시키기 위해서는 체계적인 관리와 활동이 필요
- 따라서 "데이터 품질관리(Data Quality Management)"란 사용자에게 유용한 가치를 제공하도록 "데이터의 품질을 확보하기 위한 품질 목표 설정, 품질 진단 및 개선 등 일련의 활동과 이를 지원하기 위한 관련 도구"를 의미

1) 빅데이터 품질관리의 중요성

- 분석 결과의 신뢰성은 분석 데이터의 신뢰성과 직접 연계된다. 빅데이터의 특성을 반영한 데이터 품질관리체계를 구축하여 효과적인 분석 결과를 도출하여야 한다.

중요성	설명
분석 결과의 신뢰성 확보	• 분석품질을 좌우하는 것은 데이터의 품질에 기인함
일원화된 프로세스	• 업무처리, 데이터 관리의 효율과 도모
데이터 활용도 향상	• 고품질의 데이터 확보로 데이터 이용률 향상
양질의 데이터 확보	• 불필요한 데이터 제거를 통한 고품질 데이터준비도 향상

[빅데이터 품질관리의 중요성]

2) 빅데이터 수명주기(Big Data Life Cycle)별 품질관리

- 빅데이터를 활용하여 필요한 목적에 맞는 서비스를 제공하기 위하여 빅데이터의 수집, 저장, 분석, 활용, 폐기 등 빅데이터 생명주기 단계별로 품질을 관리하여야 한다.

① 빅데이터 수집단계
- 빅데이터의 수집단계에서는 빅데이터 서비스에 필요한 데이터를 확보하는 것이 중요하므로, 빅데이터 분석을 위해 필요한 데이터항목을 사전에 검토하고 데이터 유형, 수집데이터 수량, 수집경로, 데이터 자체 품질수준, 데이터수집 처리방식, 수집주기뿐만 아니라 수집 데이터의 개인정보 등 보안 관련 품질관리사항을 고려한다.

② 빅데이터 저장단계
- 빅데이터 전·후 처리 : 빅데이터 분석을 위하여 사전에 데이터를 처리하는 과정과 분석 후 빅데이터 서비스에 맞게 데이터를 제공하는 후처리 과정으로 구분한다. 전처리 과정은 불필요한 데이터를 없애고 누락된 값을 추가로 입력하는 등 데이터를 정제하고, 분석에 적합한 형태로 전환하며, 반정형·비정형 데이터에서 메타데이터를 추출한다.
- 후처리 과정은 출처가 다른 데이터를 통합 또는 연계하거나 특정 목적에 맞게 데이터 가공 등을 수행한다.
- 이러한 전·후 처리 과정은 분석을 수행하는 동안에 반복하여 수행하므로 실제 콘텐츠와 메타데이터의 일치성 등 데이터의 변경관리, 개인정보가 포함된 데이터에 대한 비식별 처리 등 보안성에 대한 품질관리사항을 고려한다.
- 빅데이터 저장 : 수집된 빅데이터는 정형·비정형 데이터의 유형에 따라 적합한 저장소에 선정하여 저장하고 비정형 데이터는 실제 데이터와 메타데이터를 구분하여 저장하는데, 데이터 및 메타데이터의 표준규정을 정하여 분석 시 데이터의 일관성을 확보한다.

2. 빅데이터의 기준 선정

- 데이터 품질기준은 데이터의 품질 수준을 평가하는 기준으로 데이터의 정확성 확보를 위하여 지속적으로 관리되어야 할 측정 기준을 의미한다.
- 데이터 품질기준은 객관성 확보가 중요하므로 데이터 품질과 관련된 이해당사자 및 조직원이 공동 협의하여 도출한다.

1) 빅데이터 품질기준
- 빅데이터의 품질기준은 정형 데이터의 품질기준과 비정형 데이터의 품질기준으로 나누어서 정의할 수 있다.

(1) 정형 데이터 품질기준
- 정형 텍스트 데이터에 대한 품질기준은 완전성, 유일성, 유효성, 일관성, 정확성 5개의 품질기준으로 나눌 수 있다.
- 완전성·유일성·유효성·일관성·정확성 등 5개의 일반적인 데이터 품질기준이 조직에서 필요한 품질관리 실무 기준을 활용하기에 부족할 수 있다. 이를 해결하기 위하여 도출된 데이터 품질기준을 보다 상세화하고 그 의미를 세분화하여 하위 품질기준을 정의할 수 있다.

① 데이터 프로파일링 검증 방법으로 검토한다.
- 실제 데이터베이스에 반영된 물리 메타데이터를 수집한다.
- 사전에 수집한 테이블, 컬럼 목록 등을 각각 대조하여 분석한다.
- 누락값, 유효하지 않은 값, 데이터 구조의 무결성 등을 고려하여 검증한다.

품질기준	세부 품질기준	정의
완전성 (Completeness)	개별 완전성, 조건 완전성	• 필수항목에 누락이 없어야 한다.
유일성 (Uniqueness)	단독, 조건 유일성	• 데이터항목은 유일해야 하며 중복되어서는 안 된다.
유효성 (Validity)	범위, 날짜, 형식 유효성	• 데이터항목은 정해진 데이터 유효범위 및 도메인을 충족해야 한다.
일관성 (Consistency)	기준코드 일관성, 참조 무결성, 데이터 흐름 일관성, 칼럼 일관성	• 데이터가 지켜야 할 구조, 값, 표현되는 형태가 일관되게 정의되고, 서로 일치해야 한다.
정확성 (Accuracy)	선후관계 정확성, 계산 / 집계 정확성, 최신성, 업무규칙 정확성	• 실세계에 존재하는 객체의 표현 값이 정확히 반영되어야 한다는 것을 의미한다.

[정형 데이터 품질기준]

용어정리
- 데이터 프로파일링(Data-Profiling)
  - 데이터 현황분석을 위한 자료수집을 통해 잠재적 오류 징후를 발견하는 방법이다.
  - 기업은 데이터 프로파일링을 통해 보유한 데이터를 진단하고 검사함으로써 수많은 데이터 문제가 비즈니스에 영향을 미치기 전에 선제적으로 교정할 수 있다.
  - 데이터 프로파일링은 테이블(Table)의 정보와 설명이 일치하는지 확인하면서 데이터의 기본을 익힐 수 있도록 도와준다. 그리고 서로 다른 데이터베이스, 소스, 애플리케이션, 테이블 사이의 관계를 밝혀냄으로써 데이터를 더 잘 이해할 수 있도록 한다.

> **» 기출유형 따라잡기**
>
> [02회, 07회] 다음에서 설명하는 빅데이터 품질평가 지표는 무엇인가?
>
> > 필수항목에 누락이 없어야 한다.
>
> ① 정확성(Accuracy)
> ② 완전성(Completeness)
> ③ 적시성(Timeliness)
> ④ 일관성(Consistency)
>
> **정답** ②
>
> **해설** 정형 데이터 품질 기준 중 완전성에 대한 설명이다.
>
> [05회] 데이터 품질 진단 절차에서 데이터를 측정하고 도출된 업무규칙을 핵심 데이터에 적용하여, 오류 데이터를 추출하는 절차를 무엇이라 하는가?
> ① 데이터 수집
> ② 데이터 측정
> ③ 데이터 분석
> ④ 데이터 개선
>
> **정답** ②
>
> **해설** • 데이터 품질측정 단계는 도출된 업무규칙을 핵심 데이터에 적용하여, 오류 데이터를 추출하고 그 현황을 파악하는 오류 데이터 검증 단계와 그 결과를 요약하여 품질 현황을 보고하는 단계로 구성된다.

(2) 비정형 데이터 품질기준
- 비정형 콘텐츠 자체에 대한 품질기준은 콘텐츠 유형에 따라 다소 다를 수 있다.
- 비정형 데이터 품질기준은 아래와 같이 제시할 수 있다.

품질기준	세부 품질기준	정의
기능성 (Functionality)	적절성, 정확성, 상호 운용성, 기능 순응성	해당 콘텐츠가 특정 조건에서 사용될 때, 명시된 요구와 내재된 요구를 만족하는 기능을 제공하는 정도
신뢰성 (Reliability)	성숙성, 신뢰 순응성	해당 콘텐츠가 규정된 조건에서 사용될 때 규정된 신뢰 수준을 유지하거나 사용자에게 오류를 방지할 수 있도록 하는 정도
사용성 (Usability)	이해성, 친밀성, 사용 순응성	해당 콘텐츠가 규정된 조건에서 사용될 때, 사용자에 의해 이해되고, 선호될 수 있게 하는 정도
효율성 (Efficiency)	시간 효율성, 자원 효율성, 효율 순응성	해당 콘텐츠가 규정된 조건에서 사용되는 자원의 양에 따라 요구된 성능을 제공하는 정도
이식성 (Portability)	적응성, 공존성, 이식 순응성	해당 콘텐츠가 다양한 환경과 상황에서 실행될 가능성

[비정형 데이터 품질기준]

3. 빅데이터 품질진단기법

1) 정형 데이터 품질 진단

- 정형 텍스트 데이터의 품질은 데이터 프로파일링 기법을 통해 진단할 수 있다.
- 데이터 프로파일링 기법 : 데이터 현황분석을 위한 자료수집, 데이터의 통계 패턴 등을 수집하여 잠재적 오류징후를 발견하는 방법으로 정의하고 있다.
- 결국 오류를 찾아내기 위해 자료를 수집하고 분석하는 것을 의미한다.

기법	설명
메타데이터 수집 및 분석	• 테이블 정의서, 칼럼 정의서, 도메인 정의서, 데이터 사전, ERD, 관계 정의서를 수집하여 테이블명 누락, 불일치, 칼럼 누락, 칼럼명 불일치, 자료형 불일치 내역을 추출한다.
칼럼 속성 분석	• 대상칼럼의 총 건수, 유일값 수, NULL값 수, 공백값 수, 최댓값, 최솟값, 최대빈도, 최소빈도 등을 추출하여 유효범위 내의 존재여부를 판단한다.
누락값 분석	반드시 입력되어야 하는 값의 누락이 발생한 칼럼을 발견하는 절차
값의 허용범위 분석	속성값이 가져야 할 범위 내에 속성값이 있는지 파악
허용값 목록분석	해당 칼럼의 허용값 목록이나 집합에 포함되지 않는 값을 발견
문자열 패턴분석	칼럼 속성값의 특성을 문자열로 도식화하여 패턴 오류를 검출
날짜 유형 분석	날짜 유형 적용의 일관성 여부 분석
기타 특수 도메인 (특정 번호 유형) 분석	사업자등록번호, 주민등록번호의 유효성분석
유일값 분석	유일해야 하는 칼럼에 중복이 발생했는가 여부 분석
구조분석	관계분석, 참조 무결성 분석, 구조 무결성 분석

[정형 데이터의 데이터 프로파일링]

2) 데이터 프로파일링 품질 진단

- 데이터 프로파일링은 주로 정형 텍스트 데이터 및 비정형 콘텐츠의 메타데이터에 대한 품질 진단에 활용되며, 통계적 기법을 활용하여 데이터의 품질과 관련된 현상을 파악하는 절차로서 데이터 소스에 존재하는 데이터의 구조, 내용, 품질을 파악하기 위해 다양한 형태로 분석하는 절차이다. 다시 말해 데이터에 대한 정보를 추출하는 것이다.
- 데이터 프로파일링은 메타데이터와 대상 소스 데이터에 대한 통계적 분석 결과를 통해 데이터 품질 문제를 이슈화하고 개선점을 찾는 것을 주된 목적으로 한다.

- **데이터 프로파일링 수행 절차**

단계	설명
메타데이터 수집 및 분석	실제 데이터베이스에 설계 반영된 물리 메타데이터를 수집하고 사전 수집된 테이블 및 컬럼 목록을 대조하여 분석한다.
↓ 프로파일링 대상 및 유형 선정	프로파일링 분석을 수행할 대상 업무 및 테이블을 선정하고, 프로파일링 분석 유형을 선정한다.
↓ 프로파일링 수행	데이터 현상을 분석하여 누락 값, 비유효값, 유일하지 못한 값, 구조 무결성 위반 사항을 분석한다.
↓ 프로파일링 결과 리뷰	프로파일링 결과를 취합하고, 업무 담당자에게 해당 결과를 리뷰하여 결과를 확정한다.
↓ 프로파일링 결과 종합	확정된 프로파일링 결과물을 취합하여 프로파일링 보고서를 작성한다.

용어정리

- **메타데이터 분석**
  메타데이터 분석을 통하여 수행할 수 있는 분석 유형은 누락·불일치·컬럼 누락·컬럼명 불일치·자료형 불일치 등이 있다. 해당 분석을 실시하여 불일치한 테이블 및 컬럼, 관계 누락 사항을 기재하고 누락된 유형을 각각 명시한다.

▶ 기출유형 따라잡기

[02회] 정형 데이터 품질진단 기법 중 테이블 컬럼명 누락, 테이블 컬럼 불일치 등을 실시하여 누락 사항을 기재하고 누락된 유형을 각각 명시하는 방법을 무엇이라 하는가?
① 프로파일링 검색
② 메타데이터 분석
③ 데이터 적재
④ 유효성 검증

정답 ②

해설
- 데이터 프로파일링은 발견(Discovery)과 검증(Verification)이라는 절차로 구성된다. 데이터 발견절차를 통해 오류 가능성이 있는 부정확한 데이터 현상이 발견되고, 발견된 현상은 관련 업무 담당자들과 품질분석가와의 협의를 거쳐 부정확한 데이터로 결정된다.
- 프로파일링 기법을 통해 추출된 오류 데이터와 데이터 규칙은 향후 데이터 현행화라는 품질개선 활동의 기초작업이 되는 동시에 향후 품질관리 활동의 핵심 업무영역이 된다.
- 메타데이터는 데이터를 위한 데이터이다. 메타데이터의 수집은 프로파일링을 수행하기 이전 단계에서 수행되어야 하며 데이터의 부정확성을 판단하는데 매우 중요한 기초자료가 되므로 가능한 모든 정확한 메타데이터를 수집해야 한다.
- 메타데이터의 수집은 데이터관리 문서로부터 수집한다. 데이터 품질진단을 수행하기 전에 데이터 관리문서를 사전정의하여 모두 수집하고 확보해야 한다. 수집해야 할 주요 데이터 관리 문서는 테이블 정의서·컬럼 정의서·도메인 정의서·데이터 사전·ERD·관계 정의서 등이 있다.

> **기출유형 따라잡기**
>
> [07회] 정형 데이터의 품질검증 방법으로 옳지 않은 것은?
> ① 데이터 프로파일링:데이터의 특성을 자동으로 분석하여 기본 통계, 분포, 중복, 결측치, 이상치 등을 파악하는 방법이다.
> ② 포맷 및 유효성 검증:데이터의 형식이나 유효성을 확인하여 부적절한 값이나 형식을 가진 데이터를 식별한다.
> ③ 업무 규칙: 진단 비즈니스 특성만을 진단하며, 데이터오류는 검증할 수 없다.
> ④ 중복 값 확인:모든 고유 식별자 (Primary Key)는 중복되지 않아야 한다.
>
> **정답** ③
> **해설** 정형 데이터 품질검증에서 데이터에서 발생할 수 있는 다양한 오류를 식별하고 제거하는 과정을 포함한다.

4. 데이터 품질측정

- 데이터 품질측정 단계는 도출된 업무규칙을 핵심 데이터에 적용하여, 오류 데이터를 추출하고 그 현황을 파악하는 오류 데이터 검증 단계와 그 결과를 요약하여 품질 현황을 보고하는 단계로 구성된다.

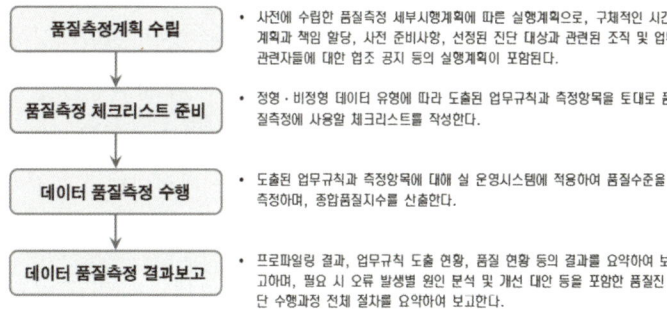

[데이터 품질 측정 절차]

5. 데이터 품질측정 결과 분석

- 데이터 품질측정이 완료되면 오류 유형에 따른 발생 원인을 분석하고 이에 따라 각 업무 분야에 해당되는 개선방안을 도출한다.

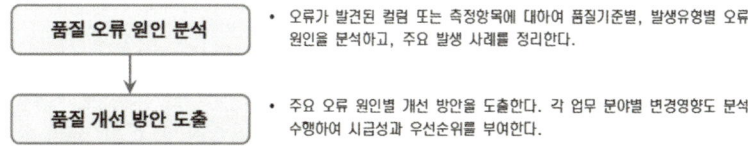

[데이터 품질 측정 결과 분석 절차]

6. 데이터 품질 진단 및 개선 절차

- 데이터 품질 진단과 오류 원인 분석, 개선방안 도출이 완료되면 오류 유형과 각 업무 분야에 해당하는 개선방안의 시급성과 우선순위에 따라 데이터 품질 개선계획을 수립하고 개선 활동을 수행한다.
- 개선 활동이 완료되면 개선 결과를 검토하고 요약하여 보고한다.
- 품질진단 및 개선 절차는 품질진단을 위한 3단계, 품질개선을 위한 3단계로 총 6개의 단계로 구성되어 있다.

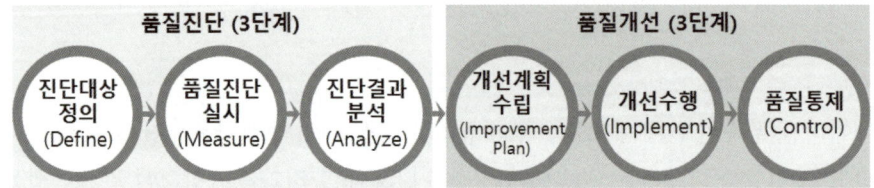

- 진단대상 정의(Define)는 진단대상을 선정하고 해당 데이터베이스가 요구되어지는 품질수준에 부합하는 상태인지를 판단하기 위한 품질진단을 위한 진단계획을 수립하는 단계
- 품질진단 실시(Implement)는 값, 구조, 표준, 관리수준 등의 진단대상에 대해 프로파일링, 업무규칙 진단, 체크리스트 등의 진단기법을 적용하여 품질진단을 실시하는 단계
- 진단결과 분석(Analyze)은 품질진단 결과를 바탕으로 주요 품질문제를 식별하고 문제의 근본적인 원인을 분석하여 품질문제를 해결하기 위한 개선기회를 도출하는 단계
- 개선계획 수립(Improvement Plan)은 품질문제 해결을 위한 개선과제를 정의하고 우선순위를 결정하며, 개선과제 수행을 위한 구체적인 품질개선 계획을 수립하는 단계
- 개선수행(Implement)은 개선계획에 따라 품질 관리체계 수립, 표준화 수립, 데이터 보정 등의 개선 영역별로 품질개선 활동을 수행하는 단계
- 품질통제(Control)는 개선결과를 평가하고 품질 목표를 재설정하여 품질이슈 재발방지 및 고품질 데이터를 유지하기 위한 품질관리 활동을 수행하는 단계

02 데이터 적재 및 저장

1 데이터 적재

학습 목표

1. 빅데이터 수집 및 적재 도구를 학습한다.

출제 KEYWORD

① 데이터 적재 소프트웨어 기능 ★★

1. 데이터 발생유형 및 특성

- 빅데이터 분석에 필요한 데이터를 수집한 후에는 수집한 데이터를 빅데이터 시스템에 적재해야 한다.
- 대상 데이터의 용량, 실시간 여부, 정형, 비정형 등 유형 및 요건을 파악하여 빅데이터 저장 계획수립에 반영하여야 한다.
- 저장대상 데이터의 특성이 대용량이면서 실시간으로 발생하고 이를 실시간으로 서비스해야 하는지와 같은 데이터 발생유형 및 특성 파악이 중요하다.
- 대용량 데이터를 실시간으로 처리하지 않을 때는 Hadoop 기반의 대용량 데이터 처리 시스템 등을 선택할 수 있다.
- 실시간으로 서비스해야 하는 경우, 이를 반영하여 빅데이터 저장방식과 계획을 작성하는 것이 필요하다.

1) 빅데이터 수집 및 적재연계

- 빅데이터 분석에 필요한 데이터 수집과 적재는 수집 및 적재할 빅데이터의 유형과 실시간 처리 여부에 따라 원천 데이터베이스, 파일, 문서로부터 목적 데이터베이스의 모델에 적합하게 변환하여 목적 데이터베이스(RDBMS, 하둡의 HDFS, NoSQL 저장 시스템)에 적재하는 작업이다.
- 수집된 데이터를 저장시스템에 적재하는 방법은 수집된 데이터 파일로부터 NoSQL DBMS가 제공하는 적재 도구를 이용하여 직접 적재하거나, Flume, Scribe, Chukwa 등의 로그데이터 수집 도구를 이용하여 적재할 수 있다.

2) 데이터 적재 도구

① Flume(플럼)
- 플럼(Flume)은 클라우데라에서 공개한 오픈소스 프로그램으로 이벤트 로그데이터를 효율적으로 수집하고 집계할 수 있다.
- 수많은 서버에 분산된 대용량의 로그데이터를 한곳으로 모을 수 있으며, 안정성과 가용성이 높다.

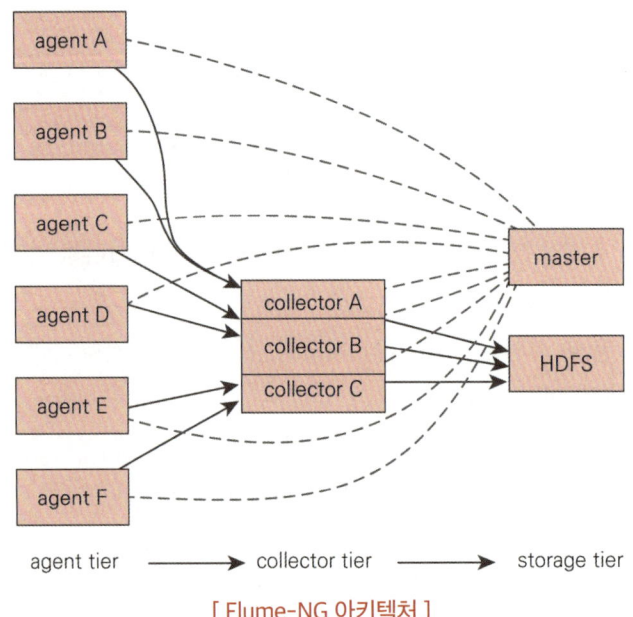

[Flume-NG 아키텍처]

- 플럼은 클라우데라에서 아파치로 옮겨진 후 Flume-NG(Next Generation)로 명칭이 바뀌었다.
- 플럼은 척와(Chukwa)처럼 분산된 서버에 에이전트가 설치되고, 에이전트로부터 데이터를 전달받는 콜렉터로 구성된다.
- 척와와의 차이점은 전체 데이터의 흐름을 관리하는 마스터 서버가 있어서 데이터를 어디서 수집하고, 어떤 방식으로 수집하고, 어디에 저장할지를 동적으로 변경할 수 있다.

② Scribe(스크라이브)
- 스크라이브는 로그 수집 시스템과 마찬가지로 여러 서버에서 실시간으로 스트림되는 로그데이터를 취합한다.

③ Chukwa(척와)
- 플럼과 구조가 유사하며, 척와 에이전트, 척와 콜렉터를 기반으로 데이터를 추출한다. 척와는 2008년 야후에서 개발한 것으로 로그데이터수집 및 분석하는 시스템이다.

> **용어정리**
> - **배치(Batch)형 빅데이터**
>   ① 배치형 빅데이터 시스템은 통상적으로 하둡, 스파크를 사용하여 저장된 데이터를 한 번에 읽어들여 처리하고 처리결과를 한꺼번에 출력하는 형태의 시스템을 말한다.
>   ② 보통은 데이터를 쌓아두고 한꺼번에 처리결과를 조회하고 싶을 때 많이 사용하는 형태이다.
> - **스트리밍(Streaming) 빅데이터**
>   스트리밍 빅데이터시스템은 일정 기간에 쌓은 데이터를 기반으로 처리한 후 결과를 지속해서 추가하는 형태의 시스템이다. 예를 들면 하루단위로 가장 많이 본 글이나 댓글이 가장 많이 달린 글을 출력하고 싶을 때 많이 사용한다.
> - **실시간(Real-Time) 빅데이터**
>   ① 실시간 빅데이터는 데이터가 발생하자마자 바로 처리되어 결과가 나오는 형태의 시스템을 말한다.
>   ② 데이터를 최단시간 안에 처리해서 결과를 출력하는 것을 목표로 한다. 예를 들면 주식시세를 기반으로 하는 지수산출시스템을 들 수 있다. 실시간 빅데이터 시스템을 구현하려면 아파치 카프카(Kafka)와 같은 기술을 사용해서 구현하는 경우가 많다.
>   ③ 일정시간마다 실행돼서 결과를 출력해야 하는 경우는 스트리밍 기반의 빅데이터 시스템으로 볼 수 있고, 실시간처리가 좀 더 강조되는 경우는 실시간 빅데이터 시스템으로 볼 수 있다.

3) 데이터 적재 완료 테스트
- 적재하는 데이터의 유형과 특성에 따라 체크리스트를 작성한다. 예를 들어 정형 데이터인 경우에는 테이블의 개수와 속성의 개수 및 데이터타입의 일치 여부, 레코드 수 일치 여부가 체크리스트가 될 수 있다.
- 반정형이나 비정형인 경우에는 원천 데이터의 테이블이 목적지 저장시스템에 맞게 생성되었는지, 레코드 수가 일치하는지 등이 체크리스트에 포함될 수 있다.

2 데이터 저장

학습 목표
1. 빅데이터의 저장 방식을 이해한다.

출제 KEYWORD
① 분산파일 시스템의(GFS,HDFS) 구조와 기능 ★★★
② 데이터베이스 클러스터 무공유와 공유 디스크 특징 ★
③ NoSQL의 특징 ★★
④ 맵리듀스 기능 ★

1. 빅데이터 저장관리시스템

- 빅데이터 저장관리시스템이란 대용량데이터 집합을 저장하고 관리하는 시스템이다. 빅데이터 저장방식은 크게 분산 파일시스템 방식과 데이터베이스 방식이 있고, 데이터베이스 방식은 크게 RDBMS 방식과 NoSQL 방식으로 나눌 수 있다.
- 분산 파일시스템 방식은 빅데이터를 확장 가능한 분산 파일형태로 저장하는 방식으로 대표적인 예는 HDFS, 구글의 GFS 등이 있다.
- 분산 파일시스템 저장방식은 저사양 서버들을 활용하여 대용량, 분산, 데이터 집중형의 애플리케이션을 지원하면 사용자들에게 고성능 Fault-Tolerance 환경을 제공한다.
- 데이터베이스 방식 중에 RDBMS 방식은 기존에 많이 사용하던 관계형 데이터베이스 시스템을 이용하는 방식으로 정형 데이터이고, 기존에 운영 중이던 레거시 시스템으로부터 수집·추출한 데이터를 대량으로 저장할 때 사용할 수 있는 방식이다.
- 데이터베이스 방식 중에 NoSQL 방식은 대용량 데이터베이스를 저장하기 위하여 전통적인 관계형 데이터베이스 시스템보다 상대적으로 제한이 덜한 데이터모델을 기반으로 하며, 수평적 확장성(또는 Scale-Out), 데이터 복제, 간편한 API 제공, 일관성 보장 등의 장점이 있다.
- NoSQL 데이터베이스 시스템에는 여러 가지 저장시스템들이 사용되고 있는데, 데이터 모델에 따라 Document-Oriented 데이터베이스, Key-Value 데이터베이스, Column-Oriented 데이터베이스로 분류할 수 있다.

> **용어정리**
> - Fault-Tolerance
>   결함 감내 시스템(Fault Tolerant System)은 시스템을 구성하는 부품 일부에서 결함(Fault) 또는 고장(Failure)이 발생하여도 정상적 혹은 부분적으로 기능을 수행할 수 있는 시스템이다.

2. 빅데이터 저장기술 분류

1) 분산 파일시스템
- 데이터가 단일 물리머신의 저장용량을 초과하게 되면 전체 데이터셋을 분리된 여러 머신에 나눠서 저장할 필요가 있다.
- 네트워크로 연결된 여러머신의 스토리지를 관리하는 파일시스템을 분산 파일시스템이라고 한다.

(1) 구글 파일시스템(GFS, Google File System)
- 구글 파일시스템은 구글의 대규모 클러스터 서비스 플랫폼의 기반이 되는 파일시스템으로 개발되었다.
- GFS 개발 당시 구글은 소규모 벤처기업이었고, IBM의 메인 프레임을 사용하였지만, 그 비용이 너무 비싸 가격이 저렴한 레거시 PC 수천 대를 병렬해서 같은 성능을 보여줌으로써 하둡이 등장하는 배경이 되었다.

> **용어정리**
> - 레거시(Legacy)시스템
>   낡은 기술이나 방법론, 컴퓨터 시스템

- GFS는 다음과 같은 가정을 토대로 설계되었다.
  - 저가형 서버로 구성된 환경으로 서버의 고장이 빈번하게 발생할 수 있다고 가정한다.
  - 대부분의 파일은 대용량이라고 가정한다. 따라서 대용량 파일을 효과적으로 관리하는 방법이 요구된다.
  - 작업부하는 주로 연속적으로 많은 데이터를 읽는 연산이거나 임의의 영역에서 적은 데이터를 읽는 연산이다.
  - 파일에 대한 연산은 주로 순차적으로 데이터를 추가하며, 파일에 대한 갱신은 드물게 이루어진다.

- 여러 클라이언트에서 동시에 동일한 파일에 데이터를 추가하는 환경에서 동기화 오버헤드를 최소화할 수 있는 방법이 요구된다.
- 낮은 응답지연시간보다 높은 처리율이 더 중요하다.

① 구글 파일시스템의 구성요소
- GFS는 크게 하나의 Master Node와 여러 개의 Slave Node로 구성되어 있다.
- 기능으로 보면 Master, Chunk Server, Client로 이루어져 있다.
- Master : GFS 전체를 관리하고 통제하는 중앙서버의 역할
- Chunk Server : 물리적인 서버, 실제 입출력을 처리
- Client : 파일 입출력을 요청하는 클라이언트 애플리케이션

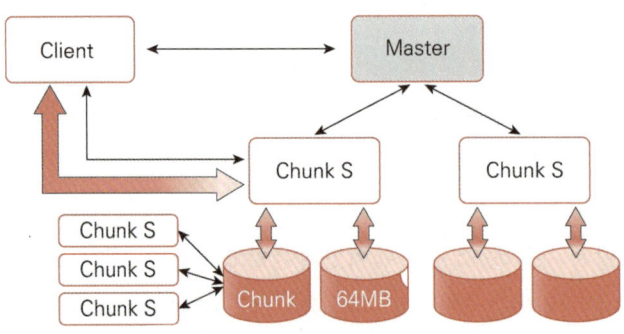

[GFS 아키텍처]

- GFS에서 파일은 고정된 크기의 Chunk들로 나누어 Chunk 서버들에 분산·저장된다. 그리고 각 Chunk에 대한 여러 개의 복제본도 Chunk 서버에 분산·저장된다.
- 따라서 클라이언트는 파일에 접근하기 위하여 마스터로부터 해당 파일의 Chunk가 저장된 Chunk 서버의 위치와 핸들을 먼저 받아온다.
  → 블록크기(Chunk)는 기본적으로 64MB로 설정되어 있다. 여러 개의 블록은 동일한 서버에 있는 것이 아니라 여러 서버에 나눠서 저장된다. 블록의 크기가 64MB인 것은 디스크 탐색시간 또는 하둡의 네임노드가 유지하는 메타데이터 크기를 감소하기 위한 이유로 크기가 64MB 크기로 설정되었다. 참고로 하둡 2.0 버전부터는 블록의 크기가 128MB로 늘어났다.

- GFS의 마스터는 단일 마스터 구조로 파일시스템 이름공간과 파일의 Chunk 매핑 정보, 각 Chunk가 저장된 Chunk 서버들의 위치정보 등 모든 메타데이터를 메모리 상에서 관리하며, 주기적으로 하트비트(Heartbeat) 메시지를 이용하여 Chunk 서버에 저장된 Chunk들의 상태를 체크해 상태에 따라 Chunk를 재복제하거나 재분산하는 것과 같은 회복 동작을 수행한다.
- Chunk 서버는 로컬 디스크에 Chunk를 저장·관리하면서 클라이언트로부터의 Chunk 입출력요청을 처리한다.
- Chunk는 마스터에 의해 생성·삭제될 수 있으며, 유일한 식별자에 의해 구별된다.

(2) 하둡분산파일시스템(HDFS)

- 하둡은 아파치 검색엔진 프로젝트인 루씬의 서브 프로젝트로 진행되었지만 2008년 1월에 아파치의 최상위 프로젝트로 승격되었다.
- 하둡은 하둡분산파일시스템(HDFS)과 MapReduce 구현 등을 포함한다. HDFS는 처음에 아파치 너치 웹검색엔진의 파일시스템으로 개발되었으며, 구글 파일시스템의 아키텍처와 사상을 그대로 구현한 클로링 프로젝트라고 할 수 있다.
- HDFS는 블록 구조의 파일시스템이다. HDFS는 블록을 저장할 때 기본적으로 3개씩 블록의 복제본을 저장한다.
- 블록이 복제돼있기 때문에 특정 서버의 하드디스크에 오류가 생기더라도 복제된 블록을 이용해 데이터를 조회할 수 있다.

> **용어정리**
>
> - **Chunk Based(블록구조)**
>   HDFS는 GFS와 동일한 특징을 가진다. HDFS는 대용량의 파일을 청크(Chunk)라는 단위로 분할해 데이터노드(Datanode)에 3개씩 분산 저장한다. 즉 하나의 파일이 분산된 여러 데이터노드에 저장되는 것이다. 하나의 파일에 대한 복제본이 3개씩 있고, 이 청크의 크기 단위는 보통 64MB이다.

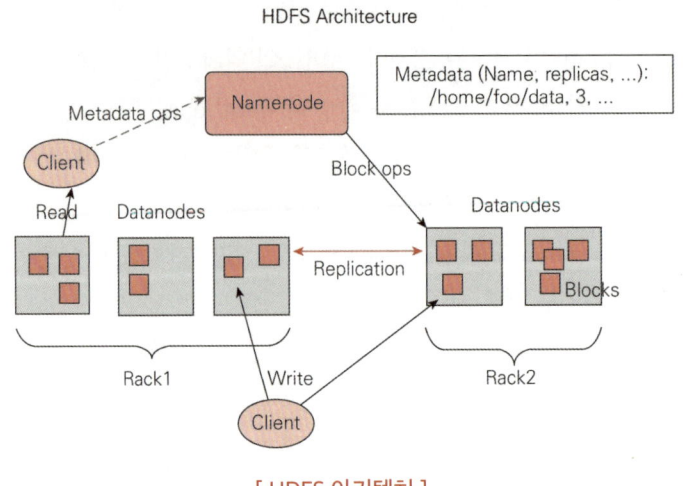

[HDFS 아키텍처]

- 위의 그림에서와 같이 HDFS는 하나의 네임노드(NameNode)와 다수의 데이터노드(DataNode)로 구성된다. 그래서 HDFS는 마스터-슬레이브(Master-Slave) 아키텍처라고도 한다. 마스터 서버는 네임노드이며, 슬레이브 서버는 데이터노드이다.

(3) HDFS 아키텍처
- HDFS에 저장하는 파일은 특정 크기의 블록으로 나뉘어 분산된 서버에 저장된다.
- 블록크기는 기본적으로 64MB로 설정돼 있으며, 하둡 환경설정 파일이나 다른 방법으로 변경할 수 있다.
- 여러 개의 블록은 동일한 서버에 저장되는 것이 아니라 여러 서버에 나눠서 저장한다.
- 이렇게 분산된 서버에 나눠서 데이터를 저장하기 때문에 로컬 서버의 하드디스크보다 큰 규모의 데이터를 저장할 수 있다.

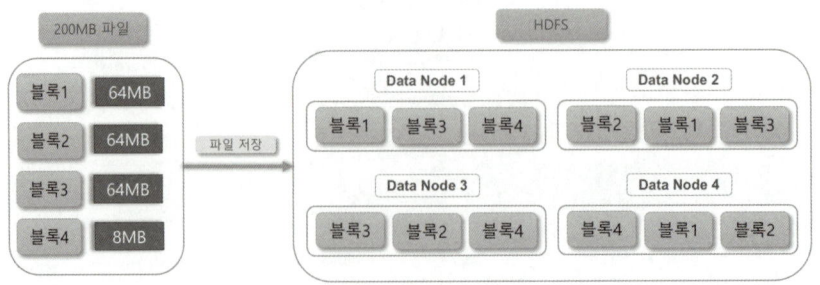

- HDFS는 블록을 저장할 때 기본적으로 3개의 블록의 복제본을 저장한다.

- 블록이 복제돼 있기 때문에 특정 서버의 하드디스크에 오류가 발생하더라도 복제된 블록을 이용해 데이터를 조회할 수 있다.
- HDFS의 블록크기처럼 복제본의 수도 하둡 환경설정 파일에서 수정할 수 있다.
- 데이터 노드는 파일시스템의 실질적인 일꾼이다. 데이터노드는 클라이언트나 네임노드의 요청이 있을 때 블록을 저장하고 탐색하며, 저장하고 있는 블록의 목록을 주기적으로 네임노드에 보고한다.
- 네임노드가 없으면 파일시스템은 작동하지 않는다. 따라서 네임노드의 장애복구 기능은 필수적이면 하둡은 이를 위해 두 가지 메커니즘을 제공한다.
- 첫 번째는 파일시스템의 메타데이터를 지속적인 상태로 보존하기 위해 파일로 백업하는 것이다. 네임노드가 다수의 파일시스템에 영구적인 상태를 저장하도록 하둡을 구성할 수 있다.
- 두 번째는 보조 네임노드를 운영하는 것이다. 보조 네임노드는 주 네임노드에 장애가 발생할 것을 대비해서 네임스페이스 이미지의 복제본을 보관하는 역할을 한다.

① 네임노드 역할
- **메타데이터 관리**
    - 네임노드는 파일시스템을 유지하기 위한 메타데이터를 관리한다.
    - 메타데이터는 파일시스템(파일명, 크기, 권한)와 파일에 대한 블록 매핑 정보를 구성
    - 네임노드는 클라이언트에게 빠르게 응답할 수 있게 메모리에 전체 메타데이터를 로딩해서 관리한다.
- **데이터노드 모니터링**
    - 데이터노드는 네임노드에게 3초마다 하트비트(heartbeat) 메시지를 전송한다.
    - 하트비트는 데이터노드 상태 정보와 데이터노드에 저장된 블록의 저장 목록으로 구성
    - 네임노드는 하트비트를 이용해 데이터노드의 실행 상태와 용량을 모니터링 한다.
    - 일정 기간 동안 하트비트를 전송하지 않는 데이터노드가 있을 경우 장애가 발생한 서버로 판단한다.

- 블록관리
    - 네임노드는 다양한 방법으로 블록을 관리한다.
    - 네임노드는 장애가 발생한 데이터노드를 발견하면 해당 데이터노드의 블록을 새로운 데이터노드로 복제한다.
    - 용량이 부족한 데이터노드가 있다면 용량에 여유가 있는 데이터노드로 블록을 이동시킨다.
- 클라이언트 요청 접수
    - 클라이언트가 HDFS에 접근하려면 반드시 네임노드에 먼저 접속해야만 한다.
    - HDFS에 파일을 저장하는 경우 기존 파일의 저장 여부와 권한 확인의 절차를 거쳐서 저장을 승인한다.
    - HDFS에 저장된 파일을 조회하는 경우 블록의 위치 정보를 반환한다.

② 데이터노드의 역할
- 데이터노드는 실제 데이터 입출력요청을 처리하는 역할을 담당한다.
- 하나의 파일이 여러 개의 블록으로 나뉘어 각 데이터노드에 저장되는데, 데이터노드는 이러한 블록을 파일 단위로 저장하고 클라이언트 요청에 따라 블록의 입출력을 처리한다.

2) 데이터베이스 클러스터
- 데이터를 통합할 때, 성능향상과 가용성을 높이기 위해 데이터베이스 차원의 파티셔닝 또는 클러스터링을 이용한다.
- 기본적인 DB 구축은 1개의 서버로 하나의 DB를 구축해서 운용하는 형태가 많다. 그러나 여러가지 이유로 하나의 DB를 여러 개의 서버가 나눠서 처리하도록 하는 형태가 늘어나고 있다.

(1) 데이터베이스 파티셔닝 구현시 장점
- 고가용성(Transactional) : 특정 파티션에서 장애가 발생하더라도 서비스가 중단되지 않는 고가용성을 확보할 수 있다.
- 병렬처리(Analytic) : 파티션 사이의 병렬 처리를 통한 빠른 데이터 검색 및 처리 성능을 얻을 수 있다.
- 성능향상(Online) : 성능의 선형적인 증가 효과를 볼 수 있다.

(2) 공유 디스크(Shared Disk) vs 무공유(Shared Nothing)

데이터베이스 파티셔닝은 데이터베이스 시스템을 구성하는 형태에 따라 단일 서버 내의 파티셔닝과 다중 서버사이의 파티셔닝으로 구분할 수 있다. 리소스 공유관점에서 다시 공유디스크와 무공유로 나뉘어진다.

① 무공유
- 무공유 클러스터에서 각 데이터베이스 인스턴스는 자신이 관리하는 데이터 파일을 자신의 로컬디스크에 저장하며, 이 파일들은 노드간에 공유하지 않는다.
- 무공유 구조의 장점은 노드확장에 제한이 없다는 것이다. 단점은 각 노드에 장애가 발생할 경우를 대비해 별도의 고장감내성(Fault Tolerance)을 구성해야 한다는 것이다.
- Oracle RAC를 제외한 대부분의 데이터베이스 클러스가 무공유방식을 채택한다.

② 공유디스크
- 공유디스크 클러스터에서 데이터 파일은 논리적으로 모든 데이터베이스 인스턴스 노드를 공유하며, 각 인스턴스는 모든 데이터에 접근할 수 있다.
- 데이터를 공유하려면 SAN과 같은 공유 디스크가 반드시 있어야 한다. 모든 노드가 데이터를 수정할 수 없기 때문에 노드 간의 동기화 작업수행을 위한 별도의 커뮤니케이션 채널이 필요하다.
- 공유 디스크방식의 장점은 높은 고장감내성 제공이다. 클러스터를 구성하는 노드 중 하나의 노드만 살아 있어도 서비스할 수 있다. 단점은 클러스터가 커지면 디스크 영역에서 병목현상이 발생한다는 것이다.

3) 분산 데이터베이스 NoSQL
- NoSQL이란 관계형 데이터 모델과 SQL문을 사용하지 않는 데이터베이스 시스템 혹은 데이터저장소를 의미한다.
- 빅데이터 등장과 함께 주목을 받는 것이 NoSQL DB 분야이다.
- 대부분은 클러스터에서 실행할 목적으로 만들어졌으면 분산 파일 모델로도 사용한다.
- NoSQL DB의 기본적인 특징은 다음과 같다.
    ① 스키마 프리 구조로 스키마 없이 동작한다. 그러므로 비정형 데이터를 다룰 때 매우 유용하다.

② 분산 병렬처리에 적합한 확장성을 제공한다. 조인 등 연산하기 위한 구조에 적합하지 않지만, 용도별 다양한 형태의 DB가 존재한다. 이러한 비관계형 DB를 일반적으로 지칭할 때 사용하며 단순한 데이터 모델로 4가지 형태의 NoSQL DB가 있어 용도별로 적합한 것을 선택해야 한다.

NoSQL의 종류	모델
Key Value NoSQL	• 데이터를 키와 밸류 쌍으로 저장하는 모델 기반 • 단순한 데이터 모델에 기반을 두기 때문에 관계형 데이터베이스 보다 확장성이 뛰어나고 질의응답 시간이 빠르다. • (제품) Redis, DynamoDB
Document NoSQL	• 문서 형태를 저장하고 조회하며 계층적 트리 구조를 가지고 있다. • (제품) MongoDB, 아마존 SimpleDB, 아파치 CouchDB
Column NoSQL	• 테이블 기반으로 테이블 개념 제공, Row가 아닌 컬럼 기반으로 데이터 저장 • (제품) 아파치 Cassandra, HBase
Graph NoSQL	• 그래프 형식으로 데이터를 저장, 표현 • (제품) Neo4J

• 다양한 종류의 대용량 데이터를 효율적으로 저장·처리하기 위해서는 하둡 중심의 에코시스템들과 NoSQL로 구현된 빅데이터 저장시스템이 필요하다.

≫ 기출유형 따라잡기

[04회] 다음 중 HDFS에 대한 설명으로 옳은 것은?
① Relication의 횟수는 3회이며 사용자가 바꾸지 못한다.
② 네임노드는 삭제 데이터가 저장된 데이터 노드를 관리한다.
③ NTFS가 상위 파일시스템이다.
④ GFS(Google File System)을 기반으로 만들었다.

정답 ④

해설
① 사용자가 변경할 수 있다.
② 데이터 노드를 모니터링 한다.
③ NTFS은 윈도우 NT 계열 운영체제의 파일시스템이다.

[04회] 다음 중 분산 파일 시스템에 대한 설명으로 옳은 것은?
① 하나의 컴퓨팅 자원을 다수의 서버 시스템에 연결하여 병목 현상의 문제가 있다.
② 여러 컴퓨터를 하나의 서버 환경처럼 연결하여 데이터를 저장·처리하는 시스템을 말한다.
③ 비관계형 DB와 같은 의미를 지니며 대표적으로 NoSQL이 있다.
④ 대규모의 데이터가 아닌 양질의 소규모 데이터를 관리하기 위해 고안되었다.

정답 ②

해설
① 병목 현상을 해결하였다.
③ 분산파일 시스템에는 HDFS와 GFS가 있다.
④ 대용량의 파일을 블록 단위로 분할하여 데이터 노드(DataNode)에 저장한다.

[06회] 맵리듀스(MapReduce)의 다양한 패턴 중 두 개 이상의 데이터 집합 간의 관계를 찾는 패턴을 무엇이라 하는가?
① 필터링 패턴   ② 카운팅 패턴
③ 그룹핑 패턴   ④ 조인 패턴

정답 ④

해설 맵리듀스는 대규모 데이터 집합을 분산환경에서 처리하기 위한 프로그래밍 모델로서, 다양한 패턴이 존재한다. 조인(Join) 패턴은 두 개 이상의 데이터 집합 간의 관계를 찾는 패턴이다. 카운팅 패턴은 데이터 집합에서 특정 조건을 만족하는 데이터의 수를 세는 패턴이다.

[06회] 다음 중 분산 파일시스템에 대한 설명으로 옳지 않은 것은?
① 네트워크로 공유하는 여러 호스트의 파일에 접근할 수 있는 파일시스템이다.
② 데이터를 분산하여 저장하면 데이터 추출 및 가공 시 빠르게 처리할 수 있다.
③ 대표적으로 GFS(Google File System), HDFS(Hadoop Distributed File System)가 있다.
④ 이기종 데이터 저장 장치를 하나의 데이터 서버에 연결하여 총괄적으로 데이터를 저장 및 관리하는 시스템이다.

정답 ④

해설 이기종 데이터 저장 장치를 하나의 데이터 서버에 연결하여 총괄적으로 데이터를 저장하고 관리하는 시스템을 저장 가상화 시스템(Storage Virtualization System) 이라고 한다. 이 시스템은 여러 종류와 제조사의 스토리지 시스템을 하나로 통합하여 중앙에서 효율적으로 관리할 수 있도록 한다.

기출유형 따라잡기

[06회] 다음 중 병렬 DBMS에 대한 설명으로 옳지 않은 것은?
① 분산 아키텍처를 가지고 있다.
② 데이터 중복의 최소화 등 데이터 일관성 측면에서 관계형 DBMS보다 성능이 우수하다.
③ 데이터 파티셔닝과 데이터 병렬 처리를 통해 고성능을 제공한다.
④ 데이터를 복제하여 분산한 관계로 데이터 변경에 따른 관리 비용이 발생한다.

정답 ②

해설 병렬 데이터베이스 관리 시스템(Parallel DBMS, PDBMS)은 데이터 처리를 분산하여 동시에 여러 작업을 수행함으로써 성능을 향상시키는 데이터베이스 시스템이다. 각 노드가 동시에 작업을 처리함으로써 대규모 데이터 세트에 대한 복잡한 쿼리와 분석 작업을 효율적으로 수행할 수 있다. 트랜잭션 처리나 데이터 일관성이 중요한 OLTP(Online Transaction Processing) 환경에서는 RDBMS가 적합할 수 있다.

[07회] HDFS(하둡 분산 파일시스템)에 대한 설명으로 옳은 것은?
① HDFS는 하나의 서버에 데이터를 저장한다.
② HDFS는 데이터를 하나의 노드에 저장한다.
③ HDFS는 데이터를 블록 단위로 저장한다
④ HDFS는 데이터의 안정성을 위해 데이터 복제를 허용하지 않는다.

정답 ③

해설 ① HDFS는 여러 서버에 데이터를 분산하여 저장하는 분산 파일시스템이다.
② HDFS는 데이터를 여러 노드에 분산하여 저장하는 분산 파일시스템이다.
④ HDFS는 데이터의 안정성을 위해 각 블록을 여러 데이터노드에 복제한다.
파일은 블록이라 불리는 고정 크기의 조각으로 나누어진다. 기본 블록 크기는 보통 128MB 또는 256MB이며, 이는 설정에 따라 변경될 수 있다.

[07회] 오토샤딩(Auto-Sharding)을 사용하며 대규모 데이터를 효율적으로 처리하는 NoSQL을 무엇이라 하는가?
① MongoDB   ② Redis
③ RDB   ④ Amazon DynamoDB

정답 ①

해설 MongoDB의 오토샤딩은 데이터베이스가 데이터를 자동으로 여러 서버 노드로 분산(샤딩)하여 저장하고 처리하는 기능을 제공하는 분산 데이터베이스 환경을 구축하는데 사용된다.

[07회] 비정형 데이터의 특성에 대한 설명 중 맞는 것은?
① NoSQL만 사용한다.
② 데이터 레이크보다 데이터웨어하우스를 사용한다.
③ 다양한 형식과 구조를 가진다.
④ 전통적인 정형데이터보다 아직은 그 양이 상대적으로 적다.

정답 ③

해설 ① NoSQL 데이터베이스 외에도 비정형 데이터를 저장하고 처리하는 다른 방식들이 있다.
② 데이터 레이크는 비정형 데이터의 저장과 초기 단계의 ETL(추출, 변환, 적재) 프로세스에 더 적합하며, 데이터 웨어하우스는 구조적인 데이터의 효율적인 분석 및 질의에 적합하다. 많은 기업은 두 환경을 조합하여 종합적인 데이터 관리 전략을 수립하고 있다.
④ 비정형 데이터는 그 자체로 크기가 크며, 이러한 데이터를 다루기 위해서는 대용량의 저장 공간과 효과적인 처리 방법이 필요하다.

CHAPTER 03 데이터 수집 및 저장 계획

01 빅데이터 수집기법에 대한 설명 중 올바르지 않은 것은?

① 크롤링-웹문서 수집
② 스크래핑-웹 데이터 수집
③ RSS-콘텐츠 수집
④ Streaming-로그데이터 수집

해설_ 스트리밍-실시간 데이터 수집

02 다음 중 정형 데이터 수집을 위한 에코시스템은?

① Chukwa, Sqoop
② Scribe, Sqoop
③ Hiho, Flume
④ Hiho, Sqoop

해설_ 정형 데이터 수집을 위해 Sqoop, Hiho를 주로 사용

03 다음 중 정형 데이터 수집기술만을 나열한 것은?

① Crwaling, RSS
② ETL, FTP
③ Streaming, FTP
④ RSS, API, Open API

해설_ 대표적인 정형 데이터 수집 기술로는 API, ETL, FTP가 있다.

04 로그 및 IoT 센서 데이터 등 반정형 데이터의 수집 도구로 적합하지 않은 것은?

① Chukwa
② Flume
③ Scribe
④ Scrap

해설_ Scrap는 텍스트, 이미지, 소셜 데이터 등 비정형 데이터의 수집기술에 해당된다.

05 다음과 같은 특징을 가지는 데이터 수집 기술은 무엇인가?

- 테이블과 같이 고정된 Column에 데이터 저장
- 하둡 플랫폼과 연계하여 관계형 데이터베이스 통합 분석이 가능

① Flume
② Nutch
③ Scrapy
④ Sqoop

해설_ 정형 데이터의 수집을 위한 Sqoop의 특징을 설명하고 있다.

정답 01 ④ 02 ④ 03 ② 04 ④ 05 ④

예상문제

06 다음 중 페이스북에서 개발하여 오픈소스화한 로그 수집기로서 실시간 스트리밍 로그 수집 솔루션은 무엇인가?

① Chukwa
② Flume
③ Scribe
④ Oozie

> 해설_ Facebook Scribe는 Facebook이 개발하여 오픈 소스화한 로그 수집기로 실시간 스트리밍 로그 수집을 위한 솔루션이다.

07 다음 설명으로 가장 적합한 것은?

> • 데이터 내부에 데이터 구조에 대한 메터정보를 갖고 있기 때문에 어떤 형태를 가진 데이터인지 파악하는 것이 필요하다.
> • 데이터 내부에 있는 규칙성을 파악해 데이터를 파싱할 수 있는 파싱규칙을 적용한다.

① 정형 데이터
② 반정형 데이터
③ 비정형 데이터
④ 완전 데이터

> 해설_ 반정형 데이터에 대한 설명으로서, 데이터 내부에 데이터 구조에 대한 메타 정보를 포함하고, HTML, XML, JSON, RSS, 웹로그, 센서데이터 등에서 다루어진다.

08 다음 설명에 해당하는 기술통계 자료의 변수 척도로 옳은 것은?

> 범주형 자료로서, 측정대상이 어느 집단에 해당되는지 분류하는 경우에 사용되고, 모든 연산이 불가능하다. 예를들어 성별(남, 여), 고객의 구분(기존, 신규) 등이 있다.

① 명목 척도
② 등간 척도
③ 서열 척도
④ 비율 척도

> 해설_ 질적변수로서 명목 척도에 해당된다.

09 다음 중 척도에 대한 설명 중 올바르지 않은 것은?

① 명목척도들 중 항목들 간에 서열이나 순위가 존재하는 척도를 서열척도라고 한다.
② 구간척도는 절대영점이 존재한다.
③ 연속형 자료를 나타내는 척도로는 등간척도와 비율척도가 있다.
④ 남녀, 혈액형 등은 대표적인 명목척도다.

> 해설_ 구간 척도는 절대영점이 존재하지 않는다.

정답 06 ③ 07 ② 08 ① 09 ②

10 정형 데이터 품질기준의 정확성 검증의 예로 적합하지 않은 것은?

① 컬럼값들에 대한 선후관계 확인
② 데이터값의 계산 및 집계 결과 확인
③ 컬럼값에 대한 단독 및 중복성 확인
④ 관련 업무규칙의 준수 여부 확인

해설_ 유일한 컬럼값, 중복된 레코드 확인 등은 유일성 검증 항목에 해당한다.

11 데이터의 누락 여부 및 결측값의 비율을 점검하는 품질점검 항목은 무엇인가?

① 데이터의 유효성
② 데이터의 완전성
③ 데이터의 일관성
④ 데이터의 정확성

해설_ 데이터의 완전성 점검 항목에서 데이터의 누락 여부 및 결측값의 비율을 확인한다.

12 데이터 유형을 확인하고 데이터들 사이 상·하위 간 관계들에서의 값의 일치성을 확인하는 품질점검 항목은 무엇인가?

① 데이터의 유효성
② 데이터의 완전성
③ 데이터의 일관성
④ 데이터의 정확성

13 다음 특징은 어떤 데이터 품질 검증전략에 대한 설명인가?

> • 소멸성이 높은 데이터에 대한 품질 기준 설정 요소
> • 하루 중 특정 시간 동안에만 의미를 가지는 데이터 품질

① Accuracy(정확성)
② Completenes(완전성)
③ Consistency(일관성)
④ Timeliness(적시성)

해설_ 적시성(Timeliness)에 대한 설명이다.

14 정형 데이터의 품질관리·진단을 위하여 주로 사용하는 기법은 무엇인가?

① 데이터 프로파일링 기법
② 메타데이터 진단 기법
③ 체크 리스트 진단 기법
④ 측정기준 설정 진단 기법

해설_ 정형 데이터의 품질진단을 위하여 데이터 프로파일링(Data Profiling) 기법을 이용한다.

정답 10 ③   11 ②   12 ③   13 ④   14 ①

예상문제

15 다음 중 비정형 데이터의 품질관리 및 진단을 위하여 주로 사용하는 방법은?

① 데이터 프로파일링 기법
② 메타데이터 진단 기법
③ 통합적 품질관리 모형 설계 기법
④ 측정기준을 별도로 설정하여 항목별 체크 리스트 작성 및 진단

해설_ 비정형 데이터의 품질진단을 위하여 측정기준을 별도로 설정하고 항목별 체크 리스트를 작성하여 진단한다.

16 다음 중 정형 데이터의 품질기준에 해당하지 않는 것은?

① 완전성   ② 유일성
③ 유효성   ④ 중복성

17 개인정보 비식별화 기술에 대한 설명 중 가장 적절하지 않은 것은?

① 총계처리 : 데이터의 총합 값으로 처리하여 개별 데이터의 값을 보이지 않도록 하는 기술
② 데이터 마스킹 : 개인식별에 중요한 데이터 값을 삭제
③ 가명처리 : 개인식별에 중요한 데이터를 식별할 수 없는 다른 값으로 변경
④ 범주화 : 데이터의 값을 범주의 값으로 변환하여 값을 변경하는 기술

해설_ 데이터 마스킹이란 공개된 정보 등과 결합하여 개인을 개인 식별자가 보이지 않도록 처리하여 개인을 식별하지 못하도록 함

18 다음 중 개인정보 비식별 조치 방법으로 가장 적절한 것은 무엇인가?

비식별 조치 전	주민등록번호 901212-1234567
비식별후 조치 후	90년대 생. 남자

① 가명처리
② 총계처리
③ 데이터 삭제
④ 데이터 마스킹

19 식별자뿐만 아니라 잠재적으로 개인을 식별할 수 있는 준식별자를 모두 제거함으로써 프라이버시 침해 위험을 줄이는 비식별화 기법을 무엇이라 하는가?

① 데이터 범주화
② 데이터 마스킹
③ 데이터값 삭제
④ 총계

해설_ 데이터 값 삭제의 세부기술로 식별자 삭제 및 준식별자 삭제 등이 있다.

정답   15 ④   16 ④   17 ②   18 ③   19 ③

20 아래 보기가 설명하는 비식별 기술을 무엇이라 하는가?

> 임꺽정 180cm, 홍길동 170cm, 이콩쥐 160cm, 김팥쥐 150cm
> → 물리학과 학생 키 합 : 660cm, 평균키 165cm

① 총계 ② 데이터 범주화
③ 가명처리 ④ 데이터 마스킹

21 HDFS에서 파일데이터는 기본단위로 나누어져 여러 데이터노드에 분산 저장된다. HDFS의 기본 저장 단위로 적절한 것은?

① Chunk ② Block
③ Node ④ Memory

해설_ GFS 파일 데이터의 기본단위가 Chunk(청크), HDFS는 Block(블록)이다.

22 하둡에 대한 설명 중 가장 부적절한 것은?

① 하둡은 기본적으로 공유 분산 아키텍처 시스템이다.
② 하둡은 필요 시 서버를 추가하면 연산 기능과 저장 기능이 서버의 대수에 비례해 증가한다.
③ 데이터 3중 복제가 돼 서로 다른 물리 서버에 저장된다. 따라서 특정 서버에서 장애가 발생하더라도 동일 복제본이 있어서 데이터 유실을 방지할 수 있다.
④ 맵리듀스는 기본적으로 맵과 리듀스 2개의 함수만 구현하면서 동작하는 시스템이다.

해설_ 하둡은 기본적으로 비공유 분산 아키텍처 시스템이다.

23 다음 중 HDFS에 대한 설명 중 올바르지 않은 것은?

① 하둡은 아파치 검색엔진 프로젝트인 루씬의 서브 프로젝트로 진행되었지만 2008년 1월에 아파치의 최상위 프로젝트로 승격되었다.
② HDFS는 처음에 아파치 너치 웹 검색엔진의 파일시스템으로 개발되었다.
③ HDFS는 GFS(구글 파일 시스템)을 기반으로 했지만, 그 사상과 아키텍처는 다르다.
④ HDFS는 클라이언트의 요청을 빠른 시간 내에 처리하는 것보다 동일한 시간 내에 더 많은 데이터를 처리하는 것을 목표로 한다.

해설_ 구글 파일 시스템의 아키텍처와 사상을 그대로 구현한 크롤링 프로젝트라고 할 수 있다.

정답 20 ① 21 ② 22 ① 23 ③

예상문제

24 HDFS에 관한 설명으로 올바르지 않은 것은?

① HDFS는 하나의 네임노드(NameNode)와 다수의 데이터노드(DataNode)로 구성된다.
② 하둡은 하둡 분산파일시스템(HDFS)과 MapReduce 구현 등을 포함한다.
③ HDFS는 블록을 저장할 때 기본적으로 3개씩 블록의 복제본을 저장한다.
④ 데이터노드는 메타데이터와 블록 관리, 클라이언트 요청 접수 역할을 한다.

해설_ 보기 ④에 대한 설명은 네임노드의 역할이다.

25 하둡에 대한 설명으로 올바르지 않은 것은?

① 하둡은 대규모 분산 병렬처리의 업계 표준인 맵리듀스 시스템과 분산파일시스템으로 구성된 플랫폼 기술이다.
② 하둡은 기본적으로 비공유 분산 아키텍처 시스템이다.
③ 맵리듀스 작업을 수행하다가 특정 태스크에서 장애가 생기면, 시스템이 자동으로 감지해 장애가 발생한 특정 태스크만 다른 서버에서 재실행을 할 수 있다.
④ 하둡은 필요 시 서버를 추가하면 연산기능과 저장기능이 서버의 대수에 비례해 증가한다. 이를 고장감내기능(Fault Tolerance)이라고 한다.

해설_ 보기 ④는 Scalable에 대한 설명이다.

26 하둡 분산 파일 시스템 구조에 대한 설명 중 올바르지 않은 것은?

① 로컬 파일시스템과 HDFS는 분리되어 있다.
② 네임노드는 클라이언트로부터 특정 파일에 대한 요구가 발생하면 해당 파일을 보관하고 있는 블록들에 대한 정보를 탐색한다.
③ 네임노드는 클라이언트부터의 데이터 입출력 요청을 처리한다.
④ 네임노드는 데이터노드로부터 하트비트(Heartbeat)를 주기적으로 받으면서 데이터노드들의 상태를 체크한다.

해설_ 보기 ③은 네임노드가 아니라 데이터노드이다.
• 하둡 분산 파일 시스템의 Write(생성) 흐름
• HDFS 클라이언트가 Write하고 싶다고 네임노드에게 질의
• 네임노드는 본인이 관리하는 메타정보를 보고 클라이언트에게 리턴
• HDFS 클라이언트는 리턴한 정보에 따라 데이터노드에 Write 하게 되는 동시에 블록이 복제
• 복제된 데이터노드 안의 블록은 블록정보를 네임노드에게 전달(하트비트)

정답 24 ④ 25 ④ 26 ③

MEMO

2 과목

빅데이터 탐색

CHAPTER 01 데이터 전처리
CHAPTER 02 데이터 탐색
CHAPTER 03 통계기법 이해

CHAPTER 01 데이터 전처리

01 데이터 정제

1 데이터 정제(Data Cleansing)

학습 목표
1. 데이터 전처리의 주요 작업을 이해한다.

출제 KEYWORD
① 데이터정제·통합·축소·변환 정의 ★

1. 데이터 전처리의 개요
- 데이터를 분석 및 처리에 적합한 형태로 만드는 과정을 총칭하는 개념
- 데이터 전처리는 데이터분석 및 처리과정에서 중요한 단계
- 일반적으로 데이터는 비어있는 부분이 많거나 정합성이 맞지 않는 경우가 많다.

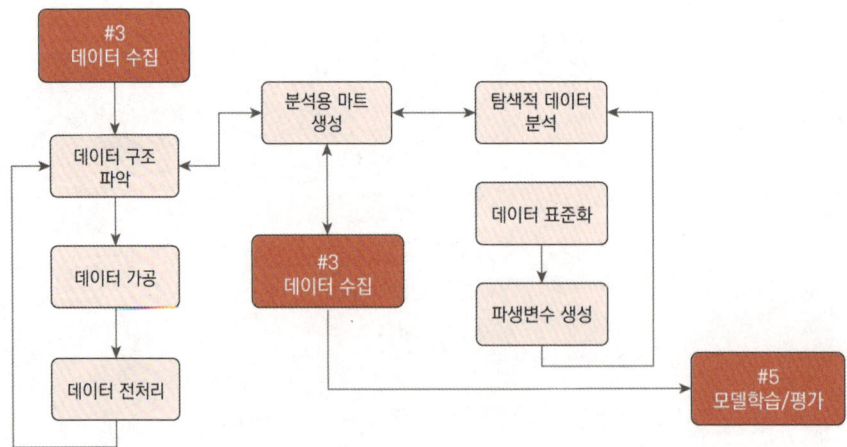

[데이터 전처리 흐름도]

2. 데이터 전처리 주요 작업

- 데이터 정제 과정은 크게 결측값과 이상값을 처리과정
- 분석 변수 처리 과정은 데이터 통합, 데이터 축소, 데이터 변환으로 구분할 수 있다.

구분	설명
데이터 정제	• 결측 데이터, 이상치 파악 및 제거하고 정합성이 맞도록 교정하는 작업
데이터 통합	• 여러개의 데이터베이스, 데이터 집합 또는 파일을 통합하는 작업
데이터 축소	• 샘플링, 차원축소, 변수선택 및 추출을 통해 차원을 줄이는 작업
데이터 변환	• 데이터를 정규화, 이산화, 파생변수 등으로 변환하는 작업

》 기출유형 따라잡기

[03회] 다음 중 데이터 정제 단계에 대한 설명 중 올바른 것은?
① 결측값을 제거 또는 대치하거나 이상값을 제거한다.
② 여러개의 데이터베이스를 집합 또는 파일로 통합한다.
③ 데이터를 정규화, 파생변수를 생성한다.
④ 변수선택 및 추출을 통해 차원을 줄이는 작업을 의미한다.

정답 ①
해설 전처리 작업 중 데이터 정제는 결측치 제거하거나 이상값을 파악 또는 제거한다.

[06회] 데이터 정제에 대한 설명으로 옳지 않은 것은?
① 데이터를 이해하기 쉽게 변환한다.
② 처리 데이터가 많은 경우 난수 발생 기법에 의한 임의의 데이터 축소를 실시한다.
③ 데이터가 다양한 형식으로 저장되어 있는 경우, 일관된 형식으로 표준화 과정이 필요하다.
④ 이상치를 탐지하고 적절한 처리 방법을 적용하여 제거하거나 보정한다.

정답 ②
해설 데이터 정제(Data Cleaning):데이터에서 불필요한 정보나 오류를 제거하고, 결측치를 처리하여 데이터의 정확성을 개선한다.
주요 작업: 결측치 대체 또는 제거, 중복된 레코드 제거, 이상치 처리, 데이터 형식 일치화

[07회] 데이터 전처리 방법 중 옳지 않은 것은?
① 데이터 전처리 방법은 레거시 시스템에서만 진행해야 한다.
② 데이터 마스킹, 암호화, 권한 관리 등을 통해 데이터 보안을 강화하는 작업도 데이터 전처리에 속할 수 있다.
③ 데이터 전처리 단계에서는 데이터를 삭제하거나 수정하는 작업이 가능하다.
④ 데이터 전처리 단계에서 새로운 변수를 생성하거나 기존 변수들을 조합하여 새로운 의미 있는 특성을 도출할 수 있다.

정답 ①
해설 레거시 시스템과 최근 데이터 소스 간에 데이터 형식이나 구조의 일관성을 유지하기 위해 데이터 전처리가 필요할 수 있다.

3. 데이터 정제(Data Cleaning) 개요

- 결측값을 채우거나, 잡음값(Noise) 완화, 이상값(Outlier)을 발견하여 이를 제거하고 불일치를 해결하는 등의 과정을 통해 데이터 자체에 대한 신뢰도를 높이는 작업을 의미한다.

1) 데이터 정제에 필요한 일반적 작업

구분	내용	주요 작업
결측값 (Missing Value)	• 필수데이터가 입력되지 않고 누락된 값을 말한다.	• 결측값 대체(중위수, 평균값)
노이즈 (Noise)	• 잡음(Noise)은 측정된 변수에서의 오류나 오차 값 • 오류나 오차값에 의해 경향성 훼손 발생	• 데이터 평활화(Smoothing) 기법: 이동평균법(Moving Average), 지수평활법(Exponential Smoothing) 사용 • 구간화(Segmentation), 회귀(Regression), 군집화(Clustering)
이상값 (Outlier)	• 관측된 데이터 범주에서 일반적인 데이터 값의 범위를 벗어난 값을 말한다.	• 상한보다 높으면 상한값으로 대체 • 하한보다 낮으면 하한값으로 대체

2) 데이터 정제 절차

① 데이터 특성 파악
  - 속성값의 범위
  - 속성값의 분포 특성(대칭, 비대칭)
  - 속성간의 의존성
② 데이터 모순점 발견
③ 데이터 수정변환
  - 모순점이 발견된 데이터에 대해서 삭제, 대체 예측값으로 수정 변환한다.
  - 데이터 수정 변환 시 오류 발생 가능성도 높고, 많은 시간이 필요

> **기출유형 따라잡기**

[06회] 다음 중 노이즈를 제거하는 방법이 아닌 것은?
① 평활화(Smoothing)
② 정규화(Normalization)
③ 이산화(Discretization)
④ 이동평균(Moving Average)

정답 ③

해설 이산화(Discretization)는 연속형 데이터를 구간 또는 범주로 변환하는 과정을 말한다. 이를 통해 데이터를 더 이해하기 쉽고 모델링하기 쉽게 만들 수 있다. 하지만 이산화 자체가 노이즈를 제거하는 목적으로 사용되는 것은 아니다. 이산화는 데이터를 특정 범주로 나누어 범주 간의 차이를 강조하거나 모델링을 용이하게 하기 위해 사용된다.
- 데이터에서 노이즈를 제거하는 방법
  - 평활화(Smoothing) : 데이터에서 발생하는 노이즈를 줄이고 데이터의 전반적인 추세를 부드럽게 만드는 기술이다.
  - 이동평균 (Moving Average): 일정 기간 동안의 데이터를 평균하여 새로운 데이터 포인트를 생성하는 방법이다. 이는 데이터의 불규칙한 움직임을 완화하고 전반적인 추세를 부드럽게 만든다.
  - 정규화 (Normalization): 데이터를 특정 범위로 변환하여 스케일을 맞추는 것을 의미한다. 최소-최대 정규화나 Z-점수 정규화와 같은 방법을 사용할 수 있다.

2 데이터 결측값 처리

학습 목표

1. 데이터 결측값 정의와 유형을 이해한다.

출제 KEYWORD

① 결측치의 유형 ★★

1. 데이터 결측값(Missing Value) 정의

- 결측치는 입력이 누락되어 값이 존재하지 않고 비어있는 값을 의미한다.
- 분석대상의 속성값이 상당 부분 비어있게 되면, 분석 대상 데이터가 충분하지 않은 상태이므로 정상적인 분석을 수행하기 어렵다.
- 결측치를 임의로 대체 시 데이터의 편향(Bias)이 발생하여 분석결과의 신뢰성이 저하될 가능성이 있다.

1) 결측값의 구분

- 결측치의 발생유형은 변수들 사이의 관계에 따라 완전무작위, 무작위, 비무작위결측의 세종류로 나뉜다.

① 완전무작위 결측(MCAR, Missing Completely at Random)
- 변수 상에서 발생한 결측치가 다른 변수들과 아무런 상관이 없는 경우 완전무작위 결측이라고 부른다.
- 대부분의 결측치 처리 패키지가 MCAR을 가정하고 있고 일반적으로 생각하는 결측치라고 생각하면 된다.
- 예를 들어 고의성 없이 응답을 빠뜨린 경우를 의미한다.
- 이러한 결측치는 보통 제거하거나 데이터셋에서 단순 무작위 표본추출을 통해 완벽한 데이터셋으로 만들 수 있다.

② 무작위 결측(MAR, Missing at Random)
- 결측값이 결측된 변수와는 관련이 없지만 다른 변수와 관련이 있는 경우 무작위 결측이라고 부른다.
- 예를 들어, "여성이 남성보다 체중을 기입하지 않는다." 라고 하면 체중에 결측값이 생기지만 이는 체중 변수와 관련 있는 것이 아닌 성별 변수와 관련 있다.

③ 비무작위 결측(NMAR, Not Missing at Random)
- 위의 두 가지 유형이 아닌 경우 NMAR이라 하고, 결측값이 결측된 변수와 관련이 있는 경우 비무작위 결측이라고 한다.
- 예를 들어 서비스에 불만족한 고객들은 만족도 설문에 응답하지 않는다.

2) 결측값의 대치법(Imputation of Missing Values)

① 단순 대치법(Single Imputation)
- 단순 대치법은 결측치를 처리하기 위해 결측값을 하나의 특정 값으로 대체하는 방법이다.
- 데이터가 연속형인지, 범주형인지에 따라 적절한 대치법을 선택
- 데이터 분석의 초기 단계나 소규모 데이터에서 유용
- 데이터의 분포 왜곡 가능성이 있으므로, 결측값 비율이 높거나 데이터가 복잡할 경우 더 정교한 대치 방법을 사용하는 것이 좋다.

종류	설명
완전분석법 (Completes Analysis)	• 불완전한 자료는 모두 무시하고 완전하게 관측된 자료만 분석하는 방법 • 결측 메커니즘이 MCAR인 경우에 적용가능한데, MAR이나 MNAR인 경우 모수의 추정량에 편의가 발생한다. • 또한, MCAR인 경우라도 불완전 관측치가 분석에서 제거되면서 분석에 사용되는 표본의 수가 줄어들게 되므로 통계적 검정력이 감소하게 되는 경우이다.

평균 대치
(Mean Imputation)
중앙값 대치
(Median Imputation)
최빈값 대치
(Mode Imputation)
	① 평균 대치(Mean Imputation)
	  • 결측치를 해당 변수의 평균 값으로 대체
	  • 이상치의 영향을 받기 쉬움
	② 중앙값 대치(Median Imputation)
	  • 결측치를 해당 변수의 중앙값(50% 백분위수)으로 대체
	  • 중앙값은 이상치에 민감하지 않다.
	③ 최빈값 대치(Mode Imputation)
	  • 결측치를 해당 변수에서 가장 자주 등장하는 값(최빈값)으로 대체
	  • 범주형 데이터에 적합

단순 확률 대치법
(Single Stochastic Imputation)
	• 평균대치법에서 추정량 표준오차의 과소 추정문제를 보완하고자 고안된 방법으로 Hot-Deck 방법, Nearest-Neighbour 방법 등이 있다.
	• 평균대치법에서 관측된 자료를 토대로 추정된 통계량으로 결측값을 대치할 때 어떤 적절한 확률값을 부여한 후 대치하는 방법이다.
	• 단순확률 대치법의 종류
	  - 핫덱법(Hot-Deck Method) : 현재 진행 중인 데이터에서 비슷한 성향을 가진 응답자의 자료로 대체
	  - 콜드덱대체(Cold Deck Imputation) : 기존에 실시한 조사나 유사조사에서의 항목 응답값을 대체값으로 사용하는 방법
	  - Nearest-Neighbour Method : 결측값이 있는 경우 그 결측값 이전의 응답을 대체값으로 사용

회귀 대치법 (Regression Imputation)	• 결측치가 있는 변수를 종속 변수로 설정하고, 결측치가 없는 변수들을 독립 변수로 사용하여 회귀 모델을 통해 결측값을 예측

② 다중 대치법(Multiple Imputation)
- 단순 대치법(Single Imputation)은 결측치를 가진 자료 분석에 사용하기가 용이하고, 통계적 추론에 사용된 통계량의 효율성 및 일치성 등의 문제를 부분적으로 보완해준다.
- 그러나 추정량 표준오차의 과소 추정 또는 계산의 난해성 문제를 여전히 가지고 있다.
- 다중 대치법은 단순 대치법을 한번 하지 않고, m번의 대치를 통한 m개의 가상적인 완전한 자료를 만들어서 분석하는 방법으로 대치 → 분석 → 결합과 같이 3가지 단계로 구성되어있다.

> **용어정리**
>
> - **잡음(Noise)**
>   잡음은 데이터를 측정하는 데 있어서 여러가지 이유로 개입되는 임의적인 요소로써 변수값을 본래의 참값에서 벗어나게 하는 오류이다. 잡음을 제거하는 일은 비용이 많이 들고, 완전히 제거하는 것은 사실상 불가능하다.
> - **결측값을 처리하는데 일반적 방법**
>   결측값이 10% 미만일 경우 : "삭제" 또는 "대치"
>   결측값이 10~50% 인 경우 : "추정"
>   결측값이 50% 이상인 경우 : 해당 열 삭제

》 기출유형 따라잡기

[06회] 다음 중 결측치를 처리하는 방법으로 적절하지 않은 것은?
① 단순 대치법　　　　　　　② 다중 대치법
③ 완전 삭제법　　　　　　　④ 회귀 대치법

정답 ③

해설
- 단순 대치법 (Single Imputation):평균, 중앙값, 최빈값 대치
- 다중 대치법 (Multiple Imputation):여러 번의 대치를 통해 여러 개의 완전한 데이터셋을 생성
- 회귀 대치법 (Regression Imputation):다른 변수들을 이용하여 결측치를 예측하는 회귀 모델을 구축하고, 해당 모델을 사용하여 결측치를 대체

[07회] 혈액형에 대한 설문조사를 할 때 결측값 대체 방안으로 알맞은 것은?
① 평균값으로 대체　　　　　② 중앙값으로 대체
③ 이상값으로 대체　　　　　④ 최빈값으로 대체

정답 ④

해설
범주형 변수에서 결측치가 발생하는 경우, 해당 결측치를 최빈값으로 대체하는 것이 일반적인 전략 중 하나이다. 이는 데이터의 왜곡을 최소화하고 변수의 특성을 유지하는 데 도움이 된다.

③ 회귀 대치법(Regression Imputation)
- 다른 변수들을 이용하여 결측값을 예측하고 대치하는 방법을 의미한다. 이는 결측값을 다른 변수들 간의 관계를 고려하여 추정하는 방법으로, 특히 연속형 변수의 결측값 대체에 많이 활용된다.
- 회귀 대치법을 사용할 때 주의할 점은 다음과 같다.
  - 과대적합(Overfitting) 방지: 모델이 훈련 데이터에 지나치게 적합되어 다른 데이터에서 일반화되지 않는 것을 방지하기 위해 모델을 적절히 조절한다.

- 다중공선성(Multicollinearity) 고려: 독립변수들 간에 강한 상관관계가 있는 경우, 다중공선성을 고려하여 모델을 구성한다.
- 결측값 패턴 고려: 결측값이 무작위로 발생하는지, 특정 패턴이 있는지에 따라 모델을 조절한다.

3 데이터 이상값 처리

학습 목표

1. 데이터 결측값 정의와 유형을 이해한다.

출제 KEYWORD

① 이상치의 탐지 방법 ★★

1. 이상값 정의

- 이상치는 데이터 집합에서 대부분의 다른 샘플들과 현저한 차이를 보이는 샘플 혹은 변수값을 말한다.
- 그러한 차이는 단순 오류일 수도 있지만 정상적으로 측정된 특이값일 수도 있으므로 주의가 필요하다.
- 오류로 판단될 경우 이상치를 제거하거나 무시한 후 분석을 수행하고, 특이값인 경우에는 관심을 두고 분석을 수행한다.

1) 이상치의 발생원인

- 이상치의 원인은 자연적 이상치(Natural Outlier)와 비자연적 이상치(Non-Natural Outlier) 범주로 분류

(1) 비자연적 이상치(Non-Natural Outlier)

① 데이터 입력 오류(Data Entry Error)
- 데이터 수집, 기록 또는 입력하는 동안 발생된 에러
    예 코딩된 입력값 100,000원을 0으로 입력한 경우

② 측정 오류(Measurement Error)
- 이상치의 가장 일반적인 원인으로 측정 도구가 잘못되었을 때 발생된다.
- 예를 들면, 10대의 저울이 있다. 그중 9대는 정상이고 1대는 불량이다. 불량 저울에서 측정된 무게는 나머지보다 높거나 낮아 이상치로 연결될 수 있다.

③ 실험적 오류(Experiment Error)
- 이상치의 또 다른 원인은 실험적 오류이다.
- 예를 들면 7명의 100미터 주자 중에 한 주자가 출발 소리에 집중하지 못했다. 이는 그 주자가 늦게 출발하게 만든다. 따라서 해당 주자의 기록이 다른 주자에 비해 더 길게 측정되어 전체 기록이 이상치가 될 수 있다.

④ 의도적인 오류(Intentional Error)
- 민감한 데이터를 수반하는 자기보고(Self-Reported) 측정에서 보통 발견된다.
- 예를 들면, 10대는 보통 그들의 술 소비량을 적게 신고하며, 그들의 일부만이 실제 소비량을 신고한다. 여기서 실제 값은 소비를 적게 신고한 나머지 10대 때문에 이상치처럼 보일 것이다.

⑤ 샘플링 또는 표본 오류(Sampling Error)
- 예를 들면, 대학생 키를 측정하는데 제거 샘플에 약간의 농구선수를 포함한다. 이러한 포함은 데이터셋에 이상치를 발생시킬 수 있다.

(2) 자연적 이상치(Natural Outlier)
- 이상치가 인공적이지 않을 때(오류로 인한)가 자연적인 이상치이다.
- 예를 들면, 유명한 보험회사의 한사람과의 마지막 임무에서, 상위 50명의 재정 고문의 성과가 나머지보다 훨씬 높다는 것을 알았다. 이는 오류로 인한 것이 아니다.

> **기출유형 따라잡기**
>
> [06회] 원본 데이터에서 발생하는 이상값 발생 원인으로 옳지 않은 것은?
> ① 측정 오류(Measurement Error)   ② 처리 오류(Processing Error)
> ③ 표본 오류(Sampling Error)   ④ 보고 오류(Reporting Error)
>
> **정답** ③
> **해설** 표본오류(sampling error)는 만약 표본이 특정 부분 집단을 과대 또는 과소로 대표한다면, 해당 부분 집단의 특이한 특성이 표본에 반영될 수 있다.

2. 이상치의 탐지 방법

- 단변량 자료에서 이상치 탐색 방법은 이상치 영역을 정의하여 이상치를 탐색하는 방법으로, 단변량 자료의 이상치 탐색 방법은 정의된 이상치 영역의 포함 여부에 대한 판단 개념이다.
- 다변량 자료에서 이상치 탐색 방법은 연관성이 존재하는 2개 이상의 변수 정보를 활용하여 관측치 사이의 거리, 밀도 등을 기반으로 이상치를 탐색하는 방법이다.

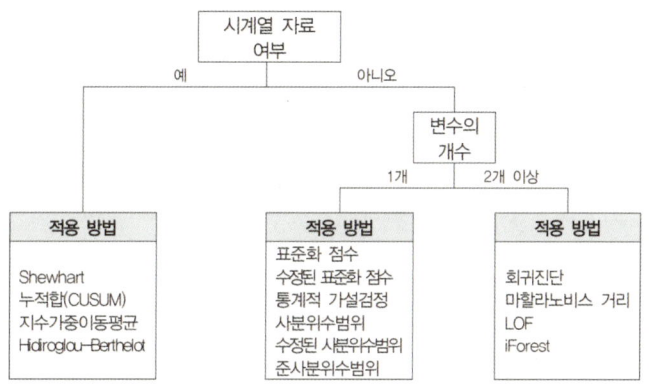

[자료의 구조에 다른 이상치 탐색 방법의 분류]

1) 단변량 자료에서 이상치 탐색
(1) 시각화 방법
① 상자그림(Box Plot)

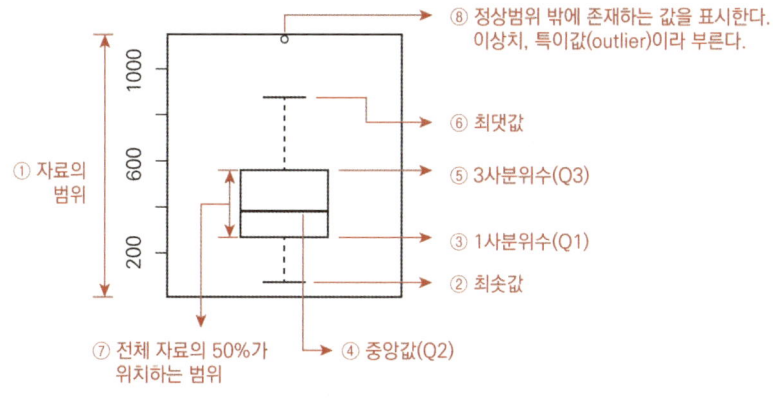

[상자 그림]

- 상자그림에서 최댓값은 Q3+1.5(Q3-Q1), 최솟값은 Q1-1.5(Q3-Q1) 벗어난 데이터를 이상치로 판단한다.

> **기출유형 따라잡기**

[02회] 다음 중 상자그림(Box Plot)을 통해 확인할 수 없는 통계량은?
① 평균(Mean)   ② 분산(Variance)
③ 중위값(Median)   ④ 이상값(Outlier)

정답 ①, ②
해설 2회 필기 이의신청을 통한 복수 정답 인정 문제이다.

[06회] 이상치 처리 및 평가에 대한 설명으로 옳지 않은 것은?
① 이상치를 평균값으로 대체해도 결측값 대체와 같이 신뢰성이 저하되지는 않는다.
② Z-스코어, 사분위수범위(IQR), 표준편차 등의 기준을 사용하여 이상치를 평가하는 방법도 있다.
③ 클러스터링 기법을 사용하여 데이터를 그룹화하고, 특정 클러스터에서 벗어난 데이터를 이상치로 간주할 수 있다.
④ 상자그림(Box Plot), 히스토그램, 산점도 등과 같은 기법을 사용하여 이상치를 확인할 수 있다.

정답 ①
해설 이상치를 평균값으로 대체하는 것은 주의가 필요한데, 이는 이상치가 평균을 왜곡할 수 있기 때문이다. 이상치는 데이터의 일반적인 패턴에서 크게 벗어난 값이며, 평균은 이상치의 영향을 크게 받는다.

[07회] 일변량 분석에서 이상치를 판단하는 방법으로 적절한 것은?
① 상자 그림에서 상자 바깥에 위치한 점들은 이상치일 가능성이 크다.
② 회귀진단(Regression diagnostics)에서의 이상치 탐색
③ 마할라노비스 거리(Mahalanobis Distance)를 활용한 이상치 탐색
④ 표준화 잔차(Standardized Residual)을 이용한 이상치 탐색

정답 ①
해설 ②~④ 다변량 자료에서 이상치 탐색 방법이다.

② 산점도(Scatter Plot)
- 직선의 함수관계를 벗어난 관측치의 시각적 판단, 이상치는 직선 관계를 벗어남

(2) 표준화 점수(Z-Score)를 활용한 이상치 탐색
- 표준화 점수는 평균이 μ이고, 표준편차가 σ인 정규분포를 따르는 관측치들이 자료의 중심(평균)에서 얼마나 떨어져 있는지를 나타낸다.
- 일반적으로 표준화 점수의 절대값이 3보다 큰 경우에 이상치로 정의하며, 연구마다 이상치 정의를 위한 기준은 다양하게 제시된다.

(3) 통계적 가설검정을 활용한 이상치 탐색
  ① 딕슨의 Q 검정(Dixon Q-test)
    - 딕슨의 Q 검정은 오름차순으로 정렬된 데이터에서 범위에 대한 관측치 간의 차이(Gap)에 대한 비율을 활용하여 이상치 여부를 검정하는 방법
    - 데이터 수와 검정값(최소값 혹은 최대값)에 따라 검정통계량이 산출되며, 검정통계량이 임계값보다 큰 경우 이상치로 결정함
  ② 그럽스 T 검정(Grubbs T-Test)
    - 그럽스 T 검정은 정규분포를 만족하는 단변량 자료에서 이상치를 검정하는 방법이며, t-분포에 근거한 임계치를 산출하여 검정통계량이 임계치보다 큰 경우 이상치로 결정함
  ③ ESD(Extreme Studentized Deviate) Test
    - 평균으로부터 $\pm 3\sigma$(표준편차) 떨어진 값을 이상치로 판별한다.

(4) 카이제곱 검정(Chi-Square Test)
  - 카이제곱 검정은 데이터가 정규분포를 만족하나, 자료의 수가 적은 경우에 이상치를 검정하는 방법임
  - 검정통계량은 자유도가 1인 카이제곱분포를 따르는 통계량이며, 임계치보다 클 경우 한 개 이상의 이상치가 있다고 판단함

2) 다변량 자료에서 이상치 탐색
(1) 회귀진단(Regression diagnostics)에서의 이상치 탐색
  - 회귀진단은 추정된 회귀식에 대한 전반적인 검토를 의미하며, 회귀식 추정에 영향을 미치는 극단치를 탐색하는 것을 포함함
  - 회귀진단을 통한 이상치 탐색 방법에는 레버리지, 표준화 잔차, 스튜던트 잔차, 스튜던트 제외 잔차, 쿡의 거리, DFFITS, DFBETAS 등이 있음
  ① 레버리지(Leverage)
    - 레버리지는 독립변수의 각 관측치가 독립변수들의 평균에서 떨어진 정도를 나타내는 통계량이다.
    - 레버리지는 0과 1사이의 값을 가지며, 일반적으로 레버리지 평균의 2~4배를 초과하는 관측치를 이상치로 정의한다.

② 표준화 잔차(Standardized Residual)
- 잔차는 추정된 회귀모형에 의해 산출된 예측치와 실제로 측정된 관측치의 차이를 의미하며, 표준화 잔차는 잔차를 표준화한 통계량이다.
- 일반적으로 표준화 잔차의 절대값이 2나 3을 초과하는 관측치를 이상치로 정의한다.

③ 스튜던트 잔차(Studentized residual)
- 스튜던트 잔차는 잔차를 잔차의 표준오차로 나눈 통계량으로, t-분포를 기반으로 이상치를 탐색함
- 절대적인 수치로는 스튜던트 잔차의 절대값이 3 또는 4를 초과하면 이상치로 의심함

④ 쿡의 거리(Cook's distance)
- 레버리지 통계량은 독립변수들 사이의 관계를 통해 이상치를 판단하는 반면에 쿡의 거리는 추정된 회귀모형을 기반으로 이상치를 탐지함
- 쿡의 거리는 추정된 회귀모형에 대한 각 관측치들의 전반적인 영향력 정도를 측정하기 위해 잔차와 레버리지를 동시에 고려한 척도임
- 쿡의 거리가 1보다 큰 경우, 강한 이상치로 판단함

⑤ DFFITS(Difference of fits)
- DFFITS는 회귀 분석에서 개별 데이터 포인트가 모델의 적합값에 미치는 영향을 평가하는 통계적 지표이다.
- 이는 추정된 회귀 계수나 예측값에 개별 관측치가 미치는 영향을 파악하는 데 도움이 된다.
- DFFITS는 회귀 분석에서 개별 관측치의 영향을 탐지하기 위한 진단 도구로 사용되며, 모델이 개별 관측치에 얼마나 민감한지에 대한 통찰을 제공한다.

⑥ DFBETAS(Difference of betas)
- 모든 관측치를 활용하여 추정된 회귀모형의 회귀계수와 i번째 관측치를 제외한 후 추정된 회귀모형의 회귀계수 변화 정도를 측정하는 방법임
- 데이터 수가 적은 경우($n \leq 30$), DFBETAS의 절대값이 1보다 크면 이상치로 판단하며, 데이터의 수가 큰 경우($n > 30$), DFBEETAS의 절대값이 $2/\sqrt{n}$ 보다 클 경우 이상치로 판단함
- DFBETAS (Difference of Betas)와 DFFITS (Difference of Fits)는 모두 회귀 분석에서 사용되는 진단 지표로, 개별 데이터 포인트가 모델에 미치는 영향을 평가하는 데 도움을 준다. 그러나 각각은 서로 다른 측면에 중점을 둔 지표이다.

- DFFITS (Difference of Fits):모델의 예측값에 대한 민감도를 확인하고, 특정 관측치가 모델의 예측에 미치는 영향을 평가한다.
- DFBETAS (Difference of Betas):회귀 계수의 추정값에 대한 민감도를 확인하고, 특정 관측치가 회귀 계수 추정에 미치는 영향을 평가한다.

(2) 마할라노비스 거리(Mahalanobis Distance)를 활용한 이상치 탐색
- 마할라노비스 거리는 데이터의 분포를 고려한 거리 측도로, 관측치가 평균으로부터 벗어난 정도를 측정하는 통계량임
- 이상치 탐색을 위해 고려되는 모든 변수 간에 선형관계가 만족하고, 각 변수들이 정규분포를 따르는 경우에 적용할 수 있는 전통적인 접근법임
- 마할라노비스 거리의 이상치 정의 기준은 k개의 변수에 대해, 자유도가 k인 카이제곱 분포의 임계값을 초과하는 경우에 이상치로 정의함

(3) LOF(Local Outlier Factor)
- LOF는 관측치 주변의 밀도와 근접한 관측치 주변의 밀도의 상대적인 비교를 통해 이상치를 탐색하는 기법임
- LOF의 값이 1에 가까울수록 주변 관측치와 유사한 밀도임을 의미하며, 1보다 커질수록 밀도가 낮음을 의미하므로 이상치로 의심할 수 있음

(4) iForest(Isolation Forest)
- iForest 기법은 관측치 사이의 거리 또는 밀도에 의존하지 않고, 데이터마이닝 기법인 의사결정나무(Decision tree)를 이용하여 이상치를 탐지하는 방법임
- 의사결정나무 모형에서 적은 횟수로 Leaf 노드에 도달하는 관측치일수록 이상치일 가능성이 큼

3) 이상치 처리 방법
① 관측치 삭제(Deleting Observations)
- 데이터 입력/처리 오류 또는 이상 관측치가 매우 작다면 삭제한다.
- 또한 이상치 제거를 위해 양끝을 잘라낼 수도 있다(Trimming).

② 변환과 범주화(Transforming and Binning Values)
- 변수 변환 또한 이상치를 추정할 수 있다.
- 값의 자연로그는 극단적인 값에 의한 변동 폭을 줄인다.

- 범주화(구간화) 또한 변수 변환의 형태이다.
- 결정트리(Decision Tree) 알고리즘은 변수의 구간화로 이상치를 처리할 수 있다.

③ 대치(Imputing)
- 결측치 대치와 같이 이상치를 대치할 수 있다. 평균, 중간값, 최빈값 대치 방법을 사용할 수 있다.
- 값을 대치하기 전에 자연적 이상치인지 비자연적인 이상치인지를 분석해야 한다.
- 만약 비자연적이라면 값을 대치할 수 있다. 또한 이상 관측치를 예측하기 위한 통계적 모델을 사용하여 값을 대치할 수도 있다.

02 분석 변수 처리

1 변수 선택

📝 학습 목표
1. 차원축소와 관련된 변수 선택방법을 학습한다.

🔍 출제 KEYWORD
① 래퍼방법에서의 변수 선택 방법 ★★
② 임베디드 메소드(Embedded Method)의 릿지, 라쏘 개념 구분 ★★

1. 변수(Variable, Feature)
- 변수는 데이터 분석 모델에서 속성, 차원 혹은 관측치 등의 명칭으로 불린다.
- 데이터 분석에서는 결과과 영향에 미치는 값을 의미한다.
- 결과는 종속변수(Dependent Variable), 결과에 원인이 되는 변수를 독립변수(Independent Variable)라고 부른다.
- 독립변수와 종속변수 모두 연속형 자료와 범주형 자료 가능하다.

2. 변수 선택의 개요
- 주어진 데이터의 변수 중 모델링에 가상 적합한 변수만 택하는 과정을 변수 선택(Variable Selection) 또는 피처 선택(Feature Selection)이라 한다.
- 변수 선택 방법은 특정 모델링 기법에 의존하지 않고 데이터의 통계적 특성으로부터 변수를 택하는 필터 방법(Filter Method)
- 변수의 일부만을 모델링에 사용하고 그 결과를 확인하는 작업을 반복하면서 변수를 택해 나가는 래퍼 방법(Wrapper Method)
- 모델 자체에 변수 선택이 포함된 임베디드 방법(Embedded Method) 등이 있다.

1) 변수 선택 방법

(1) 필터 방법(Filter Method)

- 필터 방법은 사전적 의미처럼 특정 모델링 기법을 선택하는 것이 아니라 통계적인 측정 방법을 이용하여 변수 간의 적합성을 고려하고, 이 통계적 기법을 활용하여 변수를 선택하는 방법을 의미한다.

① 높은 상관계수
- Filter Method는 통계적 측정 방법을 사용하여 변수 간의 상관관계를 알아낸 뒤, 높은 상관계수(영향력)를 가진 변수를 추출하는 방법이다.

② 분산이 낮은 변수 제거
- 변수가 종속변수에 따라 그다지 변하지 않는다면 예측에도 도움이 되지 않을 가능성이 높다.
- 이를 표현하는 분산이 낮은 데이터는 도움이 안 된다고 판단하여 제거하는 방법
- 분산에 의한 선택은 반드시 상관관계와 일치한다는 보장이 없으므로 신중하게 사용해야 한다.

③ 필터 방법 선택기준
- 정보 이득(Information Gain) : 어떤 변수를 선택함으로써 데이터를 잘 구분하게 되는 것으로 정보 이득이 클수록 변별력이 좋다고 표현한다.
- 카이제곱 검정(Chi-Square Test) : 카이제곱 검정(Chi-Squared Test) 또는 χ^2 검정은 카이제곱 분포에 기초한 통계적 방법으로, 관찰된 빈도가 기대 빈도와 통계적으로 다른지를 판단하는 검증 방법. 카이제곱 검정은 독립성 검정과 동질성 검정 유형으로 나뉘며 변수 선택에 사용하는 검정은 독립성 검정이다.

(2) 래퍼 방법(Wrapper Method)

- Wrapper Method는 예측 정확도 측면에서 가장 좋은 성능을 보이는 Feature Subset (피처 집합)을 뽑아내는 방법이다.
- 여러 번의 기계학습을 진행하기 때문에 시간과 비용이 매우 높게 발생하지만, 최종적으로 Best Feature Subset을 찾기 때문에, 모델의 성능을 위해서는 매우 바람직한 방법이라 할 수 있다.

- 래퍼 방법은 아래와 같은 방법이 있다.

① Forward Selection(전진 선택법)
- 변수가 없는 상태로 시작하며, 반복할 때마다 가장 중요한 변수를 추가하여 더 이상 성능의 향상이 없을 때까지 변수를 추가한다.
- 한번 추가된 변수는 제거할 수 없다.

② Backward Elimination(후진 제거법)
- 모든 변수를 가지고 시작하며, 가장 덜 중요한 변수를 하나씩 제거하면서 모델의 성능을 향상시킨다.
- 더 이상 성능의 향상이 없을 때까지 반복한다.
- 한번 제거된 변수는 추가할 수 없음

③ Stepwise Method(단계 선택법)
- Forward Selection과 Backward Elimination을 결합하여 사용하는 방식으로, 새롭게 추가된 변수에 기인해 기존 변수의 중요도가 약화되면 해당 변수를 제거하는 등 단계별로 추가 또는 제거되는 변수의 여부를 검토해 더 이상 없을 때 중단한다.

> **≫ 기출유형 따라잡기**
>
> [02회] 변수 선택 기법에 대한 설명 중 올바르지 않은 것은?
> ① 전진 선택법은 가장 중요한 변수를 추가하여 더 이상 성능의 향상이 없을 때까지 변수를 추가한다.
> ② 후진 제거법은 가장 중요하지 않은 변수를 하나씩 제거하면서 모델의 성능을 향상시킨다.
> ③ 단계 선택법은 한번 추가된 변수는 제거할 수 없다.
> ④ 라쏘 회귀모형은 변수를 자동으로 채택할 수 있어 일반적으로 많은 변수를 다룰 때 활용한다.
>
> **정답** ③
>
> **해설** 전진 선택법에 의해 변수를 추가하면서 새롭게 추가된 변수에 기인해 기존 변수의 중요도가 약화되면 해당 변수를 제거하는 등 단계별로 추가 또는 제거되는 변수의 여부를 검토해 더 이상 없을 때 중단

(3) 임베디드 메소드(Embedded Method)
- Embedded Method는 Filtering과 Wrapper의 장점을 결합한 방법이다.
- 각각의 Feature를 직접 학습하며, 모델의 정확도에 기여하는 변수를 선택한다.
- 임베디드 방법에는 다음과 같은 방법이 있다.
  - 임베디드 방법은 정규화 선형회귀 계수에 대한 제약조건을 추가함으로서 모형의 과대적합을 막는 방법이다.

- 다중회귀분석에서 최소제곱법에 의한 추정값은 주어진 자료에 대해서는 최적이라고 할 수 있다. 다만 추정된 회귀식이 새로운 자료에 대해서도 좋은 성능을 유지하기 위해서는 일반화에 유리한 모형이 필요하다.
- 정규화 선형회귀는 모형의 일반화의 성능이 우수한 회귀방법으로 회귀계수에 대해 적절한 제약 조건하에서 최소제곱법을 이용하는 방법을 사용한다.
- 일반적으로 다음과 같은 세 가지 방법이 사용된다.
  ① Ridge(능형) 회귀모형
   - 회귀계수들의 제곱합이 특정값 이하로 제약, $L_2 - norm$이라 한다.

   $= RSS(최소제곱추정) + \lambda \sum_{j=1}^{p} \beta_j^2$

   = Cost function for Ridge Regression
  ② Lasso 회귀모형
   - 회귀계수들의 절댓값의 합이 특정값 이하로 제약, $L_1 - norm$이라 한다.

   $= RSS(최소제곱추정 + \lambda \sum_{j=1}^{p} |\beta_j|$

   = Cost function for Lasso Regression
  ③ Elastic Net 회귀모형
   - Elastic Net 회귀는 L1(Lasso) 및 L2(Ridge) 규제를 결합한 정규화 선형 회귀 모델이다.
   - 이 모델은 회귀 계수를 제한하고 모델의 복잡성을 조절하여 과적합을 방지하고 예측 성능을 향상시키는 데 도움이 된다.

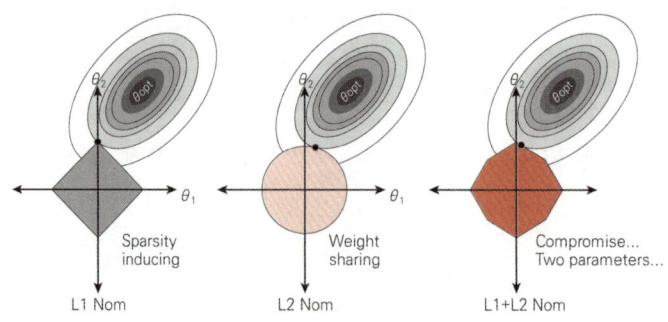

[Lasso vs Ridge vs Elastic Net]

- 정규화 선형회귀는 특정 회귀계수가 과다하게 크게 추정되지 않도록 하여 모형에서 특정 변수의 영향력을 줄여줌으로써 많은 변수들이 모형에 포함될 수 있도록 한다.
- 전통적인 변수 선택(전진선택법, 후진제거법 등)은 변수들을 불연속적으로 선택하지만, 정규화 선형회귀에서는 축소추정의 과정을 통해 더 유연하게 변수를 참여시킨다.
- 능형회귀는 회귀모수에 대해 축소추정과 함께 모든 예측변수를 모형에 참여시키며 변수선택의 기능은 없다. 반면 Lasso 회귀는 축소추정과 변수 선택의 기능을 동시에 가진다.
- 즉 중요하지 않은 변수의 회귀계수가 0으로 추정될 수 있는 여지를 두어 자동적으로 변수 선택이 이루어지게 한다.
- 정규화선형회귀 추정량들은 최소제곱추정량의 축소추정량으로 편의(bias)는 존재하나 분산(variance)을 작게 해줌으로써 평균제곱오차(MSE)의 측면에서 최소제곱추정량을 개선할 수 있다.

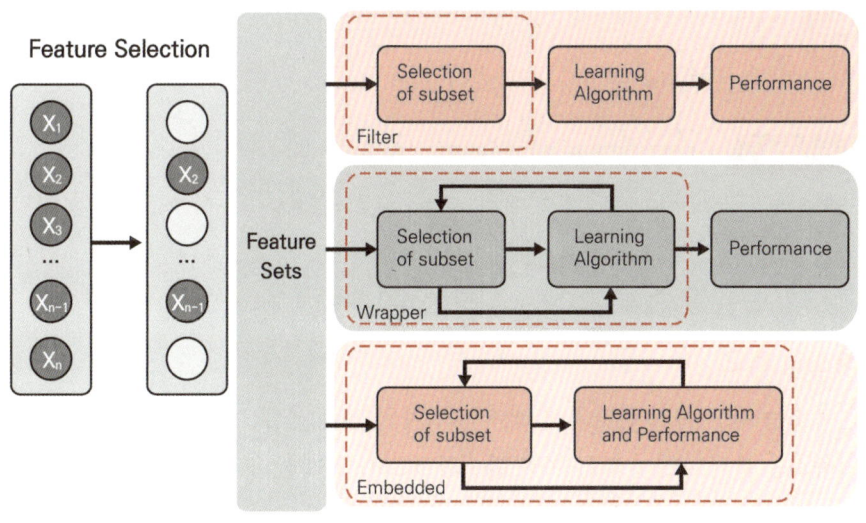

> **기출유형 따라잡기**

[02회, 07회] 다음은 규제가 있는 회귀분석 중 한 가지 방법에 대한 수식이다. 이에 대한 옳은 설명은?

$$RSS + \lambda \sum_{j=1}^{p} |\beta_i|$$

① 릿지 정규화 선형회귀분이며, 람다값이 커질수록 모든 가중치가 점차 0에 수렴한다.
② 엘라스틱 넷이며 L1, L2 norm를 적용한다.
③ 라쏘 회귀분석이며, 중요하지 않은 변수 가중치가 0이 되어 제거된다.
④ L2 norm 적용하였다.

정답 ③

해설 Lasso 회귀모형에 대한 설명이다.

2 차원축소(Dimensionality Reduction)

🖉 학습 목표

1. 차원축소의 유형을 학습한다.

🔍 출제 KEYWORD

① 변수 선택(Feature Selection)과 변수 추출(Feature Extraction) 개념 ★★★
② 차원축소의 문제점과 차원의 저주 ★★
③ PCA 기준으로 SVD, LDA, FA 차이점 ★★★

1. 차원축소의 개요

- 차원축소는 어떤 목적에 따라서 데이터의 차원(변수)을 줄이는 방법이다.
- 차원축소는 분석 대상이 되는 여러 변수의 정보를 최대한 유지하면서 변수를 축약하는 탐색적 기법이다.

1) 차원(변수)이 많을 때의 문제점
① 자원(Resource)이 많이 필요
- 차원이 커질수록 컴퓨터가 계산하는 시간이 증가하게 되고, 불필요한 값들을 저장해야 하는 공간이 필요하게 된다.
- 더 적은 자원으로 동일한 목적을 달성할 수 있는 모델이 효율적이라 할 수 있다.

② 과대적합(Overfitting) 발생
  • 차원이 커질수록 모델은 정교해지지만 복잡해진다.
  • 모델이 복잡해지면 새로운 데이터에 대한 오차가 커지는 문제점이 발생한다.
③ 설명력 저하
  • 차원이 큰 모델들은 복잡해서 모델의 내부 구조를 이해하기 어렵다.
  • 즉 모델이 내놓은 결과를 사람이 이해할 수 있도록 표현하는 것이 어려워지게 된다.
  • 예를 들면 10차원 데이터는 상상하기 어렵지만, 차원을 축소한 2차원은 쉽게 이해할 수 있다.
→ 위와 같은 문제를 차원의 저주(Curse of Dimensionality)라고 한다.

용어정리

- **차원의 저주 문제점**
  - 데이터보다 변수가 많을 때 생기는 현상으로, 학습을 느리게 하고 과적합이 발생할 가능성이 높아짐
  - 고차원으로 갈수록 전체 공간에서 데이터가 차지하는 영역이 매우 작아짐
  - 예측을 위해 훨씬 많은 작업을 해야 하고 과적합이 되어 저차원일때보다 예측이 불안정해짐
  - 입력 변수의 수가 너무 많으면 잡음(noise)이 발생하여 분류모형의 정확도 감소함
  - 입력 변수 간에 상관관계가 있는 경우 다중공선성이 발생해 모형이 불안정해짐

》 기출유형 따라잡기

[02회] 다음 중 차원의 저주에 대한 설명 중 올바르지 않은 것은?
  ① 변수의 수가 많아져 차원이 커지게 되면서 발생하는 문제이다.
  ② 차원이 커질수록 모델은 정교해지지만 새로운 데이터에 대한 오차가 커지는 문제점이 있다.
  ③ 차원이 커질수록 컴퓨터가 계산하는 시간이 증가하게 되고, 불필요한 값들을 저장해야 하는 공간이 필요하게 된다.
  ④ 데이터 학습을 위해 차원이 증가하면서 학습데이터 수가 차원의 수보다 커지면서 성능이 저하되는 현상

정답 ④
해설 데이터 학습을 위해 차원이 증가하면서 학습데이터 수가 차원의 수보다 적어져 성능이 저하되는 현상

[06회] 주성분 분석(PCA)에 대한 설명으로 옳지 않은 것은?
  ① 비정방행렬인 음의 상관행렬 곱으로 바꾸어 주성분 분석의 대상으로 활용한다.
  ② 주성분 분석에서는 데이터 행렬을 비음수 행렬로 가정하는 경우도 있다.
  ③ 고유값이 큰 순서대로 주성분을 선택하여 데이터의 변동성을 가장 잘 설명하는 성분을 찾는다.
  ④ 주성분 분석은 차원 축소, 데이터 시각화, 변수 선택, 잡음제거 등 다양한 분야에서 활용된다.

정답 ①
해설 주성분 분석(Principal Component Analysis, PCA)은 일반적으로 정방행렬에 대해서 적용된다. 정방행렬은 행과 열의 개수가 동일한 행렬을 말하며, 주성분 분석은 데이터의 차원을 축소하는 데에 사용된다.

2) 차원축소 유형

- 차원축소는 변수 선택(Feature Selection)과 변수 추출(Feature Extraction)으로 나뉜다.

① 속성 또는 변수 선택(Feature Selection)

- Feature Selection(Variable Selection)은 관련이 없거나 중복되는 피쳐들을 필터링하고 간결한 하위집합(Subset)을 생성하는 방법이다.
- 많은 수의 변수를 가진 데이터에서 Feature Selection은 차원감소에 효과적이며 머신러닝 알고리즘의 성능을 향상시킨다.

[Feature Selection]

② 속성 또는 변수 추출(Feature Extraction)

- Feature Extraction은 기존 Feature들의 조합으로 유용한 Feature들을 새롭게 생성하는 과정.
- 고차원의 원본 Feature 공간을 저차원의 새로운 Feature 공간으로 투영한다.
- 속성 선택은 목적 속성에 가장 영향을 미치는 일부 속성을 선택해 차원을 줄이는 방법이다. 속성 추출은 속성의 특성을 모두 고려해 원하는 수만큼 줄인다.

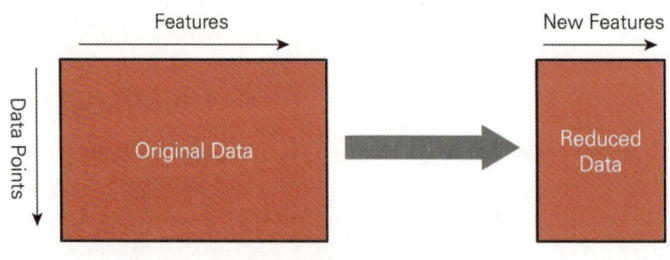

[Feature Extraction]

2. 차원축소 기법

구분	설명
다차원척도법 (MDS, Multi Dimensional Scaling)	• 다차원척도법이란 n개의 개체를 저차원 가시적 공간(일반적으로 2차원)에 나타낼 수 있도록 하는 방법이므로 각 개체간 거리(유사성)를 측정해야 한다. • 군집분석과 유사해 보이지만 다차원척도법은 개체의 유사성을 이차원에 표시하는 것이고 군집분석은 개체 간의 거리(유사성)가 가까운 것끼리 묶어가는 방법이다.

주성분분석
(PCA, Principal Component Analysis)
	• 주성분 분석(PCA, Principal Component Analysis)는 n개의 관측치와 p개의 변수로 구성된 데이터를 상관관계가 없는 k개의 변수로 구성된 데이터로 축소하는 방식으로, 이 때 요약된 변수는 기존 변수의 선형 조합으로 생성된다.
	• 원 데이터의 분산을 최대한 보존하는 새로운 축을 찾고, 그 축에 데이터를 사영(Projection) 시키는 분석기법이다.
	
	Z is a linear combination of the original p variables in X
	$Z_1 = \alpha_1 X_1 + \alpha_2 X_2 ... \alpha_n X_p$
	$Z_2 = \alpha_2 X_1 + \alpha_2 X_2 ... \alpha_{2n} X_p$
	• $X_1, X_2, ... X_p$: 원래 변수(original variable)
	• α_i : i번째 계수(Loading) 또는 기저(basis)
	• $Z_1, Z_2, ... Z_p$: 각 기저로 사영 변환 후 변수(주성분, Score)
	
	• PCA 구동 원리
	① 모든 데이터를 정규화
	• 측정 단위가 유사하거나, 단위가 다르더라도 맞춰줄 수 있다면 공분산 행렬을 이용한다.
	• 측정 단위가 다르고 맞춰줄 수 없는 경우라면 상관계수 행렬을 이용한다.
	② 공분산 행렬(Covariance Matrix) 또는 상관계수 행렬을 구한다.
	• 고유값과 고유벡터를 계산한다.
	③ **고유값 변동 설명 비율을 이용하여 적절한 주성분수를 결정**
	• 공분산 행렬 사용 > 누적 설명 비율 0.7~0.9인 주성분수를 결정
	• 주성분 점수 이용
	  - 정규성 검정 : 원변수가 다변량 정규분포를 따르는지 여부를 판단
	  - 이상치 진단 : 주성분 간 산점도를 이용하거나 박스플롯을 이용하여 이상치 발견
	  - 회귀분석 : 설명변수간 다중공선성 발생시 해결책으로 주성분을 사용하여 회귀분석
	• PCA는 기존 데이터 벡터를 선형결합하여 Projection 하는 것이므로 **비선형 데이터 분포**에 대해 적합하지 않다.

구분	설명
요인분석 (Factor Analysis)	• 요인분석은 변수들 간의 상관관계를 고려하여 서로 유사한 변수들끼리 묶어주는 방법이다. • 예를 들어 수학, 과학, 국어, 영어 변수로 구성된 데이터가 있다면, 상관성을 바탕으로 수학과 과학을 수리능력, 국어, 영어를 언어능력으로 차원축소하게되면 수리능력과 언어능력을 잠재변수라 한다. • 요인분석은 수 많은 변수들 중에서 잠재된 몇 개의 변수(요인)을 찾아내는 차원축소 방법이라 할 수 있다.
특이값 분해 (SVD, Singular Value Decomposition)	• 특이값 분해(SVD)는 임의의 m×n 행렬 A를= $U\sum V^T$로 분해하는 것으로, U와 V는 직교행렬이고, Σ는 대각성분에 특이값을 갖는 사각행렬이다. $$A = \begin{bmatrix} 1 & 0 & 0 & 0 & 2 \\ 0 & 0 & 3 & 0 & 0 \\ 0 & 0 & 0 & 0 & 0 \\ 0 & 4 & 0 & 0 & 0 \end{bmatrix} = \begin{bmatrix} 0 & 0 & 1 & 0 \\ 0 & 1 & 0 & 0 \\ 0 & 0 & 0 & -1 \\ 1 & 0 & 0 & 0 \end{bmatrix} \begin{bmatrix} 4 & 0 & 0 & 0 & 0 \\ 0 & 3 & 0 & 0 & 0 \\ 0 & 0 & \sqrt{5} & 0 & 0 \\ 0 & 0 & 0 & 0 & 0 \end{bmatrix} \begin{bmatrix} 0 & 1 & 0 & 0 & 0 \\ 0 & 0 & 1 & 0 & 0 \\ \sqrt{0.2} & 0 & 0 & 0 & \sqrt{0.8} \\ 0 & 0 & 0 & 1 & 0 \\ -\sqrt{0.8} & 0 & 0 & 0 & \sqrt{0.2} \end{bmatrix}$$ • **PCA와 LDA가 정방행렬에 대한 작업이었다면, 정방행렬이 아닌 비정방행렬에 대해 적용이 가능하다.** • 데이터 축소 (Data Reduction) • 영상처리 및 압축(Image Processing and Compression) • 이상치 감지(Multivariate Outliers Detection) 등에 활용한다.
선형 판별분석 (LDA, Linear Discriminant Analysis)	• LDA 또한 PCA와 마찬가지로 차원 축소를 하는 방법 중 하나이다. • PCA(주성분 분석)와 LDA(선형 판별 분석)는 모두 차원 축소 기법이지만, 각각의 목적과 적용 분야에서 몇 가지 주요한 차이점이 있다. • PCA: 주성분 분석은 데이터의 분산을 최대화하여 주성분(Principal Components)을 찾는 것을 목표로 한다. 주성분은 데이터를 가장 잘 설명하는 방향을 나타낸다. • LDA: 선형 판별 분석은 클래스 간 분산을 최대화하고 클래스 내 분산을 최소화하여 데이터를 분리하는 새로운 축(판별축)을 찾는 것을 목표로 한다. 주로 분류 문제에서 사용된다. • PCA는 비지도 학습이지만, LDA는 지도학습

용어정리

- **요인분석과 주성분분석의 차이**
  ① 생성되는 변수들의 관계
    - 요인분석은 데이터의 공통된 변동성을 설명하는 잠재 변수를 추출하며, 요인 간의 대등성보다는 변수 간 상호 관계를 파악하는 데 초점이 맞춰진다.
    - 주성분분석은 주성분들이 데이터의 분산을 최대한 설명하도록 순차적으로 생성되며, 제1주성분이 가장 중요한 역할을 하고, 그다음 제2주성분이 중요한 역할을 한다.
  ② 생성되는 변수의 의미
    - 요인분석에서는 생성된 요인에 대해 분석자가 변수 간의 연관성을 바탕으로 해석하고 적절한 이름을 부여해야 한다.
    - 주성분 분석은 첫번째 것을 제1주성분, 두번째 것을 제2주성분이라고 부른다.
  ③ 생성되는 변수의 수
    - 요인분석에서는 사용자가 추출할 요인의 수를 결정할 수 있으며, 이는 보통 고유값 크기, 설명된 분산 비율, 또는 스크리 검정(Scree Test)을 통해 판단한다.
    - 주성분분석에서는 데이터를 가장 잘 설명하는 몇 개의 주성분(보통 2~3개)을 선택하지만, 필요에 따라 더 많은 주성분을 사용할 수도 있다.

》 기출유형 따라잡기

[02회] 다음 중 변수를 활용한 데이터 분석에 관한 설명 중 올바르지 않은 것은?
① 파생변수는 상황에 따라 특정 상황에만 유의미하지 않게 논리적 타당성과 대표성을 가지고 있어야 한다.
② 요약변수는 재활용성이 높고, 다른 많은 모델을 공통으로 사용할 수 있는 장점이 있다.
③ n개의 변수들을 선형 결합하여 더 적은 개수의 변수로 차원을 축소하여 분석할 수 있다.
④ 변수의 차원축소는 상관관계가 있는 변수들끼리 결합하여 분산을 최소화하고 손실정보를 극대화하는 방법이라 할 수 있다.

정답 ④

해설 데이터의 분산(Variance)을 최대한 보존하면서 서로 직교하는 새 기저(축)를 찾아, 고차원 공간의 표본들을 선형 연관성이 없는 저차원 공간으로 변환하는 기법

[03회] 다음 중 요인분석(Factor Analysis)에 대한 설명 중 올바르지 않은 것은?
① 요인분석에서는 독립변수와 종속변수 구분이 없다.
② 요인분석을 통하여 얻은 요인들은 회귀분석이나 판별분석에서 독립변수로 활용한다.
③ 변수들 내부에 존재하는 구조를 파악하려는 경우에 사용한다.
④ 중요변수와 비슷한 변수는 제거한다.

정답 ④

해설 요인분석의 용도
1. 요인으로 묶어지지 않는 변수 중 중요도가 낮은 변수를 제거하고자 하는 경우
2. 같은 개념을 측정하려고 하는 변수들이 동일한 요인으로 묶이는지 확인하고자 하는 경우
3. 요인분석을 통하여 얻은 요인들을 회귀분석이나 판별분석에서 설명변수로 활용하고자 하는 경우

기출유형 따라잡기

[05회] 다음 중 요인분석에 대한 설명으로 옳지 않은 것은?
① 고차원의 데이터를 저차원으로 축소한다.
② 변수들의 상관관계를 기반으로 공통의 요인을 찾는다.
③ 주성분 분석과는 달리 요인분석 결과를 만들어진 새로운 변수들은 서로 대등하다.
④ 요인 회전 방법으로는 스크린 맥스 회전을 사용한다.

정답 ④

해설
- 요인의 회전 목적은 최초 주어진 요인행렬, 기초구조(initial structure)를 수학적으로 회전시키면서 가장 해석이 쉬운 요인행렬, 최종구조(final structure)를 산출하는 데 있다.

요인회전 방법	설명
• 베리멕스 방법(Varimax Method)	• 각 요인의 로딩이 높은 변수의 수를 최소화하는 직교 회전 방법이다.
• 직접 오블리민	• 사각(비직교) 회전 방법
• 쿼티멕스 방법(Quartimax Method)	• 각 변수를 설명하는 데 필요한 요인 수를 최소화하는 회전 방법
• 이쿼멕스 방법(Equamax Method)	• 요인을 단순화하는 베리멕스 방법과 변수를 단순화하는 쿼티멕스 방법을 조합한 회전 방법
• 프로멕스 회전(Promax Rotation)	• 요인이 상관되도록 하는 오블리크 회전

[04회] 다음 중 주성분 분석에 대한 설명으로 적절하지 않은 것은?
① 기존 변수들을 선형 결합하여 새로운 변수를 만든다.
② 주성분 분석 결과와 해석을 직관적으로 이해할 수 있다.
③ 주성분들이 설명하는 분산이 최대한 커지도록 한다.
④ 데이터가 이산형, 연속형일 때 사용한다.

정답 ②

해설 주성분 분석의 한계
- PCA에 의한 주성분들이 완전히 독립적이 되기 위해서는 입력 변수로 사용되는 데이터의 집합이 정규분포의 성질을 갖고 있어야 한다.
- PCA 기법은 벡터(기저축)에 대한 직관적 해석이 쉽지 않다는 문제점을 가지고 있다.

[07회] 특이값 분해(Singular Value Decomposition, SVD)에 대한 설명 중 옳지 않은 것은?
① 차원 축소(Dimensionality Reduction)기법이다.
② 이미지 처리나 자연어 처리에서의 특징 추출, 추천 시스템에서의 행렬 분해 등 다양한 분야에서 사용된다.
③ 특이값 분해(Singular Value Decomposition, SVD)는 정방행렬에서만 적용할 수 있다.
④ 특이값 분해는 임의의 행렬을 세 행렬의 곱으로 분해한다.

정답 ③

해설 특이값 분해(Singular Value Decomposition, SVD)는 정방행렬이 아닌 임의의 행렬에 대해서도 수행할 수 있다.

3 파생변수 생성

> **학습 목표**
> 1. 파생변수와 요약변수의 생성과 의미를 학습한다.

> **출제 KEYWORD**
> ① 파생변수와 요약변수 개념 구분 ★

1. 파생변수(Derived Variable)의 개요
- 파생변수는 기존 변수에 특정 조건 혹은 함수 등을 사용하여 새롭게 재정의한 변수를 의미한다.
- 파생변수는 상황에 따라 특정 상황에만 유의미하지 않게 논리적 타당성과 대표성을 나타나게 할 필요가 있다.
- 일반적으로 1차 분석 마트의 개별 변수에 대한 이해 및 탐색을 통해 각 특성을 고려하여 파생변수를 생성한다.
- 예를 들면 하루 24시간을 12시간씩 나누어 파생변수를 생성할 수 있고, 8시간 단위로 나누어서 생성할 수도 있다. 하지만 그 분리 기준은 누가 봐도 인정할 수 있는 타당한 기준이 있어야 한다.
- 이 타당한 기준은 분석 전 데이터를 탐색하는 과정에서 분포의 모양 등으로 판단하여 설정할 수 있다.

2. 요약변수(Summary Variable)의 개요
- 요약변수에는 구매 금액, 구매 횟수, 구매 여부 등이 있다.
- 이와 같은 예시를 보면 단순 데이터들을 종합한 변수라고 생각할 수 있다.
- 요약변수는 데이터웨어하우스에서 받아온 데이터를 특정 분석목적에 적합하게 종합한(Aggregate)변수이다.
- 요약변수는 재활용성이 높고, 다른 많은 모델을 공통으로 사용할 수 있는 장점이 있다.
- 고객 클래스별 고객 수 및 구매 금액, 제품군별 상품 수, 구매 여부 등이 요약변수가 될 수 있다.
- 요약변수의 생성 전 값들의 의미를 정확히 정의하여 해석상의 차이가 발생하지 않도록 주의해야 한다.

3. 파생변수의 일반적인 생성 방법

① 한 값으로부터 특징들을 추출한다.
   예) 날짜로부터 요일을 계산, 신용카드 번호로부터 신용카드 발급자를 추출 ·

② 한 레코드 내의 값들을 결합한다.
   예) 멤버십 가입일과 첫 구매일로부터 경과를 계산

③ 다른 테이블의 부가적인 정보를 참조한다.
   예) 우편번호에 따른 인구와 평균 가계수입, 상품 코드에 대한 계층구조

》 기출유형 따라잡기

[06회] 파생변수에 대한 예시와 설명으로 옳지 않은 것은?
① 매출에서 매출액 대비 이익률을 계산한다.
② 결측치를 주변값으로 채운다.
③ 모델의 설명력을 향상시키며 예측능력을 개선하는 데 도움을 줄 수 있다.
④ 키와 몸무게 변수를 조합하여 체질량 지수(BMI)를 계산한다.

정답 ②
해설 파생변수는 이미 존재하는 변수를 사용하여 새로운 변수를 생성하는 것이며, 새로운 변수는 원래 데이터에서 파생되어 나온 것이다. 반면에 결측값 대체는 이미 있는 변수의 결측값을 다른 값으로 대체하는 것으로, 새로운 변수를 생성하지 않는다.

[07회] 파생변수를 생성하는 방법 중 옳지 않은 것은?
① 변수 이름 변경
② 기존 변수 간의 산술 연산을 통해 생성할 수 있다.
③ 날짜와 시간 변수를 활용하여 연도, 월, 주차, 시간 등의 정보를 추출하여 생성 할 수 있다.
④ 여러 변수를 조합하거나 특정한 조건을 만족할 때 파생변수를 생성할 수 있다.

정답 ①
해설 파생변수는 원래의 데이터에서 유도되어 새롭게 만들어진 변수를 의미한다.

4 변수 변환

> **학습 목표**
> 1. 변수 변환의 방법을 이해한다.

> **출제 KEYWORD**
> ① 파생변수와 요약변수 개념 구분 ★
> ② 정규변환 방법, 데이터 스케일링 방법 ★★★

1. 변수 변환의 개요
- 자료의 재표현 또는 변수변환은 변환을 통해 자료 해석이 용이하게 하는 작업을 말한다.

1) 변수 변환의 목적
① 변수 변환은 분포의 대칭화를 위함
② 산포를 균일하게 하기 위함
③ 변수사이의 관계를 단순하게 표현하기 위함

2. 변수 변환 또는 자료의 재표현 방법
- 데이터 분석을 단순화할 수 있도록 원래의 변수를 적당한 척도(예, 로그 변환, 제곱근 변환, 역수 변화)로 바꾸는 것
- 원 데이터를 더하거나 곱하는 것으로 분포의 형태가 변화되지 않는다.

1) 정규변환
- 확률변수(데이터)가 정규분포를 따르지 않는 경우, 변수 변환을 통하여 정규분포를 따르도록 하는 것을 정규변환이라 한다.
- 치우침을 해결하면 동일 신뢰수준이라도 구간의 폭이 좁아져 정확도가 높아진다.
- 이상치는 치우침 해결 후에 최종적으로 삭제한다.

① 로그 변환
- 데이터 분석을 하기 위해 Log를 취하는 이유는 정규성을 높이고 분석(회귀분석 등)에서 정확한 값을 얻기 위함이다.

- 데이터 간 편차를 줄여 왜도(Skewness)와 첨도(Kurtosis)를 줄일 수 있기 때문에 정규성이 높아진다.

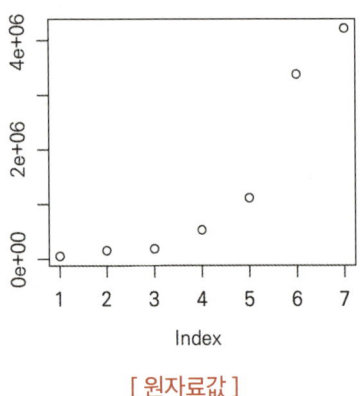 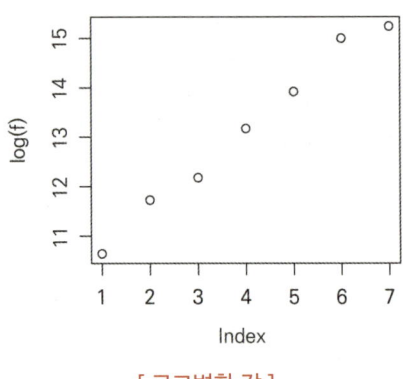

[원자료값]   [로그변환 값]

- 큰 값 쪽으로 치우침을 갖고 있는 분포를 로그 변환하게 되면 중앙을 중심으로 대칭적 패턴을 보인다.
- 로그 변환은 큰 수를 작게 만들 경우와 복잡한 계산을 간편하게 만들 경우에 사용한다.
  - 예 100에 상용로그를 취한다면 2가 된다. 특정 값에 로그를 취하면 로그의 성질에 의해 곱하기가 더하기로, 나누기가 빼기로 바뀐다.

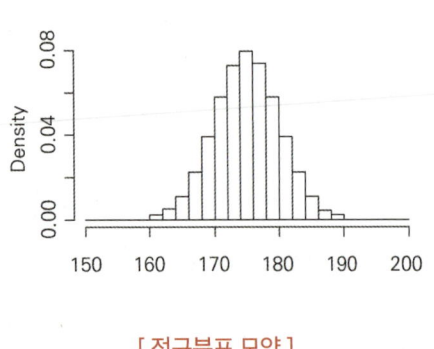 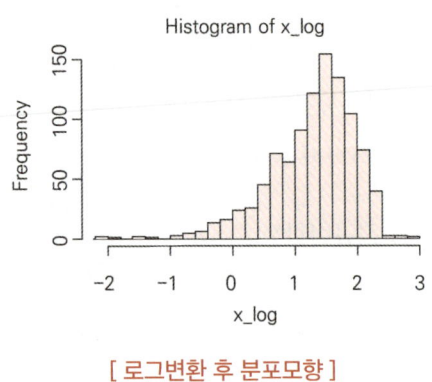

[정규분포 모양]   [로그변환 후 분포모양]

② 제곱근 변환
- 제곱근 변환은 제곱 변환의 역 변화이기 때문에 오른쪽 긴 꼬리를 갖는 분포를 대칭화하는데 유용하다.
- 정규분포모양에 제곱근 변환을 하게 되면 반대로 왼쪽 긴 꼬리를 갖게 된다.

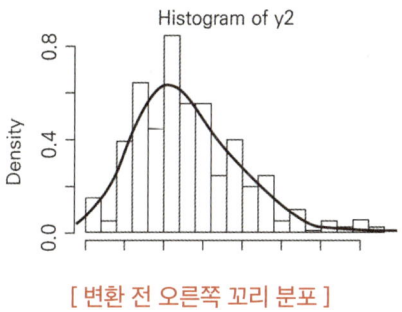
[변환 전 오른쪽 꼬리 분포]

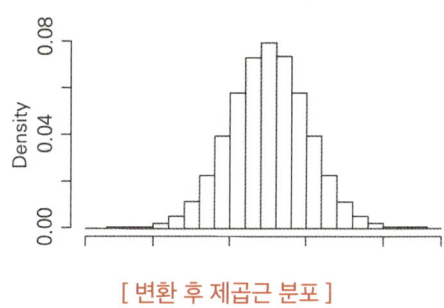
[변환 후 제곱근 분포]

③ 지수변환

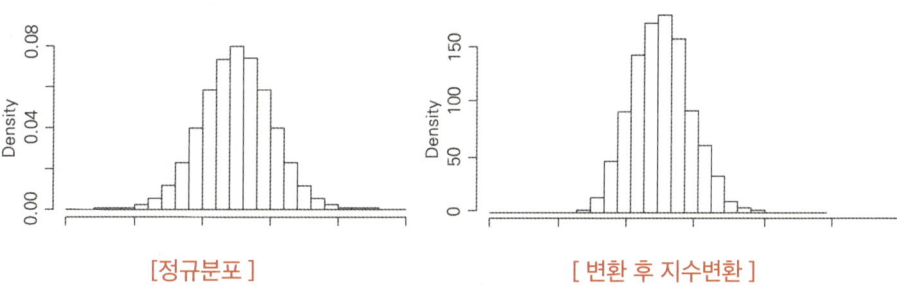
[정규분포]   [변환 후 지수변환]

- 지수함수는 작은 숫자의 크기를 크게 넓혀주는 역할을 한다.
- 오른쪽 부분이 넓어지고 왼쪽 부분은 좁혀지는 분포로 변환된다.

④ 박스-칵스(Box-Cox) 변환
- 박스-칵스 변환의 주된 용도는 데이터를 정규분포에 가깝게 만들거나 데이터의 분산을 안정화하는 것으로, 정규성을 가정하는 분석법이나 정상성을 요구하는 분석법을 사용하기에 앞서 데이터의 전처리에 유용하게 쓸 수 있다.
- $y^\lambda = (y^\lambda - 1)/\lambda , \lambda \neq 0), (\log(y), \lambda = 0)$
- 박스-칵스 변환은 반응변수 y를 적당한 승수 상수 λ를 취하는 것이다.
- $\lambda = 0$ 일 때 로그 변환을 해주는 이유는 $\lambda \neq 0$ 경우의 변환에서 λ가 0에 가까이 갈 경우의 수렴값이 로그이기 때문이다.
- 박스-콕스 변환(Box-Cox Transformation)은 Yeo-Johnson 변환과 비교하여 0 혹은 음수인 경우에 적용에 한계가 있다.

⑤ 정규분포 변화 요약

변수변형 전 분포모양	변환 기능	변형 후 분포모양
왼쪽 치우침	x^3	정규분포
약간 왼쪽 치우침	x^2	
약간 오른쪽 치우침	sqrt(x)	
오른쪽 치우침	ln(x)	
극단적 우로 치우침	1/x	

> **기출유형 따라잡기**

[03회] 다음 중 박스 콕스(Box-Cox)변환에 대한 설명 중 틀린 것은?
① 파생변수 생성
② 분포의 대칭화
③ 분산의 안정성
④ 로그 변환

정답 ①

해설 박스-콕스 변환의 주된 용도는 데이터를 정규분포에 가깝게 만들거나 데이터의 분산을 안정화하는 것으로, 정규성을 가정하는 분석법이나 정상성을 요구하는 분석법을 사용하기에 앞서 데이터의 전처리에 유용하게 쓸 수 있다.

[05회] 다음 중 설명하는 원자료(Raw Data)에 설명으로 적합한 데이터 변환 방법은?

- 최소값과 최대값의 차이가 크다.
- 양수로만 구성

① 로그변환
② 범주변환
③ 지수변환
④ 더미변환

정답 ①

해설
- 로그 값을 취할 경우 큰 수에 대한 간격이 좁아지기 때문에 데이터 간 간격이 클 경우 유용하게 작용할 수 있다.
- 로그 변환은 양수만 가능

2) 범주형 변환

- 범주형(카테고리) 데이터는 'A', 'B', 'C'와 같이 종류를 표시하는 데이터를 말한다.
- 다음과 같은 데이터는 모두 범주형 데이터의 예다.
  - 성별 : 남자, 여자
  - 혈액형 : A, B, O, AB

- 반드시 문자만 범주형 데이터인 것은 아니다. 예를 들어 소속을 나타내는 '1반', '2반', '3반'과 같은 데이터는 숫자로 표현된 값이지만 '1'이라는 글자를 이용한 것 뿐이지 숫자로서의 의미는 없다. 즉, '2'라는 값이 '1'이라는 값보다 2배 더 크다는 뜻이 아니므로 이 경우는 범주형 값으로 보아야 한다.

① 이산화(Bining)
- 변수 구간화(Bining)는 변수 변환의 방법 중 하나로 주어진 연속형 변수를 범주형 또는 순위형 변수로 변환하는 것이다.
- 예를 들면 소득을 소득분위로, 나이를 연령층으로 나누는 것 등이 있다.
- 이산화를 하는 이유는 이상치로 발생 가능한 문제를 완화해줄 수 있고, 결측치를 보다 간편하게 처리할 수 있으며, 목표변수와 관계가 비선형 인경우도 설명이 가능하다는 장점 때문이다.

② 더미변수(Dummy Variable)
- 더미변수는 범주형 변수를 연속형 변수로 변환한 것이다.
- 머신러닝에서는 이를 원-핫 인코딩(One-Hot Encoding)이라 한다.
- 예를 들어 선형 회귀분석, 로지스틱 회귀분석 등 회귀분석 계열은 원래 설명변수가 연속형 변수일 경우에만 사용할 수 있는 분석기법이다.
- 하지만 설명변수 중에 범주형 변수가 섞여 있다면, 그 변수를 더미변수로 변환하여 사용할 수 있다.
- 해당 더미변수에 속하면 1 아니면 0의 값을 가진다. 범주의 개수가 2개이면 더미변수는 1개가 생성된다.
- 중요한 것은 더미변수로 만들어지지 않고 생략되는 범주는 기준이 되는 값이라 할 수 있다.

③ 데이터 인코딩(Data Encoding)
- 머신러닝 모델은 문자 데이터를 인식하지 못한다. 그러므로 문자로 구성된 범주형 데이터는 숫자로 바꿔야 한다.
- 범주형 데이터를 숫자 형태로 바꾸는 작업을 데이터 인코딩이라 한다.
  ㉮ 레이블 인코딩(label encoding)
    - 범주형 데이터를 숫자로 일대일 매핑해주는 인코딩 방식이다.
    - 범주형 데이터를 숫자로 치환하는 것이다.

- 머신러닝 모델이 서로 가까운 숫자를 비슷한 데이터라고 판단하기 때문에 명목형 데이터를 레이블 인코딩하면 모델 성능이 떨어질 수 있다는 단점이 있다.
㉯ 원-핫 인코딩(one-hot encoding)
  - 여러 값 중 하나만 활성화하는 인코딩이다.
㉰ 타켓 인코딩(Target Encoding)
  - 평균값으로 범주를 대체하기 때문에 데이터가 적으면 적을수록 좋은 방법이 되지 못한다.
  - 기본적으로 데이터 관측치가 많아야 적합한 방법이라 할 수 있다.
㉱ 오디널 인코딩(Ordinal Encoding)
  - 변수의 순서를 유지하는 인코딩 방식이다. 순서가 중요한 특성에 대해서 사용되어야 한다.
  - Label Encoding과 비슷하지만, 이는 변수에 순서가 있음을 고려하지 않고 각 범주에 정수를 지정하는 것이므로 조금 다르다.

≫ 기출유형 따라잡기

[05회] 인코딩에 대한 설명 중 옳지 않은 것은?
① 레이블 인코딩(label encoding)은 범주형 데이터를 숫자로 일대일 매핑해 주는 인코딩 방식이다.
② 타켓 인코딩(Target Encoding) 표준편차 값으로 대체하는 인코딩 방식이다.
③ 오디널 인코딩(Ordinal Encoding)은 변수의 순서를 유지하는 인코딩 방식이다.
④ 원-핫 인코딩(one-hot encoding)은 여러 값 중 하나만 활성화하는 인코딩이다.

정답 ②

해설 • 타켓 인코딩(Target Encoding)은 평균값으로 범주를 대체

[06회] 원-핫 인코딩에 대한 설명으로 틀린 것은?
① 공간효율이 좋다.
② 범주형 변수를 수치형 변수로 변환하는 방법 중 하나이다.
③ 범주 간의 거리 계산이 의미가 없을 수 있다.
④ 각 범주를 명확하게 이진 변수로 표현하기 때문에 해당 범주가 모델의 결과에 어떤 영향을 미치는지 파악할 수 있다.

정답 ①

해설 원-핫 인코딩된 데이터는 대부분이 0으로 채워져 있어 희소한 형태를 띨 수 있다. 이는 메모리 사용과 저장공간에 비효율적일 수 있다.

> **기출유형 따라잡기**

[07회] 아래 그림에 맞는 인코딩 방식을 무엇이라 하는가?

Human - Readable   Machine-Readable

Pet
Cat
Dog
Turtle
Fish
Cat

Cat	Dog	Turtle	Fish
1	0	0	0
0	1	0	0
0	0	1	0
0	0	0	1
1	0	0	0

① 원 핫 인코딩 (One-Hot Encoding)
② 레이블 인코딩 (Label Encoding)
③ 순서 인코딩 (Ordinal Encoding)
④ 해시 인코딩 (Hash Encoding)

정답 ①

해설 원핫 인코딩 (One-Hot Encoding):각 범주형 변수의 고유한 값에 대해 이진 형태로 변수를 생성한다. 각 변수는 해당 값에 대응되면 1, 그 외의 경우에는 0의 값을 가진다.

3) 데이터 스케일링(Data Scaling)

- 인공지능 학습을 위해 데이터를 입력할 때 데이터 별로 그 데이터 값들의 범위가 다르다면 컴퓨터가 이해하기 어렵게 된다.
- 예를 들어 변수 A은 0~1 사이의 값, 변수 B는 100~1000의 사이의 값, 결과값은 100~1000의 값을 가진다면 변수 A는 결과를 도출하는 데 큰 영향을 주지 않는 것으로 이해할 수 있다. 하지만 실제 변수 A가 변수 B보다 더 큰 영향을 줄 수도 있으므로 인공지능 학습을 방해할 수 있다.
- 이러한 오류를 방지하기 위한 방법이 데이터 스케일링으로 각 변수들의 범위 혹은 분포를 같게 만드는 작업을 진행하게 된다.
- 이 때 주의할 점은 입력변수만 스케일링하고 결과변수(타켓변수)는 스케일링을 하지 말아야 한다.

① 최소-최대 정규화(Min-Max Normalization)
- 최소-최대 정규화는 데이터를 정규화하는 가장 일반적인 방법이다.
- 모든 Feature에 대해 각각의 최소값을 0, 최대값은 1로, 그리고 다른 값들은 0과 1 사이의 값으로 변환하는 것이다.

- 예를 들어 어떤 특성의 최소값이 20이고 최대값이 40인 경우, 30은 딱 중간이므로 0.5로 변환된다.
- 만약 X라는 값에 대해 최소-최대 정규화를 한다면 아래와 같은 수식을 사용할 수 있다.

$$\frac{(X-Min)}{(Max-Min)}$$

- 최소-최대 정규화에는 데이터에 이상치가 존재하여 최소값과 최대값이 너무 작거나 커지면서 실제 데이터의 값을 구분하기 어려워 질 수도 있기 때문에 미리 결측값, 이상값을 처리하는 것이 중요하다.

② Z-점수 표준화 (Z-Score Normalization)
- Z = (X-평균) / (표준편차)를 통해 X라는 값을 Z라는 Z - 점수 표준화로 변환할 수 있다.
- 어떤 데이터가 표준정규분포(가우시안 분포)에 해당하도록 값으로 변환하는 것이다.
- 데이터 X가 평균값과 같다면 0으로 표준화, 평균보다 작으면 음수, 평균보다 크면 양수로 나타난다.
- 이때 계산되는 음수와 양수의 크기는 그 Feature의 표준편차에 의해 결정되며, 만약 데이터의 표준편차가 크면, 즉 값이 넓게 퍼져있고, 표준화되는 값이 0에 가까워진다.

③ 기타 스케일링 종류
- 최대 절대 스케일(Max Abs Scaler) : 최대 절대값이 0이 각각 1,0으로 되도록 스케일링
- 로버스트 스케일링(Robust Scaling)은 이상치의 영향을 최소화하기 위한 데이터 변환 기법 중 하나이다. 이 방법은 데이터의 중앙값(median)과 사분위수 범위(interquartile range, IQR)를 사용하여 스케일을 조정한 는 최소-최대 스케일링이나 Z-점수 표준화와 달리, 데이터의 특성에 민감하지 않으면서도 이상치에 강건한 방법을 제공한다. 로버스트 스케일링은 특히 데이터에 이상치가 많거나 특이한 경우에 유용하다. 일반적인 최소-최대 스케일링이나 Z-점수 표준화는 이상치에 민감할 수 있지만, 로버스트 스케일링은 중앙값과 IQR을 사용하기 때문에 중앙값 주위의 값에 덜 영향을 받는다.

≫ 기출유형 따라잡기

[02회, 07회] 시험의 평균 점수가 80점이며 분산은 36이다. 시험에서 75점을 받은 학생의 Z-Score는 얼마인가?
① - 0.833   ② 0.833
③ 0.138   ④ - 0.138

정답 ①

해설 (75-80)/6
-0.833

[03회] 다음 중 데이터 스케일링(Data Scaling) 방법이 아닌 것은?
① 범주화   ② Min - Max Normalization
③ Z - Score Normalization ④ Max Abs Scaler

정답 ①

해설 스케일링은 각 특성값이 범위안에 들어오게 하는 전처리 작업이다. 범주화는 측정수준의 변환을 의미한다. 데이터 스케일링에는 대표적인 방법으로 Z-점수 정규화(Z - Score Normalization), 최소 - 최대 정규화(Min - Max Normalization)가 있다.

[06회] 아래 세 학생의 성적을 최대-최소 정규화하여 모두 합한 값은?

| 60 70 80 |

① 0.5   ② 1
③ 1.5   ④ 2

정답 ③

해설 최소-최대 정규화(Min-Max Normalization)는 데이터를 특정 범위로 변환하여 데이터의 크기를 조정하는 방법 중 하나이다. 이 방법은 주로 데이터를 일정한 범위로 조절하여 모든 변수 간의 스케일을 통일시키거나 특정 구간으로 제한하기 위해 사용된다.
최소-최대 정규화를 수행하는 공식은 다음과 같다:

- $X_{nrom} = \dfrac{X - X_{\min}}{X_{\max} - X_{\min}}$
- X(데이터), $X_{\min}$(변수의 최소값), $X_{\max}$(변수의 최대값)
- (60,70,80)→(0,0.5,1) 변환

5 불균형 데이터 처리

학습 목표
1. 불균형 데이터의 문제점 및 해결방안을 학습한다.

출제 KEYWORD
① 언더 샘플링(Under-Sampling) 정의 및 종류 ★★
② 오버샘플링(Over-Sampling) 정의 및 종류 ★★

1. 불균형 데이터 개요

- 분류 문제는 입력 데이터가 주어졌을 때 해당 데이터의 클래스를 예측하는 문제를 말한다.
- 일반적으로 이러한 문제를 해결하기 위해 기계학습 알고리즘을 주어진 데이터셋으로 학습시킨다.
- 이때 이상적인 데이터셋은 분류하고자 하는 클래스의 분포가 균일해야 한다. 그러나 데이터셋 대부분은 클래스마다 데이터 수의 차이가 존재하며 심한 경우에는 클래스 하나에만 데이터가 편중되는 경우가 발생한다.
- 기계학습 알고리즘들은 각 클래스의 비율이 비슷한 상황을 가정하기 때문에, 클래스가 불균형한 데이터셋의 경우 전체적인 데이터에 대해 제대로 학습하지 못하고 큰 비중을 차지하는 클래스에 편향되어 학습한다.
- 데이터가 불균형하다면 분포도가 높은 클래스에 모델이 가중치를 많이 두기 때문에 모델 자체에서는 "분포가 높은 것으로 예측하게 된다면 어느 정도 맞힐 수 있겠지?" 라고 생각하게 된다.
- 따라서 불균형 문제를 해결하지 않으면 모델은 가중치가 높은 클래스를 더 예측하려고 하기 때문에 Accuracy는 높아질 수 있지만, 분포가 작은 값에 대한 Precision은 낮을 수 있고, 분포가 작은 클래스의 재현율(Recall)이 낮아지는 문제가 발생할 수 있다.
- "예를 들면 분포가 100개의 데이터에서 1과 0값이 각각 97 : 3 비율을 가지고 있을 때 모든 값을 1로 예측한다고 하더라도 정확도가 97% 결과를 얻게 된다."
- 불균형 데이터 상태 그대로 예측하게 된다면 과적합 문제가 발생할 수 있으므로 불균형 문제를 해결하는 것이 중요하다.

> **용어정리**
> - 재현율(Recall)
>   - 실제 양성인 것 중에서 양성으로 예측한 것의 비율을 의미한다.

2. 클래스 불균형을 해결하기 위한 기법

- 클래스 불균형을 해결하기 위해 주로 사용되는 방법으로 데이터 샘플링(Data Sampling) 기법이 있다.
- 데이터 샘플링은 불균형한 데이터 집합에서 대부분을 차지하는 클래스인 다수 클래스(Majority Class)와 반대로 적은 부분만 차지하는 소수 클래스(Minority Class)의 샘플 개수를 조정하여 균형 있는 데이터 집합으로 만드는 기법으로, 두 클래스 중 어느 클래스의 샘플개수를 조절하느냐에 따라 언더 샘플링(Under-Sampling) 기법과 오버 샘플링(Over-Sampling) 기법으로 분류 된다.

1) 언더 샘플링(Under-Sampling) 정의 및 종류

- 언더 샘플링은 소수 클래스의 샘플 수에 맞도록 다수 클래스의 샘플들을 제거하는 방식이다.
- 언더 샘플링 기법으로는 무작위로 다수 클래스의 샘플을 제거하는 랜덤 언더 샘플링(Random Under-Sampling), 다수 클래스 샘플에서 독립적으로 뽑은 부분 집합과 소수 클래스 집합으로 분류 모델을 학습시키는 Easy Ensemble 등의 기법이 제안되었다.
- 그러나 언더 샘플링 기법들은 데이터를 제거하기 때문에 정보의 손실을 초래하게 된다는 문제점이 있다.
- 장점으로는 다수 범주 관측치 제거로 계산 시간 감소와 데이터 클렌징으로 클래스 오버랩 감소가 있다.

① Random Under Sampling
- 해당 불균형 데이터셋을 무작위 언더 샘플링과정을 통해서 균형 있는 데이터 셋으로 변경
- 조건 없이 데이터 분포를 맞추는 것이기 때문에 처리 시간이 아주 짧다는 장점이 있다.
- 무작위로 샘플링하므로 경계선은 다른 결과가 나올 수 있다.

② Tomek Link
- 토멕링크(Tomek's link)란 서로 다른 클래스에 속하는 한 쌍의 데이터 (x+,x−)로 서로에게 더 가까운 다른 데이터가 존재하지 않는 것이다.
- 즉 클래스가 다른 두 데이터가 아주 가까이 붙어있으면 토멕링크가 된다.
- 토멕링크 방법은 이러한 토멕링크를 찾은 다음 그 중에서 다수 클래스에 속하는 데이터를 제외하는 방법으로 경계선을 다수 클래스쪽으로 밀어붙이는 효과가 있다.
- Tomek Link는 분포가 높은 클래스의 중심 분포는 어느 정도 유지하면서 경계선을 조정하기 때문에 무작위로 삭제하는 샘플링보다 정보의 유실을 크게 방지할 수 있지만 토멕링크로 묶이는 값이 한정적이기 때문에 큰 언더 샘플링의 효과를 얻을 수 없다는 단점이 있다.

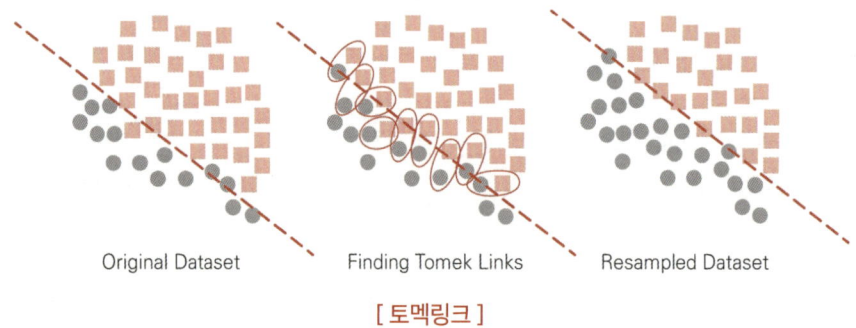

[토멕링크]

③ CNN(Condensed Nearest Neighbour)

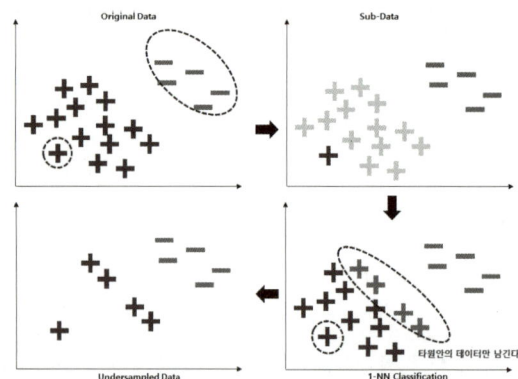

- 소수 범주 전체와 다수 범주에서 무작위로 하나의 관측치를 선택하여 서브 데이터를 구성

- 1-NN 알고리즘을 통해 원데이터를 분류
- CNN 방법은 최근접인 클래스 분포 데이터를 삭제하면서 샘플링하는 방법

④ Edited Nearest Neighbours
- ENN 방식은 KNN 방식과 유사하며 소수 클래스 주변의 다중 클래스 값을 제거하는 방법

2) 오버 샘플링(Over-Sampling) 정의 및 종류
- 오버 샘플링은 언더 샘플링과는 반대로 다수 클래스 샘플 개수에 맞춰 소수 클래스를 위한 샘플을 생성하는 방식으로 정보 손실을 피할 수 있으나 과대적합(Overfitting)을 초래할 수 있다.

① Random Over Sampling
- 무작위로 분포가 작은 클래스의 데이터를 생성하는 것을 말한다. 즉, 소수의 클래스 데이터를 반복해서 넣는 것으로 가중치를 증가시키는 것과 유사하다.
- 무작위로 소수 클래스의 데이터를 반복해서 집어넣는 방법이기 때문에 반복 데이터 삽입으로 인한 과대적합(Overfitting) 문제가 발생할 수 있다.

② ADASYN(Adaptive Synthetic Sampling)
- 각 소수 클래스 주변에 얼마큼 많은 다수의 관측치가 있는지를 정량한 한 지표를 활용한다.
- 클래스 간의 경계면에 가까울수록 많은 소수 클래스의 데이터를 합성하는 방법이다.
- ADASYN는 단순 무작위 오버샘플링으로 인해 발생하는 과적합 문제를 해결할 수 있다.

③ SMOTE
- 소수 범주에서 가상의 데이터를 생성하는 방법
- SMOTE는 ADASYN과 같은 방법론으로 데이터를 생성하지만 생성된 데이터가 분포가 적은 클래스에 포함되는 것이 아니라 분류모형에 따라서 다르게 분류한다.

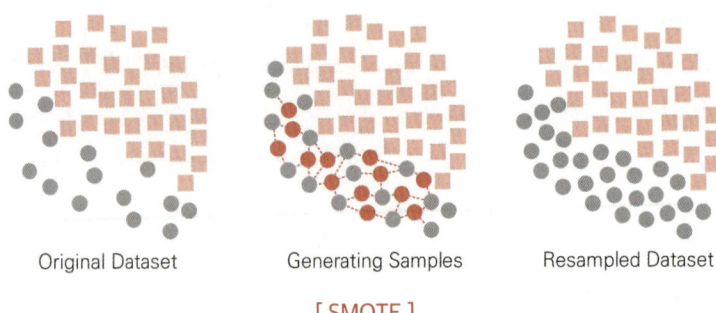

[SMOTE]

- K-NN(k-Nearest Neighbors) 알고리즘을 활용하여 소수 클래스 샘플에서 이웃을 찾고 그 사이에 속하게 될 새로운 샘플을 합성하는 방법을 이용한다.

④ Borderline-SMOTE
- 소수 클래스 샘플과 다수 클래스 샘플 간의 경계를 기준으로 SMOTE 방식의 합성 방법

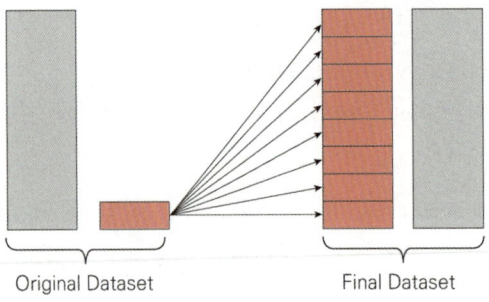

[오버샘플링]

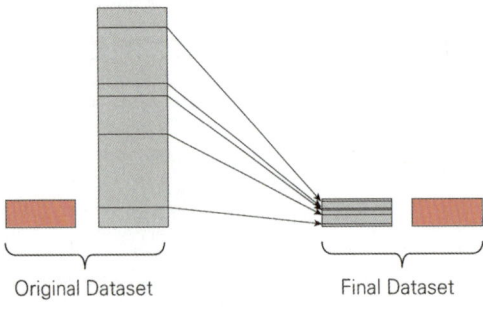

[언더샘플링]

3) 임계값 이동(Threshold-moving)

- 단순하게 이진 분류 데이터셋에서, 양성 클래스의 샘플이 90개, 음성 클래스의 샘플이 10개로 가정한다.
- 이 때 양성 클래스의 샘플을 10개로 만들어서 균형 있게 만들면 언더 샘플링, 음성 클래스의 샘플을 90개로 만들면 오버 샘플링의 방법이다.
- 분류를 시행할 때 사용되는 임계값(일반적 0.5의 비율)을 양성과 음성의 비율을 이용해 조정해 가는 방법을 임계값 이동이라 한다.
- 학습단계에서는 변화 없이 학습하고 검정 단계에서 임계값을 이동한다.
- 임계값 이동의 개념은 추후 비용민감학습(Cost-sensitive learnig)과 이어지는데, 비용민감학습은 클래스를 오분류했을 때 비용을 고려해 주는 것으로, 소수클래스의 비용함수(Cost function)에 높은 가중치를 부여하는 방식이며, 샘플링 기법의 단점을 보완하면서도 이미지와 같은 비정형데이터에 적용하기 쉬운 장점이 있다.

4) 앙상블방법

- 언더 샘플링, 오버 샘플링 조합한 앙상블을 만들 수 있다.
- 주로 SMOTE와 TomekLinks를 결합하는 방법으로 많이 사용한다.

》 기출유형 따라잡기

[02회] 머신러닝 수행 시에 학습데이터가 불균형한 문제를 해결할 수 있는 방법에 대한 설명 중 올바르지 않은 것은?
① 불균형 데이터를 학습데이터에 사용할 경우 과적합의 문제가 발생할 수 있다.
② 불균형 데이터 문제를 해결하지 않으면 정확도는 낮아지고 재현율은 높아지게 된다.
③ 언더 샘플링 기법들은 데이터 제거하기 때문에 정보의 손실을 초래하게 될 수 있다.
④ 오버 샘플링 기법들은 정보의 손실을 막을 수 있으나, 새로운 데이터가 추가되면 모델 성능의 결과가 떨어질 수 있다.

정답 ②
해설 불균형 데이터의 문제점은 정확도는 굉장히 높으나 소수 클래스에 대해서는 제대로 분류하지 못한다는 점이다.

[05회] 클래스 불균형 데이터의 해결방안으로 적절하지 않은 것은?
① 언더 샘플링　　　　　　② 경계값 이동
③ 비용 민감 학습　　　　　④ 정규화

정답 ④
해설 • 학습 전에 미리 값이 적당한 범위를 유지하도록 모델에 입력할 데이터를 변환하기도 한다. 이러한 작업을 데이터 정규화 라고 한다.

> **기출유형 따라잡기**

[04회] 데이터 불균형이 발생한 경우 데이터 처리 방법으로 적절하지 않은 것은?
① 임계값 이동은 학습 데이터에서 적용되는 분류의 비율을 조정한다.
② 언더 샘플링은 소수 클래스의 샘플 수에 맞도록 다수 클래스의 샘플들을 제거하는 방식이다.
③ 오버 샘플링은 언더 샘플링과는 반대로 다수 클래스 샘플 개수에 맞춰 소수 클래스를 위한 샘플을 생성하는 방식으로 정보 손실을 피할 수 있으나 과적합(Overfitting)을 초래할 수 있다.
④ 언더 샘플링, 오버 샘플링 조합한 앙상블을 만들 수 있다.

정답 ①

해설 임계값 이동(Threshold-moving)은 학습단계에서는 변화 없이 학습하고 검정 단계에서 임계값을 이동한다.

[04회] 학습 데이터가 불균형인 경우 해결 방안에 대한 설명으로 옳지 않은 것은?
① 불균형 문제를 해결하지 않으면 모델은 가중치가 높은 클래스를 더 예측하려고 하기 때문에 Accuracy는 낮아지고, 분포가 작은 클래스의 재현율(Recall)이 높아지는 문제가 발생할 수 있다.
② 과소 표집기법은 정보가 유실된다는 단점이 있다.
③ 과대 표집기법은 과적합이 발생할 수 있다.
④ 불균형 데이터 상태 그대로 예측하게 된다면 과대적합 문제가 발생할 수 있다.

정답 ①

해설
- 불균형 문제를 해결하지 않으면 모델은 가중치가 높은 클래스를 더 예측하려고 하기 때문에 Accuracy는 높아질 수 있지만 분포가 작은 값에 대한 Precision은 낮아 질 수 있고, 분포가 작은 클래스의 재현율(Recall)이 낮아지는 문제가 발생할 수 있다.

[06회] 클래스 불균형에 대해 옳지 않은 것은?
① Weight Balancing으로 처리가 불가능하다.
② 언더 샘플링 혹은 오버 샘플링으로 해결할 수 있다.
③ 클래스의 개수와는 무관하다.
④ 언더 샘플링과 오버 샘플링은 조합하여 사용이 가능하다.

정답 ①

해설 클래스 불균형을 해결하기 위한 여러 방법 중 하나는 가중치 균형(Weight Balancing)을 적용하는 것이다. 이는 모델이 손실함수를 계산할 때 각 클래스의 오차에 대해 서로 다른 가중치를 적용하여 불균형을 조정하는 방법이다.
③ 클래스의 개수 자체는 모델의 학습에 직접적인 영향을 미치지 않지만, 클래스 불균형이 존재할 때 해당 클래스에 대한 샘플 수가 적어지면 모델이 해당 클래스를 잘 학습하지 못할 수 있다.

CHAPTER 01 | 데이터 전처리

01 결측값을 제거 및 대치하거나 이상값을 제거하는 과정을 통해 데이터의 품질 문제를 높이는 과정을 무엇이라 하는가?

① 데이터 수집
② 데이터 정제
③ 데이터 변환
④ 데이터 분석

해설_ 데이터 정제는 결측치를 대치하거나 잡음이 있는 데이터를 평활화(Smoothing)하고, 이상치(Outlier)를 식별하고, 데이터의 불일치를 교정하는 작업 등을 포함한다.

02 아래 설명의 빈칸에 알맞은 용어는?

- ( )는 입력이 누락되어 값이 존재하지 않고 비어있는 값을 의미한다.
- ( )의 발생유형은 변수들 사이의 관계에 따라 완전무작위, 무작위, 비무작위결측로 나뉜다.

① 결측치
② 이상치
③ 노이즈
④ 평균값

03 표본조사에서 자주 사용하는 결측치의 처리방법 중 표본조사에서 무응답 사례를 진행 중인 조사의 비슷한 성향을 가진 응답자의 자료로 대체하는 방법을 무엇이라 하는가?

① 완전분석법
② 핫덱(Hot Deck)대체
③ Nearest - Neighbour
④ 콜드덱(Cold Deck) 대체

해설_ 결측치의 대치방법으로 핫덱이 가장 많이 사용 된다.
기존 데이터에서 결측치 대체는 핫덱, 전혀 다른 데이터에서 결측치 대체는 콜드덱이다.

04 데이터 이상값에 대한 설명으로 옳지 않은 것은?

① 이상치의 가장 일반적인 원인으로 측정 도구가 잘못되었을 때 발생한다.
② 이상치가 인공적이지 않을 때(오류로 인한)가 자연적인 이상치이다.
③ 시각화를 이용하여 이상값을 확인할 수 있다.
④ 이상값은 분석결과에 영향을 미치기 때문에 제거하고 분석한다.

해설_ 이상값은 분석 프로젝트 관련자와 협의 후 판단해야 한다.

정답 01 ② 02 ① 03 ② 04 ④

예상문제

05 다음 설명에 해당하는 결측값의 유형은 무엇인가?

> 어떤 변수상에 결측 데이터가 관측된 혹은 관측되지 않은 다른 변수와 아무 연관이 없는 경우 발생한다.

① MAR(Missing At Random, 무작위 결측)
② MCAR(Missing Completely At Random, 완전 무작위 결측)
③ NMAR(Not Missing At Random, 비무작위 결측)
④ MARS(Missing At Random Sample, 무작위 샘플 결측)

해설_ 어떤 변수 상에 결측데이터가 관측된 혹은 관측되지 않은 다른 변수와 아무 연관이 없다면 이 데이터는 완전 무작위 결측(MCAR)이라 한다.

06 다음 설명에 해당되는 결측값의 유형은 무엇인가?

> 어떤 변수상에 결측 데이터가 관측된 다른 변수와 연관되어 있지만, 그 자체의 비관측된 값들과는 연관되어 있지 않은 경우 발생한다.

① MAR(Missing At Random, 무작위 결측)
② MCAR(Missing Completely At Random, 완전 무작위 결측)
③ NMAR(Not Missing At Random, 비무작위 결측)
④ MARS(Missing At Random Sample, 무작위 샘플 결측)

해설_ 무작위 결측
특정 변수에 관련되어 누락되었지만, 그 변수는 결과와 관련이 없음
ex) 여자는 몸무게를 적지 않을 확률이 높지만, 여자인 것과 몸무게는 연관이 없음

07 평균에서 3배의 표준편차 이상 떨어진 값을 이상값으로 판단하는 검출 방법은?

① ESD   ② Z-score
③ boxplot   ④ 딕슨의 Q-검정

08 아래 설명된 변수선택기법(Feature Selection Method)으로 적절한 것은?

> 특정 모델링 기법에 의존하지 않으며, 계산속도가 빠르며 변수간 상관관계 확인이 용이하다.

① 필터기법(Filter Method)
② 래퍼기법(Wrapper Method)
③ 임베디드기법(Embedded Method)
④ 대치기법(Imputation Method)

해설_
- 변수선택기법(Feature Selection Method)이란 주어진 데이터의 변수 중 통계분석이나 머신러닝에서 사용할 수 있고, 가장 관련성이 높은 변수(Feature)를 선택하는 기법이다.
- 필터기법이란 데이터의 통계적 측정 방법을 사용하여 변수들의 상관관계를 탐색한다.
- 특정 모델링 기법에 의존하지 않고 데이터의 통계적 특성을 확인하고 변수를 선택하는 기법이다.

정답 05 ② 06 ① 07 ② 08 ①

09 아래 제시된 래퍼 기법(Wrapper Method)의 단계별 변수선택 유형으로 바르게 연결된 것은?

변수 선택	설명
가	절편만 있는 모델에서 기준 통계치를 가장 많이 개선하는 변수를 차례로 추가하는 방법
나	모든 변수가 포함된 모델에서 가장 도움이 되지 않은 변수를 하나씩 제거하는 방법
다	모든 변수가 포함된 모델에서 출발하고 기준 통계치에 가장 도움이 되지 않는 변수를 삭제하거나 모델에서 빠져있는 변수 중에서 기준 통계치를 가장 개선하는 변수를 추가하는 과정을 반복 수행하는 방법

① 가 : 전진 선택법, 나 : 단계적 방법, 다 : 후진 제거법
② 가 : 전진 선택법, 나 : 후진 제거법, 다 : 단계적 방법
③ 가 : 후진 제거법, 나 : 전진 선택법, 다 : 단계적 방법
④ 가 : 후진 제거법, 나 : 단계적 방법, 다 : 전진 선택법

해설_ Wrapper Method는 예측 정확도 측면에서 가장 좋은 성능을 보이는 Feature Subset(피처 집합)을 뽑아내는 방법이다.

10 임베디드 메소드(Embedded Method)에 대한 설명 중 가장 적절하지 않은 것은?

① Embedded Method는 Filtering과 Wrapper의 장점을 결합한 방법이다.
② 릿지(Ridge)회귀, 라쏘(Lasso)회귀, 엘라스틱넷 모두 특정 회귀계수에 패널티를 주는 방식을 의미한다.
③ 라쏘회귀를 L2 norm, 릿지회귀는 L1 norm라 한다.
④ 다중공선성의 해결방안으로 임베디드 방법 등이 이용된다.

해설_ 릿지회귀는 L2 norm, 라쏘(Lasso)회귀는 L1 norm 방법을 취한다.

11 래퍼 기법에 대한 변수처리 기법으로 가장 적절하지 않은 것은?

① 통계모형의 적합도 기준으로 AIC, BIC 방법을 주로 사용한다.
② 전진 선택법과 후진 제거법은 항상 동일한 결과를 제시한다.
③ 설명변수는 가능한 범위 내에서 적은 수로 포함하여 선택한다.
④ BIC 통계량이 최소가 되는 항목을 선정한다.

해설_ 전진 선택법과 후진 제거법 결과는 항상 동일하지 않다. AIC, BIC값이 작을수록 좋은 모델로 판단한다.

정답 09 ② 10 ③ 11 ②

예상문제

12 단계별 변수 선택에 대한 설명 중 가장 적절하지 않은 것은?

① 전진 선택법은 중요하다고 생각되는 변수를 차례로 모형에 추가하는 분석방법이다.
② 후진 제거법은 모든 설명변수를 포함한 모형에서 출발해 종속변수의 설명에 가장 적은 영향을 주는 변수부터 제거한다.
③ 단계별 선택방법에 따른 결과는 전진 선택법과 후진 제거법의 결과와 항상 일치하지 않을 수 있다.
④ 후진 제거법은 한번 제거된 변수는 다시 모형에 추가 될 수 있다.

해설_ 후진 제거법에서 한번 제거된 변수는 다시 모형에 추가 될 수 없다.

13 다음 중 최적회귀 방정식에 대한 설명 중 가장 부적절한 것은?

① 모든 가능한 조합의 회귀분석은 모든 가능한 독립변수들의 조합에 대한 회귀모형을 고려해 AIC, BIC의 기준으로 회귀모형을 선택하는 방법이다.
② 전진 선택법은 한번 제거된 변수는 다시 모형에 추가될 수 없다.
③ 전진 선택법은 가능한 범위 내에서 적은 수의 독립변수를 포함시킨다.
④ 단계별 방법은 전진 선택법에 의해 변수를 추가하면서 새롭게 추가된 변수에 기인해 기존 변수의 중요도가 약화되면 제거한다.

해설_ 후진 제거법에 대한 설명이다.

14 다음은 결측값의 종류에 대한 설명이다. 가장 적절하지 않은 것은?

① 완전 무작위 결측은 어떤 변수상에서 결측 데이터가 관측된 혹은 관측되지 않는 다른 변수와 아무런 연관이 없는 경우로 정의한다.
② 결측 데이터를 가진 모든 변수가 완전 무작위 결측(MCAR)이라면, 데이터에서 단순 무작위 표본추출을 통해서 처리가 가능하다.
③ 무작위 결측(MAR)은 변수상의 결측 데이터가 관측된 다른 변수와 연관되어 있지만 그 자체가 비 관측값들과는 연관되지 않은 경우로 대부분의 결측치는 MAR에 해당된다.
④ 비 무작위 결측(MNAR)은 어떤 변수의 결측 데이터가 완전 무작위 결측(MCAR) 또는 무작위 결측(MAR)이 아닌 결측 데이터로 정의하는 것이다.

해설_ 대부분의 결측치 처리 패키지가 MCAR을 가정하고 있다.

정답 12 ④ 13 ② 14 ③

15 다음은 어떠한 대치법(Imputation)에 대한 설명인가?

> 평균 대치법에서 추정량 표준오차의 과소 추정을 보완하는 대치법으로 Hot-deck 방법이라고도 한다. 확률추출에 의해서 전체 데이터 중 무작위로 대치하는 방법이다.

① 평균 대치법(Mean Imputation)
② 회귀 대치법(Regression Imputation)
③ 단순 확률 대치법(Single Stochastic Imputation)
④ 최근방 대치법(Nearest-Neighbor Imputation)

해설_ 단순확률 대치법(Single Stochastic Imputation)에 대한 설명이다.

16 다음 중 차원의 저주(Curse of Dimensionality)에 대한 설명 중 올바르지 않은 것은?

① 더 적은 차원으로 동일한 목적을 달성할 수 있는 모델이 효율적이라 할 수 있다.
② 차원이 큰 모델들은 복잡해서 모델의 내부 구조를 이해하기 어렵다.
③ 차원이 커질수록 모델은 정교해지지만 복잡해진다.
④ 모델이 복잡해지면 새로운 데이터에 대한 오차가 작아지는 편향현상이 발생한다.

해설_ 차원이 클수록 모델이 복잡해지고 새로운 데이터에 민감하게 반응하여 오차가 크게 발생한다.

17 요인분석(Factor Analysis)에 대한 설명으로 맞지 않은 것은?

① 요인분석은 다수의 변수들 간의 관계(상관관계)를 분석하여 공통차원을 축약하는 통계분석 과정이다.
② 독립변수, 종속변수 개념이 없으며, 주로 기술통계에 의한 방법을 이용한다.
③ 요인분석은 첫 번째 요인을 제1주성분, 두 번째 요인을 제2주성분이라고 부른다.
④ 관련된 변수들을 군집화함으로써 요인간의 상호 독립성 및 변수의 특성을 파악한다.

해설_ 요인분석은 생성변수의 이름을 분석자가 부여하며, 자동으로 이름이 만들어지지 않는다.
• 주성분분석은 첫 번째 주성분을 제1주성분, 두 번째 주성분을 제2주성분이라고 부른다.

정답 15 ③ 16 ④ 17 ③

예상문제

18 다음 중 차원축소 기법에 대한 설명으로 옳지 않은 것은?

① PCA는 데이터의 차원을 줄이기 위해, 공분산 행렬에서 고유값 및 고유벡터를 구하고, 가장 분산이 큰 방향을 가진 고유벡터에 입력데이터로 선형 변환하여 차원 축소를 진행한다.
② LDA는 PCA와 달리 최대분산의 수직을 찾는 것이 아니라 지도학습 방법으로 데이터의 분포를 학습하여 분리를 최적화하는 피처 부분공간을 찾은 뒤, 학습된 결정 경계에 따라 데이터를 분류하는 것이 목표이다.
③ 요인분석은 수 많은 변수들 중에서 잠재된 몇 개의 변수(요인)을 찾아내는 차원축소 방법이라 할 수 있다.
④ SVD는 m x m 형태의 정방행렬에만 사용되는 차원축소기법이며, 이때 분해되는 행렬은 두개의 직교행렬과 하나의 대각행렬로, 두 직교행렬에 담긴 벡터를 특이벡터라고 한다.

> **해설** SVD는 정방행렬 뿐만 아니라 M × N 차원의 행렬데이터에서 특이값을 추출하고, 이를 통해 주어진 데이터 세트를 효과적으로 축소할 수 있는 기법이다.

19 다음 중 이상치 판정 방법 중 가장 부적절한 것은?

① 일반적으로 이상치는 '평균으로부터 표준편차의 3배가 넘는 범위의 데이터'라고 정의할 수 있다.
② 데이터를 크기순으로 나열한 다음 가장 크거나 가장 작은 수치들을 이상치로 판정한다.
③ 회귀분석을 이용하여 독립변수의 동일 수준의 다른 데이터들과 거리상 떨어진 데이터를 이상치로 판정한다.
④ 이상치 판단 알고리즘으로는 ESD, MADM 등이 있다.

> **해설** 회귀분석에서는 독립변수의 동일 수준의 다른 관측치에 비해 종속변수의 값이 상이한 점을 이상치로 판단한다.(독립변수 → 종속변수)

20 다음 중 주성분 분석에 대한 설명 중 적절하지 않은 것은?

① 분산이 가장 작은 것을 제1주성분으로 설정한다.
② 주성분 분석은 상관관계가 있는 변수들을 결합해 상관관계가 없는 변수로 분산을 극대화하는 변수로 선형결합을 해 변수를 축약하는데 사용하는 방법이다.
③ 공분산 행렬은 변수의 측정단위 그대로를 반영한 것이고 상관행렬은 모든 변수의 측정 단위를 표준화한 것이다.
④ 공분산 행렬을 이용한 분석의 경우 변수들의 측정 단위에 민감하다.

> **해설** 분산이 가장 큰 주성분을 제1주성분으로 한다.

정답 18 ④　19 ③　20 ①

21 다음 중 다차원척도법(MDS)의 설명으로 가장 적절하지 않은 것은?

① 다차원척도법은 데이터 속에 잠재된 패턴을 해석하여 복잡한 구조를 저차원 공간상에 기하학적으로 표현하는 기법이다.
② 개체들 사이의 유사성과 비 유사성을 상대적 거리로 측정하여 부적합도가 최대가 되는 모델을 선정한다.
③ 스트레스 값이 5% 이내인 경우, 적합 정도가 좋다고 말할 수 있다.
④ 다차원척도법의 결과를 통해 데이터가 만들어진 현상과 그 과정에 대한 설명이 가능하다.

해설_ 개체간의 부적합도를 나타내는 스트레스값이 작을수록 적합 정도가 좋다고 말할 수 있다.

22 다음은 주성분 분석 결과이다. 변수 전체의 변동을 70% 이상 설명하는데 필요한 주성분의 수는?

Importance of Components				
	PC1	PC2	PC3	PC4
Standard Deviation	3.567	2.132	1.044	0.5315
Proportion of Variance	0.443	0.266	0.131	0.066
Cumulative Proportion	0.443	0.710	0.841	0.907

① 2개 ② 3개
③ 4개 ④ 5개

해설_ 주성분 분석의 결과는 요인의 중요도(Importance of components)에 대해 4가지 요인의 표준편차(Standard Deviation), 분산의 비율(Proportion of Variance), 누적 비율(Proportion of Variance)이 출력된다. 분산의 비율을 보면 첫 번째 요인은 전체 분산의 44.3%를 설명하고, 두 번째 요인은 전체 분산의 26.60% 설명한다. 즉 2개의 요인으로 전체 분산의 약 71.0%를 설명할 수 있다는 것을 의미한다.

23 주성분의 수의 결정 기준으로 적합하지 않은 것은?

① 성분들이 설명하는 분산의 비율
② 고유값(Eigenvalue)의 크기
③ 스크리 그림(Scree Plot)의 엘보우 포인트
④ 공분산 행렬의 크기

해설_ 데이터 차원을 감소하는 것이 주성분분석이고, 가장 중요한 포인트는 주성분의 수를 결정해야 한다는 것이다.

첫째, 성분들이 설명하는 분산의 비율
누적 비율을 확인하면 주성분들이 설명하는 전체 분산의 양을 알 수 있다. 허용 수준은 연구에 따라 다르지만 주성분들이 설명하는 총분산의 비율이 70~90% 사이가 되는 주성분의 개수를 선택한다.

둘째, 고유값(Eigenvalue)
고유값 크기를 사용하여 주성분 수를 결정할 수 있다. Kaiser 기준을 사용하는 경우 고유값이 1보다 큰 주성분만 사용한다.

셋째, 스크리 그림(Scree Plot)
Scree 그림은 고윳값을 가장 큰 값에서 가장 작은 값의 순서로 정렬한다. 기울기가 수평이 되는 전 단계에서 주성분의 개수를 선택한다.

정답 21 ② 22 ① 23 ④

예상문제

24 아래에서 설명하는 변수는 무엇인가?

> - 기존 변수에 특정조건 혹은 함수 등을 사용하여 새롭게 재정의한 변수를 의미한다.
> - 상황에 따라 특정 상황에만 유의미하지 않게 논리적 타당성과 대표성을 나타내게 할 필요가 있다.

① 독립변수　　② 더미변수
③ 요약변수　　④ 파생변수

해설_ 파생변수는 기존변수에 특정 조건 혹은 함수 등을 사용하여 새롭게 재정의한 변수를 의미한다.

25 다음 보기에 대한 스케일링 기법으로 올바르게 연결된 것은?

스케일링 기법	정의
Ⓐ	• 모든 Feature에 대해 각각의 최소값을 0, 최대값은 1 • $\dfrac{X-\min}{\max-\min}$
Ⓑ	• 어떤 데이터가 표준정규분포(가우시안 분포)에 해당하도록 값으로 변환하는 것 • (X - 평균) / (표준편차)

① Ⓐ Z-Score Normalization, Ⓑ Min-Max Normalization
② Ⓐ Min-Max Normalization, Ⓑ Z-Score Normalization
③ Ⓐ Dummy Variable, Ⓑ Box-Cox
④ Ⓐ Z-Score Normalization, Ⓑ Dummy Variable

해설_ 변수 스케일링은 입력데이터의 크기가 달라 사용되는 Feature들이 동일한 스케일링으로 반영되도록 해주는 것을 의미한다.

26 각 변수 변환 전 분포와 사용 변환식을 연결한 것 중 옳은 것을 고르시오.

	변수변환 전 분포모양	사용변수 변환식	변수 후 분포모양
(가)	왼쪽 치우침	x^3	정규분포화
(나)	왼쪽 약간 치우침	x	
(다)	오른쪽으로 약간 치우침	$sqrt(x)^2$	
(라)	오른쪽으로 치우침	$\ln(X)$	
(마)	극단적 오른쪽으로 치우침	$1/x$	

① 가, 나, 마　　② 가, 나, 다
③ 가, 라, 마　　④ 나, 다, 마

해설_

변수변환 전 분포모양	사용변수 변환식	변수 후 분포 모양
좌로 치우침	x^3	정규분포화
좌로 약간 치우침	x^2	
우로 약간 치우침	$sqrt(x)$	
우로 치우침	$\ln(X)$	
극단적 우로 치우침	$\dfrac{1}{X}$	

정답 24 ④　25 ②　26 ③

27 데이터 샘플링 기법 중 오버 샘플링(Over-Sampling) 대한 설명 중 적절하지 않은 것은?

① 클래스 불균형을 해결하기 위해 주로 사용되는 방법으로 데이터 샘플링(Data Sampling) 기법이 있다.
② 데이터를 제거하기 때문에 정보의 손실을 초래하게 된다는 문제점이 있다.
③ 기존 데이터를 복제하는 방법을 통해 클래스의 비율을 맞추기 때문에 과적합의 문제가 발생할 수 있다.
④ 언더 샘플링 기법에 비해 높은 분류 정확도를 가지며 알고리즘 성능이 높다.

해설_ 언더샘플링 기법들은 데이터를 제거하기 때문에 정보의 손실을 초래하게 된다는 문제점이 있다.

28 클래스 불균형 해소를 위해 소수 클래스의 데이터를 확대하는 오버 샘플링 기법에 대한 설명 중 옳지 않은 것은?

① 소수 클래스의 데이터를 복제 또는 생성하여 데이터의 비율을 맞추는 방법이다.
② 불필요한 변수를 제거하고 새로운 변수를 생성시켜서 정보를 확대한다.
③ 소수 클래스의 확대로 정보의 손실이 없다.
④ 알고리즘의 성능은 높으나 검증의 성능은 저하될 수 있다.

해설_ 보기 ②는 언더샘플링에 대한 설명이다. 오버 샘플링은 소수 클래스의 데이터를 복제 또는 생성하여 데이터 사이의 비율을 맞추는 기법이다. 학습데이터가 부족한 경우 수행하며 알고리즘 성능향상이 가능하나, 과적합 문제가 발생할 수 있다.

29 오버 샘플링 기법 중 SMOTE에 대한 설명으로 적절하지 않은 것은?

① 기존에 있는 데이터를 단순 복제하는 것이 아니라, 소수 범주의 데이터들을 서로 보완하여 새로운 데이터를 합성하는 방법이다.
② 선정된 집단에서 하나의 표본을 뽑아 K-Nearest Neighbor 기법을 적용한다.
③ 무작위로 분포가 작은 클래스의 데이터를 생성하는 것을 말한다. 즉, 소수의 클래스 데이터를 반복해서 넣는 것으로 가중치를 증가시키는 것과 유사하다.
④ 오버 샘플링으로 인한 과적합 문제와 언더 샘플링으로 인한 데이터 손실 우려를 줄여주는 기법이다.

해설_ 보기 ③은 Random Over Sampling에 관한 설명이다.

정답 27 ②　28 ②　29 ③

CHAPTER 02 데이터 탐색

01 데이터 탐색 기초

- 모델을 작성하기 전 데이터가 어떤 특징을 가지고 있는지 파악하면 모델링에 대한 많은 생각을 얻을 수 있다.
- 탐색적 자료 분석(EDA) 과정에서는 데이터의 특징을 이해한다.
- 분석 대상 데이터를 탐색함으로써 데이터의 특징을 파악하는 과정으로서 주로 변수 파악, 통계량 산출, 상관 분석 등을 수행하며, 시각화를 통해 데이터에 대한 인사이트를 얻는다.

1 데이터 탐색의 개요

학습 목표
1. 데이터 탐색 접근 방법을 학습한다.

출제 KEYWORD
① EDA vs CDA ★

1. 데이터 분석 접근 방법

1) 확증적 데이터 분석(CDA, Confirmatory Data Analysis)
- 가설을 설정한 후, 수집한 데이터로 가설을 평가하고 추정하는 전통적인 분석방법
- 관측된 형태나 효과의 재현성 평가, 유의성 검정, 신뢰구간 추정 등의 통계적 추론을 하는 분석방법으로 설문조사나 논문에 관한 내용을 입증하는 데 사용

2) 탐색적 데이터 분석(EDA, Exploratory Data Analysis)
- 데이터의 특징과 내재하는 구조적 관계를 알아내기 위한 기법들을 총칭
- 데이분 분석을 위해서는 데이터의 품질에 대한 조사가 필요하기 때문에 EDA는 모든 데이터 분석에서 중요한 부분을 차지한다.
- 데이터를 분석하기 전에 그래프나 통계적인 방법으로 자료를 직관적으로 바라보는 과정
- EDA는 규칙을 가진 형식적인 과정이 아니며, 데이터에 대해 사고하는 과정이라고 정의할 수 있다.

2. 탐색적 데이터 분석(EDA, Exploratory Data Analysis)의 4가지 주제

1) 저항성(Resistance)의 강조
- 저항성은 데이터 일부가 파손되었을 때 영향을 적게 받는 성질이다.
- 이상값에 민감한 평균보다 중앙값 사용을 선호한다.
- 일부 관측 개체의 지나친 영향력에 저항하라.

2) 잔차(Residual) 계산
- 잔차는 각 개별 관측값이 주요 경향으로부터 얼마나 벗어나 있는지를 알려주는 지표로 이상치라 할 수 있다.
- 잔차의 계산을 통해 주 경향으로부터 얼마나 벗어나는지를 탐색한다.

3) 자료변수의 재표현(변수변환 : Re-Expression)을 통한 다각적 시도
- 데이터 분석을 단순화하여 해석하는데 도움이 되도록 원자료를 변환하는 것
- 자료의 변환으로(측정측도를 적당히 다른 척도로 재표현) 분포의 대칭성, 관계의 선형성(직선화), 분산의 균일성, 관련 변수의 가법성 등에 도움이 된다.

4) 그래프를 통한 현시성(Revelation)
데이터 구조를 효율적으로 파악하고 데이터 안에 숨어있는 정보를 효율적으로 보여주기 위해 다양한 시각화를 이용한다.

3. 탐색적 데이터 분석 방법

   1) 수치적인 요약(기술통계)
   - 평균(Mean), 중앙값(Median), 최빈값(Mode)
   - 표준편차(Standard Deviation), 분산(Variance)
   - 사분위수범위(Interquartile Range)
   - 첨도(Kurtosis), 왜도(Skewness)

   2) 그래프에 의한 요약(Graphical Methods)
   - 히스토그램
   - 데이터 분포
   - 상자그림
   - 산점도

4. 탐색적 데이터 분석의 주요 확인사항

① 데이터의 결측치 유무, 이상치 유무를 확인한다.
② 데이터 분포상의 이상형태를 확인한다.
③ 데이터의 개별 속성값은 예상한 범위 분포의 기초통계량을 통해 확인한다.
④ 개별 데이터 간의 상관성을 산점도를 통해서 확인한다.

》 기출유형 따라잡기

[02회] 데이터의 통계량과 분포 등을 통해 데이터의 형태를 파악하고 변수 간의 구조적 관계를 찾아가는 과정을 무엇이라 하는가?
① 탐색적 데이터 분석(EDA)
② 추론적 통계
③ 데이터 시각화
④ 가설검정

정답 ①

해설 탐색적 데이터 분석은 데이터의 특징과 내재하는 구조적관계를 알아내기 위한 기법들을 총칭하는 의미이다.

2 상관관계 분석

학습 목표
1. 상관의 개념과 목적을 알아본다.
2. 상관계수의 의미를 이해한다.

출제 KEYWORD
① 공분산과 상관계수의 차이점 ★
② 피어슨 상관계수와 스피어만 상관계수의 차이점 ★

1. 상관분석의 이해

1) 상관분석의 의의
- 상관분석은 데이터 안의 두 변수 간 상관관계의 정도를 측정하는 것으로 하나의 변수가 다른 변수와 얼마나 관련성을 갖고 변화하는지를 알아보기 위해 사용한다.
- 이를 측정하는 방법에는 피어슨 상관계수, 스피어만 상관계수, 켄달의 순위상관계수 등이 있다. 흔히 상관계수라고 하면 피어슨 상관계수를 뜻한다.

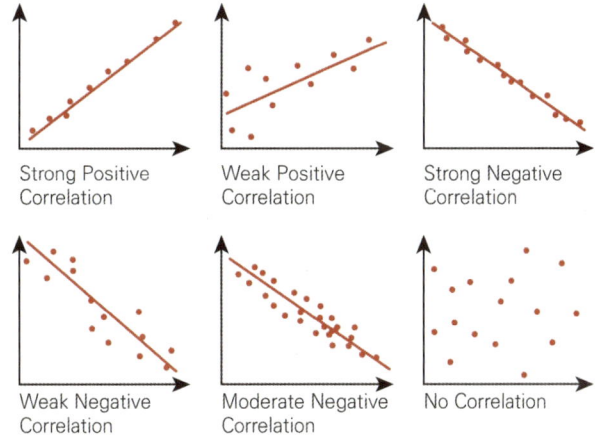

[상관계수의 방향과 선형성의 정도]

2) 상관분석을 위한 기본 가정
① 상관분석은 변수들 간의 선형성을 충족시켜야 한다. 즉, 두 변수 간에 정(+)의 상관이거나 부(-)의 상관형태로 나타난다.

② 등분산성 가정을 충족시켜야 한다.
③ 이상치 유무를 파악하여 제거해야 한다.
④ 변수는 등간 또는 비율 척도로 구성되어야 한다. 서열척도는 순위 상관을 사용한다.

2. 공분산과 상관계수

1) 공분산

- 두 변수 사이의 상관성을 나타내는 지표는 기본적으로 두 변수 간의 공분산이다.
- 두 변수 X와 Y를 가정할 때, 공분산이란 X의 증감에 따른 Y의 증감에 따른 척도로써 $(X-\mu_X)(Y-\mu_Y)$의 기댓값을 의미하며, Cov(X,Y)로 표시한다.
- $\mu_X = E(X), \ \mu_Y = E(Y)$를 의미한다.
- 공분산이란 동시에 2개의 변수값들을 갖는 개별 관측치들이 각 변수의 평균으로부터 어느 정도 산포되어 있는가를 나타내는 지표이다.

> ① $Cov(X,Y) = \sigma_{XY} = E[(X-\mu_X)(Y-\mu_Y)]$
> ② $Cov(X,Y) = E(XY) - E(X)E(Y)$
> ③ $Cov(X,Y) = Cov(Y,X)$
> ④ $Cov(aX+b, cY+d) = acCov(X,Y)$, 단 a,b,c,d 상수
> - 만일 X와 Y가 독립이라면, Cov(X,Y) = 0은 반드시 성립
> - Cov(X,Y) = 0이라고 해서 X와 Y는 반드시 독립이라고 할 수는 없다.

- X와 Y의 측정 단위가 달라지면 공분산의 값이 달라지므로 단순히 공분산의 값으로만 두 변수 사이의 관계성을 알기 어렵다.
- 따라서 측정 단위나 대상에 관계없이 두 변수 사이의 일관된 선형관계를 나타내 줄 수 있는 지표를 구하기 위해 두 변수 사이의 공분산을 표준화하는 것이 필요한데 상관계수는 바로 이 공분산을 표준화시켜 준 값이라고 할 수 있다.

2) 상관계수

(1) 수치적 데이터 변수의 상관분석
① 피어슨 상관계수(모수적 검정)
- 대상변수들의 측정에 사용된 척도가 등간·비율척도일 때 하나의 변수와 다른 변수 간의 관련성을 분석하는데 이용된다.

- 두 변수 X, Y의 종류나 특정 단위에 관계없는 척도를 구하기 위해 공분산을 X, Y의 표준편차로 나누어 표준화하여 구한다.

$$Corr(X, Y) = \frac{Cov(X, Y)}{\sigma_X \sigma_Y} = \frac{\sum (X_i - \mu_X)(Y_i - \mu_Y)}{\sqrt{\sum (X_i - \mu_X)^2} \sqrt{\sum (Y_i - \mu_Y)^2}}$$

$$-1 \leq Corr \leq 1$$

- 두 변수에 대한 n개 표본이 주어졌을 때, 이들 표본에 대한 상관계수를 표본상관계수 r로 나타낸다.

$$r = \frac{Cov(X, Y)}{S_X S_Y} = \frac{S_{XY}}{S_X S_Y}$$

(2) 순서적 데이터 변수의 상관분석
① 스피어만 상관계수(Spearman's Rank Correlation Coefficient)
- 상관관계를 분석하고자 하는 두 연속형 변수의 분포가 심각하게 정규분포를 벗어난다거나 또는 두 변수가 순위척도 자료일 때 사용한다.
- 상관계수를 계산할 두 데이터의 실제 값 대신 두 값의 순위(Rank)를 사용해 상관계수를 계산하는 방식이다.
- 피어슨 상관계수와 마찬가지로 값의 범위는 -1 ~ 1이며 1은 한쪽의 순위가 증가함에 따라 다른 쪽의 순위도 증가함을 뜻하고, -1은 한쪽의 순위가 증가할 때 다른 쪽의 순위는 감소함을 뜻한다. 0은 한쪽의 순위 증가가 다른 쪽의 순위와 연관이 없음을 의미한다.
- 피어슨 상관계수와 달리 비선형 관계의 연관성을 파악할 수 있다는 장점이 있다.
- 또한, 데이터에 순위만 매길 수 있다면 적용이 가능하므로 연속형 데이터에 적합한 피어슨 상관계수와 달리 이산형 데이터, 순서형 데이터에 적용이 가능하다.
- 비모수적 검정

- 스피어만 상관계수는 다음과 같이 정의(x_i와 y_i는 각 변수의 i번째 데이터 순위를 의미)한다.

$$d_i = x_i - y_i$$

$$\rho = 1 - \frac{6\sum d^2}{n(n^2-1)}$$

② 켄달의 순위상관계수
- (X, Y) 형태의 순서쌍으로 데이터가 있을 때 즉, x가 커질 때 y도 커지면 부합, x가 커질 때 y가 작아지면 비부합이라고 본다.
- 켄달의 순위상관계수는 다른 상관계수들과 마찬가지로 -1~1의 범위를 가지며, 1은 부합 데이터쌍의 비율이 100%임을, -1은 비부합 데이터쌍의 비율이 100%임을 뜻한다.
- 0은 x와 y간에 값의 연관성이 없음을 뜻한다.
- 비모수적 검정으로 표본 크기가 작거나, 데이터의 동률이 많을 때 유용하다.

(3) 명목적 데이터 변수의 상관분석
- 항목들을 분류하기 위한 명목적 데이터 변수들로 이루어진 두 변수 간의 연관성을 계량적으로 파악하기 위한 통계적 기법들로, 분석 기법으로는 교차분석이라고 불리는 x^2 검정을 이용한다.
- 수치적 데이터 변수와 달리 분류의 의미를 지닌 명목적 데이터 변수 간의 상관계수를 계산하는 것이 큰 의미가 없다.
- 따라서 명목적 변수들로 구성된 분류표상의 발생빈도를 기반으로 명목적 데이터 변수 간의 연관성을 추론하기 위한 x^2 검정을 사용한다.

3) 상관계수의 특징
- 상관계수 r은 변수 X와 Y의 선형관계를 나타내는 지표로 -1≤r≤1 사이의 값을 가지게 된다.
- 상관계수가 음의 값을 가지면 부(Negative)의 상관관계가, 양의 값을 가지면 정(Positive)의 상관관계가 있음을 의미한다.
- r값이 0에 가까울수록 상관관계가 약한 것을 의미하고 ±1에 가까울수록 강한 상관관계가 있음을 의미한다.

4) 상관계수의 유의성 검정

- 상관계수 검정을 수행하여 상관계수의 유의성 검정을 판단할 수 있다.
    - 귀무가설(H_0) : 두 변수간에 상관관계가 없다.
    - 대립가설(H_1) : 두 변수간에 상관관계가 있다.

5) 상관분석의 절차

① 산점도를 그려서 두 변수의 대략적 관계를 알아본다.
② 상관계수에 필요한 통계량을 구한다.
③ 상관계수를 구한다.
④ 모상관계수에 대한 유의성 검정을 한다.
⑤ 결정계수를 구한다.
⑥ 상관계수와 결정계수를 제시하고 상관분석 결과를 설명한다.

》 기출유형 따라잡기

[02회] 다음 중에서 상관분석에 대한 설명으로 올바르지 않은 것은?
① 수치형 변수의 상관분석 방법을 피어슨의 상관계수라 한다.
② 서열척도의 상관분석을 방법을 스피어만의 상관계수라 한다.
③ 3개 이상의 변수들간의 상관분석을 다변량 상관분석이라 한다.
④ 명목형 데이터 상관분석은 T검정을 이용한다.

정답 ④

해설 교차분석(cross-tabulation analysis)은 두 범주형 자료 간의 상관관계를 확인하기 위한 분석방법이다. 즉, 상호 관련성을 확인하고자 하는 두 변수가 명목척도일 때 사용하는 분석 방법이다.

[05회] 다음 중 공분산에 대한 설명으로 적절하지 않은 것은?
① Cov(x,y) ≠ 0이면 확률변수 x,y 선형 관계를 띤다.
② Cov(x,y) = 0이면 확률변수 x,y는 항상 독립적이다.
③ 확률변수 x,y가 독립이면 항상 Cov(x,y) = 0이다.
④ Cov<0일 때 x가 증가할 때 y는 감소하는 양상을 띤다.

정답 ②

해설
- 두 확률변수의 공분산이 0이라고 해서 반드시 독립을 의미하는 것은 아니다.
- 공분산의 절대값이 큰 것이 연관관계가 크다는 것을 의미하지는 않는다.

3 기초통계량 추출 및 이해

🖉 학습 목표
1. 다양한 기초통계량의 의미를 파악한다.

🔍 출제 KEYWORD
① 비대칭도에 따른 최빈수, 중앙값, 평균의 크기 ★★
② 산포를 나타내는 개념 정의 ★

1. 대푯값
- 대푯값은 분포의 중심위치를 나타내는 측정치이다. 관찰된 자료들이 어느 곳에 가장 많이 모여 있는가를 나타내는 것이 집중화 경향인데, 이런 집중화 경향을 나타내는 수치를 분포의 대푯값이라 하고 이에는 평균, 중앙값, 최빈치가 있다.

1) 평균(Mean)
(1) 평균의 정의
데이터 집합이 어떤 값을 중심으로 분포되어 있는지를 알기 위해 많이 사용되는 평균은 다음과 같이 정의된다.

$$\text{평균의 정의} : \bar{x} = \sum_{i=1}^{n} x_i / n$$

(2) 평균의 의미
- 평균은 데이터 집합의 중앙이 어디인지를 나타내지만, 데이터가 대칭적으로 분포되어 있는 경우에만 옳은 정보가 된다.
- 또 평균은 이상치(비정상적인 속성 값을 지닌 데이터)에 의해 영향을 많이 받는다는 단점이 있다.

2) 중앙값(Median)
(1) 중앙값의 정의
- 평균이 가진 단점으로 인해 위치를 나타내는 또 다른 통계치인 중앙값이 사용된다.
- 중앙값의 정의
  - 자료값을 크기 순서로 나열한다.

- 자료의 수 n이 홀수이면 (n+1)/2번째 자료의 값
- 자료의 수 n이 짝수이면 n/2번째와 (n/2+1)번째 자료의 값을 평균한 값

(2) 중앙값의 의미
- 중앙값은 데이터 집합을 크기에 따라 차례로 나열했을 때 가운데에 놓이는 값을 지칭한다.
- 중앙값은 이상치에 의한 영향을 덜 받으며, 데이터 분포가 비대칭이면 평균보다 더 의미 있는 지표가 된다.
- 평균과 중앙값은 데이터 분포의 성질에 따라 의미가 달라지므로 상황에 맞는 적합한 지표를 선택해 사용해야 한다.

3) 최빈치(Mode)

(1) 최빈치의 정의
- 평균이 가진 단점으로 인해 데이터의 위치를 나타내는 또 다른 통계치인 최빈치가 된다.
- 최빈치의 정의 : 데이터 집합 $x_1, x_2, x_3 \ldots x_n$에서 가장 많은 빈도를 갖는 데이터

(2) 최빈치의 의미
- 최빈치는 가장 많은 빈도를 갖는 데이터를 의미한다.
- 최빈치는 이상치에 의한 영향을 덜 받으면서 데이터 분포가 비대칭인 경우 평균보다 더 의미 있는 지표가 된다.

> **기출유형 따라잡기**
>
> [03회] 다음 중 대푯값에 대한 설명 중 올바르지 않은 것은?
> ① 중앙값은 평균에 비해 이상값에 민감하다.
> ② 평균은 데이터가 대칭적으로 분포되어 있을 경우일 때 적합한 통계량이다.
> ③ 중앙값은 데이터 집합을 크기에 따라 차례로 나열했을 때 가운데에 놓이는 값을 말한다.
> ④ 최빈치는 이상값에 영향을 덜 받으면서 데이터 분포가 비대칭인 경우 평균보다 더 의미 있는 지표가 된다.
>
> **정답** ①

> **기출유형 따라잡기**

[07회] 최빈값에 대한 설명으로 옳지 않은 것은?
① 최빈값은 데이터 집합에서 빈도가 가장 높은 값이다.
② 최빈값은 두 개 이상의 최빈값을 가질 수 있다.
③ 연속형 자료의 대푯값으로 가장 적절하다.
④ 이상치가 존재하면 최빈값이 왜곡될 수 있다.

정답 ③

해설 최빈값은 대푯값 중 하나로서, 주로 범주형 자료에서 사용된다. 연속형 자료에 대해서는 평균이나 중앙값이 대표적인 대푯값으로 고려되는 경우가 많다. 이는 연속형 자료에서는 각각의 값이 하나의 이산적인 카테고리로 구분되지 않고, 무한히 많은 가능한 값이 존재하기 때문이다.

4) 사분위수(Quantiles)

- 사분위수는 데이터 표본을 4개의 동일한 부분으로 나눈 값이다. 사분위수를 사용하여 데이터 집합의 범위와 중심위치를 신속하게 평가할 수 있다.

사분위수	설명
제1 사분위수(Q1)	데이터의 25%가 이 값보다 작거나 같음
제2 사분위수(Q2)	중위수 데이터의 50%가 이 값보다 작거나 같음
제3 사분위수(Q3)	데이터의 75%가 이 값보다 작거나 같음
사분위수 범위(IQR) (Q3-Q1)	제1 사분위수와 제3 사분위수 간의 거리(Q3-Q1)이므로 정렬된 자료의 중간 50%가 흩어진 정도를 측정

> **용어정리**
> - 백분위수란 전체 관측값을 크기 순서대로 배열했을 때, 백분율로 나타낸 특정 위치의 값을 이르는 용어이다.
> - 사분위수 크기가 작은 것이나 큰것부터 나열하여 25%, 50%, 75% 되는 위치를 말한다.
> - 사분위 범위는 25% 되는 위치와 75% 되는 위치의 사이를 말한다.
>   제1사분위수 = Q1 = 제 25 백분위수
>   제2사분위수 = Q2 = 제 50 백분위수
>   제3사분위수 = Q3 = 제 75 백분위수

2. 평균과 중앙값의 비교

- 자료의 측정치 중 다른 측정치에 비해 아주 크거나 아주 작은 극단치가 존재하는 경우 순서의 중심인 중앙값과 달리 크기의 중심인 평균은 극단치가 존재하는 쪽으로 치우치게 된다.

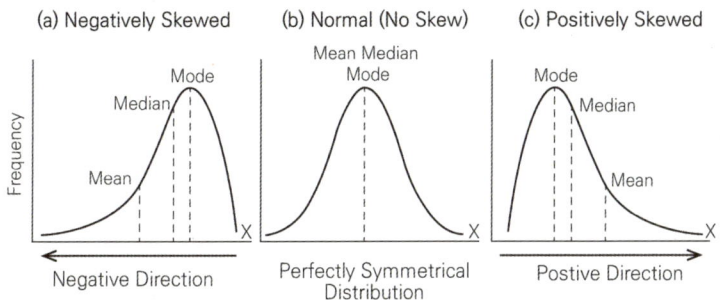

(a) 자료의 분포는 오른쪽에 치우쳐 있어 왼쪽으로 긴 꼬리를 갖는다.
- 평균 < 중앙값 < 최빈수 크기순이다.

(c) 자료의 분포는 왼쪽에 치우쳐 있어 오른쪽으로 긴 꼬리를 갖는다.
- 최빈수 < 중앙값 < 평균 크기순이다.

(b) 자료의 분포가 좌우 대칭이다.
- 최빈수 = 중앙값 = 평균

>> 기출유형 따라잡기

[05회] 기초 통계량에 대한 설명 중 적절하지 않은 것은?
① 제1사분위수는 제75 백분위수이다.
② 측정단위가 다른 데이터를 비교를 위해 변동계수를 사용한다.
③ 통계량은 표본추출에 따라 변동을 보이는 확률변수이다.
④ 최빈치는 가장 많은 빈도를 갖는 데이터를 의미한다.

정답 ①

해설
- 백분위수란 전체 관측값을 크기 순서대로 배열했을 때, 백분율로 나타낸 특정 위치의 값을 이르는 용어이다.
- 사분위수 크기가 작은 것이나 큰 것부터 나열하여 25%, 50%, 75% 되는 위치를 말한다.
- 사분위 범위는 25% 되는 위치와 75% 되는 위치의 사이를 말한다.

> 제1사분위수 = Q1 = 제 25 백분위수
> 제2사분위수 = Q2 = 제 50 백분위수
> 제3사분위수 = Q3 = 제 75 백분위수

> **기출유형 따라잡기**
>
> [07회] 중심 경향값(central tendency)을 나타내는 통계량이 아닌 것은?
> ① 평균(Mean) ② 중앙값(Median)
> ③ 최빈값(Mode) ④ 표준편차(standard deviation)
>
> **정답** ④
>
> **해설** 중심 경향값들은 데이터의 특성과 분포를 이해하는 데 도움이 된다. 어떤 통계량을 사용할지는 데이터의 특성과 분포, 분석 목적 등을 고려하여 결정해야 한다. 평균은 대부분의 경우에서 유용하지만, 중앙값이나 최빈값은 이상치에 덜 민감하므로 특정 상황에서 더 적절할 수 있다.

3. 산포도(흩어진 정도)

- 측정형 변수에 대한 분석에서 중앙 위치만 알고 있으면 자료 전체에 대한 정보를 얻는데 한계가 있다.
- 같은 평균을 갖더라도 흩어진 정도에 차이가 있으면 자료의 특성은 다르다. 산포도가 클수록 흩어진 폭이 넓고, 산포도가 작을수록 분포의 흩어진 폭은 좁다.

1) 범위
- 자료의 분산을 측정하는 가장 간단한 방법
- 자료의 관측치 가운데 가장 큰 최댓값과 최솟값의 차이를 말한다.

2) 사분위수 범위(IQR)
제3 사분위수(Q_3)와 제1 사분위수(Q_1)의 차이를 말한다.

3) 평균절대편차(Mean Deviation)
- 관측치들의 평균값으로부터 떨어져 있는 거리를 말한다.
- 평균편차란 평균값에 대한 각 변량별 편차의 절대값을 평균한 값이다.

$$\text{평균편차}\ (MD) = \frac{1}{n}\sum |x_i - \bar{x}|$$

4) 사분편차(Quartile Deviation)
- 제3 사분위수(Q_3)에서 제1 사분위수(Q_1)을 뺀 값의 1/2값이다.

$$사분편차 = (Q_3 - Q_1)/2$$

5) 분산과 표준편차
- 분산은 편차 제곱의 합을 자료의 수로 나눈 값이다.
- 분산과 표준편차의 관계

$$표준편차(\sigma) = \sqrt{분산}$$

- 모집단의 수를 N, 모집단의 평균을 μ, 모집단의 분산을 σ^2일 때
- 표본의 수를 n, 표본의 평균을 $\overline{X}$, 표본의 분산을 S^2이라 할 때 모집단과 표본의 분산은 다음과 같다.

$$\sigma^2 = \frac{\sum(X_i - \mu)^2}{N} = \frac{1}{N}\sum X_i^2 - \mu^2$$
$$S^2 = \frac{\sum(X_i - \overline{X})^2}{n-1} = \frac{\sum X_i^2 - n\overline{X}^2}{n-1}$$

- 분산이 0이면 모든 변량이 평균값에 집중되고 있음을 의미하며, 분산의 값이 크면 클수록 변량이 평균에서 멀리 떨어져 있다는 것을 의미한다.
- 분산의 정의에는 평균이 포함되어 있기 때문에 분산 또한 이상치에 대해 민감하다.
- 특히 분산은 각 데이터와 평균과의 차이를 제곱했기 때문에 이상치에 민감한 정도가 평균보다도 크게 된다.
- 또한 이러한 제곱 연산으로 인해 분산은 본래 데이터의 속성값과는 다른 단위를 갖는다.

용어정리
- 모분산은 n, 표본분산을 n-1로 나누는 이유를 알기 위해서는 자유도와 불편추정량의 개념을 알아야 한다.
- 불편추정량에서 bias는 추정량의 기댓값에서 모수를 뺀 것이라고 할 수 있다. 이 둘의 관계가 서로 같다면 편의가 없으므로 불편추정량이라 할 수 있다. 수학적으로 불편추정량을 얻기 위해서 표본분산에서 분모에 n-1로 나누어 주게 된다.

6) 변이계수(변동계수, CV)
- 표준편차를 산술평균으로 나눈 값
- 평균의 차이가 큰 두 집단의 산포를 비교할 때 사용
- 단위가 다른 두 집단의 산포를 비교할 때 사용
- 변이계수 값이 큰 분포보다 작은 분포가 상대적으로 평균에 더 밀집되어 있음을 의미

≫ 기출유형 따라잡기

[04회] 다음 중 변동계수(coefficient of variation, CV)에 대한 설명으로 적절하지 않은 것은?
① 측정 단위가 다른 자료를 비교할 때 사용한다.
② 상대 표준편차라고도 한다.
③ 평균과 표준편차를 나눈 값이다.
④ 표준편차와 분산을 사용하여 두 가지 자료의 산포를 측정할 수 있다.

정답 ④

해설
- 변동계수 또는 상대 표준편차(relative standard deviation, RSD)는 표준편차를 표본 평균이나 모평균 등 산술 평균으로 나눈 것이다.
- 측정 단위가 다른 자료를 비교할 때 쓴다. 즉, "변동 계수 = 표준 편차 / 평균"이다.

[06회] 2,4,6,8,10의 표본 평균값과 표본 분산의 값은?
① 평균 6, 분산 8
② 평균 6, 분산 10
③ 평균 5, 분산 8
④ 평균 6, 분산 7

정답 ②

해설 표본평균=(2+4+6+8+10)/5=6, 표본분산=((2-6)^2+(4-6)^2+(6-6)^2+(8-6)^2+(10-6)^2)/4
표본평균을 계산할 때 이미 하나의 제약이 주어지기 때문에 자유도가 하나 감소한다. 따라서 표본분산을 계산할 때 자유도는 $n-1$이 된다.

[06회] 기초 통계량에 대한 설명 중 옳지 않은 것은?
① 사분위수는 3분위에서 1분위수를 뺀 것이다.
② 왜도는 분포의 기울어진 정도를 설명하는 통계량이다.
③ 첨도 값이 3에 가까우면 정규분포와 비슷하다.
④ 변동계수는 측정 단위가 서로 다른 자료를 비교하고자 할 때 쓰인다.

정답 ①

해설 사분위수(Quartiles)와 사분위수 범위(IQR, Interquartile Range)는 서로 다른 통계적 개념이다. ① 사분위수 범위(IQR, Interquartile Range)에 대한 정의이다. 사분위수(Quartiles): 데이터를 크기순으로 정렬했을 때, 데이터를 4등분한 지점을 나타낸다. 이 네 등분점을 사분위수라 한다.

> **기출유형 따라잡기**

[06회] 다음 중 변동계수에 대한 설명으로 옳은 것은?
① 측정 단위가 동일한 자료 간의 흩어진 정도를 상대적으로 비교한다.
② 분산을 중심으로 한 산포의 상대적인 척도를 나타내는 수치이다.
③ 변동계수가 클수록 상대적으로 분포가 넓어진다.
④ 값이 작을수록 상대적인 차이가 크다고 할 수 있다.

정답 ③

해설 변동계수(Coefficient of Variation, CV)는 상대적인 표준편차를 나타내는 지표로, 상대적인 변동의 정도를 나타내기 위해 평균에 대한 상대적인 크기를 고려한다.

4. 비대칭도

1) 왜도

- 자료분포의 모양이 어느 쪽으로 얼마만큼 기울어져 있는가, 즉 비대칭 정도를 나타내는 척도이다.

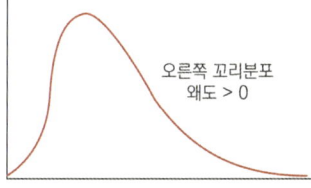
오른쪽 꼬리분포
왜도 > 0

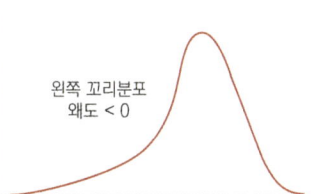
왼쪽 꼬리분포
왜도 < 0

$$S_k = \frac{(\overline{X} - M_o)}{S} = 3\frac{(\overline{X} - M_e)}{S}, \quad M_O : 최빈수, \ \overline{X} : 산술평균, \ M_e : 중위수$$

① S_k(왜도)가 0이면 좌우 대칭분포, $M_o = \overline{X}$
② S_k(왜도)가 0보다 크면 왼쪽으로 치우친 분포(오른쪽 꼬리분포), $M_o < \overline{X}$
③ S_k(왜도)가 0보다 작으면 오른쪽으로 치우친 분포(왼쪽 꼬리분포), $M_o > \overline{X}$

2) 첨도

- 분포도가 얼마나 중심에 집중되어 있는가, 분포의 중심이 얼마나 뾰족한가를 측정

① 첨도가 = 3이면 표준 정균분포와 중첩
② 첨도가 > 3이면 표준 정규분포보다 정점이 높고 뾰족한 모양

③ 첨도가 < 3이면 표준 정규분포보다 낮고 무딘 모양

> **기출유형 따라잡기**
>
> [07회] 분포의 꼬리가 어느 한쪽으로 치우쳐져 있는지를 측정하는 지표를 무엇이라 하는가?
> ① 기하평균 ② 최빈값
> ③ 사분위수 ④ 왜도
>
> **정답** ④
>
> **해설** 왜도 값이 양수라면 데이터 분포는 오른쪽으로 치우쳐져 있다. 즉, 분포의 오른쪽 꼬리가 길고, 왼쪽 꼬리는 짧다. 왜도 값이 음수라면 데이터 분포는 왼쪽으로 치우쳐져 있다. 왼쪽 꼬리가 길고, 오른쪽 꼬리는 짧다.

4 시각적 데이터 탐색

> **학습 목표**
>
> 1. 다양한 시각화 도구를 통한 해석을 이해한다.

> **출제 KEYWORD**
>
> ① 상자그림 정의 및 시각화 해석 ★★
> ② 줄기 잎 그림과 히스토그램 시각화 해석 ★

- 데이터 시각화(Data Visualization)는 데이터 또는 데이터로부터의 정보를 명확하고 효과적으로 전달하기 위해 그래프, 차트, 지도 등을 이용하여 시각적으로 표현하는 것
- 데이터 시각화를 통해 데이터에 내재된 트렌드, 이상치, 패턴 등을 파악할 수 있음

1) 줄기 - 잎 그림(Stem - Leaf Plot)

- 줄기-잎 그림을 사용하여 표본 데이터의 형상 및 분포를 파악할 수 있다.
- 줄기-잎 그림은 막대를 표시하는 대신 실제 데이터 값의 자릿수를 표시하여 각 잎(행)의 빈도를 나타낸다.
- 줄기-잎 그림은 표본 크기가 약 50보다 작을 때 가장 효과적이다.

학생들의 수학점수
76, 83, 93, 67, 97, 84, 72, 94, 95, 81, 75

줄기	잎
6	7
7	2 5 6
8	1 3 4
9	3 4 5 7

[줄기 - 잎 그림]

(1) 줄기 - 잎 그림 해석
  ① Stem-Leaf Plot을 통하여 자료의 분포 형태를 알 수 있다. 이는 히스토그램과 같은 역할이다.
  ② 봉우리(최빈값) 위치 및 개수 → 봉우리의 개수가 집단의 개수이다.
  ③ 분포의 좌우대칭 여부
  ④ 자료의 범위 및 분산
  ⑤ 이상치 존재 여부 및 위치
  ⑥ 줄기 잎 그림은 히스토그램과 달리 자료의 정보 손실이 없어 히스토그램과 비교해 더 많은 정보를 제공한다.

2) 히스토그램(Histogram)
  ① 히스토그램(Histogram)
    • 히스토그램이란 길이, 무게, 시간, 경도 등을 측정하는 데이터(계량치 데이터)가 어떠한 분포를 하고 있는가를 알아보기 쉽게 나타낸 그림이다.
    • 왼쪽으로 치우친 모양이라면 데이터가 전체 범위에서 수치가 낮은 쪽에 몰려있고, 오른쪽에 치우쳐 있다면 높은 쪽에 몰려있음을 의미한다.
    • 왜도에서의 최빈값, 중앙값, 최빈값의 위치와 같은 개념이다.

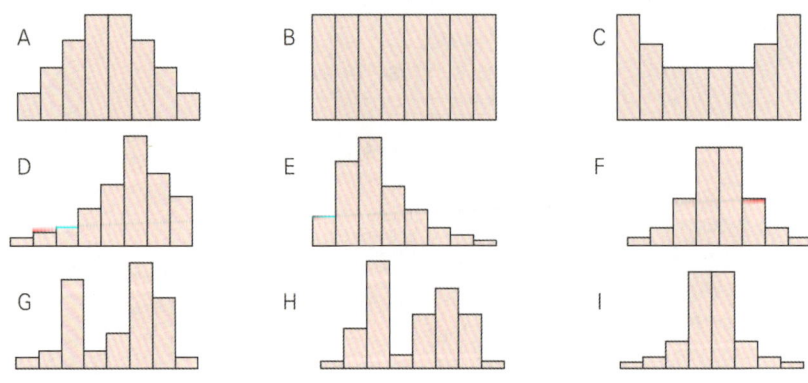

좌우대칭(Symmetry) : A, B, C, F, I
왼쪽꼬리(Skewed to the left) : D
오른쪽 꼬리(Skewed to the right) : E

종모양(Bell-Shaped) : F, I
단봉(Unimodal) : A, D, E, F, I
양봉(Bimodal) : C, G, H

[히스토그램의 형태]

(1) 히스토그램의 해석
① 히스토그램은 표본 크기가 20 이상일 때 가장 잘 작동한다. 표본 크기가 너무 작으면 히스토그램의 각 막대에 데이터 분포를 정확하게 표시하기에 충분한 데이터 점이 포함되지 않을 수 있다.
② 데이터가 치우쳐 있으면 대부분의 데이터가 그래프의 높은 쪽이나 낮은 쪽에 위치한다. 왜도는 데이터가 정규분포를 따르지 않을 수도 있음을 의미한다.
③ 히스토그램에서는 양쪽 끝의 고립된 막대가 특이치를 나타낸다.
④ 다봉 데이터는 일반적으로 두 개 이상의 공정이나 조건(예 두 개 이상의 온도)에서 데이터가 수집되는 경우 발생한다.
⑤ 그룹의 산포 간 차이를 확인

3) 막대그래프(Bar Chart)
- 수치를 길이로 표현해 절대값을 갖는 동일한 폭의 막대를 동일한 간격으로 배치함으로써 여러 값의 상대적인 차이를 한눈에 알아볼 수 있다.
- 막대 값들의 차이가 미미하거나 표시할 값의 수가 많은 경우에는 막대들을 비교하기가 쉽지 않다.

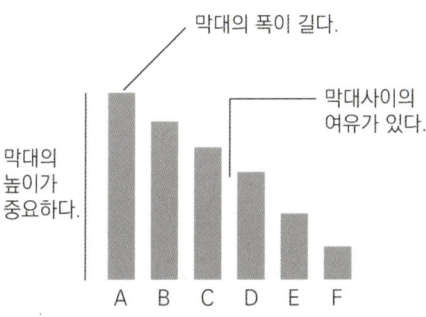
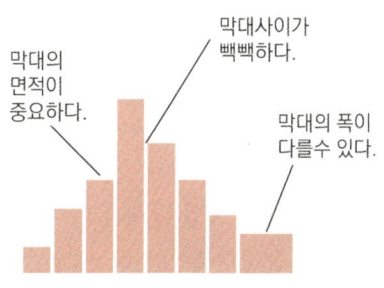

[막대그래프와 히스토그램의 차이]

4) 상자그림(Box Plot)
- 상자그림은 데이터의 분포를 시각화한다.
- 상자그림에서 최댓값은 Q3+1.5(Q3-Q1), 최솟값은 Q1-1.5(Q3-Q1)이다.
- IQR(사분위수 범위) = Q3-Q1이다.
- 그림에서 보이는 원들은 이상값에 해당된다.
- IQR(사각형)의 크기가 클수록 분산이 크다는 것을 의미한다.
- Q2선의 위치가 Q1쪽에 있으면 왼쪽에 치우친 분포라 할 수 있다.

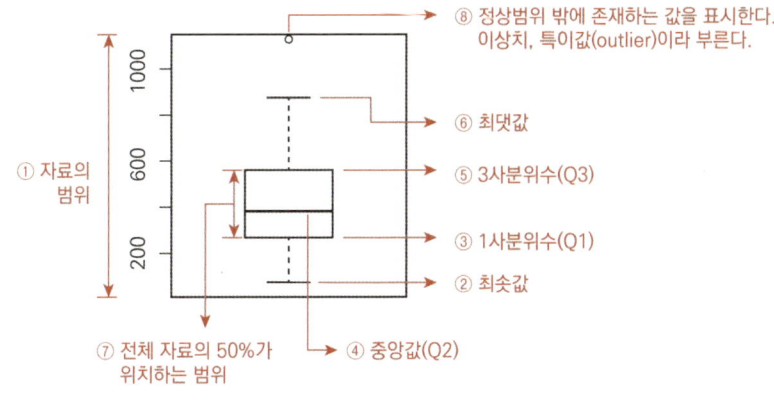

[상자그림]

5) 산점도(Scatter Plot)
- 산점도는 2개의 연속형 변수 간의 관계를 보기 위하여 직교좌표의 평면에 관측점을 찍어 만든 시각화 그림
- 산포도에 표시되는 각 점들은 자료의 관측값을 나타내며 산점도에서 각 점의 위치는 각 관측값이 가지는 X축, Y축 변수의 값으로 결정한다.

(1) 산점도의 해석
① 어느 모형 관계가 데이터에 가장 적합한지 확인하고 관계의 강도를 확인할 수 있다.
② 산점도에 그룹이 있는 경우 그룹 관련 패턴을 탐색할 수 있다.
③ 산점도에서의 고립된 점은 특이치를 의미한다.

》 기출유형 따라잡기

[05회] 상자수염그림과 이상치에 대한 설명으로 적절하지 않은 것은?
① 상자수염그림을 통해서 이상치를 탐지할 수 있다.
② 수염은 IQR값의 1.5배 내지 3배 멀리 떨어진 데이터까지 연결되어 있다.
③ 상자수염그림에서 2사분위수는 중앙값이다.
④ Q3-Q1의 범위를 IQR이라 한다.

정답 ②
해설
- 상자의 양 끝과 연결된 선은 수염이라고 부르는데, 이 수염은 상자 길이(IQR)의 1.5배만큼 떨어진 지점을 나타낸다.

[06회] 다음과 같은 시각화 도구에 대한 정의로 옳은 것은?

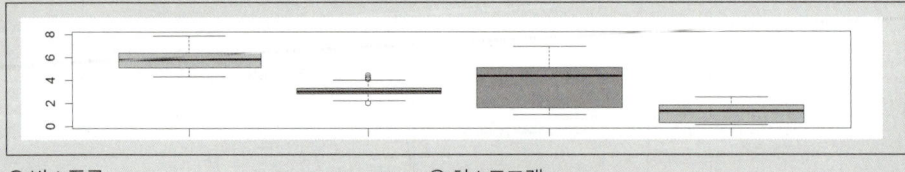

① 박스플롯　　　　　　　② 히스토그램
③ 산점도　　　　　　　　④ 막대그래프

정답 ①
해설 상자그림은 데이터의 분포와 중심 경향, 분산, 이상치 등을 효과적으로 파악할 수 있는 시각화 도구로 널리 사용되고 있다.

[07회] 명목형 데이터를 요약할 때 사용하는 시각화 도구가 아닌 것은?
① 막대그래프 (Bar Chart)　　② 원 그래프 (Pie Chart)
③ 모자이크 플롯 (Mosaic Plot)　④ 히스토그램(histogram)

정답 ④
해설 히스토그램은 주로 연속형 자료의 분포를 시각화하는 데 사용되는 도구이다.

02 고급 데이터 탐색

1 시공간 데이터(Spatio-Temporal Data) 탐색

학습 목표
1. 시공간 데이터 탐색 방법을 학습한다.

출제 KEYWORD
① 단계구분도(Choropleth Map)와 카토그램(Cartogram) 차이점 ★★

1. 시공간 데이터 정의
- 시간 정보와 공간 정보를 동시에 가지고 있는 데이터로(위치, 시간, 날짜)의 형태로 이루어져 있다.
- 공간적 객체에 시간의 개념이 추가되어 시간에 따른 위치나 형상이 변하는 데이터이다.

2. 시공간 데이터 탐색 절차

1) 시간 데이터의 변환
- 날짜나 시간으로 보이는 데이터가 문자열로 지정된 경우 수치형 데이터로 변환한다.
- Date, Year, Month 등의 시간·날짜 관련 함수를 이용할 수도 있다.

2) 공간 데이터의 변환
- 공간 데이터는 보통 다음과 같은 3가지 형태의 데이터형으로 존재한다.
- 주소, 주소를 세부적으로 구분한 계층형 행정구역, 좌표값이다.
- 좌표계를 행정구역으로 묶어서 변환해주거나 그 반대로 변환해주는 것을 지오코딩(Geocoding)이라고 한다.

3. 시공간 데이터 탐색 종류

1) 단계구분도 = 등치지역도(Choropleth Map)
- 단계구분도(Choropleth Map)는 주제도(Thematic Map)로 인구밀도, 1인당 소득 같은 정보를 비례하여 음영처리나 패턴을 넣어 지도상에 표현하는 방식이다.

- 색상은 정량적인 값에 근거하여 채도나 밝기를 차례로 변화시켜 적용한다. 등치지역도는 지리적 단위별로 인구가 균등하게 배분되지 않으면 단점이 된다. 데이터가 나타내는 값에 의해서가 아니라 지리적으로 차지하는 면적이 큰 경우 실제 값을 왜곡시킬 수 있기 때문이다. 시간에 따라 증가하는 값을 표현할 경우는 색상을 더욱더 신중히 선택해야 한다.

2) 카토그램(Cartogram)
- 카토그램(Cartogram)은 정보를 표현하는 것에 있어서 왜곡을 이용하여 지도를 생성하는 방법
- 기존의 명확하게 보였던 지역의 면적이나 거리의 의미는 사라지고 다른 정보로 대체된다. 이러한 지리적인 정보의 틀을 깨면서까지 카토그램을 활용하는 이유는 맵 안에서의 경계, 거리, 면적의 의미보다 더 전달하고 싶은 정보를 효과적으로 전달할 수 있기 때문이다.

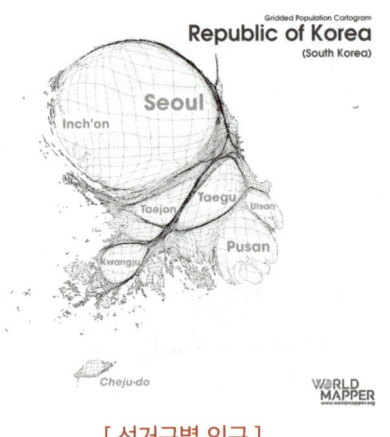

[선거구별 인구]

3) 버블 플롯맵(Bubble Plot Map)
- 버블 플롯맵은 버블차트에 위도와 경도 정보를 적용하여 좌표를 원으로 시각한 맵이다.
- 원의 크기, 색깔 등을 반영하여 시각화를 표현한다.

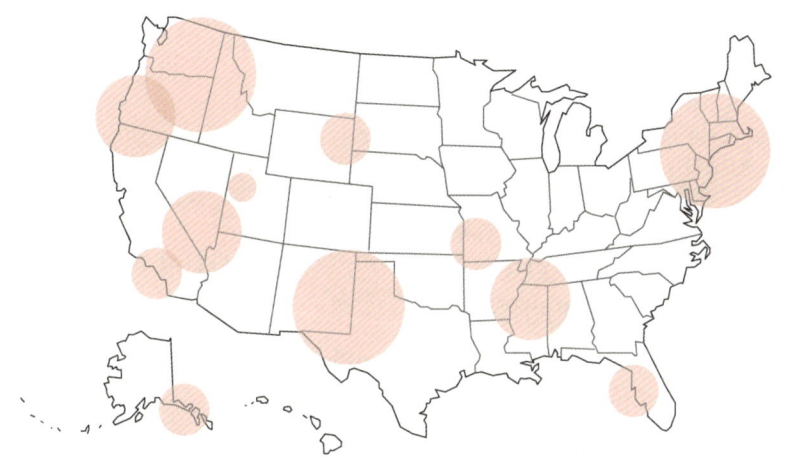

4) 등치선도
- 등치선도(Isarithmic map)는 등치 지역도가 갖는 지리적 단위별로 인구밀도가 상이할 경우 데이터 왜곡을 줄 수 있는 결점을 극복하기 위해 색상의 농도를 활용하여 표현한 방법이다.

> **기출유형 따라잡기**

[04회] 다음 중 시공간 데이터로 옳지 않은 것은?
① GIS 데이터
② 코로플레스 맵
③ 패널 데이터
④ 격자 데이터

정답 ③

해설 패널 데이터(영어 : panel data)는 종단자료(영어 : longitudinal data)라고도 하며, 여러 개체를 복수의 시간에 걸쳐서 추적하여 얻는 데이터를 말한다.

2 다변량 데이터 탐색

📝 학습 목표
1. 다변량 데이터의 특징과 탐색 방법을 학습한다.

🔍 출제 KEYWORD
① 다차원척도법과 주성분 분석의 시각화 해석 ★★
② 조건부 플롯(Conditioning Plot)과 평행좌표 플롯(Parallel Coordinates Plot) 차이점 ★
③ 선형판별분석과 주성분 분석의 차이 ★

- 다변량 분석(Multivariate Analysis)이란 여러 현상이나 사건에 대한 측정치를 개별적으로 분석하지 않고 동시에 한 번에 분석하는 통계적 기법을 말한다. 즉 여러 변인들 간의 관계성을 동시에 고려해 그 효과를 밝히는 것이다.
- 다변량 분석은 여러 변인들의 효과를 동시에 분석하기에 종속변인에 대한 효과가 개별평균(혹은 변량)이 아니라, 여러 변수 간의 선형조합(평균벡터)으로 해석된다는 점에서 단변량 또는 이변량 분석과는 차이가 있다.
- 다변량 데이터를 표현하고 분석하는 방법은 일변량 및 이변량과 유사하다. 단지 여러 변수를 나누어 분석하는 대신 동시에 분석한다는 차이가 있을 뿐이다.

> **용어정리**
> - **단변량, 이변량, 다변량의 차이**
>   - 단변량 분석(Univariate Analysis): 단일 변수에 대한 분석이다. 종속변수나 독립변수의 개수와는 관계없이, 하나의 변수에 대한 데이터 분포, 중심 경향, 분산 등을 분석한다. 예를 들어, 학생들의 키에 대한 데이터를 분석하는 경우 단변량 분석에 해당한다.
>   - 이변량 분석(Bivariate Analysis): 두 변수 간의 관계를 분석하는 방법이다. 이때 두 변수는 종속변수와 독립변수로 구성될 수 있으며, 둘 간의 상관관계, 회귀 분석 등이 사용된다. 예를 들어, 키와 몸무게 간의 관계를 분석하는 것이 이변량 분석이다.
>   - 다변량 분석(Multivariate Analysis): 세 개 이상의 변수 간의 관계를 분석하는 방법입니다. 여러 변수들이 어떻게 상호작용하는지를 분석하는 데 사용되며, 종속변수가 다수일 수도 있고, 독립변수가 다수일 수도 있다. 예를 들어, 학생들의 시험 성적, 공부 시간, 수면 시간 간의 관계를 분석하는 것이 다변량 분석이다.

1. 상관관계

- 아래 산점도 행렬을 통해 여러 변수를 조합한 산점도와 상관관계의 선형 정도를 확인할 수 있다.

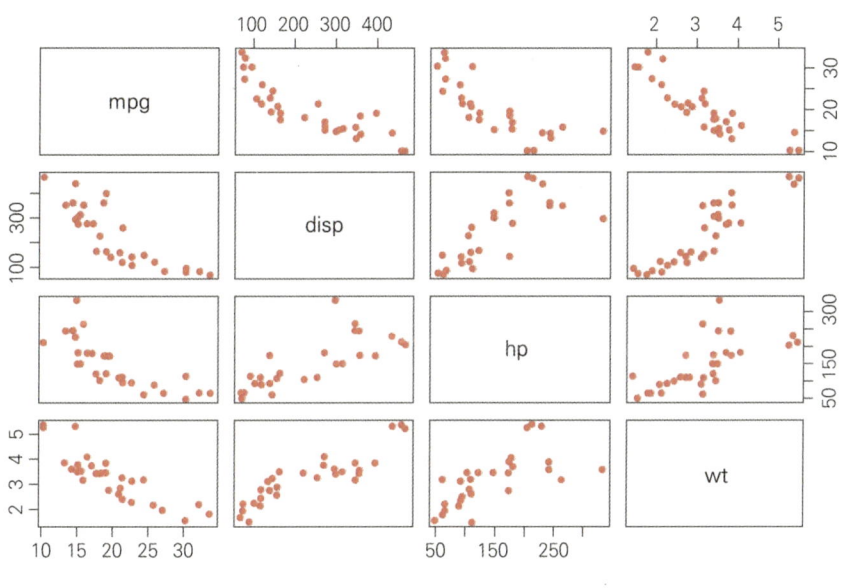

[mpg 데이터 산점도 행렬]

(1) 상관관계(산점도 행렬) 데이터 탐색 결과 해석사례
   ① 대각선에 각각의 변수가 제시
   ② 대각선 기준으로 대칭이므로 위, 아래 하나만 골라 관찰하면 된다.
   ③ disp와 wt 상관 그래프를 보기 위해선 disp와 wt가 맞닿아 있는 그래프를 보면 된다.
   ④ x축의 증가에 따른 y축의 감소, 증가 등 상관관계가 있는 것을 찾는다.
   ⑤ mpg - wt간 반비례 관계 존재, disp - wt간 비례관계 존재를 확인한다.

2. 다차원척도법(Multidimensional Scaling)

- 다차원척도법은 군집분석과 같이 개체들을 대상으로 변수들을 측정한 후, 개체들 사이의 유사성·비유사성을 측정하여 개체들을 2차원 또는 3차원의 공간상에 점으로 표현하는 방법
- 데이터 축소의 목적으로 다차원척도법을 이용한다. 즉 데이터에 포함되는 정보를 끄집어내기 위한 탐색 수단으로 사용한다.
- 개체들 간의 거리 계산은 유클리드 거리 행렬을 사용한다.
- 상대적 거리의 정확도를 높이기 위해 적합한 정도를 스트레스 값(Stress Value)으로 나타낸다.

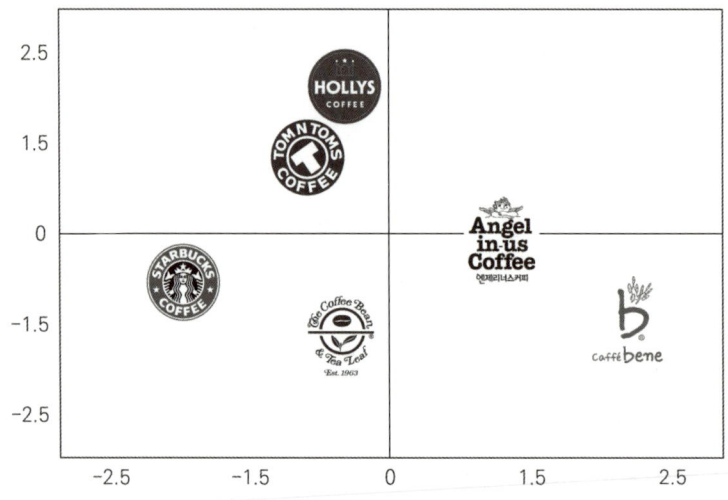

[6개 커피 브랜드에 대한 다차원척도 분석]

(1) 다차원척도법 데이터 탐색 결과 해석 사례
  ① 브랜드 A, B, C, D, E, F가 있다. 6개 브랜드가 소비자 인식 속에 어떻게 자리 잡고 있는지를 보기 위해서 사용
  ② 유사성 측정 도구란 "브랜드 간에 얼마나 유사한가요?" 설문을 1점~5점으로 주는 형태로 작성
  ③ 13개의 쌍을 만든 후 이에 대해 5점 스케일을 적용한 후, 획득 점수를 거리로 환산 후 다차원척도 분석
  ④ 각 브랜드별 유사한 군집을 확인

3. 주성분 분석(PCA, Principal Component Analysis)

- PCA는 데이터에서 패턴을 찾고 이러한 패턴을 강조하는 데이터의 변환된 표현을 식별하는 데 사용할 수 있는, 데이터 탐색을 위한 고급 알고리즘이다.
- 고차원의 데이터를 저차원의 데이터로 환원시키는 기법을 말한다.
- 이 때 서로 연관 가능성이 있는 고차원 공간의 표본들을 선형 연관성이 없는 저차원 공간(주성분)의 표본으로 변환하기 위해 직교 변환을 사용한다.
- 데이터를 한 개의 축으로 사상시켰을 때 그 분산이 가장 커지는 축을 첫 번째 주성분, 두 번째로 커지는 축을 두 번째 주성분으로 놓이도록 새로운 좌표계로 데이터를 선형 변환한다.
- 이처럼 표본의 차이를 가장 잘 나타내는 성분들로 분해함으로써 데이터 분석에 여러가지 이점을 제공한다.

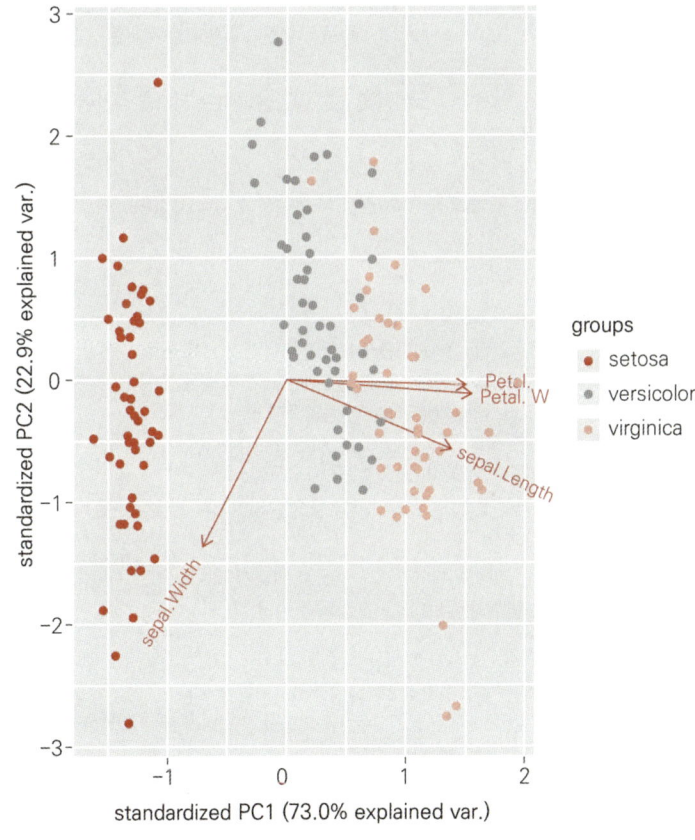

[iris data 주성분 분석 biplot 결과]

(1) biplot 해석
- biplot은 2차원 혹은 3차원 공간에 데이터의 점을 표현하고, 그 위에 주성분(Principal Component)들을 화살표로 나타내는 시각화이다. 이러한 그래프를 통해 데이터의 분포와 주성분의 기여를 동시에 파악할 수 있다.
  ① biplot 그림에서 화살표는 원변수와 PC(주성분)의 상관계수를 뜻하며, PC와 평행할수록 해당 PC에 큰 영향을 의미함
  ② 화살표 벡터의 길이가 원변수의 분산을 표현하며, 길수록 분산이 크다.
  ③ PC1의 중요한 변수는 Petal.Length, Petal.Width, PC2는 Sepal.Width가 중요한 변수

> **기출유형 따라잡기**

[03회] 다음 중 주성분 분석에 대한 설명 중 올바르지 않은 것은?
① 주성분 분석(PCA, Principal Component Analysis)은 고차원의 데이터를 저차원의 데이터로 환원시키는 기법을 말한다.
② 서로 연관 가능성이 있는 고차원 공간의 표본들을 선형 연관성이 없는 저차원 공간(주성분)의 표본으로 변환하기 위해 직교 변환을 사용한다.
③ PCA는 데이터의 분산이 최소가 되는 축을 찾는다.
④ 공분산(Covariance)은 2개의 특성(또는 변수)간의 상관 정도를 나타낸 값이다.

정답 ③

해설 PCA는 다음의 4단계로 이루어진다.
① 학습 데이터셋에서 분산이 최대인 축(Axis)을 찾는다.
② 이렇게 찾은 첫 번째 축과 직교(Orthogonal)하면서 분산이 최대인 두 번째 축을 찾는다.
③ 첫 번째 축과 두 번째 축에 직교하고, 분산을 최대한 보존하는 세 번째 축을 찾는다.
④ ① ~ ③과 같은 방법으로 데이터셋의 차원(특성 수)만큼의 축을 찾는다.

[05회] 다음 중 주성분 분석에 대한 설명으로 옳지 않은 것은?
① 주성분 분석은 차원을 축소하는 방법으로 안면인식 등 영상인식에서 널리 활용된다.
② 공분산 행렬의 행과 열은 같다.
③ 공분산 행렬의 고유값과 고유벡터를 계산하여 주성분을 택할 수 있다.
④ 주성분 분석은 표본의 수가 변수의 수보다 클 때 사용할 수 없다.

정답 ④

해설
- 주성분 분석의 고유값 분해의 경우 m x m의 정방행렬에서만 사용할 수 있다.
- ④의 경우를 차원의 저주라 하며, 이때 해결 방안으로 차원의 축소 기법이라 할 수 있는 주성분 분석을 사용한다.

4. 선형판별분석(LDA, Linear Discriminant Analysis)

- 선형판별분석(LDA, Linear Discriminant Analysis)은 PCA와 마찬가지의 피처 압축 기법 중 하나이다. 전체적인 개념은 상당히 유사하지만, LDA는 PCA와 달리 최대분산의 수직을 찾는 것이 아니라 지도학습 방식으로 데이터의 분포를 학습하여 분리를 최적화하는 피처 부분공간을 찾은 뒤, 학습된 결정 경계에 따라 데이터를 분류하는 것이 목표이다.
- PCA는 전체 원소들이 가장 넓게 퍼질 수 있는 축을 찾는다. 반면 LDA는 같은 집단 내(Within Class)의 원소들은 뭉치고 집단 간(Between Class)의 거리는 멀어지는 축(Axis)을 찾는다고 볼 수 있다.

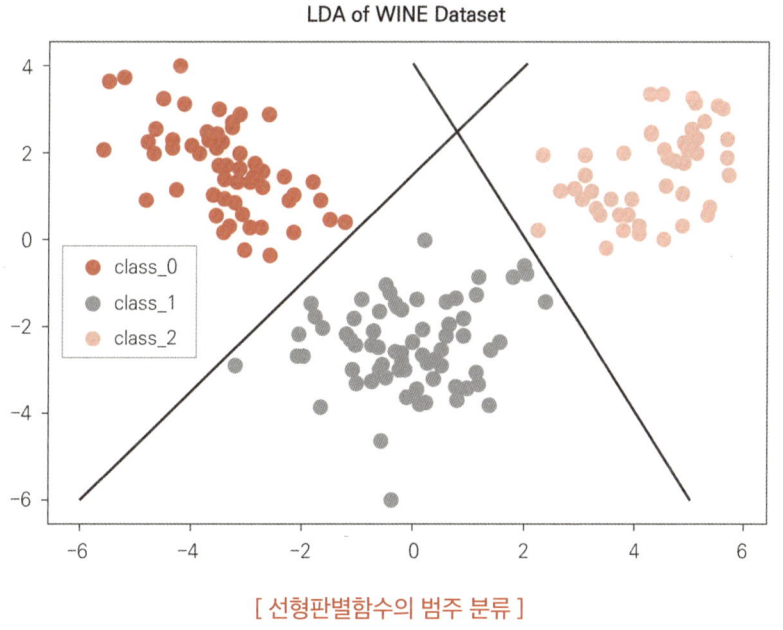

[선형판별함수의 범주 분류]

5. 조건부 플롯(Conditioning Plot)

- 다변량 자료 분석에서 3개 변수 X, Y와 Z의 관계를 탐색하는 과정에서 변수 X와 Y의 관계를 Z에 조건화하여 볼 필요가 있다.
- 예를 들어 X를 수학능력시험의 언어영역점수, Y를 수학능력시험의 수리영역 점수라고 하고, Z를 재수년수(Z=0이면 재학생, Z=1 재수생)한다면 수능언어와 수능수리의 관계를 탐색하는 과정에서 재수년수(Z)별로 X와 Y의 산점도를 그려볼 수 있다.

- 조건부 플롯은 제3의 변수(= Z)의 수준별로 평행하게 만들어지는 일련의 통계 그래프이다.
- 그래프가 두 변수 (= X, Y) 간 산점도에서는 X와 Y의 관계가 Z에 따라 어떻게 달라지는가를 탐색할 수 있다.

6. 평행좌표 플롯(Parallel Coordinates Plot)

- 산점도를 다변량의 경우로 확장하는 것이 어려워, 이에 대한 대안으로 제시된 것이 평행좌표 플롯이다.
- 평행좌표 플롯(Parallel Coordinates Plot)은 다변량 자료를 이차원 평면에 나타내고, 그 해석을 직관적으로 할 수 있다.
- 각 변수를 평행으로 늘어 놓고 다변량 개별 자료를 선으로 이어 놓은 것이 평행좌표이다.
- 평행좌표에서 자료가 너무 많으면 선들이 겹쳐 전체적인 패턴을 보기 힘들 수도 있고, 변수가 너무 많으면 평행좌표들 사이가 너무 가까이 있게 되고, 어떤 순서로 좌표를 그리는 것이 좋은지 알기 어렵다는 단점이 있다.

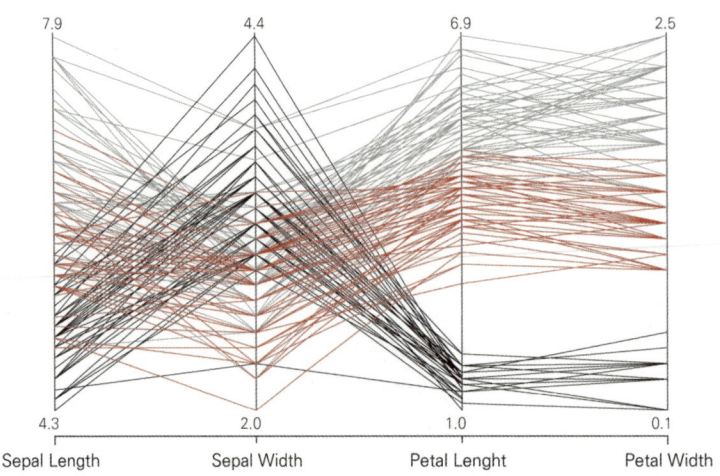

- 평행좌표계의 해석
  - Sepal.Length와 Sepal.Width의 연결선들은 서로 엇갈리는 방향으로 놓이는 경향을 보이는데 이런 패턴은 두 변수 간 음의 상관을 나타냄
  - Petal.Length와 Petal.Width의 연결선들은 나란한 경향을 보이는데 이는 두 변수간 양의 상관을 나타냄

> **기출유형 따라잡기**

[02회] 입력변수 X만큼 Y축을 만들고 동일한 행에 있는 값을 선으로 연결하여 그리는 시각화 기법으로서 데이터 분포와 관계를 이해할 수 있는 차트를 무엇이라 하는가?
① Scatter Plot
② Parallel Chart
③ Bar Chart
④ Box plot

정답 ②

해설 평행좌표(Parallel Coordinates) Plot이란?
입력 필드 X만큼 Y축을 만들고 동일한 행에 있는 값을 선으로 연결하여 시각화한다.

3 비정형 데이터 탐색

학습 목표
1. 비정형데이터 분석의 특징을 이해한다.

출제 KEYWORD
① 텍스트 분석의 전처리 용어 ★★
② 사회연결망 분석의 중심성 ★

1. 비정형 데이터 개요

- 비정형 데이터란 정형 데이터와 달리 형식이 정해지지 않은 데이터이다.
- 일정한 규격이나 형태를 지닌 숫자 데이터와 달리 형태와 구조가 다른 데이터들을 말한다.
- 비정형 데이터의 형태는 통계 분석 자료로 쓰일 수 없기 때문에 전처리 과정을 통해 이를 정제 및 가공하여 정형화해야 한다.
- 따라서 머신러닝, 딥러닝 수행과정에서 전처리는 필수적인 단계라고 할 수 있다.

2. 비정형 데이터 분석 유형

1) 텍스트 분석

(1) 텍스트 분석의 정의
- 텍스트 마이닝 혹은 텍스트 분석은 비정형 텍스트 데이터로부터 유용한 정보를 추출하는 기술이다.
- 텍스트 마이닝(Text Mining)은 자연어로 구성된 비구조적인 데이터(비정형 데이터)를 대상으로 개체명(인명, 지역명 등), 패턴 혹은 단어-문장 관계 정보를 추출하는 것이다.

(2) 텍스트 데이터에 대한 탐색적 자료분석

① 긍·부정 어휘 도수분포표
- 텍스트 데이터를 토큰화하여 도수분포표를 작성하여 단어들 중에서 긍정이나 부정적적인 감성(Sentiment)을 내포하고 있는 단어들도 있다.
- 이들 감성 어휘들이 문서의 의미를 파악하는 데 유용하게 사용될 수 있으며, 감성 어휘들을 이용하여 텍스트 데이터를 분석하는 방법을 감성분석(Sentiment Analysis)이라 한다.

② 막대그래프의 활용
- 도수분포표에서 감성 어휘를 사용하여 막대그래프를 그려볼 수 있다.
- 긍정 어휘와 부정 어휘의 출현 빈도 차이를 이용하면 문서의 시점별 긍·부정 감성 변화 양상을 분석하여 볼 수 있다.

③ 워드 클라우드
- 텍스트 데이터에서 단어의 출현 빈도를 보여 주기 위해 흔히 사용하는 시각화 기법 중 하나로 워드 클라우드가 있다.
- 출현 빈도가 높은 단어는 크게, 낮은 단어는 상대적으로 작게 표현함으로써 중요도가 높은 단어들이 잘 인식되도록 강조하여 표현한다.

④ 단어의 출현 위치 탐색
- 텍스트 데이터의 경우에 단어의 출현 빈도 외에 단어의 분포가 문서의 의미 파악을 위한 유의미한 정보를 제공해 줄 수 있다.

(3) 벡터공간 모형의 텍스트 데이터 분석
- 텍스트 데이터에 대한 통계분석을 위해서는 텍스트 데이터를 수치화하여 표현할 필요가 있다.
- 벡터 공간모형은 텍스트 데이터를 벡터 공간상의 한 점으로 표현하는 텍스트 데이터의 수치화 기법으로 널리 활용되고 있다.
- 문서-단어 행렬과 단어빈도-역문서빈도(TF-IDF)행렬을 중심으로 텍스트 데이터 기법에 대해 설명한다.

① 문서-단어 행렬
- 문서-단어 행렬(Document-Term Matrix, DTM)은 텍스트 데이터의 각 문서와 해당 문서에 등장한 각 단어, 즉 토큰의 출현 빈도를 나타낸 행렬을 말한다.
- 문서-단어 행렬에서 각 행은 각 문서에, 각 열은 각 문서의 토큰에 대응되고 행과 열이 만나는 문서-단어 행렬의 각 셀에는 문서별 토큰들의 출현 횟수를 기록한다.
- 이렇게 작성된 문서-단어 행렬은 문법적인 구조나 출현 순서 등에 대한 정보가 사라지고 단어들의 출현 빈도에 대한 정보만 포함하고 있어 문맥에 숨겨져 있는 의미까지는 파악하기 힘들다.
- 동일한 주제를 가진 문서들은 비슷한 단어들을 많이 포함할 가능성이 높으므로 문서-단어 행렬의 단어 빈도만으로도 주제의 유사성을 파악할 수 있다.

② 단어빈도-역문서 빈도(TF-IDF)
- 단어 빈도만 고려하여 작성된 문서-단어 행렬에 추가로 문서빈도를 고려해 줄 수 있는 방법이 있다면 텍스트 데이터의 의미를 파악하는데 도움이 될 수 있다.
- 이러한 점에 착안하여 자주 사용되는 단어들의 가중치는 낮추고 특별한 주제를 가진 문서에만 주로 사용되는 단어들의 가중치는 높이는 방식으로 문서-단어 행렬의 가중치를 조정하는 방식을 단어빈도-역문서빈도(Term Frequency-Inverse Document Frequency, TF-IDF)방식이라 한다.
- TF-IDF 방식에서 중요한 역할은 하는 역문서빈도 IDF는 문서빈도, 특정 단어 W_i가 출현한 문서의 수를 역수로 나타낸 것인데, 이 역수에 로그함수를 취한 형태를 사용한다.
- 단어 W_i가 하나의 문서에서 등장한 경우와 두 개의 문서에서 등장한 경우에 두 배의 차이가 있다고 보기보다는 두 배보다 작은 중요도의 차이가 있다고 보게 된다.

용어정리

문서 1: business analytics useful
문서 2: data analytics is also interesting

- 문서(document): 분석 대상이 되는 개별 텍스트
- 코퍼스(corpus): 문서의 집합
- 용어(term): 코퍼스로부터 추출된 단어
- 바이그램(bigram, 2-gram)
- 트라이그램(trigram, 3-gram), n-그램(n-gram)

	business	data	analytics	is	useful	also	interesting
문서 1	1	0	1	1	1	0	0
문서 2	0	1	1	1	0	1	1

TF(d,t): 특정 문서 d에서의 특정 단어 t의 등장 횟수
TF는 DTM과 같은 원리이며, 각 단어들이 가진 빈도수 정보를 뜻한다.

DF(t): 특정 단어 t가 등장한 문서의 수
해당 단어가 등장했던 문서의 수이다. 유의할 점은 딱히 해당 문서에서 특정 단어 t가 많이 포함되어 있다는 것이 중요한게 아닌 포함되어 있다는 정보 자체가 중요하다.

IDF(d,t): df(t)에 반비례하는 수

$$idf(d,t) = \log\left(\frac{n}{1+df(t)}\right)$$

IDF는 위의 DF의 역수를 취한 값을 뜻한다. 이를 통해 모든 단어에 공통적으로 등장하는 경우, 역 문서 빈도로 판단하여 가중치를 낮추는 방식이다.

TF 행렬

-	과일이	길고	노란	먹고	바나나	사과	싶은	저는	좋아요
문서1	0	0	0	1	0	1	1	0	0
문서2	0	0	0	1	1	0	1	0	0
문서3	0	1	1	0	2	0	0	0	0
문서4	1	0	0	0	0	0	0	1	1

용어정리

IDF 행렬

이를 통해 위와 같은 TF값에 기반하여 각 단어의 역 문서 빈도를 아래와 같이 도출할 수 있다.

단어	IDF(역 문서 빈도)
과일이	ln(4/1+1)=0.693147
길고	ln(4/1+1)=0.693147
노란	ln(4/1+1)=0.693147
먹고	ln(4/2+1)=0.287682
바나나	ln(4/2+1)=0.287682
사과	ln(4/1+1)=0.693147
싶은	ln(4/2+1)=0.287682
저는	ln(4/1+1)=0.693147
좋아요	ln(4/1+1)=0.693147

TF-IDF 행렬

위의 2가지 행렬에 기반하여 각 벡터의 가중치를 기반한 TF-IDF 값을 계산하면 다음과 같이 나열된다.

-	과일이	길고	노란	먹고	바나나	사과	싶은	저는	좋아요
문서1	0	0	0	0.287682	0	0.693147	0.287682	0	0
문서2	0	0	0	0.287682	0.287682	0	0.287682	0	0
문서3	0	0.693147	0.693147	0	0.575364	0	0	0	0
문서4	0.693147	0	0	0	0	0	0	0.693147	0.693147

> **용어정리**
>
> **자연어 처리**
> - 자연어 처리는 기계가 인간의 언어를 해석하는데 중점이 두어져 있다면, 텍스트 분석은 텍스트에서 의미 있는 정보를 추출하여 인사이트를 얻는데 더 중점이 두어져 있다.
> - 문자를 기계가 이해할 수 있는 숫자로 바꾼 결과 또는 그 과정을 임베딩(Embedding)이라고 한다.
> ㉮ 원-핫 인코딩(One-Hot Encoding)
>   - 표현하고 싶은 단어의 인덱스에 1의 값을 부여하고, 다른 인덱스에는 0을 부여하는 벡터 표현 방식
> ㉯ Word Embedding(워드 임베딩)
>   - 단어를 밀집벡터(Dense vector)로 표현해 컴퓨터가 처리할 수 있게 변환하는 과정을 말한다.
> ㉰ 단어빈도-역문서 빈도(TF-IDF)
> ㉱ Word2Vec
>   - 단어의 연결을 기반으로 단어의 연관성을 벡터로 만들어준다.
>
>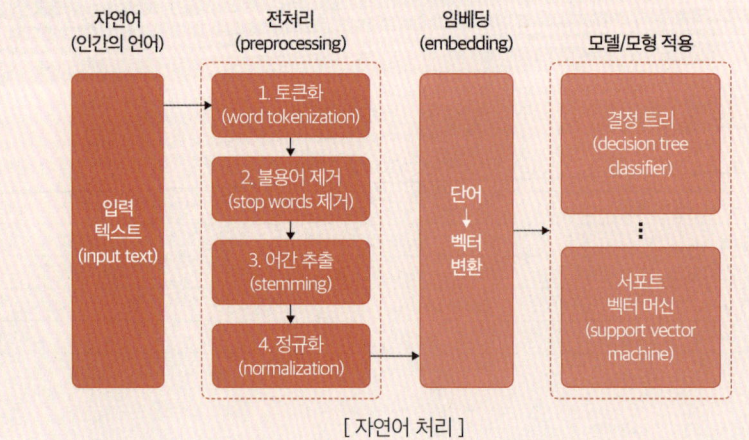
>
> [자연어 처리]

(4) 텍스트 분석의 기능

① 텍스트 분류(Text Classification)
- 텍스트 분류는 임의의 텍스트(혹은 문서)를 미리 정의된 카테고리 혹은 클래스로 분류하는 기술이다.
- 텍스트 자동 분류를 성공적으로 수행하기 위해서는 텍스트 분류기 학습(Training)이 선행되어야 한다.
- 분류기 학습은 학습용 텍스트를 활용하여 각 카테고리에 대한 특성 정보를 미리 정의하는 과정이다. 이후, 입력 텍스트(문서)가 입력되면, 텍스트 분류기는 입력 텍스트로부터 특성 정보(키워드, 키워드 가중치 등)를 추출하여 각 카테고리의 특성 정보와 비교한다.
- 이때, 입력 정보와 각 카테고리의 유사도를 고려하여 가장 적합한 분류를 선정한다.

- 텍스트 분류는 훈련 데이터(학습 데이터)를 기반으로 수행되기 때문에 지도 학습(Supervised Learning)으로 분류되는 머신러닝의 한 기법이다.

② 텍스트 군집(Text Clustering)
- 텍스트 군집은 텍스트의 특성을 분석하여 그 내용 혹은 형태가 유사한 텍스트들을 군집하는 기술이다.
- 텍스트 분류가 정적인(미리 정해진) 카테고리에 따라 텍스트를 분류하는 것이라면, 텍스트 군집은 텍스트에 따라 동적으로 군집이 이루어지는 것이 차이점이다.
- 텍스트 군집은 미리 정의된 카테고리 정보가 없으므로 비지도 학습(Unsupervised Learning)에 해당한다.

③ 텍스트 요약(Text Summarization)
- 텍스트 요약은 대상 텍스트가 가진 주요 의미를 유지하면서 텍스트 길이를 효과적으로 줄여 사용자들에게 짧고 간결하게 주요 정보를 제공하기 위한 기술이다.
- 텍스트 요약 기술은 주요 문장을 추출하는 방식과 주요 정보를 기반으로 새로운 문장을 생성하는 방식으로 구분할 수 있다.

> **기출유형 따라잡기**
>
> [05회] 자연어 처리 방법 중 단어를 벡터화하는 Text To Vector 변환 기법으로 적절하지 않은 것은?
> ① One-hot encoding ② TF-IDF
> ③ Word Embedding ④ Pos-Tagging
>
> **정답** ④
>
> **해설** Part-of-Speech(POS) Tagging
> 문장이 주어졌을 때 각 단어들이 어떤 기능을 하는지 나타내는 품사를 태그하는 문제

2) 텍스트 분석의 전처리

- 텍스트 분석을 하기 전에 분석하기 좋은 형태로 데이터를 정제시키는 작업을 전처리 작업 (preprocessing)이라 한다.
- 텍스트 전처리에는 크게 다음 6가지로 구분한다.

① 토크나이징(tokenizing)
- 어떤 문장을 일정한 의미가 있는 가장 작은 단어들로 나눈다. 그다음 나눠진 단어를 이용해 의미를 분석한다. 이때 가장 기본이 되는 단어를 토큰(token)이라 한다.

- 주어진 문장에서 토큰 단위로 정보를 나누는 작업을 의미
② Part-of-Speech(POS) Tagging
  - 문장이 주어졌을 때 각 단어들이 어떤 기능을 하는지 나타내는 품사를 태그하는 문제
  - 쉽게 말하면 문장의 단어들을 명사, 대명사, 동사, 형용사, 부사 등 문법적인 분류로 나누어 문장을 이해하는 작업
③ 대소문자 변환과 문장부호 삭제
④ 불용어(Stop word) 제거
  - 불용어(Stop word)는 분석에 큰 의미가 없는 단어를 지칭
  - 예를 들어 the, a, an, is, I, my 등과 같이 문장을 구성하는 필수 요소지만 문맥적으로 큰 의미가 없는 단어가 이에 속한다.
⑤ 어간 추출(Stemming)
  - 동일한 뜻을 가진 형태가 다른 단어들을 같은 형태로 바꾸어 주는 작업이다.
  - 예를 들면 먹다, 먹어서, 먹는 먹는다, 먹기, 먹을 을 "먹다"로 통일 시켜주는 것이다.
⑥ 표제어 추출(Lemmatization)
  - 'Lemma'란 '표제어' 또는 '기본 사전형 단어'로 해석할 수 있다.
  - 표제어 추출은 단어가 다른 형태를 가져도 뿌리 단어를 찾아가 단어의 개수를 줄일 수 있는지 판단한다.
  - 예를 들면 'am, are, is'는 다른 형태이지만 뿌리 단어는 'be'이므로 'am, are, is'의 표제어는 'be'이다.

> **기출유형 따라잡기**

[05회] 다음 중 비정형 데이터의 전처리 과정에 대한 설명 중 옳지 않은 것은?
① 토크나이징(tokenizing)은 주어진 문장에서 토큰 단위로 정보를 나누는 작업을 의미한다.
② 불용어(Stop word)는 분석에 큰 의미가 없는 단어를 지칭한다.
③ Part-of-Speech(POS) Tagging은 동일한 뜻을 가진 형태가 다른 단어들을 같은 형태로 바꾸어 주는 작업이다.
④ 표제어 추출은 단어가 다른 형태를 가져도 뿌리 단어를 찾아가 단어의 개수를 줄일 수 있는지 판단한다.

정답 ③
해설 어간 추출(Stemming) : 동일한 뜻을 가진 형태가 다른 단어들을 같은 형태로 바꾸어 주는 작업이다.

> **기출유형 따라잡기**

[04회] 다음 중 텍스트 데이터 전처리 기법으로 옳지 않은 것은?
① Tokenizing ② Streaming
③ Pos-tagging ④ Stemming

정답 ②

해설 **텍스트 분석 수행**
- 1단계 : 데이터 전처리 수행. 클렌징, 대/소문자 변경, 특수문자 삭제. 단어 등의 토큰화 작업, 의미 없는 단어(Stop word) 제거 작업, 어근 추출(Stemming/Lemmdatization)등의 텍스트 정규화 작업 필요
- 2단계 : 피처 벡터화·추출 : 가공된 텍스트에서 피처 추출 및 벡터 값 할당.
  Bag of Words : Count 기반 or TF-IDF 기반 벡터화
- 3단계 : ML 모델 수립 및 학습·예측·평가를 수행

[04회] 다음 중 텍스트 마이닝에서 문장을 2개 이상의 단어로 분리하는 방법으로 옳은 것은?
① 토픽모델링 ② N-gram
③ Tokenization ④ Normalization

정답 ②

해설
- 임의의 개수를 정하기 위한 기준을 위해 사용하는 것이 n-gram이다. n-gram은 n개의 연속적인 단어 나열을 의미한다.
- 예를 들어서 문장 An adorable little boy is spreading smiles이 있을 때, 각 n에 대해서 n-gram을 전부 구해보면 다음과 같다.
- unigrams : an, adorable, little, boy, is, spreading, smiles
- bigrams : an adorable, adorable little, little boy, boy is, is spreading, spreading smiles
- trigrams : an adorable little, adorable little boy, little boy is, boy is spreading, is spreading smiles
- 4-grams : an adorable little boy, adorable little boy is, little boy is spreading, boy is spreading smiles

3) 웹 마이닝(Web Mining)

(1) 웹 분석 또는 마이닝 정의

웹 마이닝 또는 웹 데이터 마이닝은 웹에서 발생하거나 웹 사이트에 저장한 데이터를 대상으로 유용한 패턴을 찾아내는 분석기법을 말한다.

(2) 웹 분석의 기능
- 대량의 웹 로그를 실시간으로 분석 마케팅에 활용
- 고객의 아이디 또는 아이피로 분류하여 각 개인의 특성 파악
- 웹은 계정(ID)별 관리가 가능하므로, 타겟 마케팅이 가능

(3) 웹 분석의 탐색 기법
- 연속성 Discovery : 동시 발생하는 웹 로그 정보 간의 패턴 발견
  예 A페이지에 들린 고객의 평균 체류 시간은 1시간

- 연관성 Discovery : 시간의 경과에 따른 웹 로그 분석을 통해 패턴 발견
  - 예 A페이지에 들른 고객이 1시간 이내에 B페이지 들를 확률 70%
- 군집 Discovery : 유사한 특성을 갖는 데이터를 그룹화
  - 예 A군집은 20세 이상 남자로 D게시판을 주로 이용

4) 오피니언 마이닝(Opinion Mining)

(1) 오피니언 마이닝 정의
- 웹사이트와 소셜미디어에서 특정 주제에 대한 여론이나 정보글 수집을 분석해 평판을 도출하는 분석 방법
- 오피니언 마이닝은 '감성분석' 또는 '감정분석'으로도 불리며, 특정 제품 및 서비스에 대해 긍정적 혹은 부정적인지를 분석하고, 나아가 그 원인을 도출하는 것을 목적으로 한다.

(2) 오피니언 마이닝 기능
- 텍스트 분석과 같이 문장을 분석하기 위해 자연어 처리를 한다.
- 텍스트 내의 의견정보를 파악하기 위해 문장구조, 문장 간의 관계, 어휘분석을 수행한다.
- 키워드와 연관된 감성 어휘의 빈도수를 분석해 중립, 긍정, 부정으로 분류하고 그 강도를 평가한다.

5) 사회연결망 분석(SNA, Social Network Analysis)

(1) 사회연결망 분석의 정의
- 개인과 집단들 간의 관계를 노드와 링크로서 모델링해 그것의 위상구조 확산 및 진화과정을 계량적으로 분석하는 방법론이다.

> **용어정리**
> - 노드란 분석하고자 하는 객체로서, 사람이나 사물 등을 말하는 것이다. 그리고 이 노드들의 관계를 나타내는, 즉 연결하는 것을 링크라고 하며 링크는 단순히 노드 A와 노드 B를 연결한 무방향성이 될 수도 있고, 노드 A에서 노드 B로의 방향성을 가질 수도 있다.
> - 노드에 연결된 링크의 수를 밀도 혹은 Degree라고 한다. 노드에 링크 5개가 연결돼 있으면 이 노드의 Degree는 5가 되는 것이다.

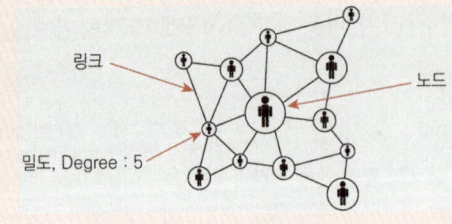

(2) 사회연결망 분석 기능
- 사회연결망 연구에서 많이 활용되고 있는 기법은 중심성(Centrality), 밀도(Density), 중심화(Centralization)가 있다. 이 중 중심성(Centrality) 방법에는 4가지가 있다.

① 연결정도 중심성(Degree Centrality)
- 한 노드에 직접적으로 연결된 노드들의 합으로 얻어진다. 한 노드에 얼마나 많은 노드들이 관계를 맺고 있는지를 기준으로, 그 노드가 중심에 위치하는 정도를 계량화한 것이다.
- 연결정도 중심성은 한 노드의 중심성을 측정하는 방법이다. 연결된 노드의 수가 많을수록 연결정도 중심성이 높아진다.

② 매개 중심성(Betweenness Centrality)
- 네트워크 내에서 한 노드가 담당하는 매개자 혹은 중재자 역할의 정도로 중심성을 측정하는 방법이다. 예를 들어 브로커는 매개 중심성이 높다고 할 수 있다. 매개 중심성은 각 네트워크 간 비교를 위해 상대적 매개 중심성이 사용된다.

③ 근접 중심성(Closeness Centrality)
- 각 노드 간의 거리를 근거로 중심성을 측정하는 방법으로, 연결정도 중심성과는 달리 간접적으로 연결된 모든 노드 간의 거리를 합산해 중심을 측정한다.
- 가장 짧은 경로로 모든 사람을 알게 되는 것이 근접 중심성이다. 근접 중심성이 높을수록 네트워크의 중앙에 위치하게 된다.

④ 위세 중심성(Eigenvector Centrality)
- 연결된 노드의 중요성에 가중치를 둬 노드의 중심성을 측정하는 방법이다. 여기서는 위세가 높은 사람들과 관계가 많을수록 자신의 위세 또한 높아진다.
- 위세 중심성의 일반적인 형태는 보나시치(Bonacich) 권력지수로 불리며, 자신의 연결정도 중심성으로부터 발생하는 영향력과 자신과 연결된 타인의 영향력을 합해 위세 중심성을 결정한다.

> **기출유형 따라잡기**

[07회] 소셜 미디어 데이터 분석 방법으로 옳지 않은 것은?
① 텍스트 마이닝 ② 네트워크 분석
③ 워드 클라우드 분석 ④ 맵리듀스

정답 ④

해설 맵리듀스는 분산 환경에서 대용량 데이터를 처리하는 데 사용되는 프로그래밍 모델로, 소셜 미디어 데이터 분석의 특정 방법이 아니라 데이터 처리를 위한 일반적인 프레임워크이다.

용어정리

응집성(cohesion)

연결망의 구조적 특성 중에서 연구자들이 가장 많이 분석하는 것은 응집성 관련 지표들이다.
연결망은 기본적으로 연결의 여부에 따라서 관측되기 때문에, 연결망의 구성원들이 얼마나 긴밀하게 연결되었는지를 측정하고, 이를 기준으로 서로 다른 연결망의 구조적 특성을 비교한다. 응집성을 나타내는 대표적인 지표로는 평균 연결 정도(average degree)와 밀도(density), 포괄성(inclusiveness) 연결 강도 등이 있다.

평균 연결 정도(average degree)

연결 정도는 한 노드(node)가 관계 맺고 있는 다른 노드의 개수로 정의된다.
평균 연결 정도는 연결망 내에 존재하는 총 연결 수를 연결망에 속해 있는 총 노드들의 수로 나눈 값이다.

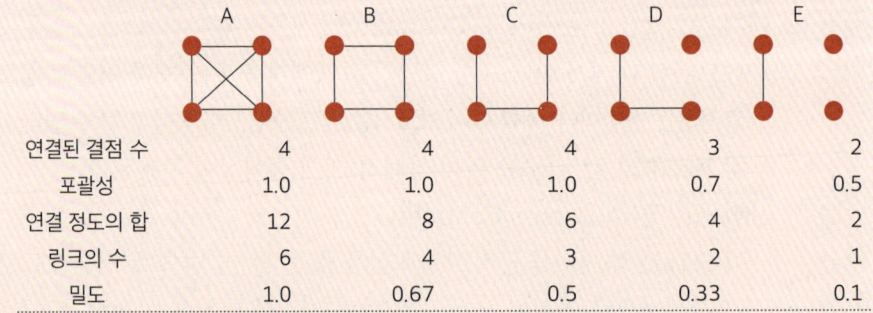

	A	B	C	D	E
연결된 결점 수	4	4	4	3	2
포괄성	1.0	1.0	1.0	0.7	0.5
연결 정도의 합	12	8	6	4	2
링크의 수	6	4	3	2	1
밀도	1.0	0.67	0.5	0.33	0.1

[4개의 노드가 있을 경우 생길 수 있는 연결망의 형체와 개념]

밀도(density)

연결망 밀도란 가능한 총 관계 수와 실제로 맺어진 관계수의 비율

포괄성(inclusiveness)

포괄성은 한 그래프에 포함된 노드의 총 수와 그 수에서 '연결되어 있지 않은 노드(isolate)'의 개수를 뺀 수의 비율로 정의된다. 예를 들면, 한 그래프에서 20명 중에 5명이 어느 누구와도 연결되지 않았다며, 이 그래프의 포괄성은 0.75가 된다.

연결 강도(strength)와 연결 지속기간(duration)

지금까지 논의한 지표들이 연결망의 형태와 관계된 것이라면, 연결망의 내용과 관련된 지표들로 연결의 강도와 연결 지속 기간 등이 있다. 이들은 연결망 내의 신뢰와 밀접한 관계가 있다.
일반적으로 연결의 강도는 얼마나 자주 접촉하는가 또는 접촉 빈도로 정의 된다.

CHAPTER 02 데이터 탐색

01 다음 중 탐색적 데이터 분석(EDA, Exploratory Data Analysis)에 대한 설명 중 옳지 않은 것은?

① 저항성(Resistance)은 데이터 일부가 파손 되었을 때 영향을 적게 받는 성질을 의미한다. 따라서 저항성이 작은 통계적 방법은 데이터의 부분적 변동에 민감하게 반응하지 않는다.
② 잔차의 계산을 통해 주 경향으로부터 얼마나 벗어나는지를 탐색한다.
③ 자료의 변환으로(측정측도를 적당히 다른 척도로 재표현) 분포의 대칭성, 관계의 선형성(직선화), 분산의 균일성, 관련 변수의 가법성 등에 도움이 된다.
④ 데이터 구조를 효율적으로 파악하고 데이터 안에 숨어있는 정보를 효율적으로 보여 주기 위해 다양한 시각화를 이용한다.

해설_ 저항성이란 수집된 자료에 이상점, 결측치, 입력오류가 포함돼 있어도 그들의 영향이 최소화 되는 방법을 사용한다. 저항성 있는 요약값은 데이터의 일부가 변해도 적게 변화한다.

02 다음 중 상관계수에 대한 설명으로 가장 부적절한 것은?

① 피어슨 상관계수는 두 변수간의 선형관계의 크기를 의미한다.
② 스피어만 상관계수는 두 변수 간의 비선형 관계 측정도 가능하다.
③ 피어슨 상관계수의 범위는 $-1 \leq r \leq 1$ 이다.
④ 피어슨 상관계수는 두변수를 순위로 변환시킨 후, 두순위 사이의 스피어만 상관계수로 정의된다.

해설_ 스피어만 상관 계수(Spearman's Rank Correlation Coefficient)는 상관계수를 계산할 두 데이터의 실제 값 대신 두값의 순위(rank)를 사용해 상관계수를 계산하는 방식이다.

03 두 확률변수의 상관계수에 대한 설명으로 틀린 것은?

① 상관계수란 두 변수의 공분산을 두 변수의 표준편차의 곱으로 나눈값으로 정의되는 측도이다.
② 상관계수는 두 변수 사이에 함수 관계가 어느정도 강한가를 나타내는 측도이다.
③ 두 확률변수가 서로 독립이면 상관계수는 0이다.
④ 두 변수 사이에 일차함수의 관계가 존재하면, 상관계수는 1 또는 -1이다.

해설_ 상관계수는 변수와 다른 변수와의 선형 관련성을 나타내는 측도이다.

정답 01 ① 02 ④ 03 ②

예상문제

04 상관계수의 특징이 아닌 것은?
① 상관계수는 두 변수 간의 강도를 나타낸다.
② 상관계수는 두 변수 간의 방향을 나타낸다.
③ 상관계수는 자료의 측정 단위 변화에 영향을 받지 않는다.
④ 상관계수가 0인 것은 두 변수 간의 관계가 없다는 의미이다.

> 해설_ 상관계수가 0이라고 해서 관계가 없는 것은 아니다. 단지 선형관계가 없을 뿐이다.

05 공분산에 대한 설명으로 부적절한 것은?
① 두 변수 간의 선형관계에 대한 방향을 나타낸다.
② 공분산이 0보다 크면 두 변수는 양의 상관관계를 갖는다.
③ 공분산이 0보다 작으면 두 변수는 음의 상관관계를 갖는다.
④ 공분산은 측정 단위의 변화에 영향을 받지 않는다.

> 해설_ 두 확률변수의 측정단위가 달라지면 공분산의 값이 달라지므로 공분산의 값으로만 두 변수 사이의 관계성을 알기는 어렵다. 따라서 측정단위나 대상에 관계없이 두 변수 사이의 일관된 선형관계를 나타내 줄 수 있는 지표를 구하기 위해, 두 변수 사이의 공분산을 표준화하는 것이 필요한데, 상관계수는 바로 이 공분산을 표준화시켜 준 값이라고 할 수 있다.

06 왜도에 관한 설명으로 틀린 것은?
① 왜도의 값이 1이면 좌우대칭인 분포를 나타낸다.
② 왜도의 부호는 관측값 분포의 긴쪽 꼬리방향을 나타낸다.
③ 왜도는 자료분포의 모양이 어느쪽으로 얼마만큼 기울어져 있는가, 즉 비대칭 정도를 나타내는 척도이다.
④ 왜도의 값이 음수이면 자료의 분포형태가 왼쪽으로 꼬리를 길게 늘어뜨린 모양을 나타낸다.

> 해설_ 왜도가 0일 때 좌우대칭 분포를 이룬다.

07 다음 중 오른쪽으로 꼬리가 긴 분포를 갖는 것은?
① 평균 = 50, 중위수 = 50, 최빈수 = 50
② 평균 = 50, 중위수 = 45, 최빈수 = 40
③ 평균 = 40, 중위수 = 45, 최빈수 = 50
④ 평균 = 40, 중위수 = 50, 최빈수 = 55

> 해설_ 오른쪽으로 꼬리가 긴 분포는 좌측 비대칭분포로 평균 > 중위수 > 최빈수의 분포를 갖는다.

정답 04 ④ 05 ④ 06 ① 07 ②

08 상관분석의 결과로 유의확률이 0.03이라는 정보를 얻었다. 다음 중 가장 적절한 해석은 무엇인가?

① 두 변수는 유의수준 0.03 이내에서 양의 상관성을 갖는다.
② 두 변수는 유의수준 0.03 이내에서 상관성을 갖지만 상관성의 방향은 알 수 없다.
③ 두 변수는 유의수준 0.03 이내에서 상관성을 갖지 않지만 상관성의 방향은 알 수 있다.
④ 두 변수는 유의수준 0.03 이내에서 상관성도 갖지 않고 상관성의 방향도 알 수 없다.

해설_ 두 확률변수의 선형의 정도와 방향성은 상관계수를 통해 확인할 수 있다.

09 다음 중 데이터 시각화에 대한 설명 중 가장 적절하지 않은 것은?

① 줄기잎 그림은 각 데이터의 점들을 구간 단위로 요약하는 방법으로 계산량이 많고 자료가 많은 경우 나타내기가 쉽다.
② 히스토그램은 어떠한 변수에 대해서 구간별 빈도수를 나타낸 그래프다.
③ 파레토그림(Pareto Diagram)은 불량, 결점, 고장 등의 발생 건수를 분류항목별로 나누어 불량 갯수나 손실금액 등을 크기 순서대로 나열 후 막대그래프로 나타낸 그림을 말한다.
④ 상관관계에서 산점도는 두 변수 간의 관계를 통해 선형 또는 비선형의 형태와 같은 수학적 모델을 확인해봄으로써 그 방향성과 강도를 조사할 수 있다.

해설_ 줄기잎 그림은 각 학생들이 가지고 있는 정보나 내용이 무엇인지 알 수 없고, 자료가 많은 경우 나타내기가 힘들며, 줄기의 수를 줄이거나 늘리면 분포의 모양도 달라지는 단점이 있다.

10 히스토그램을 작성하여 알 수 있는 자료의 특징에 해당하지 않는 것은?

① 두 변수의 상관성
② 퍼짐정도
③ 좌우대칭성
④ 봉우리의 개수

11 다음은 상자그림에 대한 해석으로 올바르지 않은 것은?

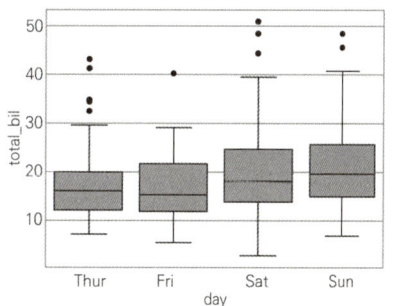

① 중위수는 상자의 선으로 표시되며 데이터 중심의 일반적인 측도로, 관측치의 절반은 이 값보다 작거나 같고 절반은 이 값보다 크거나 같다.

정답 08 ② 09 ① 10 ① 11 ④

예상문제

② 사분위간 범위상자는 데이터의 중간 50%를 나타내며, 제1사분위수와 제3사분위수 간의 거리를 보여준다.
③ 수염은 상자의 양쪽에서 연결되며, 특이치를 제외하고 데이터 값의 하위 25%와 상위 25%의 범위를 나타낸다.
④ 상자박스는 그룹 간 분포 차이를 비교할 수 있으며, 그 차이가 유의미함을 보여준다.

해설_ Box Plot을 통해 통계적으로 유의미함을 알 수 없다.

12 대상이 많은 데이터에서 집단적인 경향성을 확인할 때 사용하는 시각화를 무엇이라 하는가?

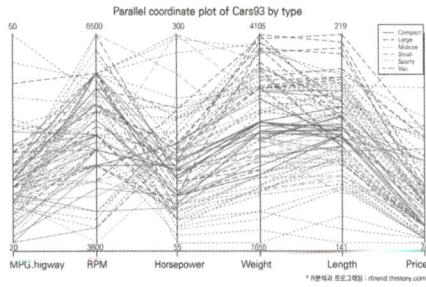

① 평행좌표계
② 히트맵
③ 누적 연속그래프
④ 꺾은선그래프

13 다음 중 코로플레스 지도에 대한 설명 중 적절하지 않은 것은?

① 영역별 데이터를 표현하는 가장 보편적인 방법이며 데이터의 값에 따라 지역별로 색을 다르게 표시한다.
② 특정한 데이터 값의 변환에 따라 지도의 면적이 왜곡되는 지도를 말한다.
③ 인구밀도가 매우 높은 지역과 낮은 지역에 동일한 척도를 적용할 경우 표시된 지역의 면적이 실제 데이터값이 크기를 반영할 수 없다는 단점이 있다.
④ 어떤 데이터 수치에 따라 지정한 색상 스케일로 영역을 색칠해서 표현하는 방법으로 등치지역도라고도 한다.

해설_ 카토그램에 대한 설명이다.

14 히스토그램에 대한 설명 중 올바르지 않은 것은?

① 히스토그램은 분포의 봉우리와 산포를 확인할 수 있다.
② 표본크기와 관계없이 데이터 분포를 정확하게 진단할 수 있다.
③ 히스토그램에서 양쪽 끝의 고립된 막대가 특이치를 의미한다.
④ 연속형 자료에 적합하며, 범주형 자료는 막대그래프를 이용한다.

해설_ 히스토그램은 표본 크기가 20 전후일 때 사용한다. 표본 크기가 너무 작으면 히스토그램의 각 막대에 데이터 분포를 정확하게 표시하기에 충분한 데이터 점이 포함되지 않을 수 있다. 표본이 클수록 히스토그램이 모집단 분포의 형상과 유사하다.

정답 12 ① 13 ② 14 ②

15 다음 중 텍스트 마이닝(Text Mining)에 대한 설명으로 가장 적절하지 않은 것은?

① Corpus란 텍스트 형태의 문서를 구조화하여 분석할 수 있는 형태로 만든 것이다.
② 형태소 분석 단계를 거치면 텍스트 마이닝을 위한 사전이 자동 생성된다.
③ 문서분류, 유사문서 그룹핑 등에 적용할 수 있다.
④ 워드 클라우드 텍스트 문서 중 출현 단어의 횟수 기반으로 그려진다.

해설_ 형태소 분석 단계를 거친다고 사전이 자동으로 생성되지 않는다.

16 텍스트 마이닝(Text Mining)에서 문서로부터 용어 - 문서(Term - Document) 행렬을 만들고자 할 때 필요한 전처리 과정이 아닌 것은?

① 불용어(Stopword) 처리
② 구두점(Punctuation) 제거
③ 빈칸(Spcae) 제거
④ 워드 클라우드 작성

17 다음 중 사회연결망 분석(Social Network Analysis)에서 매개 중심성 측도에 대한 설명으로 가장 적절한 것은?

① 한 노드를 중심으로 얼마나 많은 Edge가 연결되었는지를 나타낸다.
② 연결된 노드에 가중치를 두어 일정의 위세 정도를 나타내는 것이다.
③ 각 노드들 간의 거리를 근거로 중심성을 측정하는 방법이다.
④ 전체 관계만을 고려하였을 때, 중계자 역할의 정도를 나타내는 것이다.

해설_ 보기 ①은 Degree, 보기 ②는 Eigenvalue Centrality, 보기 ③은 Closeness에 대한 설명이다.

18 다음 중 개인과 집단들간의 관계를 노드와 링크로 모델링해 그것의 위상구조와 확산 및 진화과정을 계량적으로 분석하는 방법론은 무엇인가?

① 감성 분석(Sentiment Analysis)
② 사회연결망 분석(Social Network Analysis)
③ 계층적 군집분석(Hierarchical Cluster Analysis)
④ 텍스트 마이닝(Text Mining)

19 사회연결망 분석에서 네트워크의 구조를 파악하기 위한 기법 중 연결된 노드의 중요성에 가중치를 두어 노드의 중심성을 측정하는 방법으로, 명성이 높은 사람들과 관계가 많을수록 자신의 명성 또한 높아지는 것은 무엇인가?

① 연결정도 중심성(Degree centrality)
② 근접 중심성(Closeness centrality)
③ 매개 중심성(Betweenness centrality)
④ 위세 중심성(Eigenvector centrality)

정답 15 ② 16 ④ 17 ④ 18 ② 19 ④

예상문제

20 텍스트 데이터 등 비정형 데이터를 다루는 분석 기법인 비정형 데이터 마이닝은 최근 10여 년 사이에 급속히 발전하였다. 비정형 데이터 마이닝 분석방법 중 특정 기간별 발생 문서 양의 추이를 분석하는 것을 무엇이라 하는가?

① 버즈분석
② 시계열분석
③ 데이터 마이닝
④ 연관분석

21 문서-단어 행렬에 대한 설명으로 옳지 않은 것은?

① 각 문서와 해당 문서에 등장한 각 토큰의 출현 빈도를 나타낸 행렬을 말한다.
② 각 행은 각 문서에, 각 열은 각 문서의 토큰들에 대응된다.
③ 문서-단어 행렬의 역행렬은 단어-문서 행렬과 동일한 행렬이 된다.
④ 행과 열이 만나는 문서-단어 행렬의 각 셀에는 문서별 토큰들의 출현 횟수를 기록한다.

해설_ 문서-단어 행렬과 단어-문서 행렬은 생성 기준이 되는 행과 열이 서로 다른 것이며 역행렬은 관계에 있는 것은 아니다.

22 문서-단어 행렬(DTM)을 적용하기 위해 반드시 거쳐야 하는 과정이 아닌 것은?

① 텍스트 데이터에 테이블을 생성하는 함수를 적용하여 도수분포표를 작성한다.
② 워드클라우드를 생성하여 단어의 출현 빈도를 관찰한다.
③ 텍스트 데이터를 토큰별로 분해한다.
④ 텍스트 데이터에 대한 대소문자 변환, 문장 부호 삭제, 스테밍 등의 전처리 작업을 수행한다.

해설_ 워드클라우드는 문서-단어 행렬 생성에 필수적인 것은 아니고 단어의 분포를 파악하는 시각화의 방법이다.

23 TF-IDF 방식의 문서-단어 행렬에 대한 설명으로 옳은 것은?

① 문서-단어 행렬(DTM)에서 문서빈도를 고려한 행렬이다.
② 문서-단어 행렬(DTM)의 역행렬에 해당된다.
③ 일반적인 의미로 사용되는 단어의 높은 가중치를 부여한다.
④ 특정 주제에 밀접하게 연관되어 있는 단어들에 낮은 가중치를 부여한다.

해설_ TF-IDF 방식의 문서-단어 행렬은 문서-단어 행렬(DTM)에서 문서빈도를 고려한 행렬이다.

정답 20 ① 21 ③ 22 ② 23 ①

CHAPTER 03 통계기법 이해

01 기술통계

1 데이터 요약

학습 목표

1. 기술통계의 역할에 대해 학습한다.

출제 KEYWORD

① 중심화 경향과 분산에 사용되는 기초 통계량 구분 ★★
② 모수통계분석과 비모수통계분석 차이점 ★

1. 기술통계 개요

- 통계학은 크게 기술(Descriptive) 통계와 추리(Inferential) 통계 두 부분으로 나누어진다.
- 기술통계 : 관측을 통해 얻은 데이터에서 그 데이터의 특징을 규명하기 위한 통계적 기법
- 추리통계 : 수집된 데이터를 기반으로 모집단의 특성을 추론하고 예측하는 데 사용하는 통계적 기법
- 기술통계학은 측정이나 실험에서 수집한 데이터의 정리, 표현, 요약, 해석 등을 통해 데이터의 특성을 규명하는 통계적 분야이다.
- 주로 수집된 데이터의 평균이나 분산 등의 통계량이나 도표를 통해 데이터의 특징을 파악한다.
- 따라서 이러한 기술통계는 분석의 초기 단계에서 데이터 분포의 특징을 파악하려는 목적으로 주로 산출한다.

1) 기술통계의 종류
   ① 중심화 경향(Central Tendency)
      - 우리가 수집한 데이터를 대표하는 값이 무엇인지 혹은 어떤 값에 집중되어 있는지를 나타낸다.
        예) 평균(Mean), 중앙값(Median), 최빈값(Mode) 등
   ② 분산, 퍼짐정도(Variation)
      - 우리가 수집한 데이터가 어떻게 퍼져 있는지를 나타낸다.
        예) 범위, 표준편차(Standard Deviation), 사분위수범위
   ③ 분포(Distribution)
      - 변인의 전체 모양을 살펴 데이터가 정상분포 곡선에서 얼마나 벗어나는지를 나타낸다.
        예) 왜도(데이터의 분포가 좌우로 치우친 정도), 첨도(데이터의 분포가 위아래로 치우친 정도)
   ④ 빈도(Frequency)와 백분율(Percent)
      - 각 값에 속한 사례의 수와 전체 사례 중 해당 값이 차지하는 비율을 나타낸다.
        예) 빈도, 빈도분포, 백분위
   ⑤ 표준오차(Standard Error)
      - 여러 표본의 평균값의 표준편차

2. 기술통계와 다른 통계분석 간의 관계

1) 기술통계분석과 추리통계분석
   - 기술통계분석(Descriptive Statistics)
     수에 대한 설명의 목적을 가진 통계분석
   - 추리통계분석(Inferential Statistics)
     표본에서 변수간의 관계가 모집단에서도 성립하는지를 추론(모수추정 및 가설검정)하는 목적을 가진 통계분석

2) 모수 통계분석과 비모수 통계분석
   - 모수통계(Parametric Statistics)
     현상이 등간척도 혹은 비율척도로 측정되어 모집단의 특성(분포, 표본오차 등)에 대한 정보가 충분하기 때문에 표본 통계량으로 모수추정(Parameter Estimation)이 가능한 통계분석기법

- 비모수통계(non-Parametric Statistics)
  현상이 명목척도나 서열척도로 측정되어 모집단의 분포 형태나 모수의 특징을 추론해 내기 어려운 경우에 사용하는 분석기법

3) 단일변량 통계분석과 다변량 통계분석
- 단일변량 통계분석(Univariate Statistics)
  하나의 변수를 대상으로 하는 통계분석
- 다변량 통계분석(Multivariate Statistics)
  두 개 이상의 변수들을 대상으로 하는 통계분석

2 표본추출

학습 목표
1. 표본추출과 관련된 기본 개념을 학습한다.

출제 KEYWORD
① 확률적 표본추출 방법 ★★
② 척도의 종류 ★★

1. 통계분석의 기본 개념

1) 모집단
- 모집단(Population)이란 분석을 위해 관심이 있는 대상 전체를 말한다.
- 예를 들면 대한민국에 거주하는 30대 남자, 또는 모 대학에 재학 중인 여학생 등 특정 조건을 만족하는 전체 구성원을 나타낸다.

① 모집단의 구분
  - 목표 모집단 : 조사목적에 의해 개념상 규정된 모집단
  - 조사가능 모집단 : 표본을 추출하기 위해 규정된 모집단
  → 원칙적으로 이 두 모집단은 일치하여야 한다.

② 모집단의 종류
  - 유한모집단 : 모집단의 종류로는 추출 단위가 유한한 모집단

- 무한모집단 : 추출 단위가 무한한 모집단

> **용어정리**
> - **모수와 통계량**
>   모집단의 통계적 속성을 나타내는 수치를 모수라고 하며, 여기에는 모집단을 구성하는 데이터의 위치 정보를 나타내는 평균(Mean), 중앙값(Median)과 데이터 분포에 대한 지표인 분산(Variance) 및 표준편차(Standard Deviation) 등이 있다. 일반적으로 모집단이 가지는 모수의 정확한 값은 알기 어렵고 표본들의 통계적 속성인 통계량(Statistics)을 통해 추정된다.
> - **전수조사와 표본조사**
>   - 전수조사 : 모집단으로부터 직접적으로 정보를 입수하는 방법
>   - 표본조사 : 표본의 특성을 토대로 모집단의 특성을 추정하는 방법

2. 표본추출

- 표본이란 모집단에서 선택된 개체를 의미하는데, 표본을 추출하는 이유는 모집단 전체에 대한 분석이 사실상 불가능하다는 제약 때문이다. 또한 가능하다고 해도 그것은 매우 비효율적이거나, 데이터 분석의 의미가 없어지게 되기 때문이다.

1) 표본추출 기법

- 모집단의 부분 집합을 추출하는 것을 표본추출(Sampling)이라고 하며, 이때 추출된 표본(Sample)은 모집단과 같은 대표성을 가졌다고 가정된다.
- 표본추출 방법은 크게 확률적 추출(Probability Sampling)과 비확률적 추출(Nonprobability Sampling)로 나뉜다.
- 전자는 모집단을 구성하는 개별 개체가 표본으로 선택될 확률이 정해져 있는 경우를 말하며, 후자는 그 확률이 정해져 있지 않거나 일부 개체가 선택될 가능성이 전혀 없는 경우를 말한다.

(1) 확률적 표본추출

① 단순무작위추출(Simple Random Sampling)

크기가 n인 가능한 모든 표본이 동일한 가능성을 가지고 뽑힐 수 있도록 하여 얻어진 표본이다. 또한 단순무작위표본은 유의표본에 비해 공정하다는 장점이 있다. 즉 추출 틀 내의 어떤 부분도 다른 부분에 비해 과대하게 반영되지 않는다.

② 계통추출(Systematic Sampling)
계통추출법이란 모집단으로부터 첫 번째 추출단위를 임의추출하고, 두 번째 추출단위부터는 일정한 간격으로 표본을 추출하는 방법을 말한다.

③ 층화추출(Stratified Random Sampling)
- 모집단을 여러 계층으로 나누고, 계층별로 무작위 추출을 수행하는 방식으로써 계층은 내부적으로 동질적이고, 외부적으로 이질적이어야 한다.
- 예를 들면 지역별 여론 조사를 위해 조사 지역을 도별로 나누고, 각 도에서 무작위로 100명씩 선정하는 경우이다.

④ 군집추출(Cluster Random Sampling)
- 모집단을 여러 군집으로 나누고, 일부 군집의 전체를 추출하는 방식으로써 계층과는 다르게 군집의 성질은 따로 고려되지 않는다.
- 층화추출법은 집단 내에서는 동질적이지만 집단 간 차이가 이질적인 반면, 집락추출법은 집단내에서 이질적이고 집단 간 차이가 동질적이다.
- 예를 들면 100개의 전구에 무작위로 검은색, 노란색, 파란색을 칠하고 파란색의 전구를 모두 추출하는 경우이다.

》 기출유형 따라잡기

[03회] 자료의 분포가 오른쪽으로 긴 꼬리 분포일 때 최빈수, 중앙값, 평균의 크기는?
① 최빈수 < 평균 < 중앙값
② 평균 < 중앙값 < 최빈수
③ 최빈값 = 중앙값 = 평균
④ 최빈값 < 중앙값 < 평균

정답 ④

[03회] 다음 중 집단내에서는 이질적이고 집단 간 차이가 동질적 특징을 가지고 있는 확률적 표본추출 방법은?
① 단순 임의추출
② 계통추출
③ 층화추출
④ 군집추출

정답 ④

해설 군집추출은 집락 내부는 이질적(heterogeneous)이고 집락 간에는 동질적(homogeneous) 특성을 가지도록 하는 것이 특징이다.

(2) 비확률적 표본 추출
　① 판단추출(Judgment Sampling)
　　• 조사자가 표본에 대해서 잘 알고 있는 경우 조사자의 판단에 따라 표본을 선택하는 경우이다.
　② 할당추출(Quota Sampling)
　　• 모집단을 여러 집단으로 나눈 후, 각 집단에서 필요한 개수의 표본을 선택하되 연구자가 자신의 판단에 따라 선택하는 경우이다.
　③ 편의추출(Convenience Sampling)
　　• 편리성에 기준을 둔 표본선정으로 탐색단계 사전조사에 적합하다.

》 기출유형 따라잡기

[03회] 다음 중 전수조사를 하는 경우로 가장 적절한 것은?
　① 전구의 수명조사
　② 우주 왕복선의 부품 검사
　③ 암 예측률
　④ 동해안의 고래 개체 수

정답 ②

해설 전수조사란 연구 대상 전체인 모집단을 대상으로 실시되는 조사로 실제조사에서는 불가능한 경우가 많음

[03회] 이질적인 모집단의 관측치들을 서로 유사한 것끼리 몇 개의 층으로 나눈 후, 각 계층에서 표본을 랜덤하게 추출하는 표본추출 기법을 무엇이라 하는가?
　① 군집추출
　② 층화추출
　③ 계통추출
　④ 단순무작위 추출

정답 ②

해설 층화추출은 다음과 같은 장점과 단점을 가지고 있다.
장점
• 단순임의추출본다 자료의 분산을 축소한다.
• 표본의 크기가 크지 않아도 모집단의 대표성이 보장된다.
단점
• 모집단의 각 층에 대한 정확한 정보를 필요로 한다.
• 표본추출과정에서 시간과 비용이 증가할 수 있다.

3. 자료측정 방법

1) 측정(Measurement)과 척도(Scale)
- 표본추출을 통해 얻은 자료들을 데이터로 만들기 위해서는 자료측정을 수행해야 한다.
- 여기서 측정이란 관심 있는 대상을 분석 목적에 맞게 데이터화하는 것을 말한다.
- 수학적인 관점에서 측정하는 행위는 대상의 특정한 속성을 숫자 또는 기호로 표시하는 일이고, 이때 관계를 부여하기 위해 사용되는 규칙을 척도라고 한다.

2) 척도의 종류

① 명목척도(Nominal Scale)

단순히 측정 대상의 특성을 분류하거나 확인하기 위한 목적으로 숫자를 부여한다.

예 성별, 연산가능(=, ≠)

② 서열(순위)척도(Ordinal Scale)

단순히 대소 또는 높고 낮음 등의 순위만 제공할 뿐 양적인 비교는 할 수 없다.

예 매우불만족 - 불만족 - 보통 - 만족 - 매우만족 등, 연산가능(<, >)

③ 등간척도(Interval Scale)

순위를 부여하되 순위 사이의 간격이 동일하여 양적인 비교가 가능하다. 단, 절대 0점이 존재하지 않는다.

예 온도계 수치, 물가지수, 리커트(Likert) 척도 등, 연산가능(+, -)

④ 비율척도(Ratio Scale)
- 절대 영점이 존재하여 측정값 사이의 비율 계산이 가능한 척도이다. (예 : 몸무게)
- 모든 연산가능

》 기출유형 따라잡기

[06회] 다음 중 연속형 변수가 아닌 것은?
① 키
② 실내 온도
③ 혈액형
④ 책 두께

정답 ③

해설 혈액형 데이터는 범주형 데이터이다. 범주형 데이터는 명목형 데이터와 순서형 데이터로 나뉘며, 혈액형은 명목형 데이터에 속한다. 명목형 데이터는 단순히 범주를 나타내며, 범주 간에 순서나 계층적인 관계가 없다.

기출유형 따라잡기

[07회] 아래 보기의 데이터분석 결과 해석으로 옳지 않은 것은?

〈 보기 〉

```
> summary(airquality)
     Ozone            Solar.R           Wind            Temp
 Min.   :  1.00   Min.   :  7.0    Min.   : 1.700   Min.   :56.00
 1st Qu.: 18.00   1st Qu.:115.8    1st Qu.: 7.400   1st Qu.:72.00
 Median : 31.50   Median :205.0    Median : 9.700   Median :79.00
 Mean   : 42.13   Mean   :185.9    Mean   : 9.958   Mean   :77.88
 3rd Qu.: 63.25   3rd Qu.:258.8    3rd Qu.:11.500   3rd Qu.:85.00
 Max.   :168.00   Max.   :334.0    Max.   :20.700   Max.   :97.00
 NA's   :37       NA's   :7
```

① 모든 변수가 numerical 변수이다.
② Ozone 변수에는 결측치가 존재한다.
③ Wind 변수는 왼쪽 꼬리분포를 갖는다.
④ Temp 최댓값은 97.00이다.

정답 ③

해설 오른쪽으로 꼬리가 늘어져 있기 때문에 큰 값들이 평균에 영향을 주게 된다. 따라서 평균값이 중앙값보다 크게 된다.

3 확률분포

🖉 학습 목표
1. 확률 및 기초 통계이론을 학습한다.

🔍 출제 KEYWORD
① 조건부 확률 계산 문제 ★
② 베이즈 정리 개념 및 계산 문제 ★★
③ 이항분포와 포아송분포, 초기화 분포의 차이점 ★★
④ 카이제곱분포와 F분포의 검정 용도 ★
⑤ 확률변수의 기댓값과 분산 계산 문제 ★★

1. 확률의 의의

- 통계적 의사결정은 일반적으로 불확실하고, 불충분한 정보에 그 기초를 두기 때문에 항상 크고 작은 오류를 범하게 된다.
- 이와 같은 정보와 의사결정의 불확실성을 합리적으로 처리하기 위한 도구가 바로 확률인 것이다.
- 확률개념

> - 실험의 모든 결과들의 발생 가능성이 동일하며 그 결과들이 상호배타적일 때 사용하는 개념
> - 사상 E가 발생할 확률 $P(E) = \dfrac{\text{사상}E\text{의 발생횟수}}{\text{실험의 총 반복횟수}}$

- 확률의 공리(가정조건)

> ① $0 \leq P(E) \leq 1$
> ② $P(S) = 1$
> ③ $P(Ei \cup Ej) = P(Ei) + P(Ej)$, 단 $Ei \cap Ej = \emptyset$

- 표본공간을 이루는 한 사상이 발생할 확률은 0부터 1까지의 값을 갖는다.
- 상호배타적 사상들이 발생할 확률은 그들 개개의 확률을 합한 것과 같다.
- 확률실험의 결과 발생하는 단일사상들의 확률은 모두 합치면 1과 같다.
- 확률은 0과 1을 포함한 그 사이의 실수로 정한다.
- 전체 집합의 확률은 1이다.

- 서로 배반인 사건들 E1, E2…의 합집합의 확률은 각 사건들에 대한 확률의 합이다. 배반사건이란 교집합이 공집합인 사건들을 말한다.

2. 표본공간

- 표본공간이란 실험에서 발생할 수 있는 모든 결과의 집합 : S 또는 Ω(omega)
- 주사위를 던지는 실험에서의 표본공간 S = {1, 2, 3, 4, 5, 6}
- 사상이란 표본공간 내에 정의된 실험결과의 부분 집합
- 주사위를 던지는 실험에서의 사상은 E = {1}, E = {1, 2, 3} 등으로 표현할 수 있다.

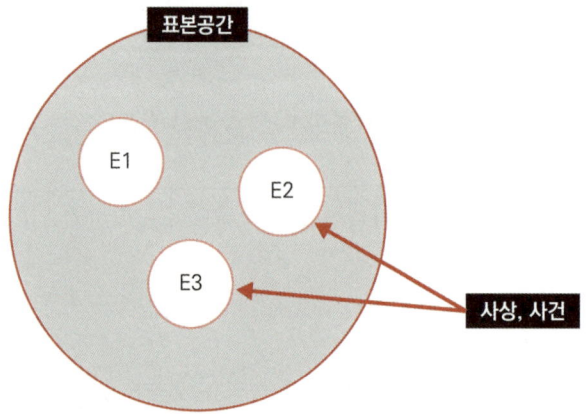

1) 사상 또는 사건

사상이란 표본공간의 부분집합을 말한다.

① 단순사상 : 단 하나의 출현값을 포함하고 있는 사상
② 전체사상 : 표본공간의 모든 원소를 포함하고 있는 사상

2) 사상의 종류

① 공사상
  - 표본공간의 어떤 원소도 갖고 있지 않는 사상이다.

② 여사상
  - 사상 A가 일어나지 않을 사상으로 A^c로 나타낸다.

- 사상 A^c가 일어날 확률은 전체 확률 1에서 사상 A가 일어날 확률을 뺀 것이다.

$$P(A^c) = 1 - P(A),\ P(A) + P(A^c) = 1$$

③ 배반사상
- A와 B 두 사상이 동시에 일어날 수 없는 사상이다.
- 사상 A와 B가 동시에 일어날 수 없는 경우 A와 B를 배반사상이라 한다.
- A와 B가 배반사상이면 다음이 성립한다.

$$A \cap B = \varnothing$$

④ 독립사상
- A와 B 두 사상이 서로 영향을 미치지 않으면 두 사상 A와 B는 독립이라고 한다.
- A와 B가 서로 독립이면 다음이 성립한다.

$$P(A \cap B) = P(A)P(B)$$

용어정리
- 상호배타적 사상
  - 사상 A와 B가 교집합이 공집합이며 이 두 사상을 상호배타적이다.
  - 한 실험 (하니의 표본공간)내에서 정의된 것으로서 한 사상의 발생이 다른 사상의 발생을 배제할 경우 이 두사상을 상호 배타적이라고 한다.
  - 이때를 배반집합이라 한다.
- 상호독립적 사상
  - 사상 A와 B에 대하여 $P(A \cap B) = P(A)P(B)$이면 이 두사상을 상호 독립적이라고 한다.
  - 한 실험의 사상이 다른 실험에서의 사상의 발생에 영향을 주지 않을 때

3. 확률법칙

① 덧셈의 일반법칙
- 덧셈의 일반법칙은 한 사람이 축구와 야구를 동시에 좋아한다든지 또는 산과 바다를 동시에 좋아하는 것처럼 두 사상이 상호배타적이지 않을 경우에 적용된다.

$$P(A \cup B) = P(A) + P(B) - P(A \cap B)$$

- 만일 두 사건 A와 B가 서로 배반이라면 $(A \cap B = \phi)$

$$P(A \cup B) = P(A) + P(B)$$

② 조건부확률
- 두 사상이 밀접한 관계가 있어서 한 사상의 확률이 다른 사상의 발생에 영향을 받는 경우가 있기 때문에 조건부확률의 계산도 다르게 된다.
- 조건부확률(Conditional Probability)이란 사상 B가 일어났다는 조건아래서 사상 A가 일어날 조건부확률을 P(A|B)와 같이 표시하고, 다음과 같이 정의한다.

$$P(A|B) = \frac{P(A \cap B)}{P(B)}, \ P(B) > 0$$

주사위를 던지는 실험에서 주사위의 눈이 짝수인 사건을 A, 주사위의 눈이 4 이상인 사건을 B라 할 때 P(A|B)?
| 해설 | P(B) : 주사위의 눈이 4 이상이 나올 확률 = 1/2
P(A∩B) : 주사위의 눈이 짝수이고 4 이상인 경우는 {4, 6}이므로 확률은 1/3, 따라서 조건부 확률은
= 2/3

③ 독립법칙
- 한 사상이 이미 발생하였다는 사실을 알더라도 다른 사상이 발생할 확률에 아무런 영향을 미칠 수 없을 때 두 사상은 통계적 독립성의 관계에 있다고 말한다.
- 예를들어 "종합주가지수는 오를 것이다"라는 사상과 "내일 비가 올 것이다"라는 사상은 독립적이다.
- 두 사상 A, B가 서로 독립일 때 다음과 같이 정의한다.

P(B|A) = P(B)
P(A|B) = P(A)

- P(A|B)=P(A∩B)/P(B)=P(A)×P(B)/P(B)=P(A)

④ 베이즈 정리(Bayes' Theorem)
- 어떤 사상의 조건 확률을 구할 때 다른 사상의 발생에 관한 새로운 정보를 고려하여 확률을 계산한다.
- 어떤 사상의 발생확률을 구할 때 실증적 정보는 고려하지 않았다. 이러한 확률을 사전확률(Priori Probability)이라고 한다.

- 그런데 어떤 사상에 관하여 실험과 같은 실증적 활동을 통하여 얻는 새로운 표본 정보에 입각하여 그의 사전확률을 수정 또는 경신할 수 있는데 이를 사후확률(Posterior Probability)이라고 한다.
- 추가적인 표본정보에 입각하여 사전확률을 경신하여 사후확률로 만드는데 베이즈 정리가 이용된다.

1) 총계 확률 정리(Laws of total probability)

사상 F_i, i = 1, 2, … , n가 $\cup F_i = S$를 충족시키는 상호배타적인 사상들이라면
P[E] = P[∪ EF_i] = Σ P[EF_i] 이다.

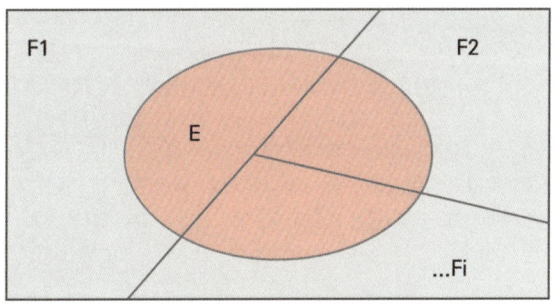

총계 확률정리와 교집합의 곱의 법칙을 이용하여 조건부확률로 다시 쓰면 베이즈 정리를 얻을 수 있다.

2) 베이즈 정리

사상 F_i, i = 1, 2, … , n가 $\cup F_i = S$를 충족시키는 상호배타적인 사상들이라면
P[F_1 | E] = P[$F_1 \cap E$] / P[E] = P[$E \cap F_1$] / P[E]
= P[E | F_1] P[F_1] / ΣP[E | F_i] P[F_i] 이다.

> **베이즈 정리 문제**
>
> 라인 L1에서 모든제품 중 55%를 생산하고, 라인 L2는 45% 생산한다.
> 불량품이 하나가 발견되었을 때 L1에서 생산했을 사전확률은 P(L1) = 0.55, P(L2) = 0.45이다.
> 자료에 따르면 L1의 양품률 99%, L2의 양품률은 95%이다.
> 이 제품이 양품일 사상을 G, 불량품일 사상을 D라고 하면 조건확률은 다음과 같다.
> P(G|L1) = 0.99, P(D|L1) = 0.01, P(G|L2) = 0.95, P(D|L2) = 0.05

불량품일 경우 해당 생산이 L1 라인의 확률은?

| 해설 | 회사가 제품을 판매한 후 불량품 1개가 반송되어 왔다고 하자. 이것이 L1에서 생산했을 확률 즉 사후확률 P(L1|D)는 얼마인지 또는 L2에서 생산했을 확률, 즉 사후확률 P(L2|D)는 얼마인지 알고자 할 때 베이즈 정리를 이용한다.

조건부확률의 정의에 따라 우리가 구하고자 하는 사후확률은 다음과 같다.

$$P(L1|D) = \frac{P(L1 \cap D)}{P(D)} = \frac{P(L1)P(D|L1)}{P(D)}$$

불량품을 발생하는 원천은 L1, L2이다. L1이 생산하는 불량품 $L1 \cap D$ 와 L2가 생산하는 불량품 $L2 \cap D$ 는 상호배타적인 사상이므로 P(D)는 다음과 같이 표현할 수 있다.

$$P(D) = P(L1 \cap D) + P(L2 \cap D)$$

여기서
$$P(L1 \cap D) = P(L1)P(D|L1)$$
$$P(L2 \cap D) = P(L2)P(D|L2)$$ 이므로
$$P(D) = P(L1)P(D|L1) + P(L2)P(D|L2)$$

불량품일 경우 해당 생산이 L1 라인의 확률은 다음과 같이 정의할 수 있다.

$$P(L1|D) = \frac{P(L1)P(D|L1)}{P(L1)P(D|L1) + P(L2)P(D|L2)} = \frac{0.55(0.01)}{0.55(0.01) + 0.45(0.05)} = 0.1964$$

• 이러한 결과로부터 불량품이 L1에서 생산되었을 사전확률은 0.55이었지만 불량품이 발생하였다는 새로운 정보하에서의 사후확률은 0.1964로 떨어졌음을 알수 있다.

≫ 기출유형 따라잡기

[02회] 어떤 공장에서 생산하는 제품의 종류가 A, B, C일 때 각각의 생산량은 50%, 30%, 20%이다. 제품 A의 불량률은 1%, 제품 B의 불량률은 2%, 제품 C의 불량률은 3%이다. 품질검사 과정에서 불량품이 나온 경우, 해당 제품이 제품 A일 확률은 얼마인가?

① 29.41% ② 35.24%
③ 65.20% ④ 71.43%

| 정답 | ①

| 해설 | $\frac{0.5 \times 0.01}{(0.5 \times 0.01 + 0.3 \times 0.02 + 0.2 \times 0.03)} \times 100 = 29.41\%$

[05회] 다음은 암 환자에 대한 조사 결과이다. 표에 대한 설명으로 옳은 것은?

구분	초기		말기		TOTAL	
	생존	사망	생존	사망	생존	사망
A약	16	4	4	16	20	20
B약	7	3	9	21	16	24

① A약 암환자 생존율은 50%, B약 암환자 생존율은 40%이다.
② 초기 암 생존율은 A약보다 B약이 높다.
③ 말기 암 생존율은 A약이 B약보다 높다.
④ A약이 B약보다 효과적이다.

> **정답** ①
> **해설** 초기 암 생존율 : A약 16/20*100=80%　B약 7/10*100=70%
> 　　　 말기 암 생존율 : A약 4/20*100=20%　　B약 9/30*100=30%
> 　　　 전체 암 생존율 : A약 20/40*100=50%　B약 16/40*100=40%

3) 확률변수와 확률분포
(1) 확률변수와 확률분포
- 표본공간에 발생하는 원소를 정의역으로 하고 이에 대응되는 실수값을 치역으로 하는 함수를 확률변수라고 하고, 치역에 해당되는 실숫값을 확률로 나타낸 것을 확률분포라고 한다.
- 수학적으로 표현하면, 확률변수는 정의역이 표본공간이고 치역이 실수값인 함수다.
- 확률변수에는 이산형 확률변수(Discrete Random Variable)와 연속형 확률변수(Continuous Random Variable)가 있다.

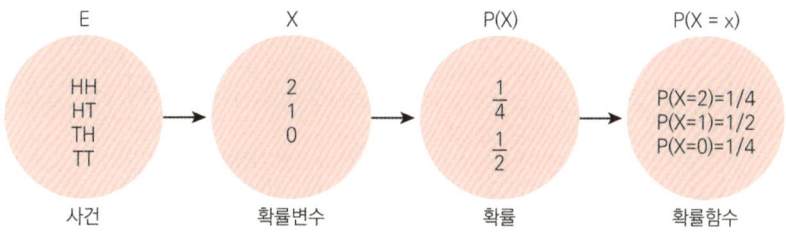

[동전 2번 던지기의 사건, 확률변수, 확률, 확률함수의 관계]

① 이산형 확률변수
- 사건의 확률이 그 사건들이 속한 점들의 확률의 합으로 표현할 수 있는 확률변수를 말한다.
- 이산형 확률변수는 확률이 0보다 큰 값을 갖는 점들로 확률을 표현할 수 있다.
- 각 이산점에 있어서 확률의 크기를 표현하는 함수를 확률질량함수(Probability Mass Function)라고 한다.

② 연속형 확률변수
- 사건의 확률이 그 사건 위에서 어떤 0보다 큰 값을 갖는 함수의 면적으로 표현될 수 있는 확률변수를 말한다.
- 이 때 함수 f(x)를 확률밀도함수(Probability Density Function)라고 한다.

- 사건의 확률이 확률밀도함수의 면적으로 표현되므로 한 점에서의 확률은 0이 되고, 0보다 큰 값을 갖는 사건의 구간에서의 확률값이 된다.

③ 결합확률분포
- 두 확률변수 X, Y의 모든 값과 이에 대응하는 확률을 표나 그림으로 나타낸 것을 X, Y의 결합확률분포(Joint Probability Distribution)라 한다.

(2) 확률분포의 유형

① 이산확률분포 : 확률변수가 정수의 값을 가지는 경우로 베르누이 분포, 이항분포, 포아송분포, 초기하분포, 기하분포, 다항분포 등이 있다.

종류	주요특징
베르누이 시행	• 각 시행의 결과는 상호 배타적인 두 사건으로 구분 • 각 시행은 서로 독립적이다. • 베르누이 시행을 n번 독립적으로 반복시행 했을 때의 확률변수 X를 성공 또는 실패라고 하면 X의 분포는 이항분포를 따른다. • 베르누이시행과 이항분포의 차이는 반복시행 실시 여부에 있다. • 기댓값 $E(X) = p$, 분산 $var(X)) = pq$
이항분포	• 이항분포는 베르누이 실험 또는 시행에 기초한다. • 즉 확률실험에서 나타날 수 있는 기본결과가 두 가지만 존재 • 확률실험을 몇 번 실행하여 어떤 한 가지 결과가 나오는 수를 변수값으로 부여할 때 이 변수를 이항확률변수라 한다. • 이러한 이항확률변수와 관련된 확률분포를 이항확률분포라고 한다. • 어떤 시행에서 사건 A가 일어날 확률을 p, 일어나지 않을 확률을 $(1 - p) = q$, 이 시행을 독립적으로 n회 되풀이할 때 • 기댓값 $E(X) = np$, 분산 $Var(X) = npq$ • p가 1/2에 가까워짐에 따라 그래프는 좌우대칭의 종모양 곡선 • 이항분포의 시행횟수가 많아지면 이항분포는 정규분포와 모양이 유사해진다. • 이항분포의 확률질량함수 $f(x) = {}_nC_x p^x q^{n-x}$
포아송 분포	• 이항분포가 주어진 횟수의 시행 중에서 사건횟수에 적용되는 분포임에 반하여, 포아송 분포는 단위 시간당 또는 단위 공간당 사건발생 횟수에 적용되는 분포이다. • x를 단위시간당 발생건수라고 하면 포아송분포는 평균 사건 발생수 λ에 의해 유도된다. • 포아송분포의 확률질량 함수 $f(x) = \dfrac{\lambda^x e^{-\lambda}}{x!}$ • 포아송분포의 성립조건 ① 독립성 : 주어진 시간동안 또는 영역내에서 일어나는 사건의 횟수는 서로 중복되지 않는 다른 시간 동안 또는 영역 내에서 일어나는 사건의 횟수와 독립이다. ② 비례성 : 짧은 시간 동안 또는 작은 영역내에서 사건이 한번 발생할 확률은 시간길이 또는 영역의 면적에 비례한다. ③ 비집락성 : 짧은 시간 동안 또는 작은 영역 내에서 사건이 두 번 이상 발생할 확률은 매우 작기 때문에 무시할 수 있다. ④ 기댓값 $E(X) = \lambda$, 분산 $Var(x) = \lambda$, 기댓값과 분산이 같다.

종류	주요특징
초기하 분포	• 성공할 확률이 매회 일정한 경우(서로 독립사건)는 이항분포를 이용하고, 일정하지 않을 경우(서로 종속사건)에는 초기하분포를 이용한다. • 같은 실험에서 복원추출인 경우나 모집단의 크기가 무한한 경우는 이항분포로, 비복원추출인 경우나 모집단의 크기가 작은 경우는 초기하분포로 확률을 구한다. • 유한모집단의 크기 N이 추출개수 n보다 상당히 클 때 초기하분포는 이항분포로 접근한다. • N(전체 모집단의 개체수), K : 전체모집단에서 성공한 횟수 • n : 전체 시행횟수, k = 관찰된 성공의 횟수 일 때 • 기댓값 E(X) = $n\frac{K}{N}$, 분산(Var(x)) = $n\frac{K}{N}\frac{(N-K)}{N}\frac{(N-n)}{(N-1)}$
기하분포	• 단 한번의 성공을 위해 실패를 거듭해야 하는 경우 기하분포를 이용한다. • 기댓값 E(X) = 1 / p, 분산(Var(x)) = $\frac{q}{p^2}$

[이산확률분포의 종류]

≫ 기출유형 따라잡기

[03회] 포아송분포 x 평균이 4이고, y의 평균이 9인 경우 $E(\frac{1}{2}x + \frac{1}{3}y), Var(\frac{1}{2}x + \frac{1}{3}y)$ (x,y 독립적인 확률변수이다.)
기댓값과 분산의 값은?
① 5,2 ② 2,5
③ 3,6 ④ 6,3

정답 ①

해설 E(1 / 2x + 4y / 6), E(ax + by) = aE(x) + bE(y)이므로 1 / 2 × 4 + 1 / 3 × 9 = 5
Var(1 / 2x + 4 / 6y), Var(bx) = b² Var(x)이므로 1 / 4 × 4 + 1 / 9 × 9 = 2

[02회] 다음 중 확률분포에 대한 설명으로 올바르지 않은 것은?
① 표본공간에 발생하는 원소를 정의역으로 하고 이에 대응하는 실수값을 치역으로 하는 함수를 확률변수라 한다.
② 특정 실험에서 성공 또는 실패의 두 가지 결과 중 하나를 얻는 분포는 이항분포이다.
③ 포아송 분포는 단위 시간당 또는 단위 공간당 사건발생 횟수에 적용되는 분포이다.
④ 이산확률변수는 사건의 확률이 그 사건들의 속한 점들의 확률의 합으로 표현할 수 있는 확률변수를 말한다.

정답 ②

해설 베르누이 분포에 대한 설명이다.

[05회] 특정 구간안에 어떤 사건이 발생할 횟수에 대한 확률을 표현하는 이산확률분포를 무엇이라 하는가?
① 초기하 분포 ② 이항분포
③ 포아송 분포 ④ 베르누이 분포

정답 ③

해설 • 포아송 분포은 일정한 단위 시간과 단위 공간내에서 어떤 사건이 발생하는 횟수를 랜덤변수가 취하는 값에 따른 분포를 표현한 이산확률분포이다.

》 기출유형 따라잡기

[04회] 평균이 $\bar{x}$이고 표준편차가 σ인 확률변수 x_i에 대하여 $x_1 + x_2$의 표준편차는(단, x_i는 서로 독립이다)?
① $\sqrt{2}\sigma$　　　　　　　　② σ
③ 4σ　　　　　　　　　④ σ^2

정답 ①

해설 확률변수의 분산 특징
- Var(x + y) = Var(x) + Var(y) x, y는 독립적인 확률변수
- $\sigma^2 + \sigma^2 = 2\sigma^2$, 표준편차는 $\sqrt{2}\sigma$이다.

[04회] 다음 중 초기화 분포에 대한 설명으로 옳지 않는 것은?
① 복원 추출을 하는 경우 이항분포를 사용한다.
② 비복원 추출
③ 이산형 확률분포를 따른다.
④ 각 시행의 성공확률은 서로 독립사건이다.

정답 ④

해설
- 성공할 확률이 매회 일정한 경우(서로 독립사건)는 이항분포를 이용하고, 일정하지 않을 경우(서로 종속사건)에는 초기하분포를 이용한다.

[06회] 다음 아래와 같은 분포함수를 가지는 확률분포의 정의로 옳은 것은?

$$P(x) = \frac{e^{-\lambda}\lambda^x}{x!}$$

① 기하분포
② 포아송 분포
③ 정규분포
④ 이항분포

정답 ②

해설 포아송 분포(Poisson distribution)는 일정한 시간 또는 공간에서 발생하는 사건의 횟수에 대한 이산확률분포이다. 포아송 분포는 특정 기간 또는 영역에서 사건이 발생하는 횟수를 예측하고 모델링하는 데 사용된다.
- 포아송 분포의 확률질량함수(Probability Mass Function, PMF)
  $P(x) = \frac{e^{-\lambda}\lambda^x}{x!}$, x는 포아송 분포를 따르는 확률변수, λ는 발생한 사건의 평균 횟수

[06회] 다음 중 성질이 다른 하나는?
① 다항분포
② 포아송 분포
③ 기하분포
④ 지수분포

정답 ④

해설 다항분포(Multinomial Distribution)와 기하분포(Geometric Distribution)는 모두 이산형 확률분포이다.

> **기출유형 따라잡기**

[07회] 이산형 확률변수의 확률분포로 알맞은 것은?
① 정규분포
② 지수분포
③ 이항분포
④ 카이제곱분포

정답 ③

해설 이산형 확률분포는 변수가 이산적인 값을 가지며, 특정 값을 취할 확률을 나타내는 확률분포이다.

② 연속확률분포 : 확률변수가 소수점의 값을 포함하는 실수의 값을 가지는 경우로 정규분포, 표준정규분포, 지수분포, t-분포, F-분포, Chi(카이)제곱 분포 등이 있다.

종류	주요특징
정규분포	• 연속확률변수에 관련한 하나의 전형적인 분포의 유형으로 독일의 수학자 가우스가 고안하였다고 해서 가우스분포라고도 한다. • 정규분포는 연속확률분포 중 가장 많이 사용되는 분포이며 표본을 통한 통계적 측정 및 가설검정이론의 기본이 된다. • 모양과 위치는 분포의 평균과 표준편차로 결정된다. • 정규분포의 확률밀도함수는 평균을 중심으로 대칭적 종모양의 형태를 가진다. • 분포의 평균과 표준편차가 어떠한 값을 가지더라도 정규곡선과 X축 사이의 전체 면적은 1이다. • 개별치의 확률분포가 정규분포가 아니더라고 표본평균의 분포, 특히 표본의 크기가 클수록 그 분포는 정규분포에 가까워진다.
표준정규분포 (z분포)	• 정규분포는 평균과 표준편차에 따라 그 모양과 위치가 달라지기 때문에 서로 다른 두 정규분포의 성격을 비교하거나 확률을 계산하기 위해서는 표준화가 필요하다. • 표준화라는 것은 단위가 다른 자료에 대해서 평균이 0, 표준편차가 1이 되도록 변환하는 과정이다. • 표준화 공식 $$Z = \frac{X-\mu}{\sigma}, Z \sim N(0,1)$$ X : 확률변수, μ : 평균, σ : 표준편차 • 확률변수 X가 평균 μ와 분산 σ^2를 갖는 정규분포 $N(\mu, \sigma^2)$을 따를 때 값 $P(a<X<b)$는 다음과 같이 표현할 수 있다. $$P(\frac{a-\mu}{\sigma} < Z < \frac{b-\mu}{\sigma})$$ • 확률밀도함수의 평균과 표준편차의 관계가 표준정규분포인 경우 다음과 같다. $$P(-1 \leq X \leq 1) = 0.6827$$ $$P(-2 \leq X \leq 2) = 0.9545$$ $$P(-3 \leq X \leq 3) = 0.9973$$

종류	주요특징
표준정규분포 (z분포)	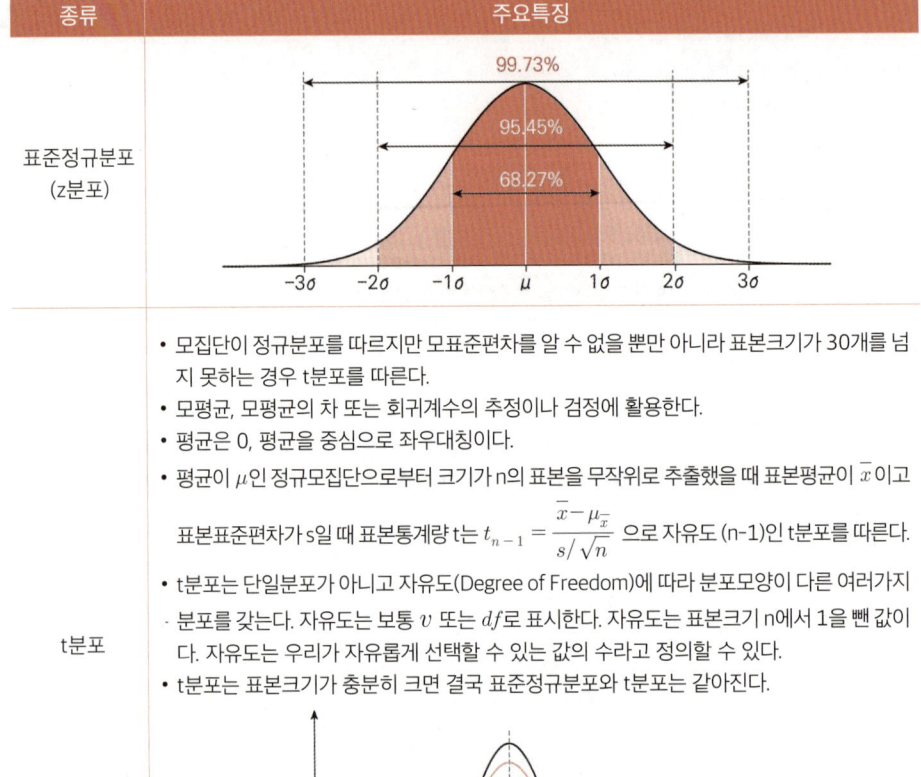
t분포	• 모집단이 정규분포를 따르지만 모표준편차를 알 수 없을 뿐만 아니라 표본크기가 30개를 넘지 못하는 경우 t분포를 따른다. • 모평균, 모평균의 차 또는 회귀계수의 추정이나 검정에 활용한다. • 평균은 0, 평균을 중심으로 좌우대칭이다. • 평균이 μ인 정규모집단으로부터 크기가 n의 표본을 무작위로 추출했을 때 표본평균이 $\bar{x}$이고 표본표준편차가 s일 때 표본통계량 t는 $t_{n-1} = \dfrac{\bar{x} - \mu_{\bar{x}}}{s/\sqrt{n}}$ 으로 자유도 (n-1)인 t분포를 따른다. • t분포는 단일분포가 아니고 자유도(Degree of Freedom)에 따라 분포모양이 다른 여러가지 분포를 갖는다. 자유도는 보통 v 또는 df로 표시한다. 자유도는 표본크기 n에서 1을 뺀 값이다. 자유도는 우리가 자유롭게 선택할 수 있는 값의 수라고 정의할 수 있다. • t분포는 표본크기가 충분히 크면 결국 표준정규분포와 t분포는 같아진다.

종류	주요특징
F분포	• 왼쪽으로 비스듬히 기울어져 있지만 그 정도는 자유도가 증가함에 따라 대칭성에 가까워진다. • 항상 양의 값을 가지며 오른쪽이 긴 꼬리 비대칭분포 형태이다. • F분포의 모양은 자유도 $(n_1 - 1)$과 $(n_2 - 1)$에 따라서 결정된다. • 분포는 두 개의 분산에 관한 추론 → F(1,v2), 즉 두 집단의 분산의 동일성 검정에 사용된다. • v1, v2는 각각의 χ^2에 대한 분산 (F=v1/v2) • 분산분석과 회귀분석을 위해서도 사용되는 중요한 확률분포이다.
카이제곱분포	• χ^2분포는 t분포와 같이 자유도 (n-1)에 따라 분포의 모양이 변한다. χ^2분포도 표본크기가 클수록 정규분포에 근접하는 특성을 갖는다. • 표준정규분포를 따르는 확률변수 Z~N(0,1)인 제곱 Z^2는 자유도가 1인 카이제곱 분포를 따르며, $Z_1^2 + Z_2^2 ... Z_n^2$는 자유도가 n인 카이제곱 분포를 따른다. • 자유도가 n인 카이제곱분포의 평균은 n이고 분산은 2n이다. • χ^2분포는 t분포와 정규분포와는 달리 좌우대칭이 아니며 오른쪽으로 긴 꼬리를 갖는다. 확률변수 χ^2은 제곱합의 합으로 구하기 때문에 음수는 가질 수 없고 다만 가장 왼쪽에서는 0의 값을 갖는다. • 모분산 σ^2이 특정한 값을 갖는지 여부를 검정하는데 사용되는 분포이며, 두 범주간 변수간의 독립성 검정과 적합도 검정을 하는데 주로 사용된다.

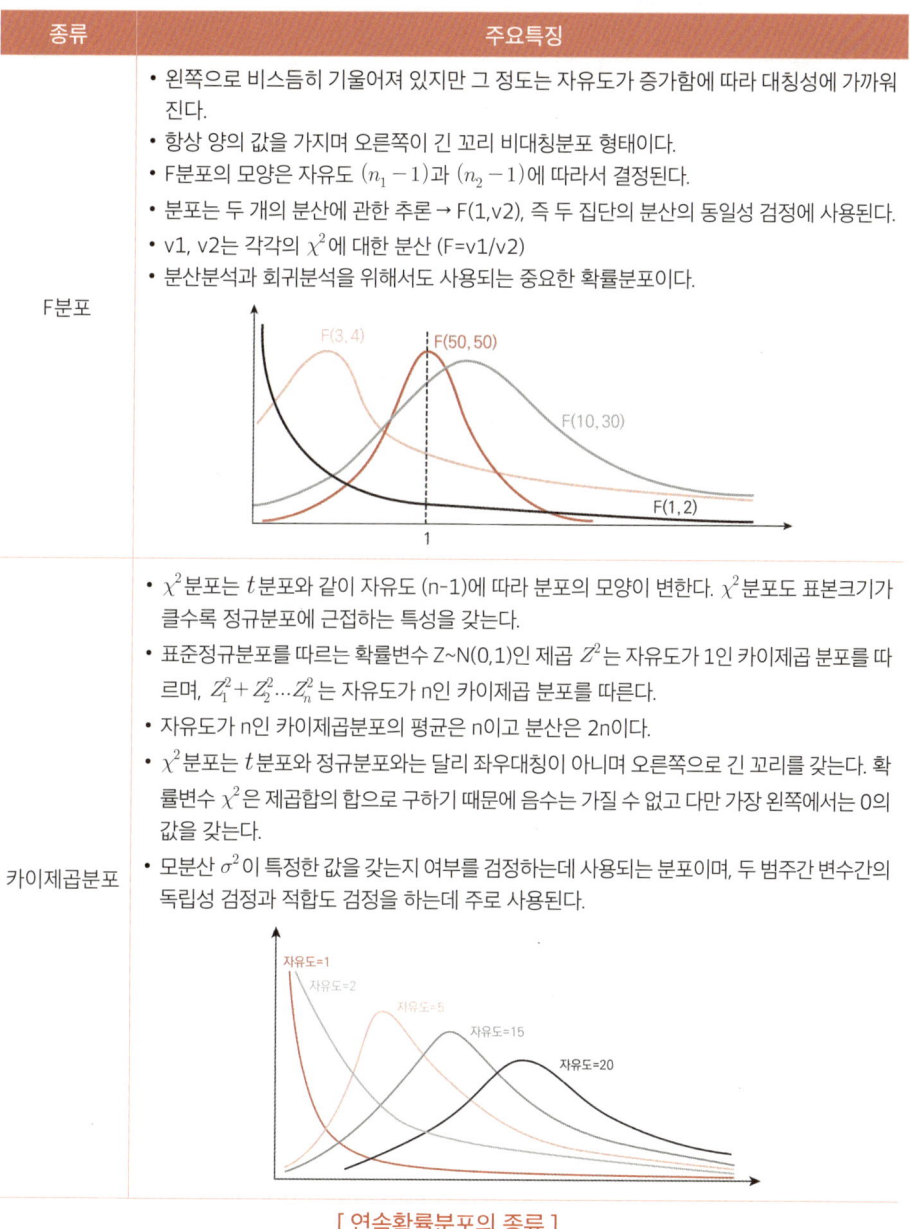

[연속확률분포의 종류]

> **용어정리**
>
> - **기댓값의 특성**
>   - E(a) = a
>   - E(bx) = bE(x)
>   - E(a + bx) = a + bE(x)
>   - E(x + y) = E(x) + E(y)
>   - E(ax + by) = aE(x) + bE(y)
> - **분산의 특징**
>   - Var(a) = 0
>   - Var(a + x) = Var(x)
>   - Var(bx) = b^2Var(x)
>   - Var(x + y) = Var(x) + Var(y) x, y는 독립적인 확률변수
>   - Var(x + y) = Var(x) + Var(y) +2Cov(x,y) x, y는 종속적인 확률변수

4 표본분포

학습 목표

1. 표본분포 이론을 학습한다.

출제 KEYWORD

① 중심극한정리 ★★

- 확률변수의 확률분포를 알고 있음을 전제로 모집단의 평균과 분산을 계산했을 뿐만 아니라 확률변수가 어떤 값을 취할 확률을 구하였다.
- 그러나 실제로는 모평균과 모분산을 모르기 때문에 표본을 추출하여 이들의 값을 추정하게 된다. 이를 통계적 추론이라고 한다.
- 표본을 추출하는 목적은 표본 통계량(Sample Statistic)에 입각하여 미지의 모집단 모수(Parameter)를 추정하려는 것이다.
- 추정의 통계적 과정에서처럼 표본평균 $\bar{x}$는 모평균 μ를, 표본표준편차 s는 모표준편차 σ를, 표본비율 $\hat{p}$는 모비율 p를 추정하는데 이용된다.
- 크기 n의 표본을 모집단으로부터 추출하여 표본평균을 구하면 모평균과 같을 가능성이 매우 희박하다. 또한 크기 n의 표본을 동일한 모집단으로부터 수없이 추출하여 그들의 평균을 구하면 모두 다른 값을 나타낸다. 이것은 표본에 포함되는 요소가 그때마다 다르기 때문이다.

- 따라서 하나의 표본평균을 가지고 모평균을 추정하게 되면 큰 위험이 뒤따르게 되며 여기에 표본분포의 이론이 필요하게 된다.
- 표본분포란 주어진 모집단으로부터 크기 n의 확률표본을 수없이 반복하여 추출한 결과로 얻는 표본 통계량의 확률분포를 말한다.

용어정리

- 모집단(Population)
  관심의 대상이 되는 전체 집단을 의미한다.(연구대상이 되는 물체나 사람들의 총체)
- 표본(Sample)
  모집단의 일부분으로, 원하는 정보를 얻기 위해 수행한 관측 과정을 통하여 실제로 얻어진 측정 결과의 집합이다(조사 대상으로 채택된 일부집단).
- 모수(Parameter)
  모집단의 특성을 수치로 나타낸 것
- 통계량(Statistics)
  표본의 특성을 수치로 나타낸 것

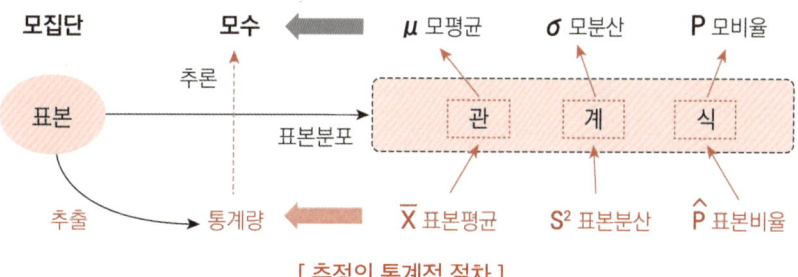

[추정의 통계적 절차]

(1) 표본평균의 표본분포
- 표본평균의 분포는 모집단이 정규모집단이냐 아니냐에 따라 그 분포가 다르게 나타난다. 또한, 모집단으로부터 표본을 복원으로 추출하느냐 비복원으로 추출하느냐에 따라 표본평균의 분포에 대한 분산의 형태가 달라진다.

① 모집단의 분포가 $N(\mu, \sigma^2)$일 때 무한모집단(복원추출)에 의한 표본평균의 분포
- 모집단의 분포가 정규분포를 따를 때, 표본평균의 분포도 정규분포를 따른다.
- 정규모집단 $N(\mu, \sigma^2)$에서 크기 n인 표본의 표본평균 $\overline{X}$는 정규분포 $N(\mu, \dfrac{\sigma^2}{n})$을 따른다.

- 표본평균 $\overline{X}$을 표준화시킨 표준화 확률변수 $Z = \dfrac{\overline{X} - \mu}{\sigma/n}$ 는 표준정규분포 N(0,1)을 따른다.

② 모집단 분포가 정규분포가 아닐 때 표본평균의 분포
- 모집단의 분포가 정규분포가 아닐 경우 표본평균 $\overline{X}$가 정규분포를 따른다고 할 수 없다.
- 그러나 표본의 크기가 충분히 클 때는 표본평균 $\overline{X}$의 분포는 정규분포로 볼 수 있다.
- 이것은 중심극한정리(Central Limit Theorem)에 근거를 두고 있다.

(2) 중심극한정리
- 중심극한정리란 확률변수 X의 모집단 분포가 정규분포가 아니더라도 표본크기 $n \geq 30$이면 평균 $\overline{X}$의 표본분포는 기댓값의 모평균 μ이고, 분산이 $\dfrac{\sigma^2}{n}$인 정규분포에 근사한다.
- 이 중심극한정리로 말미암아 모집단 분포가 균등분포, 이항분포, 지수분포를 따르더라도 표본크기가 상당히 크면 모집단의 특성을 추정하는데 정규분포의 이점을 활용할 수 있다.

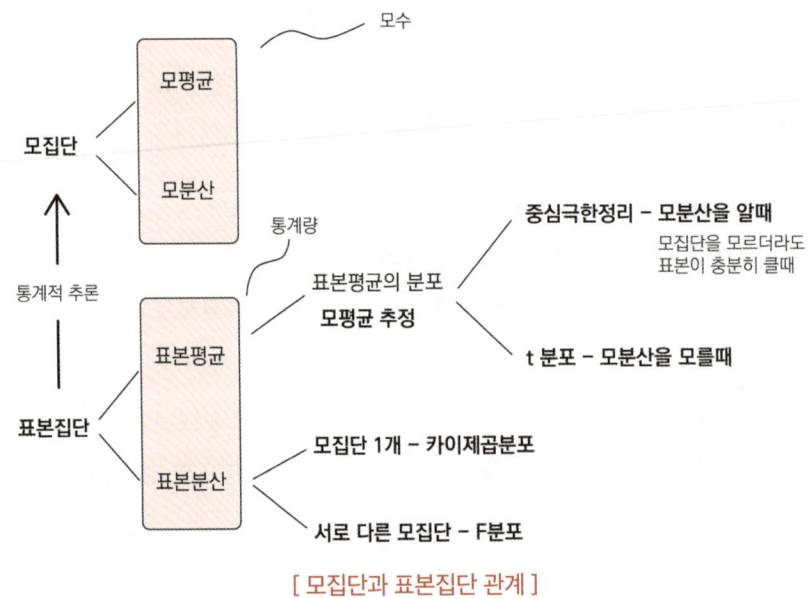

[모집단과 표본집단 관계]

》 기출유형 따라잡기

[05회] 모집단의 크기에 따른 표본 복원 추출시, 표본의 수가 커질수록 얻을 수 있는 이점에 대한 설명으로 적절하지 않은 것은?
① 표본 크기와 관계없이 표본평균의 기댓값은 모평균과 같다.
② 모집단의 분포가 정규분포가 아닐 때 표본평균 $\bar{x}$가 정규분포를 따른다고 할 수 없다.
③ 추정량의 표준편차를 표준오차라 한다.
④ 표본평균의 분산은 표본의 크기에 따라 달라진다.

정답 ①

해설 중심극한정리는 표본의 평균에 대한 분포 이론이다.
- 모집단이 「평균이 μ이고 표준편차가 σ인 임의의 분포」을 이룬다고 할 때, 이 모집단으로부터 추출된 표본의 「표본의 크기 n이 충분히 크다」면 표본 평균들이 이루는 분포는 「 평균이 μ이고 표준편차가 $\sigma/\sqrt{n}$ 인 정규분포」에 근접한다.

[07회] 중심극한정리(Central Limit Theorem, CLT)에 대한 설명으로 옳지 않은 것은?
① 중심극한정리는 연속형 변수에만 적용할 수 있다.
② 표본평균의 분포도 표본의 크기가 충분히 크다면 정규분포에 근사하다.
③ 중심극한정리는 특히 큰 표본의 경우에 많이 사용되며, 통계적 추론에서의 기본적인 원리 중 하나이다.
④ 중심극한정리가 다양한 분포 형태에 대해 적용 가능하다는 장점이 있다.

정답 ①

해설 중심극한정리는 이산형 변수에 대해서도 성립한다. 따라서 이산형 변수에서도 충분히 큰 표본 크기를 가진 경우, 표본평균의 분포는 정규분포에 근사하게 된다.

용어정리

- **추정량(Eestimator)과 추정치(Eestimate)**
  추정량은 표본으로부터 모수의 추정치를 계산하는데 사용되는 식이고, 추정치는 실제 표본자료를 이용하여 계산한 추정량의 값이다.

02 추론통계

1. 추정의 의의
- 대부분의 비즈니스 상황에서는 모집단에 관한 정보를 알 수 없기 때문에 표본추출을 통한 표본 통계량에 입각하여 모수를 추정하게 된다. 이는 통계적 추정으로서 귀납적 추리(Inductive Reasoning)라고도 한다.

2. 통계적 추정의 종류
① 점추정
- 모수를 단일치로 추측하는 방법으로, 그 신뢰도를 나타낼 수 없다는 단점이 있다.

② 구간추정
- 모수를 포함한다고 추측되는 구간을 구하는 방법이다. 구간추정은 모수의 추정치와 신뢰도를 함께 구할 수 있다.

3. 바람직한 통계적 추정량의 결정기준
① 불편(Unbiased)추정량 이란 모든 가능한 추정치의 평균이 모수의 참값과 같아야 하는 것이다.
- 모수 θ의 불편추정량이란 섬추정량 $\hat{\theta}$의 표본분포의 기댓값이 모수 θ와 같을 때 점추정량을 $\hat{\theta}$을 말한다.
- $E(\hat{\theta}) = \theta$
- 추정량의 표본분포의 기댓값이 모수의 참값과 차이가 나면 이는 편의 또는 바이어스(Bias)라고 한다.

② 효율추정량
- 효율추정량이란 불편추정량 중에서 그의 분산이 작은 추정량을 말한다.
- 좋은 추정량이 되기 위해서는 추정량의 기댓값이 모수의 값과 같을 뿐만 아니라 추정량의 분산이 작아야 한다.

③ 일치추정량
- 일치추정량이란 표본크기가 증가할수록 추정량 $\hat{\theta}$이 모수 θ에 더욱 근접하는 추정량을 말한다.

④ 충족추정량
- 충족추정량이란 모수 θ를 추정하기 위하여 추출하는 동일한 크기의 표본으로부터 가장 많은 정보를 제공하는 추정량을 말한다.

1 점추정

학습 목표
1. 통계적 추정에 대해 학습한다.

출제 KEYWORD
① 바람직한 통계적 추정량의 결정기준 ★★
② 점추정 정의 ★

1. 점추정
- 가장 참값이라고 여겨지는 하나의 모수의 값을 택하는 것을 점추정이라고 한다. 즉 점추정은 '모수가 특정한 값일 것'이라고 추정하는 것이다.
- 점추정치는 표본오차때문에 모수와 일치하기가 어렵다.
- 이러한 점추정치의 한계를 극복하기 위하여 구간추정치(Interval Estimate)를 사용한다.

2. 표준오차(Standard Error)

$\frac{\sigma}{\sqrt{n}}$ (n은 표본의 크기, σ는 모집단의 표준편차)

σ를 알 수 없는 경우 표본표준편차 $S = \sqrt{\sum(X_i - \overline{X})^2/(n-1)}$ 를 대입한다.

- 통계량의 표준편차를 표준오차라 한다.
- 표준오차는 모집단의 표준편차보다 언제나 작다.
- 표본크기가 클수록 표준오차는 작아진다.

3. 최대 우도추정법 또는 최우 추정법(Maximum Likelihood Estimation)

- 최우 추정법은 모수추정을 취해 가장 일반적으로 사용되는 추정법으로서, 임의표본의 확률적(정보적) 특징을 바탕으로 한 가장 합리적인 접근법이다.
- 우도(Likelihood)

  임의표본의 관측치 $x_1, x_2, \cdots, x_n$이 주어졌을 때, 관측치들의 결합 확률분포함수로서

  $L(\theta) = L(\theta; x_1, x_2, \cdots, x_n)$: 우도는 관측치 $x_1, x_2, \cdots, x_n$에 대한 모수 θ의 함수임

  $= f(x_1, x_2, \cdots, x_n; \theta)$: 우도는 결합확률분포 값으로 정의

  $= f_1(x_1; \theta) \cdots f_n(x_n; \theta)$: 표본들은 서로 독립이므로

  $= f(x_1; \theta) \cdots f(x_n; \theta)$: 표본들은 동일분포를 가지므로

  $= \prod_{i=1}^{n} f(x_i; \theta)$를 모수 θ의 "우도 혹은 가능도(likelihood)"라 한다.

  최대우도추정법은 이때의 추정량 $\hat{\theta}$를 "최우추정량(maximum likelihood estimator : MLE)"이라 한다.

  > 우도 $L(\theta)$ 혹은 로그 - 우도 $\log L(\theta)$를 최대화하는 $\hat{\theta} = \theta$

- 예시를 통한 우도 추정의 원리

  정규분포 $N(\mu, 2^2)$로부터 임의표본 $X_1 = 1$, $X_2 = 3.5$, $X_3 = 4$를 얻었다 하자. 이때 표본을 근거하여 $\mu_1 = 0$, $\mu_2 = 3$, $\mu_3 = 5$ 중 가장 타당한 하나를 모평균 μ의 추정치로 결정하고자 한다.

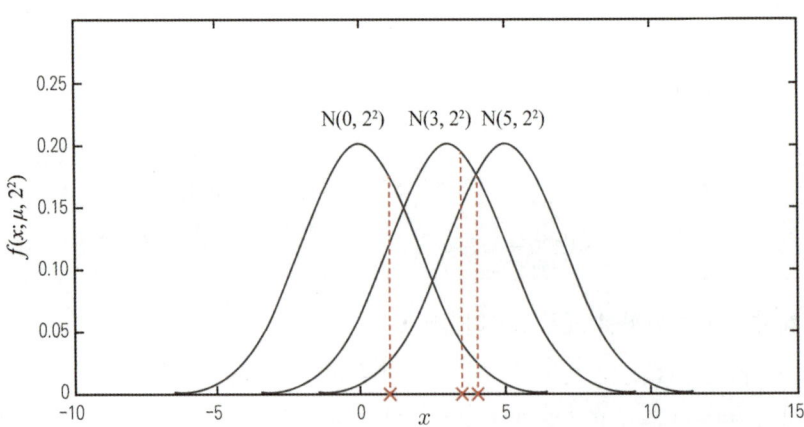

이 문제는 "이 표본은 세 모집단 $N(0,2^2)$, $N(3,2^2)$, $N(5,2^2)$ 중 하나의 표본이라면, 어떤 모집단의 확률분포일 가능성이 가장 큰가?"를 정하는 것이다.

이때 각 우도를 계산해 보면 각 우도(확률밀도값 즉 pdf 높이들의 곱)는

$$L(\mu_1) = f(1;\mu_1)f(3.5;\mu_1)f(4;\mu_1) = 0.1760 \times 0.0431 \times 0.0270 = 0.00020$$

$$L(\mu_2) = f(3;\mu_2)f(3.5;\mu_2)f(4;\mu_2) = 0.1210 \times 0.1933 \times 0.1760 = 0.00410$$

$$L(\mu_3) = f(3;\mu_3)f(3.5;\mu_3)f(4;\mu_3) = 0.0270 \times 0.1506 \times 0.1760 = 0.00072$$

혹은 로그 - 우도는

$$\log L(\mu_1) = \log(0.00020) = -8.5172$$

$$\log L(\mu_2) = \log(0.00410) = -5.4968$$

$$\log L(\mu_3) = \log(0.00072) = -7.2363 \text{ 과 같다.}$$

→ (3, 3.5, 4)는 모집단 $N(3,2)$의 임의표본일 가능성이 가장 크다.

→ 모평균은 $\hat{\mu} = \mu_2 = 3$ 으로 추정하는 것이 가장 합리적이다.

그런데 일반적인 문제에서 평균 μ는 주어진 몇 개의 모수 중 하나를 선택하는 것이 아니라, 모수공간 $-\infty < \mu < \infty$ 중에서 표본 $X_1 = 1$, $X_2 = 3.5$, $X_3 = 4$가 나타날 가능성이 가장 큰 (즉, 우도가 가장 큰) 모평균 μ를 결정하는 것이다. 이것은 우도함수 $L(\mu)$ 혹은 동일하게 로그-우도함수 $\log L(\mu)$를 μ에 대해 미분한 후 0으로 놓고 푸는 최대화 문제 (maximization problem)인 것이다.

예제 1)

- 확률질량함수가 $f(x;\mu) = \dfrac{e^{-\mu}\mu^x}{x!}, x = 0, 1, 2....$ 인 포아송분포에서 독립적으로 얻는 확률 표본 X_1, X_2, X_n 대하여 μ 의 최대우도 추정량은 다음과 같다.

| 풀이 |

$$= L(\mu;x_1,x_2,...,x_n) = f(x_1;\mu)f(x_2;\mu).....f(x_n;\mu) = \prod_{i=1}^{n} f(x_i;\mu)$$

$$= \prod_{i=1}^{n} \dfrac{e^{-\mu}\mu^{x_i}}{x_i!}, \text{포아송 확률밀도 함수를 곱하면}$$

$$= \dfrac{e^{-\mu n}\mu^{\sum x_i}}{\prod_{i=1}^{n} x_i!}, \text{우도함수로 이값을 미분해서 0의 되는값을 찾으면 그 값이 최대우도추정량이다.}$$

양변에 로그를 취하면(계산 편리성)
$\ln L(\mu) = -n\mu + \sum x_i \ln \mu - \ln \prod_{i=1}^{n} x_i!$, 양변에 편미분을 해서 0이 되는값을 찾는다.

$\frac{\partial}{\partial \mu} \ln L(\mu) = -n + \frac{\sum x_i}{\mu}$, 이 값이 0이 되기 위해서는 $\frac{\sum x_i}{\mu} = n$이 되면 된다.

μ로 다시면 풀면 $\mu = \frac{\sum x_i}{n}$ 이다.

모수 μ의 최대추정량은 $\hat{\mu} = \frac{\sum x_i}{n} = \overline{X}$ 인 것이다.

> **기출유형 따라잡기**

[02회] 포아송분포에서 임의추출하여 3일 동안 매일 관측된 1시간당 교통사고 횟수가 각각 $x_1 = 30$, $x_2 = 25$, $x_3 = 35$ 회 라면 λ의 최대우도 추정치는 얼마인가?
① 30   ② 35
③ 40   ④ 45

정답 ①

해설 $\hat{\lambda} = \overline{x} = 30$(회/시간) 이다.

2 구간추정

학습 목표
1. 구간추정에 대해 학습한다.

출제 KEYWORD
① 신뢰수준 95% 의미 ★
② 구간추정(모평균) 신뢰구간을 구하는 계산 문제 ★

- 일정한 크기의 신뢰수준으로 모수가 특정한 구간에 있을 것이라고 선언하는 것을 의미한다. 점추정치를 중심으로 하한부터 상한까지의 구간은 신뢰구간(Confidence Interval)이라고 하는데 하한을 신뢰하한, 상한을 신뢰상한이라고 부른다.
- 구간추정치 : 하한 ≤ 점추정치 ≤ 상한

1. 신뢰도(신뢰수준)

- 95%의 신뢰수준에서 얻은 신뢰구간은, 같은 방법으로 여러 번 표본을 추출하고 모집단 파라미터를 추정한다면, 그 중 95%의 경우 신뢰구간이 실제 모집단 파라미터를 포함할 것으로 기대됨을 의미한다.
- 추정량의 분포가 정규분포를 따를 모수 μ에 대한 $\pm\sigma$, $\pm2\sigma$, $\pm3\sigma$의 신뢰수준은 다음과 같다.

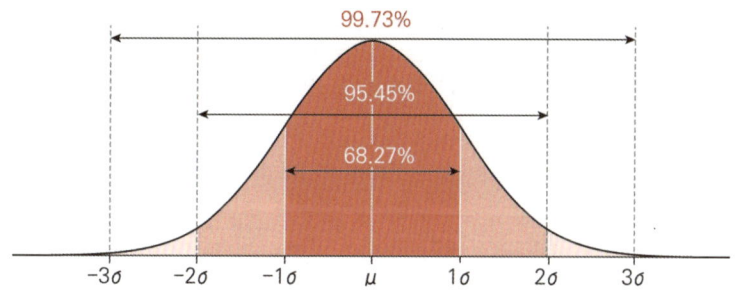

2. 신뢰구간

- 일정한 구간을 제시하여 모수가 포함되었을 것이라고 제시한 구간을 신뢰구간이라 하며, 구간추정은 이 신뢰구간을 이용한 추정방법이다.
- 구간추정에서 95% 신뢰구간이란 신뢰구간을 100회 반복하여 측정했을 때 95번은 그 구간 내에 모평균이 포함된다는 의미이다.
- 포함된 신뢰구간은 표본의 크기의 제곱근에 반비례한다.
- 예컨대 모수 μ가 이 구간 속에 들어갈 확률이 95%가 아닌 표본크기 n을 반복하여 추출하여 설정하는 신뢰구간 중에서 평균적으로 95%는 모수 μ를 포함하고 5% 정도는 포함하지 않을 것이라는 것을 의미한다.
- 실제로 우리는 하나의 표본을 추출하여 하나의 신뢰구간을 설정하게 되는데 이 구간이 모수 μ를 포함할지는 전혀 모른다. 따라서 우리는 이를 포함할 것으로 95% 신뢰한다고 말할 수 있을 뿐이다.

> **기출유형 따라잡기**

[02회] 다음 중 추론통계에 대한 설명으로 올바르지 않은 것은?
① 점추정은 표본의 통계량으로 모집단의 모수를 하나의 값을 추정하는 것이다.
② 구간추정은 추정량의 분포에 대한 전제조건이 있어야 하고, 구간안에 모수가 있을 신뢰수준이 주어져야 한다.
③ 귀무가설이 사실일 때, 관측된 검정통계량의 값보다 더 대립가설을 지지하는 검정 통계량이 나올 확률을 p-값이라고 한다.
④ 일정한 구간을 제시하여 모수가 포함되었을 것이라고 제시한 구간을 신뢰구간이라 한다.

정답 ③

해설
- 유의확률은 귀무가설이 맞는다는 전제하에 얻는 통계량이 귀무가설을 얼마나 지지하는지를 나타낸 확률이다. 귀무가설이 극단적으로 낮다는 것은 귀무가설의 반증이라 할 수 있다.
- 신뢰수준은 참값이 특정 범위에 있는 확률과는 다르다. 그보다는 참값을 구하기 위한 작업을 많이 반복했을 때 참값이 특정 범위에 있는 비율을 말한다. 또는 방법의 정확도를 뜻한다.

[06회] 통계적 추론에 대한 설명으로 잘못된 것은?
① 모집단을 통해 표본집단을 추론한다.
② 통계적 추론의 목적은 추정과 가설검정에 있다.
③ 점추정은 모집단의 특성을 하나의 수치로 추정한다.
④ 신뢰구간을 추정할 때 모분산 σ^2을 알고 있다면 표본의 크기와 관계없이 정규분포를 사용한다.

정답 ①

해설 통계적 추론은 표본을 사용하여 모집단에 대한 결론을 내리는 과정을 의미한다.

3. 신뢰계수

- 오차율(α)은 신뢰구간 내에 모집단 평균이 포함되지 않을 확률이다.
- 신뢰도=1-오차율(α)

신뢰도($1-\alpha$)	$Z_{\alpha/2}$
0.90	1.645
0.95	1.96
0.99	2.57

- 90%, 95%, 99%를 신뢰수준이라 하고, $Z_{0.05}=1.645, Z_{0.025}=1.96, Z_{0.005}=2.575$를 신뢰계수라 한다.
- 모평균 μ에 대한 $100(1-\alpha)\%$ 신뢰구간은 다음과 같다.
- μ의 90% 신뢰구간 = $\bar{x} \pm 1.645 \dfrac{\sigma}{\sqrt{n}}$

- μ의 95% 신뢰구간 = $\bar{x} \pm 1.96 \dfrac{\sigma}{\sqrt{n}}$

- μ의 99% 신뢰구간 = $\bar{x} \pm 2.57 \dfrac{\sigma}{\sqrt{n}}$

≫ 기출유형 따라잡기

[02회] 모평균이 μ이고, 모표준편차가 $\sigma=8$인 정규분포를 따르는 모집단에서 크기가 25인 표본을 추출하여 평균을 계산하였더니 $\bar{X}=42.7$이었다. 이때 모평균 μ에 대한 95% 신뢰구간은(단 $Z_{0.025} = 1.96$)?

① (39.56, 45.84)
② (42.07, 43.33)
③ (38.99, 44.56)
④ (41.44, 46.24)

정답 ①

해설 $42.7 - 1.96\dfrac{8}{5} \leq \mu \leq 42.7 + 1.96\dfrac{8}{5}$

[05회] 시험 응시자 연령의 평균을 추정하기 위해서 전체 수험생의 121명 임의로 추출하여 조사한 결과 표준편차의 값은 11, 평균은 35세이다. 모집단의 평균 연령에 대한 95% 신뢰구간을 추정하면? (단 $Z_{0.025} = 1.96, Z_{0.005} = 2.58$)

① (33.04, 36.96)
② (32.42, 37.58)
③ (33.04, 37.58)
④ (32.42, 36.96)

정답 ①

해설 $35 - 1.96\dfrac{11}{11} \leq \mu \leq 35 + 1.96\dfrac{11}{11}$

4. 표본의 크기

- 모평균 추정 시 표본의 크기

$$n \geq \dfrac{Z_{\alpha/2}^2 \times \sigma^2}{D^2},\ D(\text{오차한계} = \text{신뢰계수} \times \text{표준오차})$$

- 표본 크기의 결정요인
  ① 신뢰도
  일정한 오차의 범위 내로 신뢰구간을 설정하고자 할 때 신뢰도에 의해서 Z나 t가 결정되기 때문에 신뢰도를 높일수록 표본의 크기는 커야 한다.

② 표준편차

일정한 범위 내로 신뢰구간을 설정하고자 하는 경우 모집단의 분산 또는 표준편차가 클수록 표본의 크기는 커야 한다.

③ 오차의 크기

작은 오차를 원하면 표본의 크기를 크게 해야 한다.

> **용어정리**
> - 추정량
> 표본정보에 의존하는 확률변수로서 모수를 추정하는데 사용되는 표본통계량을 말하고 추정치란 추정량을 평가하여 얻게 되는 특정한 수치를 말한다.

모 수	추 정 량
평 균(μ)	표본평균($\bar{x}$)
분 산(σ^2)	표본분산(s^2)
표준편차(σ)	표본표준편차(s)
비 율(p)	표본비율($\hat{p}$)

[모수와 추정량]

5. 모평균의 100(1 - α)% 신뢰구간

① 모분산을 알고 있는 경우
- 모평균 μ의 추정량은 표본평균 $\bar{x}$를 표준화에 의해 Z통계량을 이용한다.

$$P(\bar{x} - Z_{\frac{\alpha}{2}}\frac{\sigma}{\sqrt{n}} \leq \mu \leq \bar{x} + Z_{\frac{\alpha}{2}}\frac{\sigma}{\sqrt{n}}) = 1 - \alpha$$

- ($\frac{\sigma}{\sqrt{n}}$ = 표준오차, $\bar{x}$ = 표본평균)

② 모분산을 모르는 대표본(표본크기가 30 이상) 경우
- 대표본이지만 모분산 σ^2을 모르고 있는 경우 모표준편차 σ대신 표본표준편차 S를 이용한다.

$$P(\bar{x} - Z_{\frac{\alpha}{2}}\frac{S}{\sqrt{n}} \leq \mu \leq \bar{x} + Z_{\frac{\alpha}{2}}\frac{S}{\sqrt{n}}) = 1 - \alpha$$

③ 모분산을 모르는 소표본(표본크기가 30 이하인 경우)
- 모집단의 표준편차를 모르고 소표본일 경우에는 정규분포가 되지 않고, 자유도가 n-1인 t-분포가 된다.

$$P(\bar{x} - t_{\frac{\alpha}{2}} \frac{S}{\sqrt{n}} \leq \mu \leq \bar{x} + t_{\frac{\alpha}{2}} \frac{S}{\sqrt{n}}) = 1 - \alpha$$

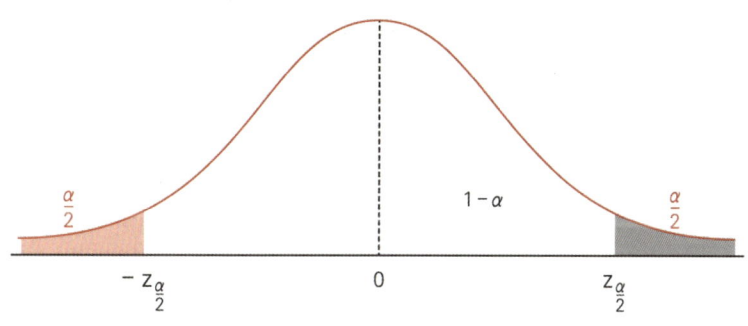

[신뢰수준과 신뢰구간]

6. 모비율(p)의 100(1 - α)% 신뢰구간

- 표본비율의 표본분포

  기댓값 : $E(\hat{p}) = p$, 표준오차 : $\sigma_{\hat{p}} = \sqrt{\frac{p(1-p)}{n}}$ 일 때

  $(\hat{p} - Z_{\frac{\alpha}{2}} \sqrt{\frac{\hat{p}(1-\hat{p})}{n}} \leq p \leq + Z_{\frac{\alpha}{2}} \sqrt{\frac{\hat{p}(1-\hat{p})}{n}} = 1 - \alpha)$

7. 모분산의 σ² 에 대한 100(1 - α)% 신뢰구간

- 표본확률변수 x^2

  $x^2_{n-1} = \frac{(n-1)s^2}{\sigma^2}$ 으로 자유도 n-1인 x^2 분포를 따른다.

  $P(\frac{(n-1)s^2}{x^2_{n-1,\,\alpha/2}} < \sigma^2 < \frac{(n-1)s^2}{x_{n-1,\,1-\alpha/2}}) = 1 - \alpha$

3 가설검정

학습 목표
1. 가설검정의 절차와 검정의 오류를 학습한다.

출제 KEYWORD
① 검정의 오류 ★★★
② 가설검정과 관련된 기본용어(귀무가설, 대립가설, 유의수준, 유의확률) ★★

1. 가설(Hypothesis)이란
- 가설이란 검정할 목적으로 설정하는 모수에 대한 잠정적인 주장 또는 가정을 말한다.
- 아직 경험적으로 검증되지 않은 일종의 예비적 이론

2. 가설검정
- 대상집단의 특성량에 대하여 어떤 가설을 설정하고, 대상집단인 모집단으로부터 추출한 표본으로 가설을 검토하는 통계적 추론이다.
- 통계적 가설검정은 설정된 가설이 옳다고 할 때 표본에서 통계량을 계산하여 얻는 표본값과 통계량의 분포에서 이론적으로 얻어지는 어떤 특정값을 비교하여 그 가설을 기각할 것인가 또는 채택할 것인가를 판정하는 것이다.

> **용어정리**
> - 유의수준
> 귀무가설의 기각 여부를 결정하는데 사용하는 기준이 되는 확률, 제 1종 오류를 범할 확률의 허용 한계

1) 가설의 종류
- 일단 가설이 설정되면 일정한 절차에 따라서 그 가설의 진위여부를 결정하게 된다.
- 이러한 가설검정을 위해서는 우선 상호 배타적인 가설, 즉 귀무가설(Null Hypothesis)과 대립가설(Alternative Hypothesis)을 설정한다.

종류	설명
귀무가설	• 귀무가설이란 모집단의 특성에 대해 옳다고 제안하는 잠정인 주장 또는 명제를 말한다. • 귀무가설은 과거의 경험, 지식 또는 연구의 결과 등 현재까지 인정되어 온 것을 의미한다.
대립가설	• 귀무가설의 주장이 틀렸다고 제안하는 가설로서 귀무가설이 기각되면 채택하게 되는 가설을 말한다. • 대립가설은 연구자가 기존상태로부터 새로운 변화 또는 효과가 존재한다는 주장을 나타내므로 연구자는 귀무가설을 부정하고 대립가설을 지지하고자 한다.

2) 가설검정 절차

- 검정하려고 하는 모집단에서 추출한 표본으로부터 계산한 검정통계량의 수치가 유의수준 α에 따라 결정되는 채택영역(Acceptance Region)에 들어오면 그 귀무가설을 채택하게 된다.
- 이때 그 수치는 검정하려는 모수와 현저하지 않은(Not Significant) 차이를 보인다. 한편 검정통계량의 수치가 기각영역(Rejection Region)에 들어오면 귀무가설 H_0을 기각하게 된다. 이는 그 수치가 검정하려는 모수와 현저한 차이를 보이기 때문이다.

가설검정의 순서
㉮ 가설의 설정
㉯ 유의수준 α의 결정

검정통계량을 사용할 때
㉰ 유의수준 α에 해당하는 임계치 및 기각영역의 결정
㉱ 검정통계량의 계산
㉲ 의사결정

p값을 사용할 때
㉰ 검정통계량의 계산
㉱ p값의 계산
㉲ 의사결정

p값을 이용한 가설검정
- 고전적 가설검정 방법에 있어서는 의사결정자가 자의로 유의수준을 결정하기 때문에 동일한 자료에 대해서 사람에 따라 유의수준을 얼마로 정하느냐에 따라서 귀무가설을 기각할 수도 있고 기각하지 않을 수 있다.
- 이런 경우에 p값(p value)이라고 하는 통계치를 계산함으로써 의사결정자로 하여금 참인 귀무가설을 기각할 여러 가능한 유의수준 중 최소치로 사용할 수 있게 하는 방법이 효과적이라고 할 수 있다.

- p값은 관측된 표본 통계량에 입각하여 귀무가설을 기각할 수 있는 유의수준의 최소치를 의미하기 때문에 관측된 유의수준(Observed Significance Level)이라고도 한다. 따라서 의사결정자가 자의로 결정하는 유의수준 α와 이를 비교함으로써 귀무가설 H_0의 채택 여부를 결정할 수 있다.

p값에 의한 결정규칙

p값 $< \alpha$이면 H_0를 기각

p값 $\geq \alpha$이면 H_0를 채택

- 일반적으로 p값이 작으면 작을수록 귀무가설을 기각할 충분한 근거를 갖게 되고 반대로 p값이 크면 클수록 귀무가설을 채택 할 가능성은 높게 된다.

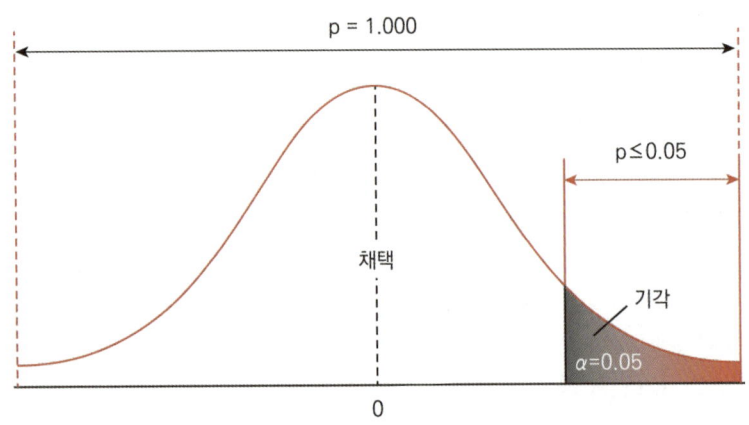

[p값을 이용한 가설검정]

3) 가설설정 방법

- 예를 들어 우리가 관심을 갖는 모수를 θ라 하고 이 모수가 하나의 특정한 가정된 값 300이라 한다면 가설의 기본적인 형태는 다음과 같다.
- 단측검정 vs 양측검정

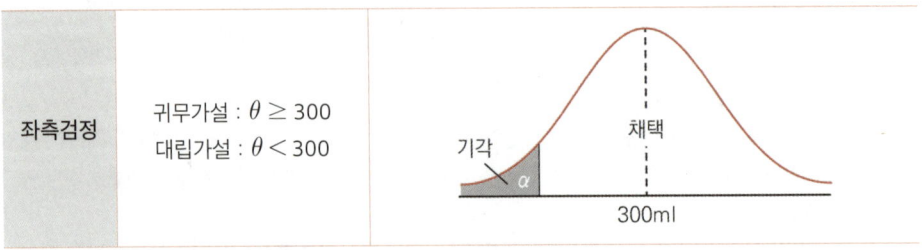

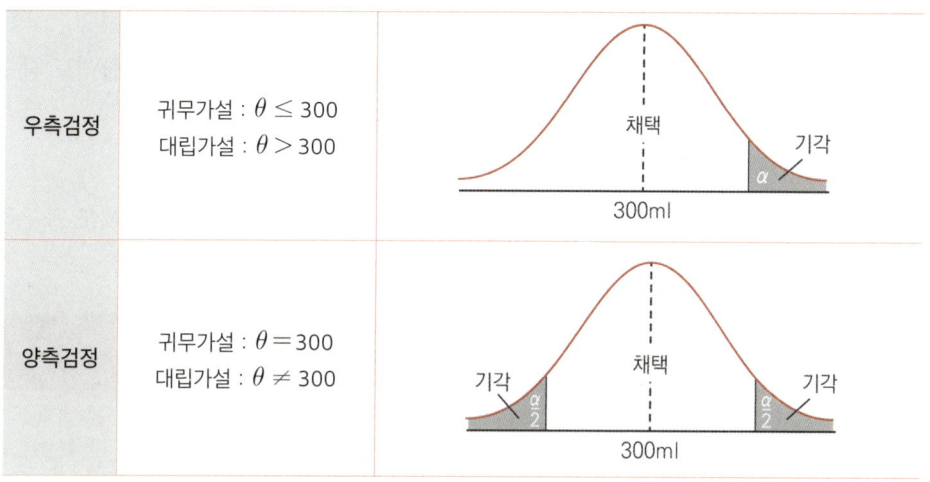

- 귀무가설은 등호를 포함해야 하지만 대립가설은 절대로 등호를 포함할 수 없다.
- 양측검정의 경우에는 기각영역이 표본분포의 양쪽 꼬리 부분에 있게 되고 좌측검정의 경우에는 좌측검정의 경우에는 좌측 꼬리 부분에, 그리고 우측검정의 경우에는 우측 꼬리 부분에 있게 된다.
- 단측검정의 경우 기각영역의 위치는 대립가설의 부등호 방향과 일치해야 한다.

> **용어정리**
>
> - p값
>   귀무가설이 진실이라는 가정 하에서 검정통계량이 표본으로부터 계산된 검정통계량의 값보다 더욱 멀어져 귀무가설을 기각시킬 확률을 말한다.

4) 검정의 오류

- 가설검정은 언제나 옳은 결정만을 하지 못한다. 이것은 제한된 표본 정보를 가지고 모수에 대해 결론을 내리기 때문에 표본오차(Sampling Error)로 인하여 실수를 저지를 가능성이 있기 때문이다.
- 가설검정과 관련된 오류에는 두 가지가 있다. 귀무가설 H_0가 실제로는 사실임에도 불구하고 허위라고 결론을 내릴 오류를 제1종 오류(Type 1 Error)라 하고 α로 표시한다.
- 이러한 오류를 범할 확률을 검정의 유의수준(Level of Significance) 또는 위험수준(Level of Risk)이라고 한다.

① 제1종 오류
- 제1종 오류란 귀무가설 H_0가 실제로는 사실이어서 채택해야 함에도 불구하고 표본오차 때문에 이를 거부하는 오류를 말한다.

② 제2종 오류
- 제2종 오류란 귀무가설 H_0가 실제로는 허위라서 거부해야 함에도 불구하고 표본오차 때문에 이를 채택하는 오류를 말한다.

실제 상황 통계적 결정	H_0가 사실	H_0가 허위
H_0 채택	옳은 결정 (신뢰수준) = $1-\alpha$	제2종 오류 확률 = β
H_0 기각	제1종 오류 확률 = α	옳은 결정 검정력 = $1-\beta$

- $(1-\beta)$로 나타내는 검정력(Power of Test)은 귀무가설이 거짓일 때 옳은 결정의 확률을 말한다.
- 표본 크기가 일정할 때 제1종 오류를 범할 확률을 감소시키면 제2종 오류를 범할 확률은 증가한다.
- 이와 같이 α와 β는 부의 관계이다. α는 절대로 0의 값을 가질 수 없다. 이럴 경우 $\beta=1$이 되어 귀무가설이 거짓일 때 언제나 이를 수락하기 때문이다. 따라서 α의 값은 두 오류의 상대적 중요성에 따라 결정된다.
- 그런데 α위험이 β위험보다 더욱 심각하기 때문에 α오류를 통제하는 것이 일반적이다.
- α의 값은 보통 1%, 2%, 5%, 10% 등으로 의사결정자가 결정한다.

> **용어정리**
> - 기각역(Critical Region)
>   기각역(Critical Region) : 검정통계량의 분포에서 유의수준 α의 크기에 해당하는 영역으로, 계산된 검정통계량의 유의성을 판정하는 기준이 된다.

> **기출유형 따라잡기**

[02회] 다음 중 제1종 오류와 제2종 오류의 값은?

통계적 결정		실제값	
		귀무가설 사실	귀무가설 허위
	귀무가설 채택	200	80
	귀무가설 기각	20	400

① (80, 20) ② (20, 80)
③ (80, 400) ④ (200, 400)

정답 ②

해설 제1종 오류란 귀무가설이 실제로는 사실이어서 채택해야 함에도 불구하고 이를 거부하는 오류를 말한다.
제2종 오류란 귀무가설이 실제로는 허위라서 거부해야 함에도 불구하고 표본오차 때문에 이를 채택하는 오류를 말한다.

[07회] 가설검정에 대한 설명으로 옳지 않은 것은?
① 가설검정에는 하나의 귀무가설과 대립가설만이 존재한다.
② 유의수준은 가설검정에서 귀무가설을 기각하는 기준이 되는 임계값이다.
③ 유의확률은 귀무가설이 참이라고 가정할 때, 현재의 표본 또는 더 극단적인 상황이 발생할 확률이다.
④ 유의확률(p-value)이 0에 가깝다는 것은 해당 통계적 검정 결과가 귀무가설을 기각하는 데 매우 강력한 증거를 제시한다는 의미이다.

정답 ①

해설 일반적으로 가설검정에서는 주로 두 개의 대립가설을 고려한다. 이 두 가지 대립가설은 "양측 가설(Two-Tailed Hypothesis)"과 "단측 가설(One-Tailed Hypothesis)"이다.

5) 검정통계량

- 귀무가설과 대립가설 중에서 하나의 가설을 선택하는 데 사용하는 표본의 통계량을 검정통계량이라고 한다.

(1) 모평균에 대한 가설검정

① 모분산을 알고 있는 경우

- 모분산 σ^2을 알고 그 모집단에서 추출한 표본의 평균 $\bar{x}$를 알 때 표본평균과 모집단의 평균을 비교 검정하는 경우
- 정규분포를 따르고 모분산을 알고 있으므로 Z분포를 이용하여 검정하며 검정통계량의 계산식은 다음과 같다.

- 양측검정일 때

  $H_o : \mu = \mu_o$
  $H_1 : \mu \neq \mu_o$

  $\dfrac{\bar{x}-\mu_o}{\sigma/\sqrt{n}} > Z_{\alpha/2}$ 또는 $\dfrac{\bar{x}-\mu_o}{\sigma/\sqrt{n}} < -Z_{\alpha/2}$ 이면 H_o를 기각

② 모분산을 모르는 경우
- (소표본 $n < 30$) 자유도가 n-1인 t 분포를 이용하여 검정하며 검정통계량의 계산식은 다음과 같다.

  - 양측검정일 때

    $H_o : \mu = \mu_o$
    $H_1 : \mu \neq \mu_o$

    $\dfrac{\bar{x}-\mu_o}{s/\sqrt{n}} > t_{n-1,\alpha/2}$ 또는 $\dfrac{\bar{x}-\mu_o}{s/\sqrt{n}} < -t_{n-1,\alpha/2}$ 이면 H_o를 기각

- 가설검정을 할 때 표본크기가 대표본 $n \geq 30$이면 모집단의 분포가 어떤 분포이건 중심극한정리에 의하여 표본분포는 정규분포를 따르기 때문에 Z 검정을 하든 t 검정을 하든 차이가 없게 된다.

》 기출유형 따라잡기

[05회] 모분산을 모르는 경우 모평균에 대한 가설검정 분포는?
① z 분포
② 자유도가 n-1, 카이제곱분포
③ 자유도가 n-1, F 분포
④ 자유도가 n-1, t 분포

정답 ④
해설 • 모분산을 모르는 경우 자유도가 n-1인 t 분포를 이용하여 검정한다.

(2) 모비율 p의 가설검정

- 양측검정
  $H_o : p = p_o$
  $H_1 : p \neq p_o$

  만일 $\dfrac{\hat{p}-p}{\sqrt{\dfrac{p(1-p)}{n}}} < -Z_{\frac{\alpha}{2}}$ 또는 $\dfrac{\hat{p}-p}{\sqrt{\dfrac{p(1-p)}{n}}} > Z_{\frac{\alpha}{2}}$ 이면 H_o를 기각한다.

- 좌측검정
  $H_o : p \geq p_o$
  $H_1 : p < p_o$

  $\dfrac{\hat{p}-p}{\sqrt{\dfrac{p(1-p)}{n}}} < -Z_{\frac{\alpha}{2}}$ 이면 H_o를 기각한다.

- 우측검정
  $H_o : p \leq p_o$
  $H_1 : p > p_o$

  $\dfrac{\hat{p}-p}{\sqrt{\dfrac{p(1-p)}{n}}} > Z_{\frac{\alpha}{2}}$ 이면 H_o를 기각한다.

(3) 모분산의 σ^2 가설검정

- 양측검정
  $H_o : \sigma^2 = \sigma_o^2$
  $H_1 : \sigma^2 \neq \sigma_o^2$

  만일 $\dfrac{(n-1)s^2}{\sigma_o^2} > x^2_{n-1,\frac{\alpha}{2}}$ 또는 $\dfrac{(n-1)s^2}{\sigma_o^2} < x^2_{n-1,\frac{\alpha}{2}}$ 이면 H_o를 기각한다.

- 좌측검정
  $H_o : \sigma^2 \geq \sigma_o^2$
  $H_1 : \sigma^2 < \sigma_o^2$

  만일 $\dfrac{(n-1)s^2}{\sigma_o^2} < x^2_{n-1,1-\alpha}$ 이면 H_o를 기각한다.

- 우측검정

$H_o : \sigma^2 \leq \sigma_o^2$
$H_1 : \sigma^2 > \sigma_o^2$

만일 $\frac{(n-1)s^2}{\sigma_o^2} > x^2_{n-1, \alpha}$ 이면 H_o를 기각한다.

6) 두 모평균 차이에 대한 추정과 검정

(1) 두 모집단이 표준편차를 아는 경우

- 평균 μ_1, 분산 σ_1^2인 모집단 1로부터는 크기가 n_1의 표본을 추출하고
- 평균 μ_2, 분산 σ_2^2인 모집단 1로부터는 크기가 n_2의 표본을 독립적으로 추출한다고 한다.
- 이 때 표본의 크기 n_1, n_2는 꼭 같아야 할 이유는 없다.
- 두 모집단이 정규분포를 따르고 그의 분산이 알려져 있는 경우 두 모집단 평균의 차이 $\mu_1 - \mu_2$에 대한 추정과 검정을 하기 위해서는 그의 점추정량인 두 표본평균의 차이인 $\overline{x_1} - \overline{x_2}$의 확률분포를 이용해야 한다.
- 표준정규확률변수 Z는

$Z = \frac{(\overline{X_1} - \overline{X_2}) - (\mu_1 - \mu_2)}{\sqrt{\frac{\sigma_1^2}{n_1} + \frac{\sigma_2^2}{n_2}}}$ 으로 표준정규분포 N(0,1)를 따른다.

- 모평균차이($\mu_1 - \mu_2$)에 대한 가설검정도 Z통계량을 이용하여 다음과 같이 실시한다.
- 양측검정
    - 귀무가설 : $\mu_1 - \mu_2 = \mu_0$, μ_0는 모평균차이에 대한 값을 의미
    - 대립가설 : $\mu_1 - \mu_2 \neq \mu_0$
    - 만일 $\frac{(\overline{X_1} - \overline{X_2}) - (\mu_1 - \mu_2)}{\sqrt{\frac{\sigma_1^2}{n_1} + \frac{\sigma_2^2}{n_2}}} < -Z_{\alpha/2}$ 또는 $\frac{(\overline{X_1} - \overline{X_2}) - (\mu_1 - \mu_2)}{\sqrt{\frac{\sigma_1^2}{n_1} + \frac{\sigma_2^2}{n_2}}} > Z_{\alpha/2}$ 이면 귀무가설을 기각

- 좌측검정
  - 귀무가설 : $\mu_1 - \mu_2 \geq \mu_0$
  - 대립가설 : $\mu_1 - \mu_2 < \mu_0$
  - 만일 $\dfrac{(\overline{X_1} - \overline{X_2}) - (\mu_1 - \mu_2)}{\sqrt{\dfrac{\sigma_1^2}{n_1} + \dfrac{\sigma_2^2}{n_2}}} < -Z_{\alpha/2}$ 이면 귀무가설 기각

- 우측검정
  - 귀무가설 : $\mu_1 - \mu_2 \leq \mu_0$
  - 대립가설 : $\mu_1 - \mu_2 > \mu_0$
  - 만일 $\dfrac{(\overline{X_1} - \overline{X_2}) - (\mu_1 - \mu_2)}{\sqrt{\dfrac{\sigma_1^2}{n_1} + \dfrac{\sigma_2^2}{n_2}}} > Z_{\alpha/2}$ 이면 귀무가설 기각

예제 1)

- A타이어와 B타이어 두회사의 평균수명거리에 대한 차이가 있는지를 알아보기 위해 표본을 추출하여 다음과 같은 결과를 얻었다.

A 타이어	33, 37, 38, 38, 42, 44, 45, 45, 46, 47, 48, 48
B 타이어	29, 30, 31, 33, 35, 35, 35, 35, 38, 41, 41, 43, 43, 48

① 두 회사 제품의 수명거리의 모평균의 차이에 대한 95% 신뢰구간은(단, 두 회사 제품의 수명거리의 표준편차는 3이다.)?

| 풀이 |
두 모평균 차이의 신뢰구간

$$(\overline{x_1} - \overline{x_2}) - Z_{\alpha/2}\sqrt{\dfrac{\sigma_1^2}{n_1} + \dfrac{\sigma_1^2}{n_2}} \leq \mu_1 - \mu_2 \leq (\overline{x_1} - \overline{x_2}) + Z_{\alpha/2}\sqrt{\dfrac{\sigma_1^2}{n_1} + \dfrac{\sigma_2^2}{n_2}}$$

A 타이어의 평균 42.58, B 타이어의 평균 36.93

$$= (42.58 - 36.93) - 1.96\sqrt{\dfrac{9}{12} + \dfrac{9}{14}} \leq \mu_1 - \mu_2 \leq (42.58 - 36.93) + 1.96\sqrt{\dfrac{9}{12} + \dfrac{9}{14}}$$

$$= 3.34 \leq \mu_1 - \mu_2 \leq 7.96$$

② 두회사 제품의 수명거리의 모평균에 차이가 있다고 할 수 있는지를 유의수준 5%로 검정하라

| 풀이 |

$$Z = \frac{42.58 - 36.93}{\sqrt{\frac{9}{12} + \frac{9}{14}}} = 4.79$$

p값 $= 2p(Z > 4.79) = 2(0.000003)$

$Z = 4.79 > Z_{0.025} = 1.96$

귀무가설을 기각한다. 따라서 두 회사 제품의 수명거리에는 차이가 있다.

용어정리

- $\overline{x_1} - \overline{x_2}$의 표본분포
  - 평균 : $E(\overline{x_1} - \overline{x_2}) = \mu_1 - \mu_2$
  - 표준오차 : $\sigma_{\overline{x_1} - \overline{x_2}} = \sqrt{\frac{\sigma_1^2}{n_1} + \frac{\sigma_2^2}{n_2}}$

(2) 두 모집단이 표준편차를 모르는 경우(소표본)
- 자유도($n_1 + n_2 - 2$)의 t 분포를 이용해야 한다.
- 이때 다음과 같은 3개의 가정이 필요하다.
    ① 두 모집단은 정규분포를 따른다.
    ② 두 모집단의 분산은 같다.
    ③ 두 모집단으로부터 추출하는 표본은 독립표본이다.
- 표본 크기가 작은 경우에는 표본분산 s^2은 모분산 σ^2의 좋은 추정량이 될 수 없다.
- 따라서 두 표본의 분산 s_1^2과 s_2^2을 가중 평균한 통합분산 s_p^2을 모분산 σ^2의 추정량으로 사용해야 한다.
- 두 모집단의 통합분산

$$s_p^2 = \frac{(n_1 - 1)s_1^2 + (n_2 - 1)s_2^2}{n_1 + n_2 - 2}$$

예제 2)

- 금년도 기업체 취업한 대졸사원들의 초임을 남녀별로 조사하였다. 단순확률 추출된 15명의 남자 대졸 사원의 월별 초임의 평균은 75만 2000원, 표준편차는 2만2천원이었고, 14명의 여자 대졸사원의 초임평균은 69만 5000원, 표준편차는 3만 1000원이었다. 남자와 여자의 초임이 차이가 있는가? 1% 유의수준으로 검정하라.

| 풀이 |

$|\frac{(\overline{x_1} - \overline{x_2}) - \mu_0}{\sqrt{\frac{s_p^2}{n_1} + \frac{s_p^2}{n_2}}}| > t_{n_1 + n_2, \alpha/2}$ 이면 귀무가설 기각, 대립가설 채택

$s_p^2 = \frac{(15-1)22000^2 + (14-1)31000^2}{15+14-2} = 267,152$

$t = |\frac{752,000 - 695,000}{\sqrt{\frac{267,152}{15} + \frac{267,152}{14}}}| = 5.74$

$t_{15+14-2, 0.01/2} = t_{27, 0.005} = 2.7707$

따라서 5.74 > 2.7707 이므로 귀무가설은 기각된다.

(3) 대응표본

- 두 모평균을 비교하여 지금까지의 가설검정에서는 두 표본이 서로 독립적으로 추출된 경우를 다루었다.
- 하지만 어느 경우에는 두 표본을 독립적으로 추출하기가 힘들거나, 독립적으로 추출하였을 때 각 표본 개체의 특성이 너무 차이가 나서 결과분석이 무의미할 때가 있다.
- 예를 들면 워드 타자수에게 타자속도를 증가시키기 위한 교육을 한 후 과연 이 교육이 효과가 있었는지를 알아보고 싶다고 하자. 이 때 교육 전과 후에 서로 다른 표본을 추출하면 개인의 차가 심하기 때문에 교육효과를 측정하기가 어렵다. 이러한 경우 교육 전에 표본추출되어 속도를 측정한 타자수에 대하여 교육 후에 속도를 측정하여 비교하면 특수 교육의 효과를 알아 낼 수 있다.
- 이렇게 서로 독립적이지 않은, 비슷한 성질의 대응표본을 사용하여 두 모집단의 평균을 비교하는 검정을 대응비교라고 한다.
- 대응표본 검정은 모표준편차를 모르기 때문에 표준정규분포 대신 t 분포를 사용한다.
- $|\frac{\overline{d} - \mu_0}{s_d / \sqrt{n}}| > t_{n-1, \alpha}$ 이면 귀무가설을 기각한다.

예제 3)

- 교육전과 후의 타자수의 타자속도는 다음과 같다.

타자수번호	타자속도		d_i
	교육 전	교육 후	
1	52	58	-6
2	60	62	-2
3	63	62	1
4	43	48	-5
5	46	50	-4
6	56	55	1
7	62	68	-6
8	50	57	-7

| 풀이 |

d_i의 평균은 -3.5이고 표준편차(s_d)는 3.16이다.

$$= \frac{-3.5}{3.16/\sqrt{8}} = -3.13$$
$$-t_{n-1,\alpha} = -t_{7,0.05} = -1.894$$

귀무가설은 기각된다. 즉 타자교육이 속도를 증가 시켰다고 할 수 있다.

≫ 기출유형 따라잡기

[05회] 다이어트 신약개발 전후 약을 무작위 20명을 추출하여 투약한 후, 신약 개발의 효과로 체중이 감소 되었음을 검정하는 방법은?
① 모평균차이에 대한 단측 검정 ② 모평균차이에 대한 양측 검정
③ 대응이 있는 모평균 차이에 대한 단측 검정 ④ 대응이 있는 모평균 차이에 대한 양측 검정

정답 ③

해설
- 같은 도시, 같은 주일, 같은 사람에 짝을 이루는 각 쌍의 관찰에 관심을 갖는 경우가 있다. 이럴 때에는 두 모집단으로부터 추출하는 두 표본이 종속적이다.
- 이를 대응표본이라 하며 두 모집단의 평균차이에 대한 추정과 검정을 할 경우에는 두 모집단이 정규분포를 따른다는 전제가 필요하다.
- 이것은 표본크기에 관계없이 t 분포를 사용할 수 있기 때문이다.
- 양측 또는 단측 검정의 기준은 귀무가설 '같다'(양측), '크다' 또는 '작다'(단측)이다.

3. 모수(Parametric Tests)와 비모수(Non-Parametric Tests) 검정

- 모수 검정은 관측값이 어느 특정한 확률분포(정규분포, 이항분포 등)를 따른다고 전제한 후 그 분포의 모수에 대한 검정을 실시하는 방법이다.
- 비모수 검정은 관측값이 어느 특정한 확률분포를 따른다고 전제할 수 없는 경우에 실시하는 검정 방법이다.
- 일반적으로 케이스의 수가 30개 이상이면 "중심극한정리"에 의해서 정규분포를 따른다는 전제하에 모수 검정을 적용한다.
- 만약 케이스의 수가 적거나 정확한 정규분포를 검정하기 위해서는 정규성 검정을 수행한다.
- 이러한 정규성 검정을 통해서 정규분포인 경우는 모수 검정을 그렇지 않으면 비모수 검정을 수행한다.

1) 정규성 검정

- 통계학의 중요한 개념인 정규성은 선형회귀분석을 비롯한 통계학의 여러 분석 방법은 자료의 분포가 정규분포(Normal Distribution)이거나 정규분포에 근사한다는 조건 하에 논리를 전개한다.
- 따라서 모수적 검정에서는 데이터 자체의 정규성을 확인하는 검정 방법에서 필수적이다.

① Q-Q plot
- 그래프를 그려서 정규성 가정이 만족하는지 시각적으로 확인하는 방법이다.
- Q-Q plot은 대각선 참조선을 따라서 값들이 분포하게 되면 정규성을 만족한다고 할 수 있다. 만약 한쪽으로 치우치는 모습이라면 정규성 가정에 위배되었다고 볼 수 있다.

② Shapiro-Wilk Test, 샤피로-윌크 검정
- 오차항이 정규분포를 따르는지 알아보는 검정으로, 회귀분석에서 모든 독립변수에 대해서 종속변수가 정규분포를 따르는지 알아보는 방법이다.
- 귀무가설은 'H_0 : 정규분포를 따른다'는 것으로 p-value가 0.05보다 크면 정규성을 가정하게 된다.

③ Kolmogorov-Smirnov Test, 콜모고로프-스미노프 검정
- 콜모고로프-스미르노프(Kolmogorov-Smirnov) 검정은 데이터가 특정 분포를 따르는지 여부를 검정하는 비모수적인 방법 중 하나이며, 주로 정규성 검정에 활용된다.
- Shapiro-Wilk Test와 마찬가지로 p-value가 0.05보다 크면 정규성을 가정하게 된다.

④ Anderson-Darling 통계량, 앤디슨 다링 검정
- Anderson-Darling(AD) 통계량은 데이터가 특정 분포를 얼마나 잘 따르는지 측정한다.
- 일반적으로 분포가 데이터에 더 적합할수록 AD 통계량이 더 적다.

CHAPTER 03 통계기법 이해

01 다음 중 표본조사에 대한 설명 중 가장 적절하지 않은 것은?
① 표본 통계량으로 모수를 추정할 때 표본오차와 비표본오차가 발생할 수 있다.
② 표본 편의는 모형 추론 방법으로 최소화하거나 없앨 수 있다.
③ 표본오차(Sampling Error)는 모집단으로부터 표본을 추출할 때 생기는 자연 발생적인 변동을 나타낸다.
④ 표본오차는 표본추출 그 자체에 기인하는 문제점으로 설계상 문제나 대표성 부족 등으로 발생한다.

해설
- 표본편의는 모수를 크게 또는 작게 추정하는 것과 같이 표본추출 방법에서 기인하는 오차를 의미한다. 이런 표본편의는 확률화(Randomization)에 의해 최소화하거나 없앨 수 있다.
- 확률화란 모집단으로부터 편의 되지 않는 표본을 추출하는 절차를 의미한다.

02 다음 중 확률분포에 대한 설명 중 가장 적절하지 않은 것은?
① 확률변수란 표본공간의 각 원소에 하나의 실숫값을 대응시켜 주는 함수이다.
② 확률변수가 취할 수 있는 값이 유한하거나 또는 무한히 많더라도 하나씩 셀 수 있는 경우를 이산형 확률변수라고 한다.
③ 이산확률변수의 확률분포를 나타내는 함수를 확률밀도함수라고 한다.
④ 결과가 두 가지 중 하나로만 나오는 실험이나 시행을 베르누이 시행(Bernoulli trial)이라고 한다.

해설 확률밀도함수는 연속형 확률변수의 확률분포를 의미한다.

정답 01 ② 02 ③

예상문제

03 다음은 통계적 추정에 관한 설명 중 올바르지 않은 것은?

① 추정(Estimation)은 통계량을 사용하여 모집단의 모수를 구체적으로 추측과정을 말한다.
② 표본크기가 커질수록 신뢰구간이 좁아진다. 이는 정보가 많을수록 추정량이 더 정밀하다는 것을 의미한다.
③ 신뢰수준 95%의 의미는 추정값이 신뢰구간에 존재할 확률이 95%라고 할 수 있다.
④ 하나의 점으로 값을 표현하는 것을 점 추정(Point Estimation)이라고 한다.

> 해설_ 신뢰수준 95%는 해당 여론조사를 95% 믿을 수 있다는 뜻이 아니라 같은 조사를 100번 하면 오차범위 내 동일한 결과가 나올 횟수가 95번이라는 뜻이다.

04 데이터의 정규성 확인 방법이 아닌 것은?

① Durbin-Watson
② Shapiro-Wilks test
③ Q-Q plot
④ Histogram

> 해설_ 더빈 왓슨은 회귀모형에 대한 가정의 독립성 검정에 해당한다.

05 다음 상자 그림에 관한 설명 중 부적절한 것은?

① 사분위 간 범위상자는 데이터의 중위수를 나타낸다.
② 상자그림은 그룹 간 분포 차이를 비교할 수 있다.
③ 순서 통계량으로 이상치 판단에 적합하지 않다.
④ 상자 그림에서 IQR은 제3사분위수 - 제1사분위수를 의미한다.

> 해설_ 이상치 판단에 상자그림을 이용한다.

06 두 변수 간의 비선형적인 관계를 파악할 수 있는 상관계수를 무엇이라 하는가?

① 스피어만 상관계수
② 피어슨의 상관계수
③ 결정계수
④ 수정된 결정계수

정답 03 ③ 04 ① 05 ③ 06 ①

07 비모수적 검정의 특징으로 부적절한 것은?

① 절대적인 크기가 중요하므로 평균, 분산 등을 이용해 검정을 실시한다.
② 추론에서 계산이 모수적 방법보다 훨씬 단순하다.
③ 통계량이 부호(Sign) 혹은 순서(Rank)에 의해 계산되므로 이상치(Outlier)에 영향을 크게 받지 않는다.
④ 비모수적 검정은 모수 자체보다는 분포 형태에 관한 검정을 실시한다.

> 해설_ 비모수적 검정은 관측된 자료가 특정분포를 따른다고 가정할 수 없는 경우에 이용된다.

08 판별분석에 대한 설명 중 올바르지 않는 것은?

① 피어슨 상관계수를 이용하여 선형판별함수를 도출한다.
② 판별분석은 모수 통계에서의 분류기법 중 하나로 대표적인 지도학습 모델링 기법이다.
③ 변수들 간의 분산 - 공분산 행렬은 동일하다는 가정을 전제로 한다.
④ 소속집단이 불명확할 때 특정 변수가 속한 집단을 예측하는 분석방법이다.

> 해설_
> • 판별변수는 표본이 어떤 집합에 속하는지 판별하기 위한 변수로, 데이터에 포함된 독립변수 중 판별력이 높은 변수이다. 선택한 판별변수들을 이용하여 분류의 기준이 되는 판별점수(Discriminant Score)를 도출하는 새로운 함수를 구할 수 있다.

09 다음 중 아래 보기에서 설명하는 확률적 표본추출 방법은?

> 모집단의 모든 원소들에게 1,2,3...N의 일련번호를 부여하고 이를 순서대로 나열한 후에 k씩 n개의 구간으로 나눈다. 첫 구간에서 하나를 임의로 선택한 후에 K개씩 띄어서 표본을 추출한다.

① 계통추출법 ② 집락추출법
③ 단순랜덤추출법 ④ 층화추출법

10 유의수준 α = 0.05의 의미는?

① 동일한 검정법을 여러 번 반복하여 사용할 때 잘못으로 귀무가설을 기각하게 될 경우가 전체의 5% 이하일 것이라는 뜻이다.
② 귀무가설이 기각될 확률이 0.05라는 뜻이다.
③ 대립가설이 귀무가설보다 채택될 확률이 0.05가 된다는 뜻이다.
④ 제2종 오류를 허용하는 확률 범위가 5% 이하라는 뜻이다.

> 정답 07 ① 08 ① 09 ① 10 ①

예상문제

11 다음 중 상관분석의 적용을 위해 산점도(Scatter Plot)에서 관찰해야 하는 자료의 특징이 아닌 것은?

① 선형(Linear) 또는 비선형(NonLinear)관계의 여부
② 이상점의 존재 여부
③ 자료의 층화 여부
④ 원점(0,0)의 통과 여부

> 해설
> - 선형관계의 파악은 자료가 수집된 두 변수의 관계를 이해하는 데 기초가 된다.
> - 이상값의 존재는 변수간의 특별한 관계를 나타내는 중요한 자료가 된다.
> - 산점도가 두 개의 층으로 이루어졌다면 서로 다른 모집단으로부터 얻어진 표본들이 섞여 있는 경우라고 할 수 있다.

12 다음 중 다차원척도법(MDS)에 관한 설명이다. 가장 적절하지 않은 것은?

① 다차원척도법은 여러 대상간의 거리가 주어져 있을 때 대상들을 동일한 상대적 거리를 가진 실수 공간의 점들로 배치시키는 방법을 말한다.
② 크루스칼(Kruskal)의 스트레스값을 이용하여 결과의 신뢰성과 타당성, 즉 적합성을 검증할 수 있다.
③ 스트레스값은 응답자의 인식과 지각도 맵상 평가항목 간의 불일치 정도를 나타내는 것으로 응답자들이 인식하고 있는 실제 거리와 다차원척도법으로 추정된 거리 간의 차이, 즉 일종의 오차의 크기를 나타내는 지수이다.
④ 오차가 작을수록 스트레스값(S)은 줄어들어 서로가 완벽하게 일치하게 되면 1에 가까운 값을 갖는다.

> 해설_ 오차가 작을수록 스트레스값이 0에 가까워진다.

13 특정 제품의 단위 면적당 결점의 수 또는 단위 시간당 사건 발생수에 대한 확률분포로 적합한 분포는?

① 이항분포
② 포아송 분포
③ 초기하 분포
④ 지수분포

정답 11 ④ 12 ④ 13 ②

14 카이제곱분포에 대한 설명으로 틀린 것은?

① 자유도가 k인 카이제곱분포의 평균은 k이고, 분산은 $2k$이다.
② 카이제곱분포의 확률밀도함수는 오른쪽으로 치우쳐져 있고, 왼쪽으로 긴 꼬리를 갖는다.
③ $V1, V2$가 서로 독립이며 각각 자유도가 k_1, k_2인 카이제곱 분포를 따를 때 $V_1 + V_2$는 자유도가 k_1+k_2인 카이제곱분포를 따른다.
④ $Z_1, \cdots, Z_k$가 서로 독립이며, 각각 표준정규분포를 따르는 확률변수일 때 $Z_1^2 + \cdots + Z_k^2$는 자유도가 k인 카이제곱분포를 따른다.

해설_ 카이제곱분포는 왼쪽으로 치우치고 오른쪽으로 긴 꼬리를 갖는 분포, 즉 양의 왜도를 갖는 분포이다.

15 다음 빈칸에 들어갈 분석방법으로 옳은 것은?

독립변수(X) 종속변수(Y)	범주형 변수	연속형 변수
범주형 변수	(ㄱ)	
연속형 변수	(ㄴ)	(ㄷ)

	ㄱ	ㄴ	ㄷ
①	교차분석	분산분석	회귀분석
②	교차분석	회귀분석	분산분석
③	분산분석	분산분석	회귀분석
④	회귀분석	회귀분석	분산분석

해설_

구분	독립변수	종속변수
t검정	질적(범주형)	양적(연속형)
교차분석	질적(범주형)	양적(연속형)
분산분석	질적(범주형)	양적(연속형)
상관분석	양적(연속형)	양적(연속형)
회귀분석	양적(연속형)	양적(연속형)

16 정규분포를 따르는 모집단의 모평균에 대한 가설 $H_0 : \mu = 50$ VS $H_1 : \mu < 50$을 검정하고자 한다. 크기 $n=100$의 임의표본을 취하여 표본평균을 구한 결과 $\overline{x}=49.02$를 얻었다. 모집단의 표준편차가 5라면 유의확률은 얼마인가?
(단, $P(Z \leq -1.96)=0.025, P(Z \leq -1.645)=0.05$이다.)

① 0.025 ② 0.05
③ 0.95   ④ 0.975

해설_ 모분산을 알고 있을 경우 모평균에 대한 검정통계량 $Z = \dfrac{\overline{X}-\mu_0}{\sigma/\sqrt{n}}$ 를 이용한다.
• $Z = \dfrac{49.02-50}{5/\sqrt{100}} = -1.96$
• 단축검정이므로 $P(Z \leq -1.96) = 0.025$
• 따라서 유의확률은 0.025 이다.

정답 14 ② 15 ① 16 ①

17 정규모집단 $N(\mu,\sigma^2)$에서 추출한 확률표본 $X_1, X_2, \cdots, X_n$의 표본분산 $S^2 = \dfrac{1}{n-1}\sum_{i=1}^{n}(X_i - \overline{X})^2$에 대한 설명으로 옳은 것은?

① S^2은 σ^2의 불편추정량이다.
② S는 σ의 불편추정량이다.
③ S^2은 카이제곱분포를 따른다.
④ S^2의 기댓값은 σ^2/n이다.

해설_ 표본분산은 항상 모분산의 불편추정량이다.

18 평균이 μ이고 표준편차가 $\sigma(>0)$인 정규분포 $N(\mu,\sigma^2)$에 대한 설명으로 틀린 것은?

① 정규분포 $N(\mu,\sigma^2)$은 평균 μ에 대하여 좌우 대칭인 종모양의 분포이다.
② 평균 μ의 변화는 단지 분포의 중심위치만 이동시킬 뿐 분포의 형태에는 변화를 주지 않는다.
③ 표준편차 σ의 변화는 σ값이 커질수록 μ 근처의 확률은 커지고 꼬리 부분의 확률은 낮아지는 모양으로 분포의 형태에 영향을 미친다.
④ 확률변수 X가 정규분포 $N(\mu,\sigma^2)$을 따르면, 표준화된 확률변수 $Z = (X-\mu)/\sigma$는 $N(0,1)$을 따른다.

해설_ σ값이 커진다는 것은 분산이 커지는 것을 의미하므로 평균 근처의 확률은 낮아지고 꼬리부분의 확률은 커지는 모양으로 분모의 형태가 변한다.

19 통계조사 시 한 가구를 조사하는 데 소요되는 시간을 측정하기 위하여 64가구를 임의 추출하여 조사한 결과 평균 소요시간이 30분, 표준편차 5분이었다. 한 가구를 조사하는 데 소요되는 평균 시간에 대한 95%의 신뢰구간 하한과 상한은 각각 얼마인가?(단, $Z_{0.025} = 1.96$, $Z_{0.05} = 1.645$)

① 28.8, 31.2 ② 28.4, 31.6
③ 29.0, 31.0 ④ 28.5, 31.5

해설_ 모분산을 알고 있는 경우 모평균의 신뢰구간은 $\overline{X} - Z_{\alpha/2}\dfrac{\sigma}{\sqrt{n}} \leq \mu \leq \overline{X} + Z_{\alpha/2}\dfrac{\sigma}{\sqrt{n}}$ 이다.

- $\overline{X} = 30$, $\sigma = 5$, $n = 64$, 95% 신뢰수준이므로 $\sigma = 0.05$, $Z_{\alpha/2} = 1.96$
- $30 - 1.96\dfrac{5}{\sqrt{64}} \leq \mu \leq 30 + 1.96\dfrac{5}{\sqrt{64}}$
  $28.775 \leq \mu \leq 31.225$

정답 17 ① 18 ③ 19 ①

20 검정력(Power)에 대한 설명으로 옳은 것은?

① 참인 귀무가설을 채택할 확률이다.
② 거짓인 귀무가설을 채택할 확률이다.
③ 귀무가설이 참임에도 불구하고 이를 기각시킬 확률이다.
④ 대립가설이 참일 때 귀무가설을 기각시킬 확률이다.

> **해설**_ 귀무가설이 거짓일 때, 즉 대립가설이 참일 때 귀무가설을 기각하는 옳은 결정의 확률을 검정력이라 한다.

21 어떤 공장에 같은 길이의 스프링을 만드는 3대의 기계 A, B, C 가 있다. 기계 A, B, C 에서 각각 전체 생산량의 50%, 30%, 20%를 생산하고, 기계의 불량률이 각각 5%, 3%, 2%라고 한다. 이 공장에서 생산된 스플이 하나가 불량품일 때, 기계 A에서 생산되었을 확률은?

① 0.5 ② 0.66
③ 0.87 ④ 0.33

> **해설**_ 조건부 확률을 이용한다. B가 일어날 조건 하에서 A가 일어날 확률은 $P(A|B) = \dfrac{P(A \cap B)}{P(B)}$
> A : 기계 A에서 생산된 불량품일 사건
> B : 불량일 사건
> $\therefore P(A|B)$
> $= \dfrac{0.5 \times 0.05}{(0.5 \times 0.05) + (0.3 \times 0.03) + (0.2 \times 0.02)}$
> $\fallingdotseq 0.66$

22 두 모집단의 분산이 같지 않다고 가정하여 평균차이를 검정했을 때 유의수준 5%하에서 통계적으로 평균차이가 유의하였다. 만약 두 모집단의 분산이 같은 경우 가설검정 결과의 변화로 틀린 것은?

① 유의확률이 작아진다.
② 평균차이가 존재한다.
③ 표준오차가 커진다.
④ 검정통계량 값이 커진다.

> **해설**_ 분산이 동일하면 동일하지 않은 경우보다 표준오차가 작아진다. 검정통계량과 표준오차는 반비례관계이므로 검정통계량값은 커진다. 따라서 귀무가설을 기각할 확률이 커지므로(유의확률은 작아진다)평균차이가 존재한다.

23 가설검정시 대립가설(H_1)이 사실인 상황에서 귀무가설(H_0)을 기각할 확률은?

① 검정력
② 신뢰수준
③ 유의수준
④ 제2종 오류를 범할 확률

> **해설**
> • 제2종 오류를 범할 확률 : 귀무가설이 거짓임에도 귀무가설을 채택하는 오류를 제2종 오류라 하고, 과오를 발생시킬 확률을 β라 한다($1-\beta$는 검정력이다).

정답 20 ④ 21 ② 22 ③ 23 ①

예상문제

24 우리나라 사람들 중 왼손잡이 비율은 남자가 2%, 여자가 1%라 한다. 남학생 비율이 60%인 어느 학교에서 왼손잡이 학생을 선택했을 때 이 학생이 남자일 확률은?

① 0.75 ② 0.012
③ 0.25 ④ 0.05

해설 조건부 확률을 이용한다. B가 일어날 조건하에서 A가 일어날 확률은 $P(A|B) = \dfrac{P(A \cap B)}{P(B)}$ 이다.
A : 남학생일 사건, B : 왼손잡이 학생일 사건

$$\therefore P(A|B) = \dfrac{0.6 \times 0.02}{(0.6 \times 0.02) + (0.4 \times 0.01)}$$
$$= 0.75$$

25 어느 이동통신 회사에서 20대를 대상으로 자사의 선호도에 대한 조사를 하려고 한다. 전년도 조사에서 선호도가 40%이었다. 금년도 조사에서 선호도에 대한 추정이 95% 오차한계가 4% 이내로 되기 위한 표본의 최소 크기는?(단, $Z \sim N(0,1)$일 때, $P(Z > 1.96) = 0.025, P(Z > 1.65) = 0.05$)

① 409 ② 426
③ 577 ④ 601

해설 비율추정시 표본의 크기를 구하는 공식은 다음과 같다.
$$n \geq \hat{p}(1-\hat{p})\left(\dfrac{Z_{\alpha/2}}{D}\right)^2$$
$Z_{\alpha/2} = Z_{0.025} = 1.96, \hat{p} = 0.4, D = 0.04$이므로
$$n \geq 0.04(1-0.04)\left(\dfrac{1.96}{0.04}\right)^2 = 576.24$$
$\therefore 577$

26 정규분포를 따르는 모집단으로부터 10개의 표본을 임의추출한 모평균에 대한 95% 신뢰구간은 (94, 96, 165.24)이다. 이때 모평균의 추정치와 추정량의 표준오차는?(단, t가 자유도인 9인 t-분포를 따르는 확률변수일 때, $P(t > 2.262) = 0.025$이다.)

① 90.48, 20
② 90.48, 40
③ 120, 20
④ 120, 40

해설 모분산을 모르는 소표본 $(n < 30)$일 경우 $100(1-\alpha)\%$ 신뢰구간은 자유도가 $n-1$인 t-분포를 이용하며 다음과 같다.
$$\overline{X} - t_{\alpha/2}\dfrac{S}{\sqrt{n}} \leq \mu \leq \overline{X} + t_{\alpha/2}\dfrac{S}{\sqrt{n}}$$
$n = 10, 95\%$ 신뢰구간이므로
$\alpha = 0.05, t_{n-1, \alpha/2} = t_9, 0.025 = 2.262$이다.
$$\overline{X} - 2.262\dfrac{S}{\sqrt{10}} \leq \mu \leq \overline{X} + 2.262\dfrac{S}{\sqrt{10}}$$
$$\overline{X} - 2.262\dfrac{S}{\sqrt{10}} = 74.76,$$
$$\overline{X} + 2.262\dfrac{S}{\sqrt{10}} = 165.24$$이므로
연립하여 풀면 모평균의 추정치는 $\overline{X} = 120$, 표준오차는 $\dfrac{S}{\sqrt{10}} = 20$이다.

정답 24 ① 25 ③ 26 ③

27 제1종 오류와 제2종 오류를 범할 확률을 각각 α와 β라 할 때 다음 설명 중 옳은 것은?

① $\alpha + \beta = 1$이면 귀무가설을 기각해야 한다.
② $\alpha = \beta$이면 귀무가설을 채택해야 한다.
③ 주어진 표본에서 α와 β를 동시에 줄일 수는 없다.
④ $\alpha \neq \beta$이면 항상 귀무가설을 채택해야 한다.

> **해설** α를 줄이면 β가 커지고 β를 줄이면 α가 커지므로 동시에 줄일 수는 없다.

28 모평균 μ에 대한 구간추정에서 95% 신뢰수준(Confidence Level)을 갖는 신뢰구간이 100 ± 5라고 할 때, 신뢰수준 95%의 의미는?

① 구간추정치가 맞을 확률이다.
② 모평균의 추정치가 100 ± 5내에 있을 확률이다.
③ 모평균과 구간추정치가 95%로 같다.
④ 동일한 추정방법을 사용하여 신뢰구간을 100회 반복하여 추정한다면, 95회 정도는 추정신뢰구간이 모평균을 포함한다.

> **해설** 구간추정에서 95% 신뢰구간이란 신뢰구간을 100회 반복하여 측정했을 때 95번은 그 구간 내에 모평균이 포함된다는 의미이다.

29 모표준편차가 σ인 모집단에서 크기가 10인 표본으로부터 표본평균을 구하여 모평균을 추정하였다. 표본평균의 표준오차를 반(1/2)로 줄이려면, 추가로 표본을 얼마나 더 추출해야 하는가?

① 20 ② 30
③ 40 ④ 50

> **해설** 표준오차를 반으로 줄이려면 $\frac{\sigma}{\sqrt{n}}$에서 $\frac{\sigma}{\sqrt{10}} \times \frac{1}{2} = \frac{\sigma}{\sqrt{40}}$이므로 표본의 크기는 40이 된다. 따라서 추가로 추출해야 하는 표본은 $40 - 10 = 30$이다.

30 표본평균의 표준오차에 대한 설명으로 틀린 것은?

① 표본평균의 표준편차를 말한다.
② 모집단의 표준편차가 클수록 평균의 표준오차는 작아진다.
③ 표본크기가 클수록 표본평균의 표준오차는 작아진다.
④ 표준오차는 0이상이다.

> **해설** 표준오차는 표본평균의 표준편차로 $\frac{\sigma}{\sqrt{n}}$이다. 따라서 모집단의 표준편차가 클수록 표준오차는 커지고, 표본의 크기가 클수록 표준오차는 작아진다. 항상 $n > 0$이고 $\sigma \geq 0$이므로 표준편차는 0 이상이다.

정답 27 ③ 28 ④ 29 ② 30 ②

예상문제

31 어떤 시험에 응시한 응시자들이 시험 문제를 모두 풀이하는데 걸리는 시간은 평균 60분, 표준편차 10분인 정규분포를 따른다고 한다. 이 시험의 시험시간을 50분으로 정한다면 시험에 응시한 1,000명 중 시간 내에 문제를 모두 풀이하는 학생은 몇 명이 되겠는가?
(단, $P(Z<1)=0.8413$, $P(Z<2)=0.9772$, $P(Z<3)=0.9987$이다.)

① 156
② 158
③ 160
④ 162

해설 $\mu=60$, $\sigma=10$이고 표준화 공식 $Z=\dfrac{X-\mu}{\sigma}$
을 이용하면 다음과 같다.
$P(X<50)=P(\dfrac{X-\mu}{\sigma}<\dfrac{50-60}{10})=(Z<-1)$
$P(Z<-1)=P(Z>1)=1-P(Z<1)$
$=1-0.8413=0.1587$
즉, 50분 이내에 문제를 모두 풀 확률은 0.1587이므로 응시생 1,000명 중 50분 이내에 문제를 모두 푸는 학생은 $1000 \times 0.1587 = 158.7$, 약 158명이다.

32 A회사에서 생산하고 있는 전구의 수명시간은 평균이 $\mu=800$(시간)이고, 표준편차가 $\sigma=40$(시간)이라고 한다. 무작위로 이 회사에서 생산된 전구 64개를 조사하였을 때 표본의 평균수명 시간이 790.2시간 미만일 확률은 약 얼마인가?
(단, $Z_{0.005}=2.58, Z_{0.025}=1.96, Z_{0.05}=1.45$)

① 0.01
② 0.025
③ 0.05
④ 0.10

해설 모집단분포가 정규분포 $N(\mu,\sigma^2)$을 따를 때, 표본평균의 분포는 정규분포 $N(\mu,\dfrac{\sigma^2}{n})$을 따른다. 주어진 모집단은 정규분포를 따르므로 표본평균은 정규분포 $N(800,\dfrac{40^2}{64})$를 따르며 표준화 공식에 의해 $P(\overline{X}<790.2)=P(\dfrac{\overline{X}-\mu}{\sigma/\sqrt{n}}<\dfrac{790.2-800}{400/\sqrt{64}})$
$=P(Z<\dfrac{-9.8}{5}=1.96)$이다.
$P(Z<-1.96)=P(Z>1.96)$이고
$Z_{0.025}=1.96$이므로 확률은 0.025이다.

정답 31 ② 32 ②

33 우리나라 대학생들의 1주일 동안 독서시간은 평균이 20시간, 표준편차가 3시간 정규분포를 따른다고 알려져 있다. 이를 확인하기 위해 36명의 학생을 조사하였더니 평균이 19시간으로 나타났다. 이를 이용하여 우리나라 대학생들의 평균 독서시간이 20시간보다 작다고 말할 수 있는지를 검정한다고 할 때 다음 설명 중 옳은 것은? (단, $P(|Z|<1.645)=1.9$, $P(|Z|<1.96)=0.95$)

① 검정통계량의 값은 -2이다.
② 가설검정에는 X^2분포가 이용된다.
③ 유의수준 0.05에서 검정할 때, 우리나라 대학생들의 평균 독서시간이 20시간보다 작다고 말할 수 없다.
④ 표본분산이 알려져 있지 않아 가설 검정을 수행할 수 없다.

> **해설_**
> 귀무가설(H_0): $\mu \geq 20$, 대립가설(H_1): $\mu < 20$
> 모평균에 대한 검정통계량에서 모분산을 알고 있을 경우 검정통계량 $Z=\dfrac{\overline{X}-\mu_0}{\sigma/\sqrt{n}}$를 이용한다.
> $Z=\dfrac{19-20}{3/\sqrt{36}}=-2$,
> 단측검정이고 유의수준 $\sigma=0.05$에서 $Z_\alpha=1.645$이다.
> 따라서 통계치가 임계치보다 크므로
> ($1.645 < |-2|$) 귀무가설을 기각할 수 있다.
> 즉, 우리나라 대학생들의 평균 독서시간이 20시간보다 작다고 말할 수 있다.

34 가설검정에서 사용하는 용어에 대한 설명으로 틀린 것은?

① 제1종 오류란 귀무가설 H_0가 참임에도 불구하고 H_0를 기각하는 오류를 말한다.
② 제2종 오류란 대립가설 H_1이 참임에도 불구하고 H_0를 기각하지 못하는 오류를 말한다.
③ 제1종 오류를 범할 확률의 최대허용한계를 유의수준이라 한다.
④ 제2종 오류를 범할 확률의 최대허용한계를 유의확률이라 한다.

> **해설_** 제1종 오류를 범할 확률의 최대허용한계를 유의수준 α라 하며, 제2종 오류를 범할 확률의 최대허용한계는 β이다.

	실제현상	
	귀무가설 참	귀무가설 거짓
귀무가설 채택	정확한 결론 ($1-\alpha$)	제2종 오류(β)
귀무가설 기각	제1종 오류(α)	정확한 결론 ($1-\beta$)

35 모분산의 추정량으로써 편차제곱합 $\sum(X_i-\overline{X})^2$을 n으로 나눈 것 보다는 $(n-1)$로 나눈 것을 사용한다. 그 이유는 좋은 추정량이 만족해야 할 바람직한 성질 중 어느 것과 관계있는가?

① 불편성
② 유효성
③ 충분성
④ 일치성

정답 33 ③ 34 ④ 35 ①

예상문제

> 해설_ 모분산의 추정량으로 편차제곱합 $\sum(X_i - \bar{X})^2$을 n으로 나눈 것 보다는 $(n-1)$로 나눈 것을 사용한다. 그 이유는 불편성 기준에서 편향이 더 없어 바람직하기 때문이다.

36 다음 검정 중 검정통계량의 분포가 나머지 셋과 다른 것은?

① 모분산이 미지이고 동일한 두 정규모집단의 모평균의 차에 대한 검정
② 모분산이 미지인 정규모집단의 모평균에 대한 검정
③ 단순회귀모형 $y = \beta_0 + \beta_1 x + \epsilon$에서 모회귀직선 $E(y) = \beta_0 + \beta_1 x$의 기울기 β_1에 관한 검정
④ 독립인 두 정규모집단의 모분산의 비에 대한 검정

> 해설_ 보기 ①·보기 ②·보기 ③은 t-분포를 이용하며 보기 ④는 F-분포를 이용한다.

37 성공확률이 p인 베르누이 시행을 n회 반복하여 시행했을 때, 이항분포에 대한 설명으로 틀린 것은?

① n회 베르누이 시행 중 성공의 횟수는 이항분포를 따른다.
② 평균은 np이고, 분산은 $npq(q=1-p)$이다.
③ 베르누이 시행을 n번 반복시행 했을 때, 각 시행은 배반이다.
④ n번의 베르누이 시행에서 성공의 확률 p는 모두 같다.

> 해설_ 베르누이 시행을 n번 반복시행 했을 때, 각 시행은 독립이다.

38 어느 대학교에 재학생 전체의 45%가 남학생이며, 남학생 중에는 70%, 여학생 중에는 40%가 흡연을 하고 있다고 한다. 이 대학교의 재학생 중 임의의 한 명을 선택하여 조사한 결과 흡연자임을 알았다. 이 학생이 여학생일 확률은?

① 0.5887
② 0.4112
③ 0.5350
④ 0.4560

> 해설_
> 임의로 한명을 선택했을 때 흡연자일 확률은(㉠ : 남학생 흡연자일 확률) + (㉡ : 여학생 흡연자일 확률)이다.
> ㉠ 전체 학생의 45%가 남학생이고 남학생 중 70%가 흡연자이므로 $0.45 \times 0.70 = 0.315$
> ㉡ 전체 학생의 55%가 여학생이고 여학생 중 40%가 흡연자이므로 $0.55 \times 0.4 = 0.22$
> 따라서 임의로 한 명을 선택했을 때 흡연자일 확률은 $0.315 + 0.22 = 0.535$이고 이 학생이 여자일 확률은 $\dfrac{0.22}{0.535} ≒ 0.4112$이다.

정답 36 ④ 37 ③ 38 ②

39 다음 ( )에 알맞은 것은?

> 정규모집단 $N(\mu, \sigma^2)$으로부터 취한 크기 n의 임의 표본에 근거한 표본평균의 확률분포는 ( )이다.

① $N(\mu, \sigma^2)$
② $N(\mu, \dfrac{\sigma^2}{n})$
③ $N(\dfrac{\mu}{n}, \sigma^2)$
④ $N(\mu, \dfrac{\sigma}{n})$

해설_ 정규모집단 $N(\mu, \sigma^2)$에서 크기 n인 표본의 표본평균 $\bar{x}$는 정규분포 $N(\mu, \dfrac{\sigma^2}{n})$을 따른다.

40 다음 설명 중 틀린 것은?

① 표본평균의 분포는 항상 정규분포를 따른다.
② 모집단의 평균이 μ라고 할 때, 표본평균의 기댓값은 μ이다.
③ 모집단의 표준편차가 σ일 때, 크기가 n인 표본에서 표본평균의 표준편차는 복원추출인 경우 $\sigma/\sqrt{n}$이다.
④ 추정량의 표준편차를 표준오차라 부른다.

해설_ 모집단의 분포가 정규분포가 아닐 경우 표본평균 $\bar{x}$가 정규분포를 따른다고 할 수 없다. 그러나 표본의 크기가 충분히 클 때는 중심극한정리에 의해 표본평균 $\bar{x}$의 분포는 정규분포로 볼 수 있다.

41 다음 중 유의수준에 대한 설명으로 옳은 것은?

① 검정을 할 때 기준이 되는 것으로 제1종 오류를 허용하는 확률범위이다.
② 유의수준은 제2종 오류를 허용하는 확률범위이다.
③ 유의수준이 정해지면 단측검정과 양측검정에서 같은 임계값이 사용된다.
④ 보통 0.05와 0.01이 많이 쓰이며, 0.05에서 채택된 귀무가설이 0.01에서 기각될 수도 있다.

해설_ ①·② 귀무가설이 참임에도 귀무가설을 기각하는 과오를 제1종 오류(과오)라 하며, 오류를 발생시킬 확률이 유의수준 α이다. 이때 α는 제1종 오류를 범할 확률의 최대허용한계를 뜻한다.
③ 유의수준 α가 정해지면 단측검정에서는 Z_α, 양측검정에서는 $Z_{\alpha/2}$를 사용한다.
④ 유의수준 < 유의확률이면 귀무가설을 채택한다. 유의수준 0.05에서 귀무가설이 채택되었으므로 유의확률은 0.05보다 크다. 따라서 유의확률은 0.01보다 크므로 유의수준 0.01에서도 귀무가설을 채택한다.

정답 39 ② 40 ① 41 ①

예상문제

42 A 교양강좌 수강생 300명의 중간고사 성적을 채점한 결과 평균이 75점, 표준편차가 15점이었다. 중간고사에서 60점 이상 90점 이하의 성적을 받은 학생 수는 대략 몇 명이 되겠는가?(단, 중간고사 성적은 정규분포를 따르며, $Z \sim N(0,1)$일 때 $P(Z \geq 1) = 0.159$이다)

① 159명 ② 182명
③ 196명 ④ 205명

해설_ $\mu=75$, $\sigma=15$이고 표준화 공식
$Z=\dfrac{X-\mu}{\sigma}$ 을 이용하면 다음과 같다.
$P(60 \leq X \leq 90)$
$= P(\dfrac{60-75}{15} \leq \dfrac{X-75}{15} \leq \dfrac{90-75}{15})$
$= P(-1 \leq Z \leq 1)$
$P(-1 \leq Z \leq 1) = 2[0.5 - P(Z \geq 1)] = 0.682$
따라서 60점 이상 90점 이하의 성적을 받은 학생 수는 총 수강생 300명×0.682 = 204.6명, 대략 205명이다.

43 다음 중 이항분포를 따르지 않는 것은?

① 주사위를 10번 던졌을 때 짝수의 눈의 수가 나타난 횟수
② 어떤 기계에서 만든 5개의 제품 중 불량품의 개수
③ 1시간 동안 전화 교환대에 걸려오는 전화 횟수
④ 한 농구선수가 던진 3개의 자유투 중에서 성공한 자유투의 수

해설_ 단위시간, 단위면적 또는 단위공간 내에서 발생하는 어떤 사건의 횟수는 포아송분포를 따른다.

44 정규분포 $N(\mu, 4\sigma^2)$를 따르는 모집단으로부터 크기가 $2n$인 임의표본을 추출한 경우 표본평균의 확률분포는?

① $N(\mu, \sigma^2)$ ② $N(\mu, \dfrac{\sigma^2}{n})$
③ $N(\mu, \dfrac{2\sigma^2}{n})$ ④ $N(\mu, \dfrac{4\sigma^2}{n})$

해설_ 모집단분포가 정규분포 $N(\mu, \sigma^2)$을 따를 때, 표본평균의 분포도 정규분포를 따르며 이때 평균은 모집단의 평균과 같고 분산은 모집단의 분산을 표본의 수로 나눈 값이다.
따라서 $N(\mu, \dfrac{4\sigma^2}{2n}) = N(\mu, \dfrac{2\sigma^2}{n})$을 따른다.

정답 42 ④ 43 ③ 44 ③

45 평균이 8이고 분산이 0.6인 정규모집단으로부터 10개의 표본을 임의로 추출하는 경우, 표본평균의 평균과 분산은?

① (0.8, 0.6)
② (0.8, 0.06)
③ (8, 0.06)
④ (8, 0.19)

> **해설** 모집단분포가 정규분포 $N(\mu, \sigma^2)$을 따를 때, 표본평균의 분포는 정규분포 $N(\mu, \frac{\sigma^2}{n})$을 따른다. 문제의 모집단은 정규분포를 따르므로 표본평균은 정규분포 $N(8, \frac{0.6}{10})$을 따른다.

46 X가 $N(\mu, \sigma^2)$인 분포를 따를 경우 $Y = aX + b$의 분포는?

① 중심극한정리에 의하여 표준정규분포 $N(0,1)$
② a와 b의 값에 관계없이 $N(\mu, \sigma^2)$
③ $N(a\mu + b, a^2\sigma^2 + b)$
④ $N(a\mu + b, a^2\sigma^2)$

> **해설** $E(X+b) = E(X) + b$, $Var(aX) = a^2 Var(X)$를 이용한다.

47 표본추출 오차와 비표본추출 오차에 관한 설명으로 틀린 것은?

① 표본추출오차의 크기는 표본의 크기가 증가함에 따라 감소한다.
② 표본추출오차의 크기는 표본크기의 제곱근에 반비례한다.
③ 비표본추출오차는 표본조사와 전수조사에서 모두 발생할 수 있다.
④ 전수조사의 경우 비표본추출오차는 없으나 표본추출오차는 상당히 클 수 있다.

> **해설** 표본추출오차는 표본추출 과정에서 발생하는 오차이다. 따라서 전수조사에서는 표본추출오차가 없다. 비표본추출오차는 표본추출 이외의 과정에서 발생하는 오차를 말하는 것으로서, 일반적으로 측정상의 오차를 의미하며, 표본조사와 전수조사에서 모두 발생할 수 있다.

정답 45 ② 46 ④ 47 ④

예상문제

48 어느 대학교 학생들의 환경보호에 대한 여론을 조사하기 위해 그 대학 내 학생 정원 가운데 각 학년별 학생수를 고려하여 학년별 표본 크기를 우선 정하고 표본추출을 행하였다면 이는 무슨 방법에 의한 것인가?

① 집락표본추출
② 계통표본추출
③ 단순무작위표본추출
④ 층화표본추출

> 해설_ ④ 층화표본추출은 모집단을 보다 동질적인 몇 개의 층(Strata)로 나눈 후, 이러한 각 층으로부터 단순무작위표집하는 방법이다.
> ① 집락표본추출은 모집단 목록에서 구성요소에 대해 여러 가지 이질적인 구성요소를 포함하는 여러 개의 집락 또는 집단으로 구분한 후 집락을 표집단위로 하여 무작위로 몇 개의 집락을 표본으로 추출한 다음, 표본으로 추출된 집락에 대해 그 구성요소를 전수 조사하는 방법이다.
> ② 계통표본추출은 모집단 목록에서 구성요소에 대해 일정한 순서에 따라 매 k번째 요소를 추출하는 방법이다.
> ③ 단순무작위표본추출은 의식적인 조작이 전혀 없이 표본을 추출함으로써 어떤 요소의 추출이 계속되는 다른 요소의 추출 기회에 아무런 영향을 미치지 않는다.

49 층화표본 추출방법에 관한 설명으로 틀린 것은?

① 모집단을 특정한 기준에 따라 서로 상이한 소집단으로 나누고 이들 각각의 소집단들로부터 빈도에 따라 적절한 일정수의 표본을 무작위로 추출하는 방법이다.
② 무작위로 표본을 추출할 때 보다 표본의 대표성을 높일 수 있는 방법이다.
③ 확률표본추출방법 중 가장 많은 시간·비용 및 노력을 절약할 수 있다.
④ 모집단을 일정한 분류기준에 따라 소집단들로 분류한 후 각 소집단별로 표본을 추출한다는 점에서 할당표본추출방법과 유사하다.

> 해설_ 층화표본추출방법은 모집단을 보다 동질적인 몇 개의 층으로 나눈 후, 이러한 각 층으로부터 단순무작위표본추출을 하는 방법이다. 전체 모집단에서 표본을 선정하기보다 이미 알고 있는 지식을 이용하여 모집단을 동질적인 부분집합으로 나누고 이들 각각으로부터 적정한 수의 요소를 선정하게 된다. 따라서 모집단에 대한 지식이 없으면 소요되는 시간·비용이 클 수 있다.

정답 48 ④ 49 ③

2025 단·축·키 빅데이터 분석기사 필기 1과목, 2과목

초판 2쇄 인쇄 | 2025년 01월 24일
초판 2쇄 발행 | 2025년 01월 24일

지은이 | 김 계 철
발 행 인 | 김 계 철
발 행 처 | (주)에이아이 에듀
　　　　　서울특별시 강남구 영동대로 602, 6층 제이102(삼성동)
　　　　　전화 070-4007-1867
　　　　　홈페이지 www.adsp.co.kr
　　　　　이메일 emhu8640@gmail.com
등록번호 | 제2022-000048호

※ 잘못된 책은 교환해 드립니다.
※ 이책은 저작권법에 의해 보호를 받는 저작물이므로 무단전재와 복제를 금합니다.

2025 단·축·키 빅데이터 분석기사 필기 1과목, 2과목

초판 2쇄 인쇄 | 2025년 01월 24일
초판 2쇄 발행 | 2025년 01월 24일

지 은 이 | 김 계 철
발 행 인 | 김 계 철
발 행 처 | (주)에이아이 에듀
　　　　　서울특별시 강남구 영동대로 602, 6층 제이102(삼성동)
　　　　　전화 070-4007-1867
　　　　　홈페이지 www.adsp.co.kr
　　　　　이메일 emhu8640@gmail.com
등록번호 | 제2022-000048호

※ 잘못된 책은 교환해 드립니다.
※ 이책은 저작권법에 의해 보호를 받는 저작물이므로 무단전재와 복제를 금합니다.